JOHANN-CHRISTOPH EMMELIUS

Tendenzkritik und Formengeschichte

JOHANN-CHRISTOPH EMMELIUS

Tendenzkritik
und Formengeschichte

Der Beitrag Franz Overbecks
zur Auslegung der Apostelgeschichte
im 19. Jahrhundert

VANDENHOECK & RUPRECHT
IN GÖTTINGEN

Forschungen zur Kirchen- und Dogmengeschichte

Band 27

CIP-Kurztitelaufnahme der Deutschen Bibliothek

Emmelius , Johann-Christoph
Tendenzkritik und Formengeschichte: der Beitr. Franz Overbecks
z. Auslegung d. Apostelgeschichte im 19. Jahrhundert.
  (Forschungen zur Kirchen- und Dogmengeschichte; Bd. 27)
ISBN 3-525-55132-0

VORWORT

Die vorliegende Untersuchung wurde in der Zeit vom Frühjahr 1966 bis zum
Herbst 1970 erarbeitet, im Oktober 1970 unter dem Titel: "Tendenzkritik
und Formengeschichte. Franz Overbecks Beitrag zur Auslegung der Apostelgeschichte" der Fakultät der Abteilung für Evangelische Theologie an der
Ruhr-Universität Bochum eingereicht und aufgrund der Gutachten von Professor Dr. M. Tetz und Professor Dr. E. Gräßer im April 1971 als Dissertation angenommen. Für die Veröffentlichung wurde die Arbeit mit Zustimmung
der Fakultät leicht überarbeitet und gekürzt; inhaltlich ins Gewicht fallende
Änderungen wurden dabei nicht mehr vorgenommen.

Etwa gleichzeitig mit dieser Untersuchung erscheint die Marburger Dissertation von Arnold Pfeiffer: Franz Overbecks Kritik des Christentums. Eine weitere Arbeit über Overbeck, die amerikanische Dissertation von John Elbert
Wilson, Jr.: Continuity and Difference in the Course of Franz Overbeck's
Thought. An Analysis of Overbeck's Concept of the Relation Between History
and Religion (Claremont Graduate School, 1975), liegt bislang allein in Gestalt einer photomechanischen Vervielfältigung vor. Während Pfeiffer und
Wilson die ursprüngliche, noch ungekürzte Fassung meiner Dissertation ein-
gesehen haben und darauf Bezug nehmen, hatte ich zu meinem Bedauern nicht
die Möglichkeit, die Untersuchungen dieser Autoren rechtzeitig zu lesen und
zu verarbeiten. Ebenso bedaure ich, daß das Buch von Ward Gasque: A History of the Criticism of the Acts of the Apostles (Beiträge zur Geschichte der
biblischen Exegese 17. Tübingen, 1975) erst erschien, als ich das Manuskript
meiner Arbeit bereits nicht mehr in Händen hatte. Ich möchte jedoch wenigstens an dieser Stelle auf den Abschnitt über Overbeck bei Gasque, S. 80-86
ausdrücklich verweisen.

Herr Professor Dr. Martin Tetz hat das Entstehen meiner Dissertation von
Beginn an mit einer Vielzahl anregender Hinweise, mit großer Geduld und
kritischem Rat begleitet. Er hat mir als seinem Assistenten vom WS 1969
bis zum Oktober 1970 nahezu vollständige Freiheit von allen übrigen Dienst-
geschäften zur Niederschrift des Erarbeiteten gewährt. Er hat schließlich
die Veröffentlichung der Untersuchung entscheidend gefördert. Ihm gilt daher in erster Linie mein Dank. Zu danken habe ich ferner dem Konservator
der Handschriften in der Universitätsbibliothek zu Basel, Herrn Dr. Max
Burckhardt, der mir die Bearbeitung des Franz-Overbeck-Nachlasses unter
außerordentlich günstigen Bedingungen ermöglichte. In gleicher Weise danke ich den Mitarbeitern der Universitätsbibliothek Bochum für die unermüd-

liche Hilfe beim Beschaffen der Literatur, die in den Anfangsjahren der Bochumer Universität zum überwiegenden Teil von außerhalb besorgt werden mußte. Ich danke schließlich Herrn Dr. Arnd Ruprecht und den Mitarbeitern des Verlags für die Übernahme der Untersuchung und die sorgfältige Erledigung der Schreibarbeiten.

Ich widme das Buch dem Gedächtnis an meinen Lehrer, den Theologen und Historiker Dr.Dr. Eduard Golla.

Loccum, im August 1975   J.C.E.

INHALT

Vorwort.. 5

Einleitung: Zum Gegenstand und zur Fragestellung der Untersuchung 13

1. Zum Gegenstand................................. 13
   a) Overbecks AG-Auslegung als Beitrag zur 'wissen-
      schaftlichen Aufklärung über das Christentum'........... 13
   b) Overbecks AG-Auslegung als exemplarisches Arbeits-
      gebiet seiner historisch-kritischen Forschung........... 14
   c) Overbecks AG-Auslegung in der Literatur 15

2. Zur Fragestellung 17
   a) Overbecks AG-Auslegung als Dokument der Ausle-
      gungsgeschichte.................................. 17
   b) Konzentration auf die leitenden Gesichtspunkte der
      AG-Auslegung Overbecks 18

Kapitel I: Overbecks Übernahme der historisch-kritischen
Methode... 19

1. Zwei programmatische Bekenntnisse Overbecks zur
   historisch-kritischen Methode......................... 19
   a) Erstes Jenaer Kolleg.............................. 19
   b) Basler Antrittsvorlesung 21

2. Overbecks Verständnis der historisch-kritischen Methode
   und ihrer Implikationen.............................. 22
   a) Aufhebung der dogmatischen Begriffe des Kanons und
      des Kirchenvaters................................. 22
   b) Deskription - Überlieferung - Kritik - Wahrscheinlich-
      keit der Resultate 25
   c) Vorentwurf geschichtlicher Wirklichkeit 28
      aa) Ontologische Gleichartigkeit aller geschichtlichen
          Wirklichkeit 28
      bb) Geschichtliche Wirklichkeit als geschlossener
          Wirkungszusammenhang 29
      cc) Destruktion der 'Formen' der christlichen
          Religion.................................... 32
   d) Geschichte als Wissenschaft von der Zeit der Dinge 34

3. Vergleich von Overbecks Verständnis der historisch-
   kritischen Methode mit den Ideen Baurs und Nietzsches 39
   a) Vergleich mit Baur................................ 39
   b) Vergleich mit Nietzsche........................... 44
   c) Resultat 51

Kapitel II: Overbecks forschungsgeschichtlicher Ausgangspunkt:
Die tendenzkritische AG-Auslegung der Tübinger
Schule 53

1. Grundzüge der frühesten AG-Auslegung Overbecks 53

   a) Mythische Bestandteile 53
   b) Tendenzcharakter 54
   c) Verhältnis zu den paulinischen Briefen 56
   d) Tendenzcharakter und Quellenwert 57

2. Entstehung der tendenzkritischen Fragestellung Baurs 58

   a) 'Rationalistische' Schriftauslegung 59
   b) Strauß' mythische Kritik 61
   c) Baurs Auseinandersetzung mit Strauß; seine Begrün-
      dung der tendenzkritischen Fragestellung 61

3. Baurs Verständnis der AG 65

   a) Erste Phase: Von 1829 bis 1835 65
   b) Zweite Phase: Von 1836 bis 1860 70

Kapitel III: Overbecks Frage nach der Form der AG I:
Die AG als schriftstellerische Komposition 77

1. Vorbemerkungen 77

   a) Vorläufige Abgrenzung der Formenfrage Overbecks
      von der formgeschichtlichen Methode 77
   b) Überlegungen zum Beginn der formengeschichtlichen
      Arbeit Overbecks 78

2. Overbecks Frage nach den Formen im AG-Komm 79

   a) Analyse der Komposition der AG 79
   b) Folgerungen aus der Kompositionsanalyse für
      das Verständnis der AG 82

      aa) Die AG - kein schlichter Geschichtsbericht 82
      bb) Die AG - kein Aggregat von Quellen 83
      cc) Die AG - eine theologische Tendenzschrift 83

3. Overbecks Frage nach den Formen in anderen Texten
bis zum Jahre 1870 84

   a) Specimen 84
   b) LC 1865 (Rez Strauß) 85
   c) Entstehung 85
   d) Overbecks Auseinandersetzung mit Nitzsch in der
      ersten Fassung der Vorl LG 86

4. Vergleich der Formenfrage Overbecks mit der formge-
schichtlichen Methode. 89

   a) Unterschiede. 89
   b) Gemeinsamkeiten. 91

5. Zur Vorgeschichte der Formenfrage Overbecks 92

   a) Vorläufer für Overbecks Fassung der Patristik als
      altchristliche Literaturgeschichte 93
   b) Vorläufer für Overbecks Formen- bzw. Komposi-
      tionsanalyse 94

      aa) Baur; Zeller 94
      bb) B. Bauer, Johannes 95
      cc) Weiße 97
      dd) Wilke 99
      ee) B. Bauer, Synoptiker; ders., Evangelien 102
      ff) Resultat 105

Kapitel IV: Overbecks Weiterführung der Tendenzkritik:
            Standpunkt und Zweck der AG. 107

1. Zurückweisung der rein historischen Zweckbestimmung
und ihrer Abwandlungen 107

2. Wandlung der Auffassung Overbecks zwischen dem
WS 1868/69 und dem SS 1870 110

3. Bestimmung von Standpunkt und Zweck der AG im Korpus
des AG-Komm (Auslegung von AG 1,1 - 21,16) 112

   a) Überblick über Overbecks Interpretation von
      AG 1,1 - 21,16 112
   b) Zuordnung der Interpretation Overbecks zu seiner
      früheren Auffassung 114

4. Bestimmung von Standpunkt und Zweck der AG in der
Einleitung des AG-Komm 115

   a) Zellers Interpretation der Tendenz der AG 116
   b) Overbecks Auseinandersetzung mit Zeller 119

      aa) Die vier Enthaltungsgebote des Aposteldekrets 119
      bb) Die Gesetzesverpflichtung der Judenchristen 120
      cc) Der nationale Antijudaismus der AG 121
      dd) Resultat 122

   c) Retardierende Momente in Overbecks neuem Ge-
      samtverständnis der AG 122
   d) Bestimmung des politischen Nebenzwecks der AG 125

5. Diskussion mit Hilgenfeld nach dem Erscheinen des
   AG-Komm 129

   a) Hilgenfelds Rezension des AG-Komm 129
   b) Overbecks Antwort....................................... 130

6. Präzisere Bestimmung von Standpunkt und Zweck der
   AG aufgrund des Vergleichs mit Justin 132

   a) Degeneration des Paulinismus 133
   b) Strittigkeit der Person des Paulus 134

7. Overbecks Festhalten an den erreichten Einsichten in
   der Zeit nach 1872; Überprüfung der Schlüssigkeit seiner Konzeption 135

   a) Genesis der altkatholischen Kirche 135
   b) Standpunkt und Zweck der AG 137
   c) Immanente Kritik der Konzeption Overbecks 138

      aa) Thematischer Rang der Apologie des Paulus in der
          AG.. 139
      bb) Verknüpfung der Person des Paulus mit dem Geset-
          zesproblem 141

8. Zur Vorgeschichte der Abweichung Overbecks von der
   AG-Auslegung der Tübinger Schule 143

   a) Ritschl, Altk Kirche, 2. Aufl., 1857 143
   b) Ritschl, Th Jbb 1847................................... 144
   c) B.Bauer, AG 146
   d) Zum Problem der Abhängigkeit Overbecks von
      Ritschl 148

Exkurs: Overbecks Auslegung der AG und die Forschung
         zwischen 1870 und dem Ende des 19. Jahrhun-
         derts 151

   1. Overbeck und die konservative AG-Forschung 151

   2. Overbeck und die kritische AG-Forschung 154

   3. Overbeck und die Versuche der Quellenscheidung
      in der AG 157

   a) Wiederaufleben der Quellenkritik um 1885............. 157
   b) Overbecks Reaktion 158

Kapitel V: Overbecks Frage nach der Form der AG II:
           Die AG und die Anfänge der Kirchengeschichts-
           schreibung 162

   1. Overbecks Begriffe Urliteratur und Urgeschichte 162

a) Urliteratur 162

   aa) Unterscheidung von Urliteratur und patristi-
      scher Literatur 162
   bb) Folgerungen für die AG 168

b) Urgeschichte.. 169

   aa) Merkmale des Begriffs........................... 169
   bb) Unmöglichkeit von Geschichtsschreibung während
      der Urgeschichte 170

2. Overbecks Begründung des nicht-historiographischen
   Charakters der AG in Vorl AK (WS 1872/73) 172

a) Begriff der Kirche als Objekt der Geschichtsschreibung.. 172
b) Anfang der Kirchengeschichtsschreibung ·············· 173

3. Zwei zusätzliche Argumente gegen den historiographischen Charakter der AG in Anfänge KG 1876 ·············· 177

a) Argumentation unter Voraussetzung des dogmatischen Kanonbegriffs 177
b) Verweis auf das urchristliche Verhältnis zur
   Geschichte 178

4. Modifikation der Auffassung Overbecks in späteren Texten ... 180

a) Overbecks modifizierte Argumentation in Anfänge KG
   1892.. 180
b) Overbecks Interpretation des Zusammenhangs von
   Lukevgl und AG...................................... 182
c) Weitere historiographische Indizien und deren begrenz-
   te Tragweite 186
d) Resultat ·· 192

Schluß: Overbecks Beitrag zur historisch-kritischen Auslegung
   der AG ·· 195

Anmerkungen ·· 201

Verzeichnis der Abkürzungen ·······················:··· 291

Zum Verfahren bei Zitaten und Verweisen ···················· 292

Literaturverzeichnis ·· 295

Einleitung: ZUM GEGENSTAND UND ZUR FRAGESTELLUNG DER
UNTERSUCHUNG

1. Zum Gegenstand

a) Overbecks AG-Auslegung als Beitrag zur 'wissenschaftlichen Aufklärung über das Christentum'

"Predigen kann man heute nicht mehr über die Apg."[1] Dieser Satz, den Ovb in einer kritischen Glosse zu K. Geroks Buch: Die Apostelgeschichte in Bibelstunden ausgelegt[2] noch während seiner Jenaer Zeit niederschrieb, ruht auf zwei Prämissen. Erstens hält Ovb die AG für eine Schrift, die den Gebildeten seiner Gegenwart vor so viele Probleme stellt, daß sie nur auf dem Wege methodischer Kritik befriedigend ausgelegt und verstanden werden kann. Oder umgekehrt: Ovb setzt voraus, daß die historisch-kritische Wissenschaft das naiv-unmittelbare Verständnis der AG so gründlich destruiert und so erfolgreich ersetzt hat, daß Recht und Notwendigkeit dieser Wissenschaft der AG gegenüber außer Zweifel stehen. Die wissenschaftliche Kritik aber - das ist die zweite Prämisse - ist mit "erbaulichem Gebrauch"[3] eines Textes unverträglich und schließt die Möglichkeit, darüber zu predigen, aus. Dieser Gedanke klingt in dem Satz: "Kritik gehört weder positiv noch negativ in die Kirche."[4] erst an. Er tritt in aller Schärfe zutage, wenn Ovb daraus nicht den Schluß herleitet, 'in der Kirche' habe man den kritischen Umgang mit einem Bibeltext zugunsten seiner erbaulichen Vergegenwärtigung in der Predigt zu dispensieren, sondern folgert: "Für den kirchlichen Gebrauch müssen wir uns auf Bibelabschnitte beschränken, welche den Gebildeten der Gegenwart nicht auf Schritt und Tritt mit seinem Verstand in Conflict bringen."[5] Hiermit ist gesagt: Ein und derselbe Text kann nicht, weil er dem verständigen Leser fragwürdig ist, Gegenstand wissenschaftlicher Kritik sein und zugleich weiterhin als eine Quelle religiöser Erbauung in Anspruch genommen werden. Es ist nur jeweils eines von beidem möglich. Der Satz von Ernst Fuchs, die historisch-kritische Methode der Auslegung neutestamentlicher Texte habe "ihren Dienst dann getan, wenn sich aus dem Text die Nötigung zur Predigt"[6] ergebe, bezeichnet darum den exakten Gegensatz zu der Position Ovb's. Für Ovb kommt ein biblischer Text, sobald er überhaupt zum Gegenstand historisch-kritischer Auslegung wird, als Predigttext nicht mehr infrage. Die Behauptung: "Predigen kann man heute nicht mehr über die Apg." hat deswegen ihr Korrelat in der These: "Man kann sich mit ihr heutzutage nur noch (sei es nun positiv oder negativ) kritisch auseinandersetzen."[7]

Die Einsicht in die Notwendigkeit historischer Kritik und die gleichzeitige Überzeugung, daß Predigt und Kritik, erbaulicher und wissenschaftlicher Umgang mit einem Text nicht bloß zu unterscheiden sind, sondern einander ausschließen[8], lassen erkennen, in welchem Sinn Ovb die Auslegung des NT betrieben hat und was er von ihr erwartete. Kritische Auseinandersetzung, wie Ovb sie versteht, bedient sich profaner Methoden und zielt auf den Gewinn historischer Erkenntnis und auf nichts sonst[9]. Ist sie in diesem

Sinn ein Unternehmen untheologischer Art, so heißt das freilich nicht, daß sie auch theologisch indifferent wäre[10]. Im Gegenteil! Weil geschichtliche Tatsachen religiöse Bedeutung nur haben, "sofern sie <u>unmittelbar</u> so geglaubt werden"[11], historische Forschung diese Unmittelbarkeit aber aufhebt und ein Verständnis des Urchristentums gewinnen läßt "nur um den Preis gänzlicher Lossagung von ihm, um den Preis der Erkenntnis, wie fern man ihm steht"[12], kann Ovb an der Folgerung nicht vorbei, daß die "Wissenschaft ... für das Christenthum als Religion zerstörend"[13] ist. Dem christlichen Glauben räumt er nur dort eine Chance ein zu überleben, wo ein kritisches Wissen von seinen grundlegenden Urkunden und seiner Geschichte entweder fehlt oder wenigstens rigoros und konsequent übersehen wird[14]. In jedem anderen Fall vernichtet das Wissen die Fundamente des Glaubens[15], ohne in der Lage zu sein, sie zu ersetzen[16]. Wer entschlossen ist, das NT und die Kirchengeschichte zum Gegenstand kritischer Auseinandersetzung zu machen, betritt daher einen Weg, der nach Ovb's Überzeugung unweigerlich zu dem Eingeständnis führt: "Um an das Christentum zu glauben, wissen wir zuviel davon, und um im Sinne der Kirche davon zu wissen, beruht zuviel davon nur auf Glauben."[17]

Ovb ist diesen Weg gegangen und hat - im klaren Bewußtsein der Implikationen seines Tuns - die wissenschaftliche Aufklärung über das Christentum[18] zu seiner Lebensaufgabe gemacht. Zu der Arbeit, die er an die Erfüllung dieser seiner Lebensaufgabe gesetzt hat, gehört auch seine Auslegung der AG[19]. Indem die vorliegende Untersuchung es unternimmt, Ovb's Auslegung der AG in ihren Grundzügen zu beschreiben, hält sie sich mit Absicht <u>im Vorfeld</u> derjenigen Aufgaben, die eine systematisch-theologische Interpretation des Ovb'schen Denkens stellt. Die vorliegende Untersuchung geht von der Annahme aus, daß Ovb's Urteil über die christliche Religion, die Tragweite seiner Theologiekritik und das Anliegen der von ihm ins Auge gefaßten kritischen Theologie[20] nur dann angemessen verstanden und gewürdigt werden können, wenn ihr Ursprungsort gebührende Aufmerksamkeit findet. Der Ort, an welchem sich Ovb seine kritischen Gedankengänge aufdrängten und bewährten, liegt aber in seiner Arbeit als historisch-kritischer Forscher. Ihn hier zu beobachten und einen begrenzten Sektor seiner Forschung im Blick auf die befolgte Methode und die erzielten Resultate darzustellen, ist die Aufgabe dieser Untersuchung über Ovb's historisch-kritische Interpretation der AG.

b) Overbecks AG-Auslegung als exemplarisches Arbeitsgebiet seiner
   historisch-kritischen Forschung

Die Auslegung der AG darf aus zwei Gründen als ein für Ovb's historisch-kritische Forschung exemplarisches Arbeitsgebiet angesehen werden.

Erstens hat sich Ovb kontinuierlich, während aller Phasen seiner akademischen Wirksamkeit mit der AG beschäftigt. Von anderem abgesehen beweist dies schon die Liste seiner Vorlesungen, die Tetz in Overbeckiana II zusammengestellt hat[21]: Vom SS 1865 bis zum WS 1895/96 hat Ovb insge-

samt zehnmal über die AG gelesen, d.h. öfter als über jedes andere neutestamentliche Buch oder neutestamentliche Thema. Erwähnt sei auch, daß
Ovb noch in dem Arbeitsprogramm, das er am 27./29.3.1897 "für die mir
mit dem Abschied Frühjahr 1897 gewährte Muße und Freiheit"[22] aufstell-
te, auch die AG berücksichtigte[23]; zu einer Erfüllung dieses Programms
reichten seine Kräfte allerdings nicht mehr aus.

Zweitens ist der Quellenbefund für die Erkenntnis der AG-Auslegung Ovb's
besonders günstig. Zwar ist von den zehn Vorlesungen Ovb's über die AG
lediglich das Manuskript der letzten vom WS 1895/96 erhalten[24]. Dieser
Mangel wird jedoch mehrfach ausgeglichen. Zunächst ist Ovb auch in anderen, nicht thematisch der Erklärung der AG gewidmeten Vorlesungen auf
die Interpretation dieses Buches eingegangen. Am wichtigsten sind die Vorlesungen über den Galaterbrief[25], die Geschichte des apostolischen Zeitalters[26] und die Einleitung in das NT[27]. Sodann befinden sich unter den
Collectaneen Ovb's zwei Kästen mit zusammen ca. 1800 Blättern, deren
Inhalt ausschließlich die AG betrifft[28]. Sie werden z.T. wertvoll ergänzt
durch den Lukas-Teil des Kastens über die Synoptiker[29] und durch verschiedene Artikel aus Ovb's "Kirchenlexicon"[30]. Die gewichtigsten Dokumente seiner Beschäftigung mit der AG liegen schließlich in den beiden Arbeiten vor, die Ovb selbst zu diesem Thema veröffentlicht hat: in seinem
AG-Komm, der umfangreichsten Publikation Ovb's überhaupt, und in seiner Abhandlung: Über das Verhältniss Justins des Märtyrers zur Apostelgeschichte[31].

c) Overbecks AG-Auslegung in der Literatur

In der speziell über Ovb handelnden Literatur ist Ovb's Auslegung der AG
- von zwei gleich zu nennenden Ausnahmen abgesehen - nur sehr am Rande
berücksichtigt[32], z.T. geradezu übersehen worden[33]. Dieser Umstand
hängt zweifellos mit dem überwiegend systematischen Interesse zusammen,
das Ovb bisher gefunden hat. Er stellt jedoch einen Mangel dar, der beho-
ben werden muß, soll es zu einer sachgerechten, die Proportionen wahren-
den Würdigung Ovb's kommen. Denn die Randstellung, in welche seine Beschäftigung mit der AG in der Literatur gedrängt ist, steht nicht nur im
Mißverhältnis zu der faktischen Arbeit, die Ovb diesem Buch gewidmet hat,
und zu dem Raum, den der AG-Komm und die Abhandlung ZwTh 1872 unter
seinen Publikationen einnehmen; sie bildet vielmehr auch einen auffälligen
Kontrast zu dem wissenschaftlichen Rang, der von berufener Seite der exegetischen Leistung Ovb's zugesprochen wurde: Gelehrte wie Holsten[34],
Lipsius[35], Hilgenfeld[36], Holtzmann[37], Weiß[38], Jülicher[39] und Wellhausen[40] haben dem Kommentar Ovb's die höchste Anerkennung gezollt, und
noch 1922 schrieb Mc Giffert in den Beginnings of Christianity: "Overbeck's
work was far and away the most important discussion of the subject that
had appeared since Zeller's, and it still remains in many respects the
best commentary we have."[41]

In den einschlägigen Darstellungen der Geschichte der AG-Forschung hat

Ovb seinen festen Platz[42]. Außerhalb dieses Rahmens haben nur P.W.
Schmidt und Vielhauer in zwei Aufsätzen Ovb's Auslegung der AG einge-
hender behandelt.

Als zu Beginn unseres Jahrhunderts Harnack das Rad der Kritik energisch
zurückdrehte und unter Preisgabe eigener früherer Ansichten den Versuch
machte, die traditionellen Annahmen über die AG und ihren Verfasser auf
breiter Front wieder zur Geltung zu bringen[43], wählte P.W. Schmidt mit
sicherem Blick für die wissenschaftliche Alternative den damals immerhin
schon vierzig Jahre alten Kommentar Ovb's, um auf ihn gestützt das Unternehmen Harnacks zurückzuweisen. Das Ergebnis seiner Konfrontation
faßte er in die Sätze: "Für die rein wissenschaftliche Beurteilung des Lk-
Werkes hat Ov in allem Wichtigen die am ehesten gangbaren Wege gezeigt.
In dem Masse dagegen, als der Versuch H's, das geschichtliche Ansehen
der Act zu steigern, wirklich gelänge, würde ein entsprechendes Sinken
des Geschichtswerts unserer Pl-Briefe die unausweichliche Folge sein.
Diejenige Kritik, welche diese Briefe an die Seite Marcions ins zweite Jahrhundert verweist, wäre die einzige, die an solchem Erfolge der Lk-For-
schung eine Freude haben könnte."[44]

Dieses Urteil Schmidts bestätigt auf ihre Weise Vielhauers Göttinger Probevorlesung: Franz Overbeck und die neutestamentliche Wissenschaft[45],
in der Vielhauer Ovb's AG-Komm als seine zweifellos "bedeutendste Leistung"[46] auf dem Felde neutestamentlicher Kritik würdigte. Das besondere
Interesse, das der Vorlesung Vielhauers zukommt, liegt in dem forschungsgeschichtlichen Moment begründet, in dem sie entstand: Sie wurde am
22.4.1950 vor der theologischen Fakultät der Universität Göttingen gehalten[47] und erschien im gleichen Jahrgang der EvTh (10, 1950/51) wie der
Aufsatz: Zum "Paulinismus" der Apostelgeschichte[48], mit dem Vielhauer
zu den entscheidenden Initiatoren der redaktionsgeschichtlichen Lukas-
Forschung gehört[49]. Dieses zeitliche Zusammenfallen des Rückblicks auf
Ovb und des Eintritts in die neueste, von der "Frage nach einer möglichen
Theologie des Lukas"[50] geprägte Phase der AG-Auslegung kann um so weniger für zufällig gehalten werden, als Vielhauer auch in seinem Aufsatz
über den 'Paulinismus' der AG auf Ovb hingewiesen und eine Berührung
seiner eigenen Resultate mit der Konzeption Ovb's wenigstens angedeutet
hat[51]. Die Konvergenz ist in der Tat unübersehbar! Ein Vergleich der
beiden Aufsätze Vielhauers zwingt zu der Einsicht, daß Ovb mit seiner auf
die schriftstellerische und theologische Leistung des Lukas gerichteten
Fragestellung, in der Beurteilung des 'Paulinismus' der AG und mit der
theologiegeschichtlichen Zuordnung dieses Buchs zur werdenden frühkatholischen Kirche der lukanischen Redaktionsgeschichte vorangegangen ist.

Seit dem Erscheinen von Vielhauers Probevorlesung ist die Ovb-Forschung
durch Tetz auf ein neues Fundament gestellt worden. Tetz hat den im Besitz der Universitäts-Bibliothek zu Basel befindlichen, wissenschaftlichen
Nachlaß Ovb's geordnet, in Overbeckiana II ein beschreibendes Verzeichnis desselben publiziert und dadurch einer systematischen Erforschung
von Ovb's Lebenswerk allererst die Wege geebnet.

Die vorliegende Untersuchung ist durch die Aufsätze Vielhauers angeregt
worden und dank der Arbeit Tetz' in der Lage, erstmals auch Ovb's wissenschaftlichen Nachlaß für die Rekonstruktion seiner Beschäftigung mit
der AG auszuwerten. Sie wird das von Vielhauer gezeichnete Bild der Konzeption Ovb's in einigen Punkten nicht unerheblich modifizieren. Ob sich
die versuchte Rekonstruktion der AG-Auslegung Ovb's dennoch "lohnt",
wie Haenchen von der Lektüre des Ovb'schen Kommentars urteilt[52], muß
die Darstellung selbst ergeben.

2. Zur Fragestellung

a) Overbecks AG-Auslegung als Dokument der Auslegungsgeschichte

Die vorliegende Untersuchung versteht sich als Beitrag zur Auslegungsgeschichte. Sie beabsichtigt also nicht, in die aktuellen Bemühungen um die
Interpretation der AG direkt einzugreifen. Ihr Vorgehen ist von daher bestimmt und begrenzt. Ginge es darum, in die gegenwärtigen exegetischen
Bemühungen direkt einzugreifen, so wäre es notwendig, zunächst innerhalb
der heutigen Forschung gewisse Problemkomplexe zu erarbeiten, um dann
zu Ovb zurückzufragen und seine Konzeption den Fragestellungen und Lö-
sungsversuchen der Gegenwart zu konfrontieren. Stattdessen ist es die Absicht dieser Arbeit, Ovb's Auslegung der AG als Beitrag zur neutestamentlichen Wissenschaft ihrer Zeit darzustellen, also als das, was sie selbst
sein wollte und wofür Ovb allein die wissenschaftliche Verantwortung trägt.
Für diese Umgrenzung der Aufgabe sind zwei Gründe ausschlaggebend:

Erstens erscheint es wenig sinnvoll, Ovb und die heutige Forschung neben-
einanderzustellen, solange Ovb's Nachlaß noch unausgewertet ist und eine
umfassende Untersuchung seiner Arbeit an der AG noch fehlt. Die Stoffül-
le, die eine solche Untersuchung zu bewältigen hat, begründet eine Aufgabe
für sich, deren Lösung sich nur um den Preis der Gründlichkeit mit einer
Teilnahme an der aktuellen Diskussion verbinden ließe.

Zweitens macht es der historische Abstand, der uns von Ovb trennt, fraglich, ob der eben angedeutete Ausgang von der Gegenwart überhaupt den
rechten Zugang zum Werk Ovb's eröffnet. Eine wissenschaftliche Arbeit,
die vor 70-100 Jahren getan wurde, wird von Fragen bewegt, die sich unmittelbar so heute gar nicht mehr stellen. Ihr Autor kommt darum, welches auch immer seine Resultate sein mögen, als direkter Gesprächspartner gar nicht mehr in Betracht[1]. Das bedeutet gewiß nicht, daß von einer
solchen Arbeit nichts mehr zu lernen ist - darüber kann vielmehr nur im
konkreten Fall, nicht aufgrund der abstrakten Tatsache des historischen
Abstands vorweg entschieden werden. Es bedeutet jedoch, daß man sich
der Möglichkeit zu lernen von vornherein begibt, wenn man darauf verzichtet, eine wissenschaftliche Arbeit in ihren eigenen, der heutigen Forschung
zunächst fremden Konturen nachzuzeichnen. Eben dies ist aber die Aufgabe der Auslegungsgeschichte, die der Exegese das Bewußtsein dafür wach-
zuhalten hat, daß nicht nur ihre Texte, sondern auch die Ausleger, die sich

in der Vergangenheit mit ihnen beschäftigt haben, Gegenstand historischer Interpretation sein müssen, sollen sie als Gesprächspartner wirklich sie selbst bleiben[2].

b) Konzentration auf die leitenden Gesichtspunkte der AG-Auslegung Overbecks

Auf eine Darstellung des Details der AG-Auslegung Ovb's muß die vorliegende Untersuchung verzichten[3]. Sie beschränkt sich darauf, in thematischer Konzentration auf die leitenden Gesichtspunkte die Interpretationsarbeit Ovb's in ihren Grundzügen zu beschreiben.

Zur Anordnung der Kapitel, die als Studien konzipiert sind, also eine gewisse Selbständigkeit zeigen und auch jeweils für sich verständlich sind, sei folgendes vorweg bemerkt:

In Kapitel I werden die Implikationen der historisch-kritischen Methode, wie Ovb sie versteht, dargelegt. Es wird auf diese Weise einleitend versucht, die Verklammerung der theologiekritischen Position Ovb's mit seiner Arbeit als Historiker aufzudecken und den allgemeinen Horizont zu umschreiben, innerhalb dessen sich im besonderen auch seine Auslegung der AG vollzieht.

Die Begriffe 'Tendenzkritik' und 'Formengeschichte' umschreiben die Eigenart der Fragestellung, die Ovb's Auslegung der AG ihr Gepräge gibt. Die Thematik der Kapitel II-V erhält von hier aus ihre Berechtigung und ihren Sinn. In Kapitel II werden die frühesten, vor dem Erscheinen des AG-Komm (1870) entstandenen Zeugnisse für die Beschäftigung Ovb's mit der AG besprochen. Sie bilden die Grundlage, um die tendenzkritische AG-Auslegung der Tübinger Schule, die exemplarisch an Hand der einschlägigen Arbeiten Baurs beschrieben wird, als den forschungsgeschichtlichen Ausgangspunkt Ovb's zu bestimmen. Bevor in Kapitel IV die Weiterführung der Tendenzkritik, die Ovb in der Auseinandersetzung namentlich mit Zeller und Hilgenfeld vornimmt, dargestellt wird, wenden wir uns in Kapitel III der ersten Gestalt der formengeschichtlichen Fragestellung Ovb's zu. Die Anordnung des Kapitels III vor Kapitel IV entspricht dem methodischen Vorrang, den Ovb im AG-Komm der Kompositionsanalyse gegenüber der Bestimmung von Standpunkt und Zweck der AG einräumt[4]. Unter dem Stichwort 'Anfänge der Kirchengeschichtsschreibung' wird schließlich in Kapitel V gezeigt, in welcher Weise Ovb von seiner Sicht der altchristlichen Literaturgeschichte her den literarischen Charakter der AG bestimmt; da der Schwerpunkt der diesbezüglichen Erörterungen Ovb's in eine Zeit fällt, in der das Problem von Standpunkt und Zweck der AG bereits seine für Ovb endgültige Lösung gefunden hat, erhält Kapitel V hinter Kapitel IV seinen sachgemäßen Ort.

Die Schlußbesinnung nimmt ein zusammenfassendes Urteil Wellhausens auf, erläutert dies und formuliert einige Anregungen, die sich aus der Arbeit Ovb's ergeben.

Kapitel I: OVERBECKS ÜBERNAHME DER HISTORISCH-KRITISCHEN
METHODE

1. Zwei programmatische Bekenntnisse Overbecks zur historisch-kritischen Methode

Bei zwei bedeutsamen Gelegenheiten innerhalb seiner akademischen Lauf-
bahn hat sich Ovb öffentlich und programmatisch als ein Anhänger der historisch-kritischen Methode vorgestellt: Zu Beginn seines ersten Kollegs als
Jenaer Privatdozent und in seiner Antrittsvorlesung als außerordentlicher
Professor in Basel.

a) Erstes Jenaer Kolleg

Sein erstes Jenaer Kolleg (Erklärung der Pastoralbriefe[1]) beginnt Ovb mit
einer Vorbemerkung, in der er über das beabsichtigte exegetische Verfahren, über die "Auffassungsweise"[2] seines Gegenstandes, Rechenschaft ab-
legt. Ovb ist entschlossen, den Weg der "kritischen", nicht den der "kirchlichen oder traditionellen Behandlung"[3] der Pastoralbriefe einzuschlagen.
Er legt dies dar, indem er zwei Momente bespricht, die sich der kritischen Betrachtungsweise scheinbar in den Weg stellen.

Ovb geht davon aus, daß das grundsätzliche Recht zur Kritik der kanonischen Schriften im allgemeinen kaum noch bezweifelt werde. Im konkreten
Einzelfall leiste die Theologie der Kritik jedoch zähen Widerstand und öffne
sich nur langsam und nicht ohne ernste Bedenken ihren Resultaten. Über-
raschend sei dieses Verhalten nicht; denn die kritischen Bestrebungen sei-
en noch jung, in ihren Folgen unabsehbar, und die Theologie könne immer
weniger "des Gefühls sich erwehren, sie müssten auch an ihre Grundanschauungen tasten und könnten diese nicht ganz unverändert lassen."[4]

Den Widerstand oder die Reserve der Theologie gegenüber dem konkreten
Vollzug historischer Kritik führt Ovb hier auf das - berechtigte - Gefühl
der Theologie zurück, durch die Kritik in eine Krise ihrer Fundamente
gestürzt zu werden. Interessant ist dabei, wie er dieser Einsicht zu entsprechen versucht. Er schreibt: "Wir Theologen leben heutzutage in der
That in einer Krise unserer Wissenschaft, welche uns, die wir hineingezogen sind, zwar durch ihr Interesse und ihre allgemeine Bedeutung hebt,
aber auch durch ihre Bedrängnisse und ihre Inhaltsschwere drückt. Und
wie in jedem von uns ... etwas zu überwinden ist, das sich gegen die be-
dingungslose Aufnahme der Kritik in unsere Wissenschaft sträubt, so gehört doch auch jener Widerstand der heutigen Theologie im Grossen gegen
die Kritik überhaupt, namentlich die am Kanon, so entschieden verwerflich
auch einzelne Erscheinungen darunter sind, doch im Ganzen zur gesunden
Entwickelung unserer Wissenschaft."[5] Ovb beurteilt den theologischen
Widerstand gegen das historisch-kritische Verfahren diesen Sätzen zufolge
insofern positiv, als die Theologie damit beweist, daß sie sich nicht beden-
ken- und gedankenlos in eine Krise ihrer Grundannahmen stürzen läßt.

Für die verhüllende Art, in der er die Implikationen seiner eigenen Position zu erkennen gibt, ist es bezeichnend, daß diese positive Wertung die Dominante seiner Aussage bildet. Dahinter steht gleichwohl die entschiedene Überzeugung von der Notwendigkeit, die kritische Betrachtungsweise zu übernehmen. Denn wenn der Widerstand der Theologie nur als "zur gesunden Entwickelung unserer Wissenschaft" gehörig bezeichnet wird, so liegt darin, daß er - "wie in jedem von uns" - zugunsten konsequenter Aufnahme der Kritik schließlich zu überwinden ist. Der Widerstand der Theologie wird mithin als ein bloß retardierendes Moment dem unaufhaltsamen und legitimen Vorgang der Rezeption historisch-kritischer Forschung integriert; er ist das Zögern, während dessen die Theologie sich die fundamentalen Konseqzenzen jenes Vorgangs vergegenwärtigt, und eben in dieser Bedeutung, aber auch nur in ihr, hat er sein Recht[6].

Als ein zweites Moment, das sich der Kritik entgegenstellt, nennt Ovb die große Dunkelheit ihres Arbeitsgebietes: "Wie die Anfänge aller grossen Erscheinungen, so weit sie wenigstens in die von uns unter dem Namen des Alterthums befasste Geschichtsperiode reichen, so sind auch die des Christenthums grossentheils vor unseren Blicken verhüllt."[7] Die Quellen seien nur spärlich und zudem so beschaffen, daß vieles, was zum Wissenswertesten gehöre, immer unbekannt, anderes stets verschiedener Auslegung unterworfen bleiben werde. Diese Dunkelheit biete nicht nur den der Kritik Abgeneigten einen willkommenen Vorwand, bei den traditionellen Ansichten zu verharren; sie stürze auch die Vertreter der Kritik selbst bisweilen in Zweifel, ob ihre Aufgabe - "welche ist: den geschichtlichen Thatbestand zu ermitteln"[8] - überhaupt lösbar sei. Unter diesen Umständen sei für den, "der dennoch fest zur Seite der Kritik steht", jeder Fall von hoher Bedeutung, "der durch die Unabweisbarkeit der kritischen Bedenken, durch die Unüberwindlichkeit der der hergebrachten Ansicht sich entgegenstellenden Schwierigkeiten, durch die Evidenz der von der Kritik nachgewiesenen Thatsachen uns ... in unmittelbarerer und greifbarerer Weise als das reine Princip vom Rechte, ja von der Pflicht der Kritik überzeugt und uns alle kritische Zuversicht wiedergiebt, die sonst etwa Bedenken schwächen wollten."[9]

Einen solchen Fall erblickt Ovb in den Pastoralbriefen[10], und dies ist einer der Gründe, die ihn bei der Wahl des Themas seiner ersten Vorlesung bestimmten[11]. Denn er verfolgt die Absicht, in seinen Hörern die Überzeugung zu wecken bzw. zu festigen "von dem im Principe nicht nur, sondern auch thatsächlich wohlbegründeten Rechte der kritischen Betrachtung auch der neutestamentlichen Schriften" und sie zu ermutigen, "auf einer Bahn fortzuschreiten, welche die Theologie - dies ist meine Überzeugung - nicht länger zaghaft meiden kann, ohne durch Isolirung von den anderen Wissenschaften den schwersten Schaden zu erleiden und das frohe und reine Bewusstsein eines jeden ihrer Jünger zu trüben, dass er, so viel an ihm ist, mitarbeitet an der erhabenen Aufgabe aller Wissenschaft, das Licht der Erkenntniss und der Wahrheit zu verbreiten."[12]

b) Basler Antrittsvorlesung

Die gleiche Entschlossenheit zur Anwendung der historisch-kritischen Methode wie zu Beginn seines ersten Jenaer Kollegs bekundet Ovb auch in seiner Basler Antrittsvorlesung. Sie trägt den Titel: Über Entstehung und
Recht einer rein historischen Betrachtung der Neutestamentlichen Schriften
in der Theologie[13].

Nachdem Ovb zunächst den weitaus größeren Teil dieser Vorlesung[14] Fragen der Entstehung gewidmet hat, erörtert er auf den letzten Seiten[15] das
Recht der rein historischen Betrachtung des Neuen Testaments in der Theologie. Dabei geht er so vor, daß er zwei extreme Standpunkte zurückweist.
Seine erste Frage lautet, ob der kritischen Forschung "als der allein con-
sequenten das alleinige Bürgerrecht im Protestantismus"[16] zuzusprechen
sei. Ovb verneint dies durch den doppelten Hinweis: einmal auf die von den
streitenden Parteien gegenseitig geübte scharfe Kontrolle, die "auch dem
rein wissenschaftlichen Interesse ... sehr zu Gute"[17] komme; sodann und
vor allem auf die Gemeinschaft der bearbeiteten Probleme, "welche heute
auch sonst von sehr verschiedenen Anschauungen ausgehende Theologen"[18]
verbinde. Ovb fragt zweitens, ob eine Kritik, welche die historischen Voraussetzungen des ältesten Protestantismus verschiebe, deshalb als illegi-
tim aus der evangelischen Theologie auszuschließen sei. Auch diese Frage
wird verneint: Die historisch-kritische Erforschung der neutestamentlichen
Schriften habe die Funktion, dem Protestantismus das ihm in seiner Jugend
eignende Bewußtsein zu erhalten, sich für seine "historischen Voraussetzungen ... auf die freieste Wissenschaft seiner Zeit"[19] berufen zu können.
Den Protestantismus auf diese Weise vor dem Schicksal zu bewahren, sich
mit seinem dogmatischen System in sich selbst abzuschließen, sei "die
beste protestantische Bestimmung der heutigen, die Geltung des Vergangenen zum Theil aufhebenden Bibelkritik."[20]

Die Basler Antrittsvorlesung stellt klar, daß Ovb seiner Berufungsver-
pflichtung, "zehn bis zwölf Stunden unter besonderer Berücksichtigung der
neutestamentlichen Exegese und der ältern Kirchengeschichte zu lesen"[21],
nur als Vertreter einer rein historischen Betrachtungsweise nachzukom-
men in der Lage ist[22]. Insofern besitzt sie programmatischen Charakter.
Wer allerdings aufgrund des Titels der Vorlesung eine thematische Erörterung darüber erwartet, was unter 'rein historischer Betrachtung' zu
verstehen sei, wird enttäuscht. Gewiß, in gelegentlichen Sätzen wird die
rein historische Betrachtung umschrieben[23] oder ein wesentlicher Aspekt
derselben genannt[24]; auch gelingt es Ovb, die Problemstellung der historischen Kritik seiner Gegenwart im Unterschied zur Exegese des Rationalismus deutlich zu machen[25]. Wer nach Ovb's Verständnis der historisch-
kritischen Methode, ihrer Prinzipien und Implikationen, fragt, wird alle
diese Äußerungen zu berücksichtigen haben - eine zusammenhängende und
auf den Grund gehende Explikation bietet ihm Ovb's Antrittsvorlesung
nicht.

Ein weiterer Mangel ist hiermit eng verbunden. Er liegt in der Begründung,

die Ovb für das _theologische_ Recht der historischen Kritik anführt. Diese
Begründung ist nur insofern stichhaltig, als Ovb die historische Kritik
darin - rein formal - als ein Unternehmen freier Wissenschaft bezeichnet.
Problematisch ist jedoch, mit welchem Recht er sagen kann, die historische
Forschung erhalte dem Protestantismus das Bewußtsein, sich _für seine
historischen Voraussetzungen_ auf die freieste Wissenschaft der Zeit berufen
zu können, wenn zugleich gelten soll, die Kritik verschiebe diese Voraussetzungen[26], sie hebe die Geltung des Vergangenen z. T. auf[27] und nötige
ihre Anhänger, sich mit ihren wissenschaftlichen Anschauungen "in einem
neuen Hause einzurichten"[28]. Die Rede von dem theologischen Recht historischer Forschung ist im Grunde eine bloße Behauptung, weil unbeantwor-
tet und unerörtert bleibt, wie sie mit den theologiekritischen Implikationen
jener Forschung zu vermitteln ist und worin diese überhaupt konkret bestehen.

Die Fragen, die bei einer Lektüre der Antrittsvorlesung Ovb's ohne befriedigende Antwort bleiben, sollen im folgenden zusammenhängend untersucht
werden. Gestützt auf gelegentliche Einzelaussagen Ovb's (in seiner Antrittsvorlesung, aber auch in anderen Texten) und auf Rückschlüsse aus seinem
Verfahren als Historiker, wird der Versuch gemacht, darzustellen, was
Ovb unter der programmatisch geforderten 'rein historischen Betrachtung'
verstand und in welchem Sinn er die Auffassung vertrat, ihr Vollzug taste
an die Grundanschauungen der Theologie.

2. Overbecks Verständnis der historisch-kritischen Methode und ihrer
   Implikationen

a) Aufhebung der dogmatischen Begriffe des Kanons und des Kirchenvaters

'Rein historisch' nennt Ovb eine Betrachtung, die "auf keinen anderen Voraussetzungen als denen der allgemeinen historischen Wissenschaft"[1] beruht.
Damit ist zunächst gesagt, daß rein historische Forschung von jeder _dogma-
tischen_ Voraussetzung in bezug auf ihren Gegenstand abzusehen hat[2]. Für
die von Ovb vornehmlich bearbeiteten Disziplinen bedeutet das: Die Aufnahme der rein historischen Fragestellung zwingt zur Preisgabe des Kanon-Begriffs in der neutestamentlichen Wissenschaft und zum Verzicht auf
den Begriff des Kirchenvaters in der Patristik.

In seiner Besprechung von Baurs posthum veröffentlichten Vorlesungen
über neutestamentliche Theologie[3] hat Ovb in aller Schärfe dargelegt, welche Folgen sich seiner Ansicht nach für den Begriff des neutestamentlichen
Kanons und damit verbunden für die Disziplin der neutestamentlichen Theologie ergeben, wenn das NT konsequent rein historisch interpretiert wird.
Ovb geht davon aus, daß nach der dogmatischen Lehre vom Kanon die neutestamentlichen Schriften insgesamt "ein individuelles entwicklungsloses
und chronologisch derselben Periode angehöriges Ganzes"[4] bilden. Hieraus folgten die beiden Grundvoraussetzungen jeder streng dogmatischen
Betrachtung des NT: die Abgeschlossenheit der neutestamentlichen Schrif-

ten gegen alle übrige Literatur und ihre widerspruchslose Übereinstimmung untereinander. Beide Voraussetzungen seien durch die historisch-kritische Arbeit Baurs aufgehoben worden[5], doch müsse bezweifelt werden, ob Baur in Hinsicht auf die erste Voraussetzung schon konsequent genug verfahren sei. Ovb's Frage lautet: "Wie steht es ... bei der historischen Ansicht Baur's vom neutestamentlichen Kanon um die Disciplin der neutestamentlichen Theologie? Ist sie überhaupt noch möglich?"[6] Mit der bejahenden Antwort Baurs[7] gibt Ovb sich nicht zufrieden. Er schreibt:

Der durch Baurs kritische Übersicht über die Geschichte der neutestamentlichen Theologie sich hindurchziehende Vorwurf "eines zwischen historischer und dogmatischer Methode schwankenden Charakters"[8] sei nicht nur - wie Baur es mit Recht tue - gegen die bisherige Behandlung der neutestamentlichen Theologie, sondern - über Baur hinaus - auch gegen die Disziplin selbst zu erheben. Die Disziplin 'neutestamentliche Theologie' werde nämlich durchaus einseitig chrakterisiert, wenn man mit Baur sage: "In ihr hat sich die reine Lehre der Schrift aus den Fesseln des Abhängigkeitsverhältnisses, in das sie zum dogmatischen System der Kirche gekommen war, losgemacht und von demselben ... emanzipiert."[9] Für die Formation der neutestamentlichen Theologie sei neben dem geschichtlichen vielmehr auch ein dogmatisches Element konstitutiv[10]. Denn die "Beschränkung einer theologischen Disciplin auf die Ermittelung der Lehre der Schriften des Neuen Testaments, d.h. die Form der neutestamentlichen Theologie"[11] lasse sich allein unter Voraussetzung der Abgeschlossenheit der kanonischen Schriften gegen alle übrige christliche Literatur rechtfertigen, d.h. auf dem Boden einer dogmatischen Prämisse. Der neutestamentlichen Theologie als einer besonderen theologischen Disziplin eigne mithin ein historisch-dogmatischer Zwittercharakter. Baurs Grundsatz: "Im Unterschied von der Dogmatik und allem demjenigen, was zum Begriff derselben gehört, sollte die biblische Theologie eine rein geschichtliche Wissenschaft sein."[12] bedeute deshalb - zu Ende gedacht - nicht die Rückkehr zum Wesen, sondern die Selbstauflösung der Disziplin. Ovb's Überlegungen führen zu dem Schluß: "Wo die dogmatische Voraussetzung der biblischen Theologie, die orthodoxe Lehre vom Kanon, aufgelöst ist, und diese Auflösung ist ja auf dem historischen Standpunkte Baur's vollendet, da ist nicht bloß der Inhalt dieser Disciplin modificirt, sondern auch ihre Form zerschlagen."[13] Als rein historische Wissenschaft betrieben löse sich neutestamentliche Theologie in Dogmengeschichte auf[14].

Die kritischen Bedenken, die Ovb gegen die Rolle des Kanon-Begriffs vorbringt, macht er in analoger Weise auch gegen den Begriff des Kirchenvaters geltend. Der Begriff des Kirchenvaters entstammt der Dogmatik und ist "aus den Bedürfnissen des katholischen Traditionsbeweises entstanden."[15] Als 'Kirchenvater' gilt ein christlicher Schriftsteller, der fünf Merkmale aufweist: Vorzügliche Gelehrsamkeit, orthodoxe Lehre, Heiligkeit der Lebensführung, hohes Alter und Approbation durch die Kirche[16]. In der Einleitung zur ersten Fassung seiner Vorlesung über die Geschichte der altchristlichen Literatur legt Ovb dar,

daß diese Merkmale - von dem des Alters abgesehen - entweder nicht
zutreffen bzw. nicht verifizierbar sind oder "auf einer theologischen
(dogmatischen) Censur" beruhen, "welche für das historische Interesse ganz gleichgültig ist."[17] Solange die Patristik ihren Gegenstands-
bereich mit Hilfe des Kirchenvater-Begriffs definiere, habe sie es in
jedem Fall nur mit einer willkürlich getroffenen Auswahl unter den
Schriftstellern der alten Kirche zu tun. Wer daher die Entwicklung der
altchristlichen Literatur historisch, "d.h. den gegebenen Thatsachen
entsprechend"[18] darstellen wolle, müsse über die sog. Kirchenväter
hinausgreifen: "Denn welche Geschichte läßt sich ihr Objekt von einem
Katalog reichen, wenigstens von einem anderen Katalog als dem der
Wirklichkeit? ... Die Geschichte einer Literatur läßt sich natürlich
nur von dieser selbst schreiben, nicht von einem zu einem bestimmten,
der Geschichtsschreibung aber fremden Zweck daraus abstrahierten
Komplexe."[19]

Befreit man den Begriff des Kirchenvaters von seinem "willkürlichen,
dogmatischen Inhalt"[20], so behält man nach Ovb zwei Merkmale zurück,
die auch in einer rein historischen Disziplin praktikabel sind: das Merkmal des Schriftstellers und das des Alters. Der "wahre (historische)
Begriff der Patristik"[21] ist danach zu bestimmen als 'Geschichte der
alten christlichen Literatur'[22]. Die Grenze des Kanons hat für diese
Disziplin ebensowenig prinzipielle Bedeutung wie die Unterscheidung
von Orthodoxie und Häresie; im Unterschied zu der dogmatisch begründeten Patristik behandelt sie die altchristliche Literatur als solche und
in ihrem vollen Umfang.

Indem die rein historische Betrachtung des NT den dogmatischen Begriff
des Kanons preisgibt, schafft sie für die Erkenntnis des ursprünglichen
Sinns der neutestamentlichen Schriften eine unabdingbare Voraussetzung.
Denn: "Es liegt im Wesen aller Kanonisation, ihre Objecte unkenntlich zu
machen, und so kann man denn auch von allen Schriften unseres neuen Testamentes sagen, dass sie im Augenblick ihrer Kanonisirung aufgehört haben,
verstanden zu werden. Sie sind in die höhere Sphäre einer ewigen Norm für
die Kirche versetzt worden, nicht ohne dass sich über ihre Entstehung, ihre ursprünglichen Beziehungen und ihren ursprünglichen Sinn ein dichter
Schleier gebreitet hätte."[23] Für die Einsicht in Ovb's Beurteilung der rein
historischen Betrachtung ist es entscheidend, zu sehen, daß er diese Sätze auch nach ihrer Umkehrung noch für richtig hält. D.h.: Ovb behauptet
nicht nur, daß der Prozeß der Kanonisierung, welcher die biblischen Schriften in die Sphäre einer ewigen Norm versetzt, mit einer Verdunkelung des
Sinns dieser Schriften verbunden ist; er vertritt vielmehr zugleich auch
umgekehrt die Ansicht, daß jede Bemühung um den eigenen (historischen)
Sinn der biblischen Texte deren normativen Rang notwendig destruiert[24].
Allein die allegorische Interpretation, die die Schriften des Kanons nicht
selbst zu Wort kommen läßt, sondern ihnen einen wie auch immer gearte-
ten höheren Sinn beilegt, ist in der Lage, ihre religiös-normative Bedeutung zu bewahren[25]; rein historische Interpretation dagegen "hat überhaupt
noch kein Religionsbuch als solches in seinem Ansehen erhalten."[26]

Mit dem Satz, die rein historische Betrachtung habe von jeder in der kirchlichen Tradition gegebenen dogmatischen Voraussetzung in bezug auf ihren
Gegenstand abzusehen, ist zunächst nur eine negative Bestimmung genannt.
Zu fragen bleibt, welche positiven Merkmale die Eigenart der rein historischen Betrachtung konstituieren.

b) Deskription - Überlieferung - Kritik - Wahrscheinlichkeit der Resultate

Geschichtsschreibung ist eine deskriptive Wissenschaft. Sie hat ihre Aufgabe dann am vollkommensten erfüllt, wenn es ihr gelungen ist, einen historischen Tatbestand so korrekt wie nur möglich zu beschreiben[27]. Ovb lobt
daher Ranke, der allein deswegen ein wahrhaft großer Historiker sei, weil
er, "was man auch von der Beschränktheit seines Horizonts sagen mag,
durch diese Beschränkung vor Allem sich bestrebt und es fertig gebracht
hat, der historischen Wissenschaft jenen ihren wesentlichen, descriptiven
Character zu wahren und sie um den Preis einer trügerischen Universalität ihres Gegenstands und ihrer Tendenzen gegen die Verquickung mit Momenten zu schützen, welche nur dazu dienen können, jenen Character zu
compromittiren und die befriedigende Lösung der Hauptaufgabe der Geschichtsschreibung zu gefährden"[28].

Als Objekt der Geschichtsschreibung bezeichnet Ovb vergangenes Geschehen, welches der Gegenwart überliefert worden ist. Vergangenes Geschehen rein als solches ist unbekannt. Erst die Überlieferung macht es zu einem möglichen Gegenstand historischer Deskription: "Ein Factum wird ein
geschichtliches, d.h. für die Geschichte wissbares, sobald es durch Überlieferung aus der Kette des allgemeinen Geschehens herausgehoben ist."[29]
Ist die Überlieferung also condicio sine qua non jeder Geschichtsschreibung,
so bildet sie damit zugleich ein Kriterium für die Zuverlässigkeit historischer Aussagen: Geschichtsschreibung wird in demselben Maße problematisch, wie sich ihr Anhalt an der Überlieferung lockert; wer nicht willens
oder nicht in der Lage ist, seine geschichtliche Darstellung aus der Tradition zu begründen, hat den Boden der Historiographie verlassen[30].

Das methodische Bewußtsein von dem Angewiesensein der Geschichtsschreibung auf Überlieferung läßt sich in den Arbeiten Ovb's schon
früh beobachten. In der Vorl ApZA formuliert er den Grundsatz, für
die Geschichte hänge die Wirklichkeit der Tatsachen, die sie erzähle,
"schlechterdings an dem Werth ihrer Überlieferung"[31]. Gegen die
Motive, die Renan für die auf den Tod Jesu folgende Rückkehr der
Jünger nach Galiläa anführte[32], macht er geltend, daß sie "weder im
Buchstaben noch im Geist unserer Quellen irgendwie begründet sind,
d.h. daß sie völlig außerhalb dieser Quellen stehen und wir es daher
hier mit einem historisch betrachtet absolut werthlosen Einfall zu thun
haben."[33] Als historisch wertlos, weil durch die verfügbare Überlieferung ausgeschlossen, betrachtet Ovb auch eines der Lieblingskinder
der historischen Theologie des 19. Jahrhunderts: das Unternehmen
eines 'Leben Jesu'. Gegen Renans Vie de Jésus erhebt er den Vor-

wurf der Selbsttäuschung über das, "was die Beschaffenheit der Überlieferung unserer Erkenntniß auf immer entzogen hat"[34]. Der 'tour
biographique', den Renan seinem Werk gegeben habe, sei dessen
πρῶτον ψεῦδος . Denn: "Eine Biographie Jesu zu schreiben ist
eine Verirrung schon aus dem einfachen Grunde, weil man die Biographie eines Lebens nicht schreiben kann, dessen Überlieferung, von
ganz wenigen Notizen abgesehen, aller Wahrscheinlichkeit nach nur
ein Jahr umfaßt."[35]

Das unabdingbare Angewiesensein der Geschichtsschreibung auf Überlieferung schließt die historische Kritik der Überlieferung nicht aus, sondern
fordert sie. 'Kritik' ist kein Gegenbegriff zur Abhängigkeit der Geschichtsschreibung von Tradition, sondern kennzeichnet die Art und Weise, in der
sich diese Abhängigkeit konkret vollzieht. In seiner Basler Antrittsvorlesung beschreibt Ovb das wissenschaftliche Bewußtsein "über das historische Wesen des Christenthums" als das Bewußtsein, "dass unser Wissen
vom Christenthum auf Überlieferung beruht, diese Überlieferung selbst
Veränderungen in der Zeit unterworfen ist, also auf ihre ältesten Bestand-
theile hin geprüft werden muss, welche dann für sich und aus dem für sie
maassgebenden Bildungskreise verstanden werden müssen."[36] In diesen
Worten wird beides zugleich zum Ausdruck gebracht: daß die Überlieferung
condicio sine qua non historischer Erkenntnis ist und daß sie - gerade um
dieser Erkenntnis willen - kritischer Nachprüfung unterliegt[37]. Die historische Kritik reflektiert auf die Entstellungen und Überlagerungen, die ver-
gangenem Geschehen im Prozeß seiner Überlieferung zuteil geworden sind,
und hat die Aufgabe, dieses selbst in seiner ursprünglichen Gestalt zurück-
zugewinnen[38]. Dabei ist es gleichgültig, ob die in Betracht kommenden Veränderungen sich sogleich bei der frühesten für uns greifbaren Fixierung der
Tradition[39] oder erst im Verlauf ihrer Weitergabe bis auf die Gegenwart[40]
zugetragen haben - in jeder Hinsicht ist die Kritik unerläßlich, wenn die
Aufgabe einer rein historischen Deskription, d.h. die Darstellung, "wie
es wirklich gewesen"[41] ist, zuverlässig erfüllt werden soll.

Absolute Zuverlässigkeit bleibt für die Geschichtsschreibung freilich auch
bei gewissenhaftem Vollzug historischer Kritik ein unerreichbares Ideal.
Es ist nach Ovb's Ansicht in der strengen Überlieferungsabhängigkeit und
in der gleichzeitig bestehenden Nötigung zur Überlieferungskritik begründet, daß historische Forschung nicht zu apodiktisch gewissen, sondern nur
zu wahrscheinlichen Resultaten gelangen kann. Schon das faktische Vorhandensein bzw. Nichtvorhandensein von Überlieferung steckt der Geschichtsschreibung unüberschreitbare Grenzen. Nichtüberliefertes ist im günstigsten
Falle zu vermuten, und man hat anzunehmen, "dass es unlösbare historische Fragen giebt"[42]. Hinzu kommt, daß auch der Zustand der Überlieferung, insofern er zur Kritik herausfordert, ein absolut sicheres historisches Urteil nicht zuläßt[43]. "Ohne Tradition", schreibt Ovb, "giebt es keine Geschichtsschreibung, und in der Geschichtsschreibung verdient die
Tradition unbedingten Respect. Aber ebenso gewiss ist, dass die Tradition in dieser Welt einer Unzahl von Unfällen unablässig ausgesetzt ist und

mit ihr, wer sich ihr unbedingt unterwirft."[44] Die rein historische Forschung partizipiert unvermeidlich an dem "nur relative(n) Ansehen, auf
welches die historische Tradition in der Welt Anspruch hat"[45]. Sie ist jedoch selbstkritisch genug, darum zu wissen, während Ovb der Masse der
apologetischen Literatur seiner Zeit bescheinigt, daß es "auch ihren historischen Untersuchungen meist um ein Wissen zu thun ist, wie es die Geschichte gar nicht geben kann."[46]

Die bloße Wahrscheinlichkeit ihrer Resultate zählt Ovb zu den Momenten,
welche den für die Theologie bedrohlichen Charakter der rein historischen
Betrachtung konstituieren. Der Gedanke der ersten Jenaer Vorlesung, daß
sich die Theologie immer weniger des Gefühls erwehren könne, durch die
historische Kritik in eine Krise ihrer Fundamente gestürzt zu werden, erfährt daher nur seine Konkretion, wenn Ovb drei Jahre später schreibt:
"In der That kann ein grosser Theil der Theologie heutzutage die Wahrheit
des Satzes, dass auf dem Gebiete des geschichtlichen Wissens nur Wahrscheinlichkeit zu erreichen ist, zwar nicht läugnen, weil dies baarer
Unverstand, aber auch nicht zugeben, weil dies Selbstvernichtung wäre."[47]
Obgleich Ovb hier nur von einem 'großen Teil der Theologie' spricht, liegt
es doch in der Konsequenz seiner Beurteilung der historischen Kritik, daß
die Theologie als solche betroffen wird. Weil zum religiösen Glauben un-
verzichtbar die Gewißheit ewiger Wahrheiten gehört und weil die Theologie,
indem sie Glauben und Wissen zu versöhnen sucht, diese Gewißheit zu bewahren hat, kollidieren ihre Grundanschauungen notwendig mit einer Betrachtungsweise, deren Ergebnisse per definitionem überholbar bleiben[48].
So ist die heilige Schrift als Quelle religiöser Gewißheit nur dann festzuhalten, wenn sie nicht zum Gegenstand historischer Auslegung wird. Denn:
"Der Schriftglaube der Kirche ruht auf dem Glauben an die Inspiration des
Schriftinhaltes, denn nur dieser Glaube an den heiligen Geist als den Autor
primarius aller heiligen Schriften gestattete den Gläubigen die strenge
Gleichgiltigkeit gegen die individuellen menschlichen Autoren der einzelnen Bücher, mit deren Verlust natürlich die Schrift als Ganzes rettungslos
in den unabsehbaren Streit hineingezogen war, dem alle menschliche Schriftstellerei als Objekt der Auslegung unterliegt."[49] Noch grundsätzlicher formuliert Ovb den gleichen Gedanken unter dem Stichwort "Geschichte und
Offenbarung", wo es heißt: "Das einzig Sichere, was uns Geschichte über
alle Offenbarung lehren kann, ist, dass unter uns Streit darüber herrscht.
Darum ist auch die historische Methode der Vertheidigung des Christenthums, welche in der modernen Theologie sich vorzüglichen Ansehens er-
freut, ohne allen Zweifel die aussichtsloseste und dieses Ansehen die eigentliche Achillesferse genannter Theologie."[50]

Es verdient, ausdrücklich festgehalten zu werden, daß Ovb, wenn er in
dieser Weise den Konflikt zwischen der rein historischen Betrachtung und
den Grundanschauungen der Theologie erläutert, nicht eine Geschichtsforschung im Blick hat, welche die ihr gesteckten Grenzen vermessen über-
schreitet. Die Existenzbedrohung der Theologie, wie Ovb sie versteht,
stellt sich vielmehr als eine Folge gerade der notwendigen kritischen Selbst-

beschränkung historischer Forschung als eines stets korrigiblen Unternehmens dar[51], während die Theologie mit einer Geschichtswissenschaft, die mehr beansprucht als sie zu leisten vermag, störungsfrei verkehrt.

c) Vorentwurf geschichtlicher Wirklichkeit

aa) Ontologische Gleichartigkeit aller geschichtlichen Wirklichkeit

Kritische Geschichtsforschung vollzieht sich auf dem Boden eines bestimmten Vorentwurfs geschichtlicher Wirklichkeit. Ein konstitutives Moment dieses Vorentwurfs folgt bereits aus der oben[52] angeführten Umschreibung der 'rein historischen Betrachtung'. Wenn Ovb von der rein historischen Betrachtung der Anfänge des Christentums und seiner ältesten Urkunden sagt, sie beruhe "auf keinen anderen Voraussetzungen als denen der allgemeinen historischen Wissenschaft"[53], so liegt dem die Annahme zugrunde, daß die Anfänge des Christentums als geschichtliches Geschehen im Blick auf ihre ontologische Konstitution von aller sonstigen geschichtlichen Wirklichkeit nicht unterschieden sind. Die Anwendung der gleichen Methode ist nur dann sinnvoll und notwendig, wenn der jeweilige Wirklichkeitsbereich, den es zu beschreiben gilt, prinzipiell die gleiche Grundverfassung besitzt[54].

Zu Beginn der Vorl ApZA (SS 1870) hat Ovb über diesen Sachverhalt ausdrücklich Rechenschaft abgelegt. Die von der übrigen Kirchengeschichte gesonderte Behandlung des apostolischen Zeitalters, so führt er aus, habe für ihn keinerlei prinzipielle Bedeutung. Sie sei lediglich in der praktischen Organisation des Vorlesungsbetriebs begründet. Die kirchliche oder traditionelle Auffassung sehe es freilich anders: Sie betrachte die Periode der Apostel als die schlechterdings einzigartige Urperiode der Kirche und stelle sie aller nachapostolischen Zeit als das Vollkommene dem Unvollkommenen und als das Wunderbare dem Natürlichen gegenüber. Wäre diese Auffassung nun berechtigt, hätte man also zu sagen, "dass den Ereignissen der einen Periode, der apostolischen, der Charakter des Wunderbaren zukomme und erst mit der nachapostolischen Zeit die Geschichte wieder in die Bahnen der naturgemässen Entwicklung einlenke, so verstünde es sich ganz von selbst, dass eine so schlechthin und specifisch verschiedene Periode auch eine eigenthümliche Behandlung verlange."[55] In der Gegenwart begegne diese Ansicht jedoch "nur noch in Trümmern"[56]. Da man mit ihr notwendig "ausserhalb der Grenzen aller Wissenschaft zu stehen" komme, sei man im Prinzip darin einig, "dass auch das apostolische Zeitalter eine Geschichtsperiode ist, die zu ihrer Erkenntniss keine andere Methode verlangt und zulässt als sie überhaupt in der historischen Wissenschaft gültig ist."[57] Das bedeutet: Die historische Kritik sieht die apostolische Zeit nicht als eine Periode "schlechthin und specifisch" verschiedenen Charakters an, sondern betrachtet sie als durch prinzipielle Gleichartigkeit aller sonstigen Geschichte koordiniert.

Mit der Grundannahme der ontologischen Gleichartigkeit alles geschichtlichen Geschehens ist die Anwendung der Analogie als des allgemeinsten kritischen und heuristischen Prinzips der historischen Forschung mitgesetzt[58]: "Der Kritik des Urchristenthums wirft man vor, die Geschichte mit den Vorurtheilen einer philosophischen Dogmatik anzusehen. Das ist nicht wahr. Sie behauptet nur, daß dieser Geschichte in ihrer theologischen Auffassung das fehlt, was Grundlage, Voraussetzung, Maßstab alles historischen Wissens ist, Analogie."[59]

bb) Geschichtliche Wirklichkeit als geschlossener Wirkungszusammenhang

Der Geschichtsbegriff, dem durch die Anwendung des Analogieprinzips auch das Urchristentum unterworfen wird, ist inhaltlich durch die Idee des geschlossenen, immanenten Wirkungszusammenhangs konstituiert[60]. Diese Idee fordert in negativer Hinsicht den Ausschluß der Kategorie des Wunders; denn das Wunder ist ein Ereignis, welches aus einer übernatürlichen Ursache hervorgeht und deswegen grundsätzlich gegen natürliche, geschichtliche Zusammenhänge isoliert ist[61]. In positiver Hinsicht folgt aus der genannten Idee, daß ein Ereignis dann historisch begriffen wird, wenn man seine Isolation durchbricht und es - in genauem Gegensatz zu seiner Interpretation als Wunder - in und aus dem Zusammenhang mit seiner geschichtlichen Umwelt versteht[62]. Im Blick speziell auf das Urchristentum bedeutet dies 1. (negativ), "daß das Urchristenthum, sofern es Gegenstand wissenschaftlicher Geschichtsschreibung geworden ist, nicht das entwicklungslose Wunder sein kann, als welches es in der hergebrachten Kirchengeschichte erscheint"[63]; 2. (positiv), daß das Urchristentum rein historisch zu erforschen gleichbedeutend mit der Aufgabe ist, es "aus den geschichtlichen Verhältnissen, unter denen es erschienen ist, aus den Wegen, auf welchen es eingeleitet und vorbereitet wurde, aus den Ursachen, welche zu seiner Entstehung mitwirkten, zu erklären."[64]

In seinem Aufsatz: Über historische und dogmatische Methode fügte Troeltsch der These, die Anwendung der historischen Kritik schließe "die Einbeziehung der christlich-jüdischen Geschichte in die Analogie aller übrigen Geschichte in sich"[65], nicht ohne einen Zug von Ironie die Feststellung hinzu: In der Tat sei das Gebiet dessen, was der Analogie entzogen werde, immer geringer geworden: "viele haben sich bereits mit dem sittlichen Charakterbild Jesu oder mit der Auferstehung Jesu begnügen gelernt."[66] Für die strenge Konsequenz, mit der Ovb an den Grundsätzen rein historischer Betrachtung festhält, ist es bezeichnend, daß er ihrer Anwendung gerade auch auf die Person Jesu und seine Auferstehung keinerlei Schranken gesetzt wissen will. Die folgenden Hinweise sollen dies belegen.

In seiner Besprechung von C.Weizsäckers 'Untersuchungen über die evangelische Geschichte' tadelt Ovb als ein Indiz der zweideutigen, zwischen historischer und dogmatischer Betrachtungsweise schwankenden Stellung zur Geschichte "namentlich die Isolirung, in welcher der Verfasser das religiöse Bewußtsein Jesu betrachtet und es uns in seinem Wesen und seiner Entwickelung völlig historisch anschaulich zu machen hofft nur aus den Evangelien."[67] Dies sei ein verzweifeltes, nur von der Dogmatik aufgedrungenes Unternehmen. Das von den Synoptikern gebotene Gesamtbild Jesu sei zwar unersetzlich, aber doch im Detail viel zu lückenhaft und unzuverlässig, um "ganz aus sich selbst oder diesem Detail"[68] begriffen werden zu können. "Um so weniger", folgert Ovb, "dürfen wir die historische Gestalt, welche uns die Evangelien überliefern, künstlich isolieren, um so mehr müssen wir sie zu begreifen suchen aus dem historischen Zusammenhange, in den sie gestellt worden ist, namentlich auch aus ihrem Zusammenhang mit der Geschichte des Volkes Israel und ihren religiösen Charakteren."[69]

Wer nach den Prinzipien historisch-kritischer Forschung die Person Jesu aus ihrem geschichtlichen Zusammenhang zu begreifen sucht, kann nicht umhin, in ihr eine rein menschliche Gestalt zu erblicken. Dies erkannt und in die Tat umgesetzt zu haben, bezeichnet Ovb als die Leistung Strauß' im ersten Buch seines Leben Jesu für das deutsche Volk[70]. Was dieses Werk Strauß' auszeichne, sei "die rücksichtslose Schärfe ..., mit welcher er von Voraussetzungen aus, welche die der heutigen Bildung sind, diesen ersten im Einzelnen durchgeführten Versuch gemacht hat, uns durch die evangelische Geschichte hindurch ohne Vorbehalt einen rein menschlichen, aus seiner Zeit hervorgegangenen Jesus erblicken zu lassen."[71]

Auf dem Boden der rein historischen Betrachtung und ihrer Voraussetzung eines rein menschlichen Jesus bleibt Ovb auch dort, wo er von der Auferstehung Jesu handelt. Ovb versteht die Auferstehung Jesu nicht als "ein Wunder, das sich an der Person Jesu vollzieht", nicht als eine objektive, sondern nur als eine "in das Bewusstsein der Jünger fallende subjective Thatsache"[72]. Dem entspricht es, daß er die objektive Realität der Auferstehungserscheinungen zugunsten der Annahme subjektiver Visionen bestreitet und nicht die Geschichte Jesu mit seiner Auferstehung enden, sondern die Geschichte der Apostel mit ihr beginnen läßt[73].

Zur Begründung dieser Ansicht setzt Ovb sich mit dem Einwand auseinander, um der historischen Folgen willen sei es unumgänglich, für die Auferstehung und die Erscheinungen Jesu objektive Realität zu postulieren. Ovb begegnet diesem Einwand, indem er unter Berufung auf Baur[74] die Gegenthese verficht, der Auferstehungsglaube sei die einzig notwendige und vollkommen ausreichende Voraussetzung "aller auf die Auferstehungserscheinungen folgenden Geschichte"[75] der Apostel und der Kirche überhaupt. Auf dem Wege allgemeiner Erwägungen über die historischen Folgen gelange man keineswegs über den Glauben an die Auferstehung Jesu hinaus und könne daher nicht entschieden werden, ob dem Auferstehungsglauben eine entsprechende historische Tatsache zugrunde liege oder nicht[76].

Für Ovb's Auffassung von historisch-kritischer Forschung ist es nun höchst aufschlußreich, daß er aus dieser Ansicht nicht die Folgerung ableitet, der Historiker habe sich mit der Feststellung und Beschreibung des Auferstehungsglaubens zu begnügen, sondern umgekehrt den Schluß zieht: Gerade weil eine Betrachtung der historischen Folgen der Auferstehung Jesu über den Auferstehungsglauben nicht hinausführe und damit "das Wesen der Sache selbst verschlossen" halte[77], sei der Historiker nicht berechtigt, bei dieser Betrachtung stehenzubleiben. "Um so mehr", schreibt Ovb, werden wir vielmehr daran gemahnt, "dass wir es hier mit einer historischen Frage zu thun haben, bei welcher wir also zunächst die historischen Quellen, die sie uns bezeugen, zu untersuchen haben. Welche Vorstellung gestatten uns diese ... von der Auferstehung zu bilden?"[78] Die Antwort, die Ovb auf diese Frage entwickelt - sie ist in den Grundzügen mit derjenigen Holstens identisch[79] -, kann hier auf sich beruhen bleiben. Die Frage als solche ist bereits aufschlußreich genug. Ovb begibt sich, indem er sie aufwirft, in reflektierten Gegensatz zu Baur. Im unmittelbaren Kontext der von Ovb mit Zustimmung aufgegriffenen These, für die Geschichte des Christentums sei "nicht sowohl das Factische der Auferstehung Jesu selbst als vielmehr der Glaube an dasselbe"[80] die notwendige Voraussetzung, schrieb Baur: "Nur das Wunder der Auferstehung konnte die Zweifel zerstreuen, welche den Glauben selbst in die ewige Nacht des Todes verstossen zu müssen schienen. Was die Auferstehung an sich ist, liegt ausserhalb des Kreises der geschichtlichen Untersuchung. Die geschichtliche Betrachtung hat sich nur daran zu halten, dass für den Glauben der Jünger die Auferstehung Jesu zur festesten und unumstösslichsten Gewissheit geworden ist."[81] In diesen Sätzen wird eine Einschränkung der Kompetenz historischer Forschung ausgesprochen. Dieser wird nur der Auferstehungsglaube der Jünger als möglicher Gegenstand zugewiesen, die Auferstehung Jesu selbst aber prinzipiell entzogen. Der Satz, daß Jesus auferstanden ist, läßt sich demzufolge auf historischem Wege weder bejahen noch verneinen. Er ist, ebenso wie sein Gegenteil, als historische Aussage unmöglich, nicht aber zugleich auch als Realitätsaussage schlechthin. Der Historiker hat offenzulassen, wie es mit dem Realitätsgehalt der Rede von der Auferstehung Jesu steht, und sich damit einer möglichen Relativierung des von seiner Methode implizierten Vorentwurfs von Wirklichkeit bewußt zu bleiben[82].

Eine solche Begrenzung der historischen Forschung lehnt Ovb ab. Zu den zitierten Sätzen Baurs bemerkt er: "Dieser Gedanke ist, so weit er die Aufgabe des Historikers beschränkt, sehr anfechtbar. Wie soll, sobald man ⟨nach⟩ der Entstehung des Auferstehungsglaubens fragt, die Ermittelung dieser Entstehung, zu der doch auch die Ermittelung des Wesens der dem Glauben zu Grunde liegenden Thatsache ⟨gehört⟩, nicht eine historische Aufgabe sein?"[83] Ovb bestreitet hier, daß die Auferstehung mit Recht der Kompetenz rein historischer Betrachtung entzogen wird. Dies verbietet sich, weil der Historiker den Auferstehungsglauben auf seine Entstehung hin hinterfragt: Insofern die Auferstehung Jesu nach der Tradition die dem Osterglauben der Jünger zugrunde liegende Tatsache zu sein beansprucht, gehört die Ermittlung des Wesens dieser Tatsache zur Ermittlung der Entstehung jenes Glaubens[84]. Die Auferstehung Jesu ist mithin durchaus ein mögliches Objekt historischer Forschung[85]. Nur faktischer Mangel an Überlieferung könnte dies ändern. Die Inkoordinabilität des in der Rede von der Auferstehung gemeinten Ereignisses dagegen legt der historischen Nachfrage keine Beschränkung auf. Hieraus folgt: Das mit der historischen Betrachtung mitgesetzte Wirklichkeitsverständnis besitzt für Ovb umfassende Bedeutung. Im Blick auf vergangenes Geschehen überhaupt und eben darum auch im Blick auf die Auferstehung Jesu ist eine Realitätsaussage nur als historisches Urteil möglich.

cc) Destruktion der 'Formen' der christlichen Religion

Die Tatsache, daß die historisch-kritische Forschung in der beschriebenen Weise von einem bestimmten Vorentwurf möglicher geschichtlicher Wirklichkeit ausgeht, bildet einen der Gründe, die Ovb zu der apodiktischen These führen: Der "Antagonismus des Glaubens und des Wissens ist ein beständiger und durchaus unversöhnlicher"[86]. Ovb begründet diese These u.a. durch den Verweis auf die Angriffspunkte, die eine jede Religion notwendigerweise dem Wissen bietet: Welches auch immer der Ursprung der Religion sein möge, ihr Gebiet, d.h. der Ort ihres Lebens, ist die Welt, aus deren Stoff schafft sie sich ihre Formen, nur in diesen Formen hat sie ihr Dasein - "mit diesen Formen aber unterliegt sie rettungslos dem Wissen"[87] Die 'Formen', in denen der Glaube der Christen seiner selbst gewiß ist und gegen die ihn nur ein falscher theologischer Idealismus für gleichgültig halten kann, sind die des Mythos und des Dogmas[88]. Das gemeinsame Grundmerkmal dieser Formen liegt darin, daß sie ein Wirklichkeitsverständnis voraussetzen, welches mit dem der historischen Wissenschaft unvereinbar ist[89]. Daraus folgt: Auf dem Wege rein historischer Betrachtung können die Mythen und Dogmen des Christentums nur aufgelöst, nicht verteidigt und nach ihrer Auflösung auch nicht ersetzt werden[90]. Der gegen die historische Kritik erhobene Vorwurf der 'Negativität' - mag er sich auch nur in Kreisen vernehmen lassen, "welche selbst zu unserer Zeit eine rein negative Stellung einnehmen und für die ihr eigenthümlichen Bestrebungen nur ein verwerfendes Urtheil haben"[91] - ist mithin vom Standpunkt der Religion aus keineswegs unberechtigt. Die Wissenschaft freilich kann ihn auf sich beruhen lassen. Denn: "In der Religion stehen wir Menschen eben nun einmal - wissenschaftlich - auf 'Nichts', und niemand kann uns denn auch demgemäß noch etwas anhaben, wenn wir wissenschaftlich davon redend negativ reden. Wer sich gegen den Vorwurf der Negativität zur Wehre setzen zu müssen meint, verrät sich eben damit schon als blossen 'Fachmann', und zwar als theologischen. Kein Mann der Wissenschaft sonst macht sich aus diesem 'Vorwurf' das Geringste."[92]

Unter den Grundannahmen des christlichen Glaubens, die nur als Dogma
oder als Mythos zu vertreten sind und die darum den durch ihr Wirklichkeitsverständnis bedingten Negationen der historischen Kritik unausweichlich "zum Opfer fallen"[93], stehen voran der Absolutheitsanspruch und der
Glaube an Christus als Offenbarer. Gegen den Absolutheitsanspruch des
Christentums erhebt Ovb den Einwand des Relativismus, der sich ihm als
direkte Folge der Voraussetzungslosigkeit historischer Kritik bzw. der
Anwendung des Analogieprinzips darstellt: "Keine Überzeugung ... ist der
einzelnen Religion wesentlicher als die, dass sie die allein wahre sei,
keine wird ihr aber durch die Wissenschaft sicherer geraubt. Der gläubige
Christ ist des Glaubens, dass das Christenthum (mit seiner Vorreligion)
den Begriff der Religion ausfüllt ... Die ohne Vorurtheil prüfende und
vergleichende Wissenschaft erkennt ohne Mühe, dass eben das, was das
Christenthum den Christen, nichtchristlichen Völkern ihre Religionen leisten"[94]. Gegen den Glauben an Christus als Offenbarer macht Ovb die
reine Immanenz, d.h. den bloß irdischen und menschlichen Charakter aller Geschichte geltend: Die historische Kritik deckt auf, "daß Jesus selbst
ein anderer war, als er in der Geschichte geworden ist"[95]; sie zeigt einen
Menschen, "wo die gläubige Anschauung einen Gott sieht"[96]. Was aber bedeutet dies? "Für den, der der menschlichen Natur gar keine Fähigkeit
zuschreiben kann, in eine übersinnliche Welt zu dringen, weil er in sich
selbst gar keine Brücke zur Erkenntnis und Erfahrung dieser Welt findet,
nichts anderes, als daß Christus gar nicht der Offenbarer der Welt des
Göttlichen sein kann, als welchen ihn der christliche Glaube ansieht."[97]
Was die historische Kritik durch die Leugnung der Gottheit Christi der
christlichen Religion raubt, kann sie ihr weder durch die Entdeckung der
eigenen Religion Jesu noch durch die Berufung auf die Geschichte des Christentums im ganzen ersetzen. Durch die eigene Religion Jesu nicht, weil
diese aus dem Bereich der christlichen Religion hinausführt[98], darum,
wie Ovb meint, für deren Begründung gleichgültig ist[99] und zudem einen
Standpunkt repräsentiert, der, "wenn er schon durch die unmittelbaren
Jünger Jesu nicht zu universeller Bedeutung erhoben werden konnte, jedenfalls durch uns und namentlich nur durch unsere gelehrten Entdeckungen
dazu erhoben zu werden noch viel weniger Aussicht hat."[100] Durch die Geschichte des Christentums im ganzen nicht, weil in dieser nichts wunder-
bar gewesen ist[101] und das Christentum sich unfähig gezeigt hat, "sich
den Folgen auch nur einer einzigen Schwäche der menschlichen Dinge zu
entziehen"[102]; unter der Voraussetzung, das Christentum sei die von Gott
in die Welt gegebene Religion, ist die Kirchengeschichte vielmehr die beste
Schule, um an dem Dasein Gottes als des Weltlenkers irre zu werden[103].
Für den Historiker Ovb ist ein Glaube nach dem Vorbild Jesu kein christlicher Glaube und die Rede von der Geschichte als Offenbarung Gottes ein
Widerspruch in sich.

d) Geschichte als Wissenschaft von der Zeit der Dinge

Geschichte ist ein Prozeß permanenter Veränderung[104]. Etwas gehört
zur Geschichte oder ist 'historisch', wenn es beständiger Veränderung
ausgesetzt und in diesem Sinn 'der Zeit unterworfen' ist[105]. Geschichte
als Wissenschaft ist darum "die Wissenschaft von der Zeit der Dinge";
sie untersucht und beschreibt, "was diese sind, soweit sie sich in der
Zeit und nur in ihr verändern."[106]

> Bereits in einer Rezension des Jahres 1863 läßt Ovb dieses Verständ-
> nis von Geschichte und Geschichtsschreibung erkennen und zugleich
> wenigstens ahnen, welche Konsequenzen sich ihm daraus ergeben
> mußten. An dem zweiten Teil der Kirchengeschichte E. von Pressensés
> setzt Ovb aus, daß Pressensé dem nachapostolischen Zeitalter nicht
> gerecht werde. So sei es unbillig, wenn Pressensé übel vermerke, daß
> in der Periode der apostolischen Väter der Kultus etwas von seiner al-
> ten Freiheit verliere, d.h. - so gibt Ovb diesen Tatbestand wieder -
> "sich mit einer in der Natur der Sache liegenden Nothwendigkeit zu
> festeren Formen entwickelt"[107]; desgleichen, wenn Pressensé in dem
> sich entwickelnden monarchischen Episkopat den reinen Abfall vom
> Urchristentum erblicke - "während doch dem Episcopat vor anderen
> ... die Kirche ihr Fortbestehen verdankt."[108] Ovb fügt hinzu: "Liegt
> nun dennoch dieser Anschauungsweise etwas echt Protestantisches und
> Wahres zu Grunde, und mußten in der That gerade jene festen Formen
> der Kirche mit der Zeit verhängnißvoll werden, so führt dies neben der
> Erwägung ihrer Nothwendigkeit eben zu einer ganz anderen Betrachtungs-
> weise des Gegenstandes als die ist, welche uns hier wieder einmal ge-
> boten wird."[109]

> Die 'ganz andere Betrachtungsweise', von der hier die Rede ist, wird
> von Ovb nicht näher erläutert. Folgendes ist jedoch deutlich: Ovb will
> das Christentum als der Geschichte unterworfen und damit der notwen-
> digen Veränderung seiner ursprünglichen Gestalt ausgesetzt betrachtet
> wissen. Die Entstehung von 'festeren Formen' auf dem Gebiet des
> Kultus und der Verfassung liegt einerseits notwendig in der Natur der
> Sache und bedingt den Fortbestand der Kirche; andererseits aber müs-
> sen jene festeren Formen - offenbar ebenso notwendig - "mit der Zeit
> verhängnißvoll" werden, d.h. die anfängliche Gestalt des Christentums
> ersticken. Selbst schon ein Resultat eingetretener Veränderung, füh-
> ren die festeren Formen des Kultus und der Verfassung das Vergehen
> der christlichen Anfänge vollends herauf. Dauer gibt es also für das
> Christentum nur um den Preis der Modifikation dessen, was christlich
> ist. Ovb's Betrachtungsweise bewegt sich, strenggenommen, schon
> 1863 im Bereich der Thematik, die Löwith in der Überschrift seiner
> Ovb-Darstellung auf die Formel brachte: "... historische Analyse des
> ursprünglichen und vergehenden Christentums"[110].

Die Geschichtsschreibung hat es nicht mit der Geschichte schlechthin, sondern nur mit einem bestimmten Sektor daraus zu tun, nämlich mit der Ver-

gangenheit, von der die Gegenwart aufgrund von Überlieferung wissen kann[111]: "Bei der Kontroverse, ob Geschichte der Gegenwart möglich sei oder nicht, stelle ich mich unbedingt zu den Verneinern - zu denen, die nur Geschichte der Vergangenheit anerkennen."[112] Der Begriff der 'Vergangenheit', wie ihn Ovb hier verwendet, meint mehr als einen nur chronologischen Tatbestand. Was die Vergangenheit von der Gegenwart trennt, ist nicht allein die Zwischenzeit, sondern auch und vor allem der geschichtliche Prozeß dauernder Veränderung, der sich in dieser Zwischenzeit vollzogen hat. Die Unterscheidung der Vergangenheit von der Gegenwart impliziert nach Ovb das Wissen "davon, dass, was ist, geworden und ursprünglich nicht gewesen ist."[113] Die Geschichte ist ein Prozeß, in dem beständig Neues entsteht und Altes verdrängt und ersetzt wird. Vergangen ist demzufolge, was die Geschichte - in welchem Maße auch immer - selbst hat vergehen lassen, was auf spezifischen, in der Gegenwart so nicht mehr gegebenen Voraussetzungen ruht und daher gegenwärtig weder unmittelbar verständlich noch ohne weiteres wiederholbar ist.

Geht man den Aussagen nach, in denen Ovb die Geschichtsschreibung und die Geschichte der Vergangenheit aufeinander bezieht, so zeigt sich ein Zirkel: Nur unter der Voraussetzung, daß eine geschichtliche Erscheinung als der Vergangenheit zugehörig erfahren wird, wird die rein historische Betrachtung möglich und nötig[114]. Die rein historische Betrachtung ihrerseits erhellt aber erst das tatsächliche Ausmaß des Abstands, der die Vergangenheit von der Gegenwart trennt. Gewiß, der Historiker erschließt die Vergangenheit für die Gegenwart, er erschließt sie jedoch als Vergangenheit, d.h. so, daß die Vergangenheit in ihrem Unterschied und als etwas Fremdgewordenes der Gegenwart konfrontiert wird. Eben damit aber entspricht er nur dem faktischen Resultat der geschichtlichen Entwicklung selbst.

In besonders markanter Weise hat Ovb diesen Sachverhalt im Blick auf ein spezielles Theologumenon des Pls am Ende seines über Rm 8,3 handelnden Sendschreibens an Holsten ausgesprochen. In der vorangehenden Erörterung über die Wendung ἐν ὁμοιώματι σαρκὸς ἁμαρτίας war er zu dem Ergebnis gelangt, die Präexistenzvorstellung enthalte den Schlüssel zu der paulinischen Anschauung, welche in Christus die σὰρξ ἁμαρτίας aller Menschen und den Charakter der Sündlosigkeit miteinander verbunden dachte[115]. Mit diesem Resultat, bemerkt Ovb, sei die historische Interpretation abgeschlossen. Holsten habe mit gutem Grund daran erinnert, daß es die dogmatische, nicht die historische Kritik sei, der die Frage zufalle, "ob wir selbst die durch Auslegung gewonnene Anschauung des Paulus in unserem Denken widerspruchslos vollziehen können"[116]. Mit gutem Grund - denn in der Tat enthalte Rm 8,3 eine zu ernste Mahnung an den Theologen, "sich zu besinnen, wie es denn heutzutage thatsächlich steht mit der Vollziehbarkeit des paulinischen Lehrbegriffs in unserer Weltanschauung, als dass man ... nicht erwarten sollte, dass sich die Frage der dogmatischen Kritik immer wieder in die Arbeit des Exegeten mischte."[117]

Ovb fügt hinzu: "Die historische Auslegung hat eben hier das Unglück, eine der Spitzen der paulinischen Lehre aufzuzeigen, welche abzubrechen zu den ersten Aufgaben der nivellirenden Geschichtsbehandlung der Theologie gehörte. Noch aber muss unter uns Theologen Vieles auf's Reine gebracht sein, ehe die herrschende Theologie aufhört, Arbeiten mit überwiegender Missgunst zu betrachten, welche ihr mit dem originellen Tiefsinn der paulinischen Lehre unwillkürlich zugleich auch die Kluft aufdecken, welche sie von unserem Denken trennt."[118]

Die historische Kritik wird in diesen Sätzen von jeder nivellierenden Geschichtsbehandlung klar abgegrenzt. Die Tendenz der Nivellierung des Unterschieds von Vergangenheit und Gegenwart ist nach Ovb in alter[119] und in neuer[120] Zeit ein Charakteristikum des theologischen Umgangs mit der Geschichte. Die theologische Geschichtsbetrachtung, deren wichtigstes Hilfsmittel Ovb gerade auch unter dem vorliegenden Gesichtspunkt in der allegorischen Methode erblickt[121], ist von dem dogmatischen Interesse geleitet, vergangene Lehre für die Weltanschauung der jeweiligen Gegenwart vollziehbar zu machen und Lebensformen der Vergangenheit mit denen der Gegenwart auszugleichen. Da sich solche Ausgleichung als Angleichung des historischen Objekts an die Verhältnisse der Gegenwart vollzieht, werden dabei (mindestens) dessen "Spitzen" abgebrochen; d.h. es werden diejenigen Merkmale eingeebnet und verwischt, in denen zugleich mit der Eigentümlichkeit einer geschichtlichen Erscheinung auch ihre spezifische Differenz zur Gegenwart kulminiert. Die historisch-kritische Forschung hat demgegenüber ihre Aufgabe erst dann erfüllt, wenn sie die Originalität und das unverwechselbar Besondere ihres Gegenstands zur Geltung gebracht hat. Es ist geradezu ihr Ziel, die "Spitzen" einer geschichtlichen Erscheinung in aller Schärfe hervortreten zu lassen. Daß damit zugleich das Fremdartige des Vergangenen im Verhältnis zur Gegenwart aufgedeckt wird, ist eine zwar nicht eigens beabsichtigte, jedoch unvermeidbare - Ovb sagt: unwillkürliche - Implikation des Vollzugs rein historischer Betrachtung.

Die Distanz, die der Historiker zwischen dem Objekt seiner Forschung und seiner eigenen Zeit unwillkürlich aufweist, ist naturgemäß in jedem einzelnen Fall unterschiedlich groß. Im Blick auf den Glauben des Urchristentums vertritt Ovb die Überzeugung, daß er durch eine unüberbrückbare Kluft von der Weltanschauung der Gegenwart geschieden ist. Ein Punkt, an dem diese Kluft besonders eklatant in Erscheinung tritt, ist die Enderwartung der ersten Christen: "Der Widerspruch der altchristlichen Eschatologie und der Zukunftsstimmung der Gegenwart ist ein fundamentaler und vielleicht die Grundursache der Zerfallenheit der Gegenwart mit dem Christentum. Dieses begann mit dem Glauben an ein nahes Weltende. Nichts liegt der Gegenwart ferner als dieser Glaube."[122] Das Auseinanderklaffen von Urchristentum und Gegenwart ist freilich nicht auf die Eschatologie beschränkt. Es ist von umfassender Natur[123] und überdies weit älter als die historisch-kritische Forschung, die nur erkennt, was die Geschichte selbst seit langem heraufgeführt hat: "Das vorige ⟨sc 18.⟩ Jahrhundert ohne historischen Sinn trug sich selbst in die Vergangenheit hinein, und so verhielt es sich

auch dem Christenthum gegenüber. Seine eigene Moral substituirte es ihm
und nahm dies für das alte Christenthum. Wir haben unterscheiden gelernt[124].
Aber die Folge ist, dass, während das vorige Jahrhundert sich mit dem
Christenthum noch eins wissen konnte, wir damit nicht mehr eins werden
können. Wir haben insbesondere erkennen gelernt, dass schon ganze Zeit-
räume, wie namentlich das vorige Jahrhundert, die noch eins mit dem
Christenthum zu sein dachten, nicht mehr darauf standen."[125] Weil es sich
so verhält, betrachtet Ovb es als ein Indiz der Inkonsequenz oder des Verfalls historischer Kritik, wenn die Erforschung des Urchristentums und
seiner Schriften zu Ergebnissen gelangt, die sich dem eigenen Selbst- und
Weltverständnis des Forschers harmonisch einfügen. Rein historische Betrachtung überhaupt und so auch die des Urchristentums hat es mit Vergangenheit zu tun; vergangen aber ist ein geschichtliches Phänomen, das sich
gegen unmittelbare Aktualisierung ebenso sträubt, wie es sich der Identifizierung jeder beliebigen Gegenwart mit ihm selbst entzieht. -

Mit den vorstehenden Darlegungen ist - nach der bloßen Wahrscheinlichkeit
der Resultate und dem vorausgesetzten Wirklichkeitsverständnis - ein drittes Moment genannt, welches den für die christliche Religion und Theologie
bedrohlichen Charakter der historisch-kritischen Methode bestimmt. Indem die rein historische Betrachtung den Vergangenheitscharakter der heiligen Schrift aufdeckt und gegen die Tendenz der Nivellierung festhält, un-
tergräbt sie die Voraussetzung der Präsenz ihrer Botschaft - eine Voraussetzung, die notwendig ist, wenn die heilige Schrift der Text gegenwärtiger
Predigt und dadurch der Grund gegenwärtigen Glaubens bleiben soll.

Geht man davon aus, daß die Geschichtswissenschaft die Wissenschaft "von
der Zeit der Dinge"[126] ist, so ist ihre theologiekritische Bedeutung, wie
Ovb sie versteht, mit dem Verweis auf die Entdeckung des Vergangenheits-
charakters der heiligen Schrift allerdings noch nicht ausreichend beschrieben. Was die rein historische Betrachtung, insofern sie die Geschichte als
einen Prozeß permanenter Veränderung versteht, im Sinne Ovb's für das
Christentum und die Theologie bedeutet, wird in seiner ganzen Tragweite
erst deutlich, wenn man zu dem bereits Gesagten noch zwei im Denken Ovb's
fest verwurzelte Prämissen hinzunimmt.

Die erste Prämisse liegt in der Verhältnisbestimmung von Glaube und Geschichte. "Jede religiös heroische Periode hat bis auf einen gewissen Grad
mit der Geschichte gebrochen."[127] Dieser Satz gilt nach Ovb auch für das
Christentum. Nicht nur, daß es bei seiner Entstehung "überaus unhistorisch
und unwissenschaftlich" zugegangen ist[128]; seine ganze Denkart ist vielmehr
zutiefst ungeschichtlich, da die Christen sich als eine Gemeinschaft verstehen, "welche ... nicht aus der Zeit, sondern aus der Ewigkeit stammt,
nicht in der Zeit, sondern in der Ewigkeit steht, und der darum ... die
Zeit nichts anhaben kann."[129] Der Glaube, daß die Kirche der Welt gegenübersteht und damit "über alle Erfahrung hinausgeht", kann die Kirche nie
verlassen, ohne daß es zu einem Bruch mit ihrem Ursprung kommt und sie
überhaupt aufhört, "eine lebendige religiöse Heilsanstalt zu sein"[130].

Das Verhältnis des Christentums zur Geschichte betrachtet Ovb von hier aus als einen beständigen Kampf zwischen dem Glauben, über die Zeit erhaben zu sein, und der Gewalt geschichtlicher Veränderung. "Gegenwärtig", urteilt er, ist dieser Kampf ausgekämpft, und "gesiegt hat in ihm das Christenthum nur mit dem Recht seiner uralten Überzeugung, es nie zu einer Geschichte in der Welt bringen zu können."[131] Es liegt auf der Hand, daß angesichts dieser Antithese von Christenthum und Geschichte eine rein historische Betrachtung immer nur Tatsachen zutage fördern kann, die dem christlichen Glauben zur Widerlegung dienen, und daß schon der bloße Versuch, das Christentum als Historiker zu vertreten, "nur gegen den Willen des Christenthums"[132] selbst unternommen werden kann. Ovb's Auffassung vom Verhältnis des christlichen Glaubens (und der Religion überhaupt) zu Zeit und Geschichte führt ihn zu der grundsätzlichen Feststellung: "Alle historischen, d.h. historisch lebenden und Jahrhunderte lang herrschenden Religionen und mit ihnen das Christenthum sind auf einen circulus vitiosus gegründet. Sie wollen historisch leben und zugleich unveränderlich sein, und beides ist eben unvereinbar. Alles, was fortlebt, schreitet auch fort, wächst, entwickelt sich und verfällt. Allein die Religionen nehmen für sich gleich bei ihrer Entstehung eine Vollkommenheit in Anspruch, welche ihnen nur noch ein Leben des Verfalls gestattet und sie zum Eingeständniss zwingt, dass sie die Fülle des Daseins, die sie für die Gegenwart in Anspruch nehmen, nur einmal vor grauer Vergangenheit gehabt haben. Die Religion(en) können nicht fortschreiten und ... darum auch nicht fortleben. Was von ihnen fortlebt, sind ... nicht mehr sie selbst, und was sie einst waren, hat längst zu leben aufgehört."[133]

In diesen Sätzen kommt neben der ersten Prämisse - dem Anspruch des christlichen Glaubens auf Unveränderlichkeit bzw. Erhabenheit über den Lauf der irdischen Geschichte - zugleich auch die zweite unmißverständlich zum Ausdruck: Ovb interpretiert den Prozeß der geschichtlichen Veränderung eines bestimmten historischen Phänomens in Analogie zur Entwicklung organischer Lebewesen. Danach durchläuft jedes historische Subjekt nach seiner Entstehung die Stadien der Blüte und des Verfalls, um schließlich seinem Alter zu erliegen. Im Blick auf die Gesamtgeschichte verhält es sich freilich anders. Weil sich in ihr die einzelnen 'Lebensprozesse' mannigfach kreuzen und überlagern, vollzieht sich der Gesamtprozeß der Geschichte in der unauflösbaren Verschlingung von Degeneration und Fortschritt[134]. Auf die Universalgeschichte ist das biologische Interpretationsmodell mithin nicht anwendbar, wohl aber auf die Geschichte einer bestimmten historischen Erscheinung: "Das besonders hervorragende Wesen einer historischen Reihe kann man nie an ihrer allmählichen Entwicklung darlegen, sondern zunächst wenigstens nur an ihrem ersten, sie anführenden Gebilde oder Gliede. An der ganzen Reihe ist, der Natur der Sache nach, nie etwas anderes als die Vergänglichkeit des Ganzen darzulegen, sein Verfall. Es fängt besonders kräftig an und wächst, bis es verfällt. Das gilt von jedem geschichtlichen Gebilde, wenn es wirklich und ernstlich historisch betrachtet wird."[135]

Es gilt nach Ovb insbesondere auch vom Christentum[136]. Zwar wird man
bezweifeln müssen, ob Ovb im Ernst eine auf die Zeit der Entstehung des
Christentums folgende Periode des Wachstums und der Blüte angenommen
hat[137] Um so deutlicher ist aber sein Insistieren auf dem Verfall des
Christentums, auf seinem Alter, das er als Vorboten des Todes versteht[138].
Der ewige Bestand des Christentums ließe sich "nur sub specie aeterni"
vertreten[139]; auf einem Standpunkt dagegen, der die Zeit ernst nimmt und
darum mit dem Gegensatz von Jugend und Alter arbeitet, "werden wir Menschen für das Christentum nie etwas Weiteres zu Stande bringen als den
Nachweis, es sei abgebraucht und werde mit der Zeit zu alt."[140] Das Zeitalter der rein historischen Betrachtung ist für Ovb das Zeitalter des wis-
senden Abschieds vom Christentum.

3. Vergleich von Overbecks Verständnis der historisch-kritischen Methode mit den Ideen Baurs und Nietzsches

In der autobiographisch ausgerichteten Einleitung zur zweiten Auflage seiner 'Christlichkeit' gedenkt Ovb zweier Männer, die von hervorragendem
Einfluß auf seine eigene Entwicklung gewesen sind: Baurs und Nietzsches[1].
Die folgende Erörterung versucht, Ovb's Verständnis der rein historischen
Betrachtung durch einen wenigstens flüchtig durchgeführten Vergleich mit
den entsprechenden Konzeptionen Baurs und des frühen Nietzsche abschliessend zu profilieren. Das Resultat, das sich dabei ergeben wird, ist sche-
matisch formuliert dies: Diejenigen Momente, in denen Ovb für seinen Ge-
lehrtenberuf, d.h. für seinen Beruf als Historiker, an Baur "ein Ideal"[2]
hatte, trennen ihn von Nietzsche; worin dagegen sein Verständnis der historischen Kritik mit demjenigen Nietzsches konvergiert, ist es von der Konzeption Baurs zutiefst geschieden.

a) Vergleich mit Baur

Im Rückblick auf die wissenschaftliche Ausrüstung, mit der versehen er
im Frühjahr 1870 dem Ruf von Jena nach Basel folgte, schreibt Ovb in der
zweiten Auflage der 'Christlichkeit': "Um Lehrer zu sein, kam ich wenigstens aus einer Schule. Ich selbst wusste jedenfalls nicht anders, als
dass ich ein 'Tübinger' sei."[3] Die Tübinger Schule habe sich damals allerdings in einem akuten Auflösungsprozeß befunden[4], und auch seine eigene Bindung an sie habe "manches zu wünschen" übriggelassen: "Baur
ist noch im Jahre, da meine Studentenzeit mit einem Candidatenexamen
ihren Abschluss fand, gestorben (2. Dez. 1860). Sein persönlicher Schüler
bin ich nie gewesen, und ich habe ihn nie auch nur gesehen. So kam ich
denn auch nie in ein anderes als ein nur sehr 'freies' Verhältniss zu seiner Meisterschaft, das mir selbst in einem so zu sagen nur allegorischen
Sinne mich einen 'Tübinger' zu nennen gestattete."[5]

Mit der Formel, nur in allegorischem Sinn habe er sich einen Tübinger
nennen können, bringt Ovb in einprägsamer Weise zum Ausdruck, daß sein

Verhältnis zu Baur nicht in bedingungsloser Gefolgschaft bestand, sondern durch das Beieinander von Zustimmung und kritischer Distanz, Rezeption und Ablehnung gekennzeichnet war. Dies gilt zunächst im Blick auf die Resultate von Baurs kritischer Erforschung des Urchristentums, denen Ovb zwar stets - wenn auch in mit der Zeit abnehmendem Maße - verpflichtet war[6], denen er aber niemals normative Bedeutung zugestanden hat: "Dafür schätzte ich ... den Schutz, den mir die Historikergrundsätze des Meisters selbst gegen ein so grobes Missverständniss gewährten, zu hoch."[7] Das Zugleich von Rezeption und Ablehnung chrakterisiert darüber hinaus Ovb's Verhältnis zu Baurs historischer Methode. In methodischer Hinsicht war Baur für Ovb allein insofern ein Vorbild, als er die Grundsätze empirischer Historiographie auf die Erforschung des Urchristentums anwandte: "Was ich mir von seiner ⟨sc Baurs⟩ historischen Kritik des Urchristenthums zu assimiliren vermochte, beschränkte sich stets auf die, wie mir freilich schien, vollkommen siegreiche Erstreitung seines Rechts, das Urchristenthum rein historisch, d. h. wie es wirklich gewesen, darzustellen, gegen die damalige theologische Apologetik oder die Prätention der Theologie, ihm dieses Recht zu verlegen."[8] "Völlig fremd"[9] dagegen, bekennt Ovb, sei ihm stets Baurs auf Hegel sich gründende Religionsphilosophie und seine damit verbundene spekulative Geschichtsbetrachtung[10] geblieben - eine Aussage, die in der Tat nicht wörtlich genug verstanden werden kann. Denn, was man den 'Hegelianismus' Baurs genannt hat, hat Ovb nicht nur nicht übernommen, sondern offenbar auch gar nicht mehr als eine aktuelle Möglichkeit oder als ein zur Diskussion herausforderndes Problem empfunden. Eine diesbezügliche thematische Auseinandersetzung jedenfalls fehlt[11]. Ovb's Verzicht auf Baurs spekulative Geschichtsbetrachtung ist rein faktischer Natur; er ist jedoch von zu großem sachlichen Gewicht, als daß in der vorliegenden Darstellung ganz übergangen werden könnte, worin er bestand und welche Folgen er mit sich brachte.

In der Vorrede zu seinem dogmengeschichtlichen Werk: Die christliche Lehre von der Dreieinigkeit und Menschwerdung Gottes[12] beschreibt Baur die spekulative Methode, die er zu befolgen beabsichtigt[13], als "die denkende Betrachtung des Objects", als diejenige Stellung des Bewußtseins zu seinem Objekt, in welcher dieses "als das erscheint, was es wirklich ist"[14] Im Blick auf die Geschichte bedeutet "Speculation" das Bestreben, "sich in den objectiven Gang der Sache selbst hineinzustellen, um demselben in allen seinen Momenten, in welchen er sich selbst fortbewegt, zu folgen."[15] Die spekulative Geschichtsbetrachtung geht dabei von der doppelten Voraussetzung aus, daß die Geschichte kein zufälliges Aggregat von Tatsachen oder Tatsachenreihen, sondern ein einheitlicher, in sich zusammenhängender Prozeß ist und daß der geschichtliche Zusammenhang als solcher durch die Vernunft konstituiert wird. Objektive Geschichtsbetrachtung im spekulativen Sinne hat die Aufgabe, den vernünftigen Zusammenhang im Prozeß der Geschichte aufzudecken oder, was dasselbe besagt, die Geschichte als den Prozeß der Vernunft selbst zu begreifen: "Nur wenn in der geschichtlichen Darstellung das Wesen des Geistes selbst, seine innere Bewegung und Entwicklung, sein von Moment zu Moment fortschreitendes Selbstbewußtseyn sich darstellt, ist die wahre Objektivität der Geschichte erkannt und aufgefaßt."[16] Die einzelnen geschichtlichen Ereignisse werden dabei als Durchgangsstufen innerhalb der Gesamtentwicklung begriffen, d.h. als Momente, die für den Fortgang der einen universalen Bewegung wesentlich sind und deren jeweiliger Ort vernunftnotwendig ist. Jede einzelne Erscheinung wird zwar von der folgenden überholt, bildet aber zugleich deren notwendige dialektische Voraussetzung. Die mit der permanenten Veränderung der Geschichte mitgesetzte Relativität aller einzelnen Erscheinungen wird durch die Einheit und Vernünftigkeit des übergreifenden Prozesses selbst relativiert, indem alles Einzelne als Glied der Selbstbewegung des Absoluten in diese aufgehoben wird.[17]

Weil die spekulative Geschichtsbetrachtung die Geschichte von ihrem inneren Grund her begreift, begreift sie sie zugleich im ganzen, d.h. unter Einschluß der Gegenwart. Die - im Sinne Baurs: jeweilige - Gegenwart ist das - wiederum im Sinne Baurs: vorläufig - letzte Glied des universalen Prozesses der Vernunft[18]. Durch diesen Prozeß ist die Gegenwart mit der Vergangenheit in jedem ihrer Stadien verbunden. Indem die spekulative Geschichtsbetrachtung diesen Zusammenhang für die Vernunft erschließt und in der Vernunft des Historikers wiederholt, vermittelt sie zwischen Gegenwart und Vergangenheit: "Das Vermittelnde zwischen Gegenwart und Vergangenheit ist die Geschichte, aber nur sofern sich in ihr das Subjekt des Verhältnisses bewusst ist, in welchem es als denkendes zur Vergangenheit steht"[19]. Die Gegenwart ist freilich nicht nur das letzte Glied der Entwicklungsgeschichte des absoluten Geistes, sondern auch deren Resultat, das die Glieder des vorangegangenen Prozesses als überwundene insgesamt in sich aufgehoben hat. Die geschichtliche Selbstbewegung des ewigen Geistes ist der Prozeß der Genesis des freien Selbstbewußtseins der Gegenwart. Als Resultat dieses Prozesses versteht der denkende Geist die Geschichte als eine mit Notwendigkeit auf ihn selbst zulaufende Bewegung. In der Geschichte begreift er sich selbst in der Modalität des Werdens. Die spekulative Rückschau auf die Geschichte ist darum für den denkenden Geist ein Modus der Selbstreflexion: Auf dem Wege der Spekulation wird die Geschichte "für den denkenden Geist das ..., was sie ihrer göttlichen Bestimmung zufolge für ihn seyn soll, die Selbstverständigung der Gegenwart aus der Vergangenheit."[20]

Die spekulative Methode ist die wissenschaftliche Form für die Betrachtung der Geschichte überhaupt. Auf keinem anderen Gebiet aber kommt ihr "grössere Bedeutung"[21] zu und geschieht ihre Anwendung "mit grösserem Rechte"[22] als dort, "wo die Gegenwart mit der Vergangenheit am engsten und unmittelbarsten zusammenhängt"[23] und wo man es "unmittelbar mit den höchsten Aufgaben und Interessen des menschlichen Geistes"[24] zu tun hat: auf dem Gebiet des Christentums und der christlichen Kirche. Bei diesem Urteil Baurs ist vorausgesetzt, daß der Geist der Zeit als solcher wesentlich christlich ist. Dies ist in der Tat Baurs Überzeugung. "Das Christenthum", schreibt er, ist "die grosse geistige Macht, durch welche alles

Glauben und Denken der Gegenwart bestimmt wird, das absolute Princip, durch welches das Selbstbewusstsein des Geistes getragen und gehalten wird, das, ohne ein wesentlich christliches zu sein, in sich selbst keinen Halt und Bestand hätte"[25]. Weil es sich so verhält, wendet sich der Geist auf seiner gegenwärtigen Entwicklungsstufe, insofern er auf sich selbst reflektiert und sich aus seiner geschichtlichen Genesis zu begreifen sucht, mit Notwendigkeit zur Geschichte des Christentums zurück. Indem er diese spekulativ interpretiert, begreift er sich selbst als Endgestalt des sich zu immer größerer Reinheit entwickelnden christlichen Prinzips. Auf dem Wege der Spekulation wird der denkende Geist damit seiner eigenen substantiellen Christlichkeit gewiß[26].

Im Unterschied zur Spekulation ist die rein empirische Betrachtung Baur zufolge nicht imstande, die Geschichte in ihrer Objektivität zu erfassen. Gemessen am Ganzen der Geschichte, bleiben die Resultate empirischer Historiographie stets partikularer Natur; gemessen an der inneren Notwendigkeit des geschichtlichen Prozesses, bleiben sie mit der Signatur des Zufälligen und Willkürlichen behaftet; gemessen an dem konstituierenden Grund der geschichtlichen Entwicklung, gelangen sie über deren Oberfläche und Außenseite nicht hinaus. Empirische Geschichtsbetrachtung bleibt als solche subjektiv: Sie vermag das geschichtlich Gegebene nicht "nach seinem innern wesentlichen Zusammenhang" zu begreifen, sondern faßt es "blos äusserlich, nach dieser oder jener zufälligen Beziehung, in welche das Subject zu demselben sich sezt," auf[27]. "So wenig aber geläugnet werden kann, daß Einheit und Zusammenhang die Seele jeder geschichtlichen Darstellung seyn müßen, so wenig kann dieser wesentlichen Forderung durch jenen subjektiven Pragmatismus Genüge geschehen, der an die Stelle der Objektivität der Geschichte die Subjektivität des darstellenden Individuums setzt, und zwar überall einen bestimmten Zusammenhang nachzuweisen sucht, aber ihn auch nur im Kreise äußerlicher Motive und innerhalb der engen Grenzen eines bestimmten Zeitraums findet"[28]. Was die Geschichte "wirklich", d. h. "für die denkende Betrachtung des Geistes"[29] ist, bleibt der empirischen Forschung mithin verschlossen.

Trotz dieser Einschätzung wäre es nun allerdings durchaus einseitig und darum ein Mißverständnis, wollte man der Geschichtsforschung Baurs den Charakter 'rein historischer' Forschung im empirischen Sinne völlig absprechen. Dies würde weder der Intention Baurs noch seiner faktischen Leistung gerecht werden[30]. Baur selbst konnte von seiner "Methode der historischen Kritik" sagen: "Ich wüsste nicht, was ich mir unter der bisherigen Kritik denken sollte, wenn ich die von mir befolgten Grundsätze als neu betrachten müßte."[31] Im Todesjahr Baurs faßte Zeller die Bedeutung der von Baur ins Leben gerufenen 'Tübinger historischen Schule' in die Sätze zusammen: "Die Pflicht dieser geschichtlichen Gerechtigkeit nach beiden Seiten hin gegen das Christenthum und die christliche Kirche zu üben, von ihrer Entstehung und ihrer Entwicklung ein möglichst treues, dem wirklichen Thatbestand entsprechendes ... Bild zu gewinnen, dieß ist die Aufgabe, welche die 'Tübinger Schule' sich gesetzt hat. ... wer ihre Arbeiten, und wer namentlich die letzten Werke ihres Stifters mit unbefangenem Auge betrachtet, der wird sich leicht überzeugen, daß ihr letztes Ziel das rein positive der geschichtlichen Erkenntniß ist, und wie weit auch über ihre einzelnen Ergebnisse die Ansichten auseinandergehen mögen, die Anerkennung wird man ihr nicht versagen dürfen, daß ihre leitenden Grundsätze nur dieselben sind, welche außerhalb der Theologie die ganze deutsche Geschichtschreibung seit Niebuhr und Ranke beherrschen."[32]

Der Standpunkt der Spekulation hat Baur an historisch-kritischer Einzelforschung im empirischen Sinne nicht gehindert, ja, er hat ihm nach seinem eigenen Selbstverständnis überhaupt erst die Freiheit verschafft, deren es bedarf, um jene Forschung ohne die Einmischung subjektiver Interessen zu betreiben[33]. Diese Freiheit zur empirischen Detailforschung ist die Freiheit des "in der Selbstgewissheit seines Bewusstseins in sich ruhende⟨n⟩ Geist⟨es⟩"[34], der an sich selbst und seiner spekulativen Selbstreflexion genug hat und darum durch die Resultate vor-spekulativer Geschichtsforschung weder wirklich bereichert noch ernsthaft in Frage gestellt werden kann[35]. Der spekulative Standpunkt gibt (wirkliche) Freiheit zum Detail, wie immer es aussehen mag, weil er <u>allem</u> Detail überlegen ist und es entweder als unwesentlich oder als 'Moment' des spekulativ begriffenen Wesens der Sache selbst versteht. "Der Kritiker, der in der Selbstgewißheit des eigenen Bewußtseins seinen Ruhepunkt hat, hat die Freiheit, sich gegenüber seinen Einzelergebnissen gleichgültig, uninteressiert, indifferent zu verhalten, er hat sie deshalb, weil er eben an dieser seiner eigenen Selbstgewißheit, von der er weiß, daß sie durch die 'mühevolle Arbeit vieler Jahrhunderte errungen' ist, den Beweis dafür besitzt, daß das Ziel und Resultat und also auch das Wesen der Geschichte des Christentums die Verwirklichung der Autonomie des Selbstbewußtseins ist. Weil er dessen gewiß ist, daß es im <u>Ganzen</u> dieser Inhalt ist, der in dieser Geschichte sich erzeugt, sich entwickelt und sich verwirklicht, kann er es 'unbefangen' dem Ausgang der kritischen Forschung überlassen, herauszubringen, <u>wie</u> er sich im <u>Einzelnen</u> ursprünglich erzeugt und ausgesprochen hat, ohne Angst, bei der kritischen Erschließung des Neuen Testaments womöglich etwas für entscheidend Gehaltenes zu verlieren, aber auch ohne die Erwartung, darin womöglich etwas wirklich Entscheidendes zu lernen."[36]

Die Überzeugung von dem Recht und der Pflicht, das (Ur-)Christentum "rein historisch, d.h. wie es wirklich gewesen"[37] ist, zu erforschen, hat sich Ovb durch das Studium der Schriften Baurs unverlierbar eingeprägt. Baurs spekulative Methode hat er dagegen nicht übernommen[38]. Ovb hat dadurch nicht nur die Möglichkeit verloren, die Geschichte unter der Idee der Einheit eines dialektisch vorwärtsschreitenden vernünftigen Prozesses zu begreifen und die Vergangenheit mit der Gegenwart universal zu vermitteln; er hat sich zugleich auch einer Verstehensweise begeben, für die geschichtliche Erkenntnis und philosophischer Begriff zum Ausgleich kommen und für die das Christentum als die geistige Macht erscheint, die das Wesentliche der Vergangenheit in sich aufgehoben hat und darum alles Glauben und Denken der Gegenwart zusammenhält. Mit dem Verzicht auf die

Spekulation im Sinne Baurs hat Ovb einen Standpunkt verlassen, welcher
der historischen Empirie zwar allen Raum gewährte, der aber zugleich
vor den konstruktiven und destruktiven Implikationen ihrer Resultate sicher
war. Jenseits dieses Standpunkts ist Ovb - von Baur her gesehen - schutz-
los dem Willkürlichen, Zufälligen, Unverbundenen und Relativen der auf
empirischem Wege allein sich erschließenden 'Außenseite' des geschichtlichen Geschehens ausgesetzt, d. h. all dem, was ebensosehr Geschichte
und Vernunft auseinanderhält, wie es Vergangenheit und Gegenwart distanziert. Die Freiheit zum historischen Detail hat Ovb allerdings - trotz des
Verzichts auf die Spekulation - nicht eingebüßt. Die Angst, bei der kritischen Erschließung des Urchristentums Entscheidendes zu verlieren, war
ihm selbst nicht weniger fremd als Baur, wenngleich er der Ansicht war,
ein solcher Verlust sei für die christliche Religion unausweichlich und füh-
re am Ende dazu, das Christentum "sanft verlöschen"[39] zu lassen. Die
Erwartung, durch historische Kritik des Urchristentums etwas wirklich
Neues zu lernen, hat er aus seiner Sicht - anders als, vom Standpunkt der
Spekulation aus, Baur - zwar stets gehegt; doch wurde seine Freiheit zum
historischen Detail dadurch nicht geringer als diejenige Baurs, weil er den
Glauben, dies Neue könne als etwas Entscheidendes und mit dem Anspruch
auf Präsenz in der Gegenwart noch vertreten werden, nicht mehr teilte.

In seinem 1862 erschienenen Aufsatz: Ferdinand Christian Baur und die
Tübinger Schule hat Lipsius das Urteil ausgesprochen: "Ein künftiger Ge-
schichtschreiber der Theologie des 19. Jahrhunderts wird Baur als die Ja-
nusgestalt bezeichnen müssen, welche an der Grenzscheide zweier Zeiten
steht, mit der einen Seite seines geistigen Antlitzes nach rückwärts gerichtet in die durch die Namen von Schelling, Schleiermacher und Hegel bezeichnete speculative Periode der deutschen Wissenschaft, mit der andern nach
vorwärts gerichtet in die gegenwärtig noch fortdauernde Epoche vorwiegend
historisch-kritischer Einzelforschung."[40] Geiger hat dieses Urteil Lipsius'
aufgenommen und durch einen Vergleich Baurs mit Hegel den Nachweis geführt, daß im Denken Baurs "zwei grundverschiedene Verhaltensweisen gegenüber geschichtlicher Wirklichkeit" auseinanderzutreten beginnen: "Es
trennt sich der Historismus von der Spekulation."[41] Diese geistesgeschicht-
liche Einordnung Baurs ist das exakte Korrelat dazu - und zugleich die Bedingung der Möglichkeit dafür -, daß Ovb sich einen Tübinger nennen konnte,
einen Tübinger freilich "in einem so zu sagen nur allegorischen Sinne"[42].

b) Vergleich mit Nietzsche

"Betrachte die Herde, die an dir vorüberweidet: sie weiß nicht, was
Gestern, was Heute ist, springt umher, frißt, ruht, verdaut, springt
wieder, und so vom Morgen bis zur Nacht und von Tage zu Tage, kurz
angebunden mit ihrer Lust und Unlust, nämlich an den Pflock des Augenblicks, und deshalb weder schwermütig noch überdrüssig. Dies zu
sehen geht dem Menschen hart ein, weil er seines Menschentums sich
vor dem Tiere brüstet und doch nach seinem Glücke eifersüchtig hin-

blickt - denn das will er allein, gleich dem Tiere weder überdrüssig
noch unter Schmerzen leben, und will es doch vergebens, weil er es
nicht will wie das Tier. Der Mensch fragt wohl einmal das Tier: warum redest du mir nicht von deinem Glücke und siehst mich nur an?
Das Tier will auch antworten und sagen: das kommt daher, daß ich
immer gleich vergesse, was ich sagen wollte - da vergaß es aber auch
schon diese Antwort und schwieg: so daß der Mensch sich darob ver-
wunderte."[43]

Mit den vorstehenden Sätzen beginnt der erste Abschnitt der 1874 erschienenen Schrift Nietzsches: Vom Nutzen und Nachteil der Historie für das
Leben[44]. Eine 'Unzeitgemäße Betrachtung' soll diese Schrift sein, weil
Nietzsche in ihr "etwas, worauf die Zeit mit Recht stolz ist, ihre historische Bildung, ... einmal als Schaden, Gebreste und Mangel der Zeit zu
verstehen" versucht und weil er auf diese Weise "gegen die Zeit und dadurch auf die Zeit und hoffentlich zugunsten einer kommenden Zeit"[45] zu
wirken beabsichtigt. An einige der von Nietzsche vorgetragenen Grundgedanken, soweit sie im Blick auf Ovb's Verständnis der historischen Kritik
bedeutsam erscheinen, soll im folgenden erinnert werden[46].

Im Unterschied zum Tier ist der Mensch ein historisches Wesen. Er kann
nicht wie das Tier - kurz angebunden an den Pflock des Augenblicks - in
der Gegenwart aufgehen, weil er das (totale) Vergessen nicht lernen kann,
sondern immerfort von der Vergangenheit eingeholt wird und am Vergangenen hängt. Ein Vergessen, wie es dem Tier eigen ist, könnte dem Menschen erst sein Tod bringen, also der Verlust seiner Existenz als Mensch
überhaupt[47]. Das Tier zeigt dem Menschen jedoch, daß es Glück und Leben im vollen Sinne nur unter der Bedingung des Vergessens gibt[48]. Hieraus folgt: Das Glück des Tieres bleibt dem Menschen versagt; weil sich
der Mensch als Mensch notwendig erinnert und weil er, um glücklich zu
sein und lebendig am Leben teilzunehmen, ebenso notwendig vergessen
muß[49], stellt sich die Frage nach dem menschenmöglichen Glück als die
Frage nach dem rechten Verhältnis von Sich-Erinnern-Müssen und Verges-
sen-Können.

Für Nietzsche ist diese Frage keine theoretische, sondern eine eminent
praktische Frage, eine Frage, bei der das Leben unmittelbar auf dem Spiel
steht und die nur durch das Leben selbst entschieden werden kann: Um die
Grenze zu bestimmen, bis zu der das Vergangene in der Erinnerung bleiben darf und von der an es vergessen werden muß, wenn das gegenwärtige
Leben nicht zu Schaden kommen soll, "müßte man genau wissen, wie groß
die plastische Kraft eines Menschen, eines Volkes, einer Kultur ist; ich
meine jene Kraft, aus sich heraus eigenartig zu wachsen, Vergangenes und
Fremdes umzubilden und einzuverleiben, Wunden auszuheilen, Verlorenes
zu ersetzen, zerbrochene Formen aus sich nachzuformen. ... Je stärkere
Wurzeln die innerste Natur eines Menschen hat, um so mehr wird er auch
von der Vergangenheit sich aneignen oder anzwingen; und dächte man sich
die mächtigste und ungeheuerste Natur, so wäre sie daran zu erkennen,

daß es für sie gar keine Grenze des historischen Sinnes geben würde, an
der er überwuchernd und schädlich zu wirken vermöchte; alles Vergangene,
eigenes und fremdestes, würde sie an sich heran-, in sich hineinziehen
und gleichsam zu Blut umschaffen. Das, was eine solche Natur nicht be-
zwingt, weiß sie zu vergessen; es ist nicht mehr da, der Horizont ist geschlossen und ganz, und nichts vermag daran zu erinnern, daß es noch jenseits desselben Menschen, Leidenschaften, Lehren, Zwecke gibt. Und dies
ist ein allgemeines Gesetz; jedes Lebendige kann nur innerhalb eines Hori-
zontes gesund, stark und fruchtbar werden; ist es unvermögend, einen Horizont um sich zu ziehn, ... so siecht es matt oder überhastig zu zeitigem
Untergange dahin. "[50]

Die "plastische Kraft" ist der dunkle, vor-rationale Lebenstrieb, der das
Leben zum Leben macht, am Leben erhält und ihm Vitalität, Energie und
schöpferische Potenz mitteilt; wird die Frage nach der Grenzlinie von Sich-
Erinnern und Vergessen als Lebensfrage aufgeworfen, bildet darum die
plastische Kraft den Maßstab, nach dem entschieden werden muß. Sie allein
gewährleistet, daß die Entscheidung zum Nutzen, nicht zum Nachteil des
Lebens ausfällt: Die Stärke der plastischen Kraft bestimmt den Radius des
Horizonts, der das sich erinnernde Leben gegen die zu vergessende Vergangenheit abschirmt[51].

Als der kräftige Instinkt, der das Leben in seinen lebensnotwendigen Horizont einschließt, hält die plastische Kraft freilich nicht nur die Vergangenheit, die vergessen werden muß, vom Leben fern; sie prägt vielmehr zugleich auch die Struktur der noch verbleibenden Erinnerung. Wenn Nietzsche
das Vergessen als unhistorische, das Sich-Erinnern aber als historische
Empfindung beschreibt[52], so darf das nicht zu dem irrigen Eindruck verlei-
ten, als sei in dem zweiten Fall an eine Geschichtsbetrachtung im Sinne wissenschaftlicher Historiographie gedacht. Gegen eine solche Auffassung legen bereits die in dem letzten Zitat gesperrten Stellen ein deutliches Zeugnis ab. 'Erinnerung', die sich unter der Führung der plastischen Lebenskraft vollzieht, bedeutet danach soviel wie: Vergangenes und Fremdes um-
bilden und sich einverleiben, es sich aneignen oder anzwingen, es an sich
heran- und in sich hineinziehen und damit "zu Blut umschaffen". Ob dabei
im Sinne der Wissenschaft Ungerechtigkeit und Irrtum unterlaufen, wird
ausdrücklich für irrelevant erklärt[53]. Denn, was der Grund des Vergessens
ist, bestimmt zugleich die Signatur der Erinnerung: Beidemal geht es nicht
um das Objekt als solches oder um objektive Richtigkeit, sondern um den
Nutzen für das Subjekt. Die historische Empfindung, von der Nietzsche spricht
hat nicht die Aufgabe, das Vergangene in seiner kantigen Besonderheit und
Fremdheit zu bewahren, sondern es dem gegenwärtigen Leben zu assimilie-
ren, es seinen Bedürfnissen gemäß umzuschmelzen und so seinen Interessen
dienstbar zu machen. Nur was sich diesem Transformationsprozeß entzieht,
was also von der plastischen Lebenskraft nicht bezwungen werden kann,
fällt eben darum dem Vergessen anheim.

Wenn Nietzsche den Menschen voll Eifersucht auf das Glück des Tieres
schauen läßt und wenn er ihm das Tier in gewissem Sinn als Vorbild vor

Augen stellt, so bedeutet das nicht, daß er den Unterschied zwischen Mensch und Tier aufzuheben beabsichtigt. Weil der Mensch den Charakter des Lebewesens zwar mit dem Tier teilt, anders als das Tier aber ein historisches Wesen ist, welches von der Vergangenheit nicht loskommt, ist es ein Satz, der dem Spezifischen des Menschen durchaus Rechnung trägt, wenn Nietzsche formuliert: "das Unhistorische und das Historische ist gleichermaßen für die Gesundheit eines einzelnen, eines Volkes und einer Kultur nötig."[54] Charakteristisch für den Denkansatz Nietzsches ist es freilich, daß den beiden in diesem Satz verbundenen Elementen - trotz des 'gleichermaßen' - nicht gleiches Gewicht zukommt. Die Fähigkeit, bis zu einem gewissen Grade unhistorisch zu empfinden, hält Nietzsche "für die wichtigere und ursprünglichere", weil in ihr "das Fundament liegt, auf dem überhaupt erst etwas Rechtes, Gesundes und Großes, etwas wahrhaft Menschliches wachsen kann."[55] Nur auf der Basis des Unhistorischen und darum nur als dessen partielle Einschränkung und Modifikation, konkret gesprochen: als "die Kraft, das Vergangene zum Leben zu gebrauchen und aus dem Geschehenen wieder Geschichte zu machen"[56], hat auch das Element des Historischen seine Berechtigung und seine Notwendigkeit. Über den Charakter der Historie ist hiermit entschieden: Insofern sie dem Leben dient und von der plastischen Lebenskraft regiert wird, steht sie "im Dienste einer unhistorischen Macht und wird deshalb nie, in dieser Unterordnung, reine Wissenschaft ... werden können und sollen."[57] Nietzsches Aufruf, die Historie zum Zwecke des Lebens zu treiben, hat die Abkehr von der Geschichte als Wissenschaft zur notwendigen, von Nietzsche reflektierten und zum Programm erhobenen Bedingung: "Die Geschichte als reine Wissenschaft gedacht und souverän geworden, wäre eine Art von Lebens-Abschluß und Abrechnung für die Menschheit. Die historische Bildung ist vielmehr nur im Gefolge einer mächtigen neuen Lebensströmung, einer werdenden Kultur zum Beispiel, etwas Heilsames und Zukunft-Verheißendes, also nur dann, wenn sie von einer höheren Kraft beherrscht und geführt wird und nicht selber herrscht und führt."[58]

Die dem Leben dienende, weil vom Leben selbst in Schranken gehaltene und regierte Historie ist nach Nietzsche die allein naturgemäße Beziehung eines Menschen oder einer Kultur zur Geschichte[59]. In der Gegenwart, in der die historische Bildung es zu bisher nie geahnter Geltung gebracht hat, ist diese naturgemäße Beziehung verlorengegangen. Die Gegenwart leidet "an der historischen Krankheit."[60] Die Historie hat sich von der Herrschaft der plastischen Lebenskraft emanzipiert und ist selbst souverän geworden. Der Umgang mit der Geschichte steht jetzt unter der Forderung, reine Wissenschaft zu sein. Als reine Wissenschaft aber kann die Historie nicht anders, als dem Leben zum Nachteil zu geraten - sie folgt dem Wahlspruch: "fiat veritas, pereat vita."[61]

Inwiefern die historische Wissenschaft nach Nietzsche dem Leben schadet, sei im folgenden - ohne Anspruch auf Vollständigkeit - thesenartig erläutert:

    (1) Die Erkenntnis tötet das Handeln. Sie gibt den Einblick frei in die "grauenhafte Wahrheit"[62] der Geschichte und erschließt "das Entsetz-

liche oder Absurde des Daseins"[63]. Im Bewußtsein dieser Wahrheit
befällt den Menschen der Ekel - "nur in Liebe aber, nur umschattet
von der Illusion der Liebe, schafft der Mensch, nämlich nur im unbedingten Glauben an das Vollkommne und Rechte."[64]

(2) Die Historie als Wissenschaft ist "die Wissenschaft des universalen Werdens"[65]. Sie macht den Menschen schwächlich und mutlos, weil
sie ihm das Fundament aller seiner Ruhe und Sicherheit entzieht: "den
Glauben an das Beharrliche und Ewige"[66]. Wer die Historie rein treibt,
ist gezwungen, überall nur Werden und Veränderung wahrzunehmen.
Er verliert darum den Glauben auch an das eigene Sein und sieht, daß
er selbst, wie alle Wirklichkeit sonst, im Strom des universalen Werdens verfließt: "er wird wie der rechte Schüler Heraklits zuletzt kaum
mehr wagen, den Finger zu heben."[67]

(3) Historische Forschung erschließt eine schlechthin unübersehbare
Materialfülle, die nicht mehr in die Einheit eines in sich geschlossenen Lebensentwurfs zusammengefaßt werden kann[68]. Das Resultat der
wissenschaftlichen, d.h. "im Übermaße ohne Hunger, ja wider das Bedürfnis"[69] betriebenen Historie ist nach Nietzsche ein unförmig aufge-
blähtes Inneres, dem kein Äußeres mehr entspricht; ein enzyklopädisch
angefülltes Wissen, das daran hindert, zur Tat zu kommen; ein chao-
tisches Aggregat von Materialien, das sich jedem Versuch der Formung
widersetzt[70].

(4) Durch die Fülle des Verschiedenen und Fremdartigen, das die Historie zutage fördert, vernichtet sie den naturgegebenen Instinkt des Individuums[71]. Sie entwurzelt die Zukunft[72], weil sie die Atmosphäre des
Unhistorischen zerreißt, auf die Leben angewiesen ist: "Alles Lebendige
braucht um sich eine Atmosphäre, einen geheimnisvollen Dunstkreis;
wenn man ihm diese Hülle nimmt, wenn man eine Religion, eine Kunst,
ein Genie verurteilt, als Gestirn ohne Atmosphäre zu kreisen: so soll
man sich über das schnelle Verdorren, Hart- und Unfruchtbarwerden
nicht mehr wundern."[73] Die wissenschaftliche Historie setzt den Menschen einer ununterbrochenen Verschiebung der "Horizont-Perspekti-
ven"[74] aus und zwingt ihn so mit aller Wucht in die Problematik des
Relativismus: "Jetzt weiß er es: in allen Zeiten war es anders, es komm
nicht darauf an, wie du bist."[75]

(5) Die Historie erzeugt schließlich "eine Art von ironischem Selbstbewußtsein"[76]. Sie läßt die Gegenwart sich als ein Geschlecht von Epigonen[77] verstehen und führt zu der Überzeugung, daß die Menschheit
alt geworden ist - zu alt, um von der Zukunft noch etwas erhoffen zu
können[78]. Unter diesem Gesichtspunkt betrachtet, versteht Nietzsche
die wissenschaftliche Historie als den späten, säkularen Nachklang der
altchristlichen Erwartung des nahen Weltendes und des mittelalterlichen
"Memento mori": "Die herbe und tiefsinnig ernste Betrachtung über
den Unwert alles Geschehenen, über das zum-Gericht-Reifsein der Welt
hat sich zu dem skeptischen Bewußtsein verflüchtigt, daß es jedenfalls

gut sei, alles Geschehene zu wissen, weil es zu spät dafür sei, etwas Besseres zu tun. So macht der historische Sinn seine Diener passiv und retrospektiv; und beinahe nur aus augenblicklicher Vergeßlichkeit ... wird der am historischen Fieber Erkrankte aktiv, um, sobald die Aktion vorüber ist, seine Tat zu sezieren, durch analytische Betrachtung am Weiterwirken zu hindern und sie endlich zur 'Historie' abzuhäuten. In diesem Sinne leben wir noch im Mittelalter, ist Historie immer noch eine verkappte Theologie"[79].

Blicken wir von hier aus zu Ovb! In seinen Selbstbekenntnissen heißt es: "Die Vorstellung von Wissenschaft, unter der ich in Beziehung zu ihr getreten bin, ist, daß sie dazu bestimmt ist, an den Dingen eine Art jüngsten Gerichts zu üben, und nur so bin ich überhaupt zu meinem Begriff von Theologie gekommen. ... Also ich weiß als Theologe von einer anderen Fähigkeit und Bestimmung der Theologie in Hinsicht auf das Christenthum, als an ihm ein jüngstes Gericht zu vollziehen, nicht."[80] Rein als Faktum genommen mag es zufällig sein, daß Ovb, um sein Verständnis von historischer Wissenschaft zum Ausdruck zu bringen, ebenso wie Nietzsche, auf den Sprach- und Vorstellungsbereich der christlichen Eschatologie zurückgreift; daß beide so verfahren können, weist jedoch darauf hin, daß sie durch eine Übereinstimmung in der Sache miteinander verbunden sind. Eine solche Übereinstimmung ist in der Tat unverkennbar. Die historisch-kritische Wissenschaft wird von Ovb ebenso wie von Nietzsche als eine Betrachtungsweise beurteilt, die Vergangenheit und Gegenwart durch den Einblick in den Prozeß des universalen Werdens schroff distanziert, als eine Betrachtungsweise, die das Fremdartige, das Menschlich-Allzumenschliche, das Ab- und Ausgelebtsein ihres Gegenstands durchschaut und das betrachtende Subjekt der Problematik des Relativismus und Skeptizismus preisgibt. Eine Erscheinung der Vergangenheit, wissenschaftlich betrachtet, gibt der Gegenwart weder Kraft zum Leben noch Gewißheit zum Glauben. Ein Umgang mit der Geschichte, der dem Leben dient oder den Glauben fördert - im Sinne Nietzsches: die monumentalische, antiquarische oder kritische Historie; im Sinne Ovb's: die allegorische Interpretation -, wird vom Standpunkt der historischen Wissenschaft aus als Täuschung oder Illusion entlarvt. - Neben dieser Übereinstimmung zwischen Ovb und Nietzsche darf freilich auch das Trennende nicht verkannt werden. Es ist zunächst darauf hinzuweisen - durch das Gefälle der oben gegebenen Darstellung der Gedanken Ovb's und Nietzsches wurde versucht, dem Rechnung zu tragen -, daß beide auf sehr verschiedenen Wegen zu ihrer Beurteilung der historisch-kritischen Wissenschaft gelangen. Nietzsche setzt bei einem bestimmten Begriff des Lebens an, das sich für ihn durch den vor-rationalen, unersättlich sich selbst begehrenden Lebenstrieb konstituiert. Am Leitfaden der Bedürfnisse und Interessen des Lebens fragt er nach Nutzen und Nachteil der Historie. Dabei erkennt er: Die Historie als Wissenschaft ist dem Leben allemal schädlich. Der Weg Ovb's verläuft in umgekehrter Richtung. Ovb geht von der historisch-kritischen Forschung aus, und zwar weniger von methodologischen oder geschichtsphilosophischen Reflexionen über diese als von ihrem konkreten Vollzug. Durch

den Vollzug der historischen Arbeit selbst erschließt sich ihm, daß Fragestellung und Resultate seiner Wissenschaft das Leben der christlichen Religion notwendig untergraben. Die Beobachtung dieser verschiedenen Weg-
Richtungen ist für die Entscheidung der Frage nach einer eventuellen Abhängigkeit Ovb's von Nietzsche nicht ohne Interesse: Ovb und Nietzsche
sind sich begegnet. Daß Ovb durch Nietzsche aus seiner bisher verfolgten
Bahn hinaus- und in eine neue Bahn hineingezwungen worden wäre, läßt
sich durchaus nicht sagen. Das in den Abschnitten 1 - 2 dieses Kapitels
verarbeitete Material zeigt vielmehr, daß die theologie- und religionskri-
tischen Konsequenzen der historischen Forschung, wie Ovb sie in der
'Christlichkeit' und später ausgesprochen hat, in den einschlägigen Texten aus der Zeit vor 1870 durchweg implizit, zu nicht geringem Teil aber
auch schon explizit belegt werden können. Was Ovb in der Begegnung mit
Nietzsche gelernt hat, beschränkt sich, soweit es um die Beurteilung der
historischen Kritik geht, auf den Gewinn größerer Klarheit über die Implikationen seines eigenen Weges. In diesem Sinne schreibt Ovb selbst, die
Gedankenfülle der 'Geburt der Tragödie' habe ihm zur mächtigsten Anre-
gung gedient, "dem ohnehin empfundenen Drange nach umfassenderer und
lichterer Orientirung in meiner Wissenschaft weiter nachzudenken"[81].

Im Vorwort des AG-Komm charakterisiert Ovb seine Absicht dahin, mit
den allgemein geltenden Methoden der Exegese "den historischen, d.h.
heutzutage den einzigen Sinn der AG. aus ihrem Text möglichst genau zu
eruiren."[82] Ganz entsprechend schreibt er schon 1863, der Vorwurf der
Negativität gegen Baurs Kirchengeschichte des 19. Jahrhunderts werde sich
nur in solchen Kreisen vernehmen lassen, "welche selbst zu unserer Zeit
eine rein negative Stellung einnehmen"[83]. Für Ovb ist die historisch-kritische Methode die allein zeitgemäße, dem Geist der Gegenwart allein entsprechende Weise des Umgangs mit der Vergangenheit. Ganz anders - darin liegt der zweite hier in Betracht kommende Unterschied - urteilt an diesem Punkt Nietzsche. Das Losungswort der neueren Zeit lautet für ihn:
Memento vivere![84] Wenn er daher die wissenschaftliche Historie als "eine verkappte Theologie"[85] bezeichnet und aus dem universalen historischen
Forschen seiner Zeitgenossen entnimmt, daß "die Menschheit ... noch fest
auf dem Memento mori"[86] sitzt, so bedeutet dies: Die historische Wissenschaft, so sehr sie auch in der Gegenwart dominiert, steht doch zum Geist
der neueren Zeit zutiefst im Widerspruch; sie ist, wenn auch mit anderen
Mitteln und unter veränderten Bedingungen, die Konservierung der Lebens-
feindlichkeit des christlich-mittelalterlichen Memento mori[87]. Die überaus
große Aktualität der historischen Bildung vermag deren Mangel an echter
Geistes-Gegenwart nicht zu verdecken.

Mit der gegensätzlichen Beurteilung der Zeitgemäßheit der rein historischen
Forschung ist ein dritter Unterschied zwischen Ovb und Nietzsche unmittelbar verknüpft. Nietzsches Ableitung der wissenschaftlichen Historie "aus
der Hoffnungslosigkeit, die das Christentum gegen alle kommenden Zeiten
des irdischen Daseins im Herzen trägt"[88], hat den erklärten Zweck, die
mortifizierende Kraft der Historie gegen diese selbst zu kehren, die Histori

also mit ihren eigenen Mitteln zu besiegen: "... der Ursprung der historischen Bildung - und ihres innerlich ganz und gar radikalen Widerspruches
gegen den Geist einer 'neuen Zeit', eines 'modernen Bewußtseins' - dieser
Ursprung muß selbst wieder historisch erkannt werden, die Historie muß
das Problem der Historie selbst auflösen, das Wissen muß seinen Stachel
gegen sich selbst kehren - dieses dreifache Muß ist der Imperativ des Geistes der 'neuen Zeit'"[89]. Weil Nietzsche in dem Widerstreit von reiner
Historie auf der einen, Leben und Kultur auf der anderen Seite eindeutig
für das Leben und die Kultur Partei ergreift, zieht er aus der Einsicht in
die Schädlichkeit der historischen Wissenschaft die Konsequenz, auf diese
Wissenschaft zu verzichten. Die innere Dynamik seiner Gedankenführung
zielt auf eine "Gesundheitslehre des Lebens"[90] und auf den Bau einer neu-
en, von der historischen Bildung befreiten Kultur. Seine Abhandlung gipfelt
daher in einem Appell an die Jugend, in dem Protest gegen die historisch
ausgerichtete Erziehung des modernen Menschen und in dem Plädoyer dafür, "daß der Mensch vor allem zu leben lerne, und nur im Dienste des er-
lernten Lebens die Historie gebrauche."[91] Im Unterschied zu Nietzsches
programmatischem Hinausgehen über die historische Wissenschaft und die
von ihr geprägte historische Bildung seiner Zeit hält Ovb an der rein historischen Betrachtung des Christentums als an seiner Lebensaufgabe unbeirrt
fest. Wohl kann er - gemäß der Einsicht, "daß wir Menschen überhaupt nur
vorwärts kommen, indem wir uns von Zeit zu Zeit in die Luft stellen, und
daß unser Leben unter Bedingungen verläuft, die uns nicht gestatten, uns dieses Experiment zu ersparen"[92] - gelegentlich sagen, "daß die religiösen
Probleme überhaupt auf ganz neue Grundlage⟨n⟩ zu stellen sind, eventuell
auf Kosten dessen, was bisher Religion geheißen hat."[93] Warnend fügt er
jedoch sogleich hinzu: "Nur daß man nicht etwa meine, dieses Ding ⟨sc die
Religion⟩ ersetzen zu können und gar mit dem bloßen rhetorischen Taschen-
spielerstück zum Ziel zu gelangen, daß man ein noch unbestimmtes neues
Gemächte, wieder mit dem alten Namen Religion bekleidet, auftreten läßt."[94]
Ovb ist zu vorsichtig, um die Möglichkeit, daß die abendländische Menschheit es nach dem Abschied vom Christentum noch einmal zu einer 'Religion'
im neuen Sinne bringen wird, gänzlich auszuschließen. An dem Bau der Fundamente oder an dem Entwerfen der Perspektiven für eine solche 'Religion'
der Zukunft beteiligt er sich jedoch nicht[95]. Das dominierende Interesse
Ovb's richtet sich auf "das historische Problem des Christenthums."[96]
Dieses Problem auf dem Wege rein historischer Betrachtung zu lösen, ist
das Programm der profanen Kirchengeschichte, das Ovb als seine Lebensaufgabe bezeichnet[97] und das, wäre seine Durchführung gelungen, nach
Ovb's eigener Erwartung zu keinem anderen Resultat geführt hätte als zu
dem "Nachweis des finis Christianismi am modernen Christentum."[98]

c) Resultat

Das Resultat des unter a) und b) durchgeführten Vergleichs läßt sich in folgenden Sätzen zusammenfassen: Was Ovb mit Nietzsche verbindet und beide
von Baur trennt, ist die Überzeugung, daß die Historie, sofern sie als Wis-

senschaft betrieben wird, ein Unternehmen ist, das einer Religion bzw. einer Kultur den tiefsten Schaden bereitet und zuletzt notwendig ihren Tod herbeiführt. Baur verfügte mit der spekulativen Geschichtsbetrachtung über ein Verfahren, das ihm gestattete, die destruktiven Implikationen der empirischen Historie, denen sich Ovb und Nietzsche unentrinnbar konfrontiert sahen, aufzuheben und abzufangen. Was Ovb mit Baur verbindet und beide von Nietzsche trennt, ist die Überzeugung von dem Recht und der Pflicht zur rein historischen Betrachtung. Dieser Betrachtung wußte sich Nietzsche überhoben, weil er mit der vor-rationalen plastischen Lebenskraft eine Größe zum Fundament und Prinzip seines Fragens machte, die ihm erlaubte, die Ansprüche wissenschaftlicher Objektivität zu unterlaufen und hinter sich zu lassen. Die Eigenständigkeit Ovb's zwischen Baur und Nietzsche liegt mithin darin, daß er dem Vollzug historisch-kritischer Arbeit verpflichtet blieb, obwohl er die mit dieser Arbeit aufbrechende Problematik als Aporie durchschaute.

Kapitel II: OVERBECKS FORSCHUNGSGESCHICHTLICHER AUSGANGS-
PUNKT: DIE TENDENZKRITISCHE AG-AUSLEGUNG DER
TÜBINGER SCHULE

1. Grundzüge der frühesten AG-Auslegung Overbecks

Seinen wichtigsten Beitrag zur Auslegung der AG, den AG-Komm, hat Ovb
während seiner Zeit als Jenaer Privatdozent ausgearbeitet und zum Abschluß gebracht. Das zuletzt geschriebene Vorwort wurde in "Jena, Anfang
April 1870"[1] unterzeichnet. Noch im gleichen Monat siedelte Ovb nach Basel über. Wenige Wochen später erschien der AG-Komm im Druck[2].

Im vorliegenden Kapitel bleibt Ovb's Hauptwerk noch unberücksichtigt. Um
den forschungsgeschichtlichen Ausgangspunkt der AG-Auslegung Ovb's zu
erkennen, fragen wir hinter das Erscheinungsjahr des AG-Komm zurück
und wenden uns ausschließlich solchen Texten zu, die vor 1870, also entweder vor Beginn oder während der Ausarbeitung des AG-Komm, abgefaßt worden sind[3]. Unter Beiseitelassen des Details beschränken wir uns darauf, die
früheste Beschäftigung Ovb's mit der AG in ihren Grundzügen zu beschreiben.

a) Mythische Bestandteile

Ovb betrachtet die AG als ein Buch, das namentlich in seinen ersten Kapiteln durch eine beträchtliche Entwicklung der Sage bzw. des Mythos von den
Ereignissen des apostolischen Zeitalters getrennt ist.

Daß die Nachricht vom Ende des Judas (AG 1, 18 f) "auf einer späteren Sage
beruht"[4], glaubt Ovb schon aus ihren Widersprüchen zu Mt 27, 3-10 zu erkennen[5]. Er ordnet die in der AG enthaltene Tradition als eine Frühform
demselben Sagenkreis zu, aus dem als eine Spätform die Erzählung des Papias über den Tod des Judas[6] hervorgegangen ist. Die für die Papias-Fas-
sung der Sage kennzeichnende Vorstellung eines übermäßigen Anschwellens
des Judas sieht er als Voraussetzung auch schon von AG 1, 18 f an, weil
sich "so erst die sonderbare Annahme eines Todes durch Bersten"[7] erkläre. In engem Anschluß an die mythische Interpretation Strauß'[8] bezeichnet
er den "Abscheu vor dem Verräther des Heilandes" und den "Glaube⟨n⟩,
eine Reihe ATlicher Worte auf ihn beziehen zu können"[9], als die für die
Bildung der Sage konstitutiven Motive.

Neben der Nachricht über den Tod des Judas führt Ovb zum Beweis des sagenhaften Charakters der AG die Pfingstgeschichte[10] und - mit besonderer
Betonung - die in AG 3-5 berichteten Wunder an: "Die meisten dieser Wunder schliessen mit besonderer Schärfe jeden Gedanken an eine sogenannte
natürliche Vermittlung aus, für viele Theologen der beliebte Spinnefaden,
an den sie ihren Wunderglauben hängen. Sie ⟨sc die Wunder⟩ sind ferner
von der absolutesten Zwecklosigkeit. Es ist daher ein völlig vergebliches
und unnützes Unternehmen, aus diesen Erzählungen ein historisches Fac-

tum aus der Sage herauszuschälen. Sie sind auch als reine Mythen vollkommen verständlich."[11]

b) Tendenzcharakter

Einen tiefer greifenden Einfluß auf die Eigenart der AG als den Elementen
der Sage bzw. des Mythos schreibt Ovb dem schriftstellerischen Verfahren und dem theologischen Aussagewillen ihres Verf's zu.

Charakteristisch hierfür ist es, daß Ovb über die Erzählung AG 1-5 einerseits urteilt, sie sei "fast durchgängig ein Gebilde idealisirender Sage,
theilweise rein symbolischen Gehalts"[12], andererseits aber präzisierend
hinzufügt: "Ich bemerke ... beiläufig, dass man diese Sage durchaus nicht
durchgängig und in der vorliegenden Form zum allergeringsten Theile für
eine dem Verfasser überlieferte ansehen kann, dass die Gestaltung des historischen Thatbestandes zum grossen Theil auf der schriftstellerischen
Freiheit des Verfassers beruht."[13] Für Ovb's Umgang mit der AG ergeben sich aus dieser Auffassung zwei Folgen:
Die Einsicht in die Bedeutung der schriftstellerischen Freiheit des Verf's
der AG enthält zunächst den Grund dafür, daß Ovb auf eine Herausarbeitung
der Entstehung und der Entwicklung der mythischen Traditionen bis hin zu
ihrer Aufnahme in die AG weitgehend verzichtet. Dieser Verzicht ist möglich, weil es für die Erkenntnis des Sinns der AG entscheidend nur auf die
Verwendung der Mythen durch den Verf der AG ankommt; er ist zugleich wenigstens insofern auch unvermeidbar, als die Vorgeschichte der mythischen
Überlieferungen durch deren Aufnahme in die AG weithin verdeckt worden
ist und Ovb nicht über das historische Instrumentarium verfügt, sie zu rekonstruieren.
Aus der Einsicht, daß die AG auch dort, wo sie von mythischer Überlieferung abhängig ist, ihre Gestaltung dem schriftstellerischen Schaffen ihres
Verf's verdankt, folgt zweitens, daß die Frage nach dem historischen oder
nichthistorischen Gehalt der AG nicht einfach mit der Frage nach ihren mythischen Bestandteilen koinzidiert. Zwar steht es für Ovb fest, daß der Mythos als solcher nichts Historisches erzählt. Daß die AG aber außerhalb
ihrer mythischen Partien Anspruch auf historische Glaubwürdigkeit besitzt
und daß innerhalb ihrer mythischen Teile der mythische Charakter den einzigen Gegengrund gegen die Historizität des Erzählten bildet, ist damit
nicht gesagt; ob beides der Fall ist, hängt vielmehr von den Prinzipien ab,
die den Autor bei der Abfassung der AG bestimmten.

In der Vorl ApZA widmet Ovb der Erörterung des Maßstabes für die
Kritik der AG einen eigenen Abschnitt[14]. Er geht von der Feststellung
aus, ein Teil der Erzählungen der AG sei ohne Frage sagenhaft. Im
Blick auf die Kritik dieser von der Sage geprägten Erzählungen schreib
er: "Man würde die Argumente dieser Kritik sehr unrichtig schätzen,
wenn man meinte, sie beruhten nur auf dem wunderbaren Inhalt solcher
Erzählungen, sie ⟨sc die Kritik⟩ räsonnire nur so: Diese Erzählung
enthält ein Wunder, also ist sie unglaubwürdig. Zwar sind die bisher

von den Theologen gemachten Versuche, die Begreiflichkeit und historische Erkennbarkeit des Wunders zu erweisen ... alle vergeblich gewesen. Dennoch beruht die historische Kritik, welche man an die angeblichen Wunder des Urchristenthums angelegt hat, durchaus nicht
blos auf philosophischen Voraussetzungen dieser Art, sondern in bei
weitem den meisten Fällen und gerade den wichtigsten daneben auch
auf Argumenten rein historischer Art."[15] So sei z. B. die Pfingsterzählung nicht nur deswegen als unhistorisch zu bezeichnen, "weil man
sich die Möglichkeit gar nicht denken kann, wie eine Menge Menschen
auf einmal in verschiedenen, ihr bisher fremden Sprachen zu reden
angefangen habe"[16]; die Kritik stütze sich vielmehr auch und vor allem
auf einen Vergleich der Vorstellungen von der Glossolalie in AG 2 und
1. Kor. 14. Ähnlich verhalte es sich bei der Corneliusgeschichte
AG 10 f. Auch hier sei es nicht in erster Linie die Unmöglichkeit der
Wunder, die an der Tatsächlichkeit zweifeln lasse, sondern der Vergleich mit Gal 2 und AG 15: "Petrus kann nämlich eine Offenbarung dieser Art über den Universalismus des Christenthums damals nicht erhalten haben, weil sonst sein späteres Verhalten in Antiochien, wie es
Paulus Gal. 2 erzählt, ganz unbegreiflich wäre. Und in der Apg. selbst
erscheint es ganz unbegreiflich, wie noch zur Zeit des Apostelconcils
c. 15 über gewisse Fragen so verhandelt werden konnte, wenn der Fall
mit Cornelius vorausgegangen war."[17]

Ovb bestreitet nicht, daß die Wunderfrage in der Geschichte der kritischen Schriftauslegung eine sehr bedeutende Rolle gespielt hat. Seine
These ist jedoch, daß sich im gegenwärtigen Stadium der biblischen
Kritik die primäre Frage auf die individuelle Konzeption des Verf's
einer Schrift richtet und daß dadurch die Wunderfrage zu einer zweit-
rangigen degradiert worden ist[18]. In seiner Basler Antrittsvorlesung
formuliert Ovb daher: "Der Streit dreht sich ... für den näher Zusehen-
den gegenwärtig nicht um fundamental verschiedene, über das Wunder
auseinandergehende Anschauungen von den biblischen Büchern, sondern
um den Grad des die Thatsachen modificirenden Einflusses, den man
dem Medium der Erzähler zugestehen will."[19]

Unterwirft man die AG, soweit dies möglich ist, einem systematischen Vergleich mit den echten Paulusbriefen, so zeigt sich nach Ovb: Der Autor der
AG muß bei der Abfassung nach Gesichtspunkten verfahren sein, die der AG
insgesamt - ganz unabhängig davon, inwieweit im Einzelfall auch schon Gründe der mythischen Kritik die Tatsächlichkeit des Erzählten in Frage stellen -
den Charakter einer nichthistorischen Schrift geben. Die AG, erklärt Ovb,
ist eine "ganz tendenziöse Darstellung, welche namentlich das Bild des
Apostels Paulus völlig entstellt hat in dem Interesse einer Vermittlung der
Gegensätze des Paulinismus und des Petrinismus, eine⟨r⟩ Vermittlung, die
hauptsächlich dadurch erreicht wird, dass Petrus möglichst paulinisch, Paulus möglichst petrinisch gemacht wird."[20] Knapper formuliert heißt es an
anderer Stelle: Die AG ist "eine zu Gunsten des Paulus die Gegensätze des

Juden- und Heidenchristenthums vermittelnde Tendenzschrift"[21]. Von diesem Verständnis ist Ovb's Beschäftigung mit der AG entscheidend bestimmt.
Sein überwiegendes Interesse richtet sich darauf, die vom Verf verfolgte
Tendenz in den einzelnen Abschnitten des Buchs aufzudecken und zugleich
nachzuweisen, in welchem Ausmaß diese Tendenz die wirkliche Geschichte
entstellt oder unkenntlich gemacht hat[22].

c) Verhältnis zu den paulinischen Briefen

Eine Auslegungshilfe für die Interpretation der paulinischen Briefe erwartet
Ovb von der AG in der Regel nicht. Dies hat seinen Grund erstens in der
Spärlichkeit der in der AG enthaltenen Nachrichten[23]: Die Fragen, welche
die Paulusbriefe selbst offenlassen, sind auch aus der AG meist nicht zu beantworten. "Niemand", schreibt Ovb daher, "empfindet die Lückenhaftigkeit der Apg. schwerer als der Exeget der paulinischen Briefe."[24] Eine
Förderung des Verständnisses der Paulusbriefe bietet die AG zweitens deswegen nicht, weil sie die historischen Verhältnisse, in denen Pls lebte und
aus denen seine Briefe zu erklären sind, absichtlich verdeckt. Die Eigenart
der paulinischen Lehre vom Kreuzestod Jesu, seine Gesetzeskritik, der Universalismus seines Evangeliums und der daraus resultierende Gegensatz zu
den Judenchristen, kurz: alles, was das Lebenselement der Briefe des Pls
ausmacht, wird von der AG aufgrund ihrer konziliatorischen Tendenz geflissentlich übergangen oder entstellt.

Aus der Einsicht, daß die in der AG vorliegende Darstellung des Pls von einer unhistorischen Tendenz geprägt ist, ergibt sich die Forderung, dort, wo
die AG und eine Stelle der Paulusbriefe sich berühren, beide Texte jeweils
aus sich selbst und ihrer eigenen Intention heraus zu erklären und auf eine
Harmonisierung der anfallenden Widersprüche strikt zu verzichten.

Einen treffenden Beleg für das in dieser Forderung sich aussprechende
methodische Bewußtsein bietet Ovb's kleine Arbeit über das Thema:
Paulus und der Ethnarch des Königs Aretas. Im Zusammenhang eines
neuen Vorschlags zur Interpretation von 2. Kor 11, 32 f - es sei an eine
Bewachung der Stadttore nicht von innen, sondern von außen gedacht -
erörtert Ovb hier u.a. das Verhältnis von 2. Kor 11, 32 f und AG 9, 23-
25. Er weist darauf hin, daß beide Texte auch schon unter Voraussetzung des herkömmlichen Verständnisses der Stelle 2. Kor 11, 32 f durchaus widersprechende Angaben enthalten: Nach der AG sind die Juden
Subjekt der paulusfeindlichen Umtriebe; nach 2. Kor 11, 32 ist es der
Ethnarch. In der AG geht es ferner - so Ovb - um einen tumultuarischen Anschlag der Juden, mit dem Ziel, Pls zu töten[25]; Pls selbst
redet dagegen von behördlichen Maßnahmen, die den Zweck haben, ihn
gefangenzusetzen. In erklärter Frontstellung gegen die "noch immer
so beliebte wahrhaft bettelhafte Methode der Harmonistik, Erzählungen mit ... disparaten Angaben miteinander zu verquicken"[26], stellt
Ovb hierzu fest: "Diese Differenzen hören auf, nur scheinbare zu sein,
sobald die Eigenthümlichkeiten der einen Erzählung als charakteristisch

erkannt sind. Was nun wahrscheinlicher ist, dass wir auch hier einen
jener tumultuarischen Ausbrüche jüdischen Hasses, denen die Apg. den
Paulus beständig ausgesetzt zeigt, und namentlich einen jener jüdischen
Mordpläne, von denen sie ihn auch sonst umgeben erscheinen lässt
(vgl. 9, 29; 23, 12 ff), vor uns haben oder dass dieses Mal das Tumultu-
arische des Anschlags blosser durch 2. Kor 11, 32 f berichtigter Schein
ist und das ἀνελεῖν dem πιάζειν des Paulus gegenüber der
bestimmtere Ausdruck, welche von diesen Annahmen die wahrscheinli-
chere ist, die eine, welche die Apg. zunächst aus sich selber erklärt,
oder die andere, welche ihre Worte ... nach einer fremden Erzählung
zustutzt, darüber kann man bei vernünftigen Interpretationsprincipien
nicht schwanken."[27]

Wo Ovb im Rahmen der AG-Auslegung die Paulusbriefe und im Rahmen der
Paulusexegese die AG berücksichtigt, geschieht dies jeweils unter einem
methodisch streng reflektierten Gesichtspunkt: Für die Auslegung der AG
sind die Paulusbriefe insofern wichtig, als sie gestatten, die Tendenz der
AG durch Unterscheidung und Abgrenzung vom historischen Paulinismus
in ihrer Eigenart zu profilieren. Wo umgekehrt im Zusammenhang der Pau-
lus-Interpretation die AG berücksichtigt wird, hat dies keinen anderen Zweck
als den, jeden entstellenden Einfluß der AG auf das Verständnis der Lehre
und der Kämpfe des Pls ausdrücklich auszuschließen[28].

d) Tendenzcharakter und Quellenwert

Die Einsicht, daß die AG eine Tendenzschrift ist, bestimmt das Interesse,
das Ovb diesem Buch zuwendet: Die AG ist in erster Linie als theologiege-
schichtliches Dokument von Bedeutung; erst in zweiter Linie kommt sie auch
als Quelle für die Ereignisse des apostolischen Zeitalters in Betracht. In
seiner Besprechung von Renans ' Les Apôtres' schreibt Ovb: "Längst haben
wir, seit man der allzulange vernachlässigten Frage nach der Entstehung
der neutestamentlichen Erzählungen gebührende Aufmerksamkeit schenkte,
gelernt, daß uns diese Erzählungen von den von ihnen überlieferten Thatsachen keineswegs nur durch einen leisen, leicht wegzuwischenden miraculö-
sen Anflug trennen, daß in vielen Fällen von Thatsachen, die zu Grunde lä-
gen, überhaupt nicht zu reden ist, in anderen diese Thatsachen für uns wenigstens unkenntlich geworden sind, in so wenigen sicher zu ermitteln, daß
namentlich gewisse historische Bücher des N. Testaments (zu denen auch
die Apostelgeschichte gehört) ihr Hauptinteresse nicht für die Begebenheiten, welche sie unmittelbar schildern, sondern für die Zeit ihrer eigenen
Entstehung haben."[29]

Die Tendenz der AG entspringt dem theologiegeschichtlichen Standort ihres
Verf's und bringt zum Ausdruck, in welcher Weise der Verf in seiner Zeit
und auf seine Zeit zu wirken beabsichtigte. Die Frage nach der Tendenz der
AG ist daher nur so zu beantworten, daß zugleich mit der Eigenart dieser
Schrift die geschichtlichen Bedingungen untersucht werden, unter denen der

Verf schrieb. D.h.: Nur wer sich eine gewisse Vorstellung davon verschafft, wo innerhalb der von den Uraposteln und Pls bis zur altkatholischen Kirche verlaufenden Entwicklung der Verf der AG anzusiedeln ist,
vermag die Tendenz der AG zu erkennen; erst die Erkenntnis der Tendenz der AG aber eröffnet den vollen Einblick in den Standort ihres Verf's.

Die Frage nach der Tendenz ist für Ovb die erste Frage, die gestellt werden muß, wenn es gilt, die AG als das ernst zu nehmen, was sie nach der
Intention ihres Verf's sein soll. Das Interesse an dem Quellenwert der AG
tritt dadurch in den Hintergrund; es wird jedoch keineswegs völlig verdrängt.
Ovb hütet sich davor, die historische Glaubwürdigkeit der AG von vornherein apodiktisch zu bestreiten[30]. Seine Darstellung des apostolischen Zeitalters wird vielmehr von einer ständigen kritischen Auseinandersetzung
mit der AG begleitet. Ovb prüft in jedem einzelnen Fall, ob und gegebenenfalls inwieweit ihren Aussagen der Wert historischer Nachrichten zukommt.
Dabei gibt die Erkenntnis der Tendenz das methodische Fundament ab, von
dem aus die Frage der Historizität beantwortet wird. Ovb verfährt nach
dem allgemeinen Grundsatz: Je vollständiger sich eine Erzählung dem theologischen Entwurf des Verf's einfügt, desto geringer ist das methodische
Recht, historische Faktizität für sie in Anspruch zu nehmen; anders gesagt: desto mehr kommt es darauf an, daß die gleiche Begebenheit auch in
anderer und andersartiger Tradition bezeugt wird[31]. Was Ovb, indem er
nach diesem Kriterium urteilt, an historisch Tatsächlichem festhält, ist
nur wenig. Es beschränkt sich auf die Eigenart der vorpaulinischen Messias-
verkündigung, das Verbleiben der Urgemeinde im äußeren Verband des Judentums, das Faktum der jüdischen Christenverfolgungen, die anfangs leitende Stellung des Petrus, den geographischen Rahmen der Reisen des Pls
und den äußeren Verlauf seines Prozesses. Insgesamt rechtfertigt es die
Feststellung: "Am meisten ... wird ... unsere Erwartung, durch unsere
neutestamentlichen Quellen über das apostolische Zeitalter gut unterrich-
tet zu sein, enttäuscht durch die Apg."[32] -

Der vorstehende Überblick über die Grundzüge der frühesten Beschäftigung Ovb's mit der AG gestattet es, Ovb's Arbeit zur Forschungsgeschichte in Beziehung zu setzen und seinen forschungsgeschichtlichen Ausgangspunkt zu fixieren: Ovb's Satz, Baur sei "der vorbildliche Geschichtsmei-
ster"[33] seiner Jugend gewesen, erhält im Blick auf die AG-Auslegung seine
volle Bestätigung. In den beiden folgenden Abschnitten ist dies durch den
Nachweis näher auszuführen, daß sowohl die leitende Fragestellung als auch
das Verständnis der AG, wie wir beides aus den Texten der Jenaer Zeit Ovb
kennengelernt haben, auf dem Boden der Tübinger Schule erwachsen sind.

2. Entstehung der tendenzkritischen Fragestellung Baurs

Die von Baur, seinen Schülern und so auch von Ovb an die altchristlichen
Schriften herangetragene tendenzkritische Fragestellung versteht sich selbs
als das Resultat und zugleich als die in der Sache begründete, folgerichtige

Weiterentwicklung der vorangehenden Geschichte der historisch-kritischen
Schriftauslegung. Sie blickt auf die Interpretationsweise des Rationalismus
und auf die mythische Kritik Strauß' als auf überwundene, in ihren berech-
tigten Elementen aber auch aufgenommene Vorstufen zurück. Zum Verständnis der Tendenzkritik empfiehlt es sich daher, von den genannten 'Vorstufen' auszugehen.

a) 'Rationalistische' Schriftauslegung

Die Interpretationsweise des Rationalismus wird von Baur, Zeller und Ovb
in der gleichen Weise beschrieben und kritisiert. Die folgende Skizze stützt
sich in der Hauptsache auf Aussagen Ovb's, notiert aber die parallelen Urteile Baurs und Zellers in den Anmerkungen.

Unter dem Begriff der rationalistischen Schriftauslegung versteht Ovb nicht
einfach die Schriftauslegung einer vergangenen theologiegeschichtlichen Periode, sondern einen bestimmten Auslegungstyp. Das Urteil, der Rationalismus sei in dem gegenwärtigen wissenschaftlichen Umgang mit der Schrift
überwunden, will er darum in seiner Basler Antrittsvorlesung nicht ohne
Einschränkung gelten lassen: "Um ganz davon zu schweigen, dass die rationalistische Schriftauslegung Elemente enthält, die in ihrer ⟨sc der Schrift⟩
wissenschaftlichen Behandlung niemals überwunden werden sollen, lebt sie
noch in gar mancher ihrer einzelnen Schwachheiten in der heutigen Literatur
der Schriftauslegung fort"[1].

Was ist für die rationalistische Interpretationsweise kennzeichnend? Ihr
Fortschritt gegenüber dem Standpunkt der orthodoxen Inspirationstheorie
liegt darin, daß sie die menschliche Vernunft und die Analogie möglicher
Erfahrung zu Kriterien der Auslegung erhebt[2]. Weil sie die Schriften des
Kanons als rein menschliche Dokumente versteht, fragt sie bei ihrer Exegese nach den verwendeten Quellen, nach dem Verfasser und seinen Lebens-
umständen, nach Zeit und Ort der Entstehung, kurz: nach all dem, was jeden Interpreten einer Urkunde der Vergangenheit interessiert[3]. Trotzdem
vermag sie ein zureichendes historisches Verständnis des Urchristentums
und seiner Schriften nicht zu gewinnen. Ovb kann geradezu sagen, daß der
Rationalismus "seinem historischen Object nicht weniger Gewalt anthut"[4]
als die dogmatisch gebundene Orthodoxie. Den Grund hierfür erblickt er in
einem Umgang mit den Texten, der zugleich von unkritischer Gebundenheit
und nicht erlaubter Emanzipation gekennzeichnet ist, oder genauer: in einer
"falsche⟨n⟩, aus Unfreiheit und Willkür zusammengesetzte⟨n⟩ Unabhängigkeit" von den Quellen[5].

Das Moment der unkritischen Gebundenheit zeigt sich darin, daß die Ratio-
nalisten "von ihrem Standpunkte aus den neutestamentlichen Quellen noch
viel zu viel"[6] glauben. Zwar ist man nicht mehr bereit, eine wunderhafte,
an die natürlichen Gesetze des Geschehens nicht gebundene Begebenheit als
solche für historisch zu halten. An der Voraussetzung aber, daß die biblischen Erzählungen durchweg von wirklich geschehener Geschichte handeln

und daß sich insbesondere auch hinter einem wunderhaften Bericht ein tat-
sächlicher Vorgang verbirgt, hält man weiterhin fest. Die Konsequenz davon ist die Aufgabe der natürlichen Wundererklärung, d.h. die Aufgabe,
"zu zeigen, daß man die biblischen Berichte nur richtig aufzufassen brau-
che, um in ihnen statt der vermeintlichen Wunder lauter natürliche und
höchst begreifliche Vorgänge zu entdecken."[7]

Da die neutestamentlichen Texte, anders als der Rationalist annimmt, ihrer Intention nach und tatsächlich von Wundern reden[8], stellt bereits die
Durchführung der natürlichen Wundererklärung einen Akt der Emanzipation
von den Quellen dar. Solche Emanzipation oder willkürliche Unabhängigkeit
von den historischen Dokumenten ist der rationalistischen Auslegung aber
auch darüber hinaus eigen. Ovb formuliert den Grundsatz: "Dem Rationalismus ist es nicht sowohl um eine auf Versenkung in die Denkmäler des Urchristenthums selbst gegründete vernünftige Anschauung von der Sache als
auf ⟨sic! lies: um⟩ eine Anschauung von allgemeiner Vernünftigkeit zu
thun."[9] Aus diesem Grundcharakter erklärt Ovb erstens das für die rationalistische Exegese typische "endlose Gewirre" von Hypothesen und Ver-
mutungen[10] sowie ihre "Vorliebe für die Ableitung der historischen Thatsachen aus möglichst subjectiven, untergeordneten, kleinlich-persönlichen,
zufälligen und ihrer Natur nach ernster historischer Forschung ganz besonders unzugänglichen Momenten."[11] Denn beides, die Fülle unkontrollierba-
rer Hypothesen und der auf historisch gar nicht mehr greifbare Motivationen
abhebende Pragmatismus, hat nur dort Raum, wo der Exeget die Richtigkeit
seiner Aussagen allein am Maßstab ihrer allgemeinen Möglichkeit, nicht
aber an dem konkreten Quellenbefund und an "der inneren Eigenthümlichkeit
des ihm vorliegenden Falls"[12] meint ausweisen zu müssen. Das primäre
Interesse an einer nur überhaupt vernünftigen Anschauung wirkt sich zweitens dahin gehend aus, daß der Rationalismus, wie er in den biblischen Erzählungen nichts Naturwidriges duldet, so auch in der biblischen Lehre
nichts Vernunftwidriges anzuerkennen bereit ist[13]. Analog zur natürlichen
Wundererklärung ist es sein Bestreben, den der aufgeklärten Vernunft nicht
entsprechenden Vorstellungen von Religion, Moral, Natur- und Geschichts-
verlauf die eigenen Ansichten zu substituieren[14]. Neben der Annahme bild-
licher, uneigentlicher Redeweise ist das wichtigste Hilfsmittel hierbei die
Akkomodationstheorie[15]. Diese Theorie erklärt eine historisch bezeugte,
dem Interpreten aber anstößige Vorstellung als nur zu bestimmtem Zweck
angenommen, für das Glauben und Denken der historischen Person, die sie
vorträgt, jedoch nicht repräsentativ[16]. Die Akkomodationstheorie schafft
durch solche Unterscheidung die Möglichkeit, die 'eigentliche' Ansicht einer historischen Person an die des Auslegers anzugleichen oder gar mit ihr
zu identifizieren[17]. Das Ergebnis, zu dem dieses Verfahren führt, ist nach
der Auffassung Ovb's und der Tübinger für die Interpretationsweise des Rationalismus insgesamt charakteristisch: "Die Glaubwürdigkeit und das Ansehen der heiligen Schriften ließ man stehen, aber aus ihrem geschichtlichen Inhalt wurde etwas ganz anderes gemacht, als in Wahrheit darin lag."[18]

b) Strauß' mythische Kritik

Den in seinem Werk repräsentierten Fortschritt[19] gegenüber der Interpretationsweise des Rationalismus und seine Stellung zur exegetischen Tradition überhaupt beschreibt Strauß in der Vorrede zur ersten Auflage seines
Leben Jesu mit folgenden Worten: "Wenn die altkirchliche Exegese von der
doppelten Voraussetzung ausging, daß in den Evangelien erstlich Geschichte, und zwar zweitens eine übernatürliche, enthalten sei; wenn hierauf der
Rationalismus die zweite dieser Voraussetzungen wegwarf, doch nur um
desto fester an der ersten zu halten, daß in jenen Büchern lautere, wenngleich natürliche, Geschichte sich finde: so kann auf diesem halben Wege
die Wissenschaft nicht stehen bleiben, sondern es muß auch die andere Voraussetzung fallen gelassen, und erst untersucht werden, ob und wie weit
wir überhaupt in den Evangelien auf historischem Grund und Boden stehen.[20]

Die von Strauß vorgelegte Untersuchung[21] führt in ständiger Auseinandersetzung mit der Exegese des Rationalismus und des Supranaturalismus[22]
den Nachweis, daß der überwiegende Teil der in den Evangelien enthaltenen
Erzählungen unhistorisch ist. Auf die Frage nach der Entstehung der unhistorischen Erzählungen antwortet er mit der mythischen Erklärung. In dem
dabei verwendeten Begriff des Mythos[23] liegen folgende Elemente:
  1. Der Mythos erzählt keine historischen Begebenheiten; sein Inhalt
  ist "erdichtet"[24].

  2. Das im Mythos zu Wort kommende Subjekt ist nicht eine individuelle
  Person, sondern eine Gruppe, im Falle der Evangelien: die christliche
  Gemeinde.

  3. Die Gemeinde bringt den Mythos nicht mit Absicht und Reflexion hervor, sondern unbewußt und unwillkürlich[25]. Der Mythos entsteht im Zuge des mündlichen Traditionsprozesses der evangelischen Geschichte[26].

  4. Obgleich der Mythos unbewußt hervorgebracht wird, kommen in ihm
  bestimmte dem Glauben der christlichen Gemeinde innewohnende Interessen zum Ausdruck. Diese Interessen bilden zugleich die Motive für
  die Entstehung des Mythos. Strauß nennt deren zwei: Einmal das Bestreben, die Person Jesu als des Stifters der christlichen Gemeinde zu
  glorifizieren; sodann das Interesse, die alttestamentlichen Verheißun-
  gen und die jüdische Messiaserwartung als in Jesu Leben verwirklicht
  anzuschauen.

Die neutestamentlichen Mythen, schreibt Strauß zusammenfassend, sind
"nichts Andres, als geschichtartige Einkleidungen urchristlicher Ideen,
gebildet in der absichtslos dichtenden Sage"[27].

c) Baurs Auseinandersetzung mit Strauß; seine Begründung der tendenzkritischen Fragestellung

Baurs Kritik an Strauß' Leben Jesu[28] läßt sich auf zwei grundlegende Einwände zurückführen: Baur wirft dem Werk Strauß' erstens den methodischen

Mangel vor, "daß es eine Kritik der evangelischen Geschichte ohne eine Kritik der Evangelien"[29] gebe; er kritisiert zweitens die überwiegende Negativität der Resultate Strauß'[30]. Beide Einwände hängen miteinander aufs engste zusammen und explizieren nur nach verschiedenen Richtungen hin die Eigentümlichkeit der mythischen Erklärung, wie sie sich in der Perspektive Baurs darstellt. Da Baurs Auseinandersetzung mit Strauß das sachliche Korrelat bildet zur Entfaltung seiner eigenen tendenzkritischen Fragestellung, ist es notwendig, seinen Argumentationsgang wenigstens in aller Kürze zu rekapitulieren.

Strauß, so führt Baur aus, verfolgt in seiner Arbeit keinen anderen Zweck als den, die Glaubwürdigkeit der evangelischen Erzählungen zu prüfen und damit zugleich die Frage zu klären, ob die Evangelien von genau unterrichteten Personen abgefaßt worden sind oder nicht. Die äußeren Zeugnisse über die Evangelien werden dabei lediglich insofern in Betracht gezogen, als nachgewiesen wird, daß sie ein bestimmtes Ergebnis nicht erzwingen, die Frage nach der Authentizität vielmehr ganz der Entscheidung nach inneren Gründen überlassen[31]. Die Entscheidung nach inneren Gründen aber hat es für Strauß einzig mit der Alternative zu tun: Mythos oder wirkliche Geschichte. Die Erörterung dieser Alternative bezeichnet Baur als "Kritik der Geschichte"; er kommt daher zu dem Urteil: "Die Kritik der Geschichte hat sich von der Kritik der Schriften ... völlig abgelöst, oder sie sosehr mit sich verschlungen, daß sie kein weiteres Moment der Betrachtung mehr seyn kann."[32]

Im Zuge seiner kritischen Untersuchungen weist Strauß nach, daß ein großer Teil der evangelischen Erzählungen mythischen Ursprungs ist. Er gelangt also im Blick auf den geschichtlichen Inhalt der Evangelien zu einem negativen Resultat, und darin liegt - weil die Kritik der Schriften in der Kritik der Geschichte aufgeht - zugleich ein ebenso negatives Resultat im Blick auf die Beschaffenheit der Evangelien selbst: Über sie kann "nur das negative Urtheil gefällt werden, daß sie als Schriften von solchen, welche weder Augenzeugen noch überhaupt genau Unterrichtete waren, eine sehr unzuverlässige Quelle der Überlieferung der evangelischen Geschichte sind."[33]

Wenn Baur die Negativität der Resultate Strauß' kritisiert, so ist sein Anliegen nicht, die von Strauß für mythisch erklärten Erzählungen doch als historisch glaubwürdig und die Evangelien doch als Werke authentisch unterrichteter Verfasser zu erweisen. Die inkriminierte Negativität der Ergebnisse Strauß' sieht Baur vielmehr darin, daß Strauß über die mit der negativen Kritik der Geschichte mitgesetzte negative Kritik der Evangelien nicht hinausgeht, daß er bei ihr stehenbleibt. Strauß' Fehler liegt, pointiert gesagt, nicht darin, daß seine Kritik der Evangelien negativ ist, sondern darin, daß sie bloß negativ ist. Wenn einmal feststeht, so umschreibt Baur polemisch die Position Strauß', "daß die Evangelien schon wegen ihren Inhalts keineswegs sind, wofür sie sich ausgeben, welches Interesse könnte man noch haben, ihren Ursprung, ihre Beschaffenheit, ihr Verhältniß zu einander näher zu untersuchen? Die absolute Gewißheit des rein negativen Resul-

tats, das die Kritik der Geschichte hat, überhebt jeder weiteren kritischen
Frage in Ansehung der Schriften."[34] Insofern bei Strauß der Nachweis der
Ungeschichtlichkeit einer Erzählung im Aufweis ihres mythischen Charakters gipfelt, kann Baur seine Kritik der Negativität der Resultate Strauß'
schließlich in dem Satz zusammenfassen: "In dem Mythischen hat hier alles,
auch was die Kritik der Schriften betrifft, seine höchste Spitze"[35].

Der zuletzt zitierte Satz bezieht freilich noch einen weiteren Tatbestand ein,
den Baur ebenfalls im Blick hat, wenn er die Kritik Strauß' 'negativ' nennt.
Zu den Kriterien des Mythischen zählt Strauß die Regel, daß etwas Erzähltes nicht historisch sein kann, wenn es der Analogie der überall sonst geltenden Gesetze des Geschehens widerspricht[36]. Klammert man alles, was
unter diese Regel fällt, als mythisch aus der evangelischen Geschichte aus,
so ist der verbleibende Rest an Erzählungen und Erzählungselementen zwar
historisch vorstellbar, aber in seiner tatsächlichen Historizität noch keineswegs über jeden Zweifel erhaben. Vielleicht, schreibt Strauß, "hätte ...
eine Erzählung, für sich genommen, nur schwache oder gar keine Merkmale des Mythischen: sie hängt aber mit andern zusammen, oder ist doch von
demselben Referenten berichtet wie andere, welche durch entscheidende Gründe in das mythische Gebiet verwiesen werden, und einen verdächtigenden Wi-
derschein auch auf sie zurückwerfen."[37] Der Begriff des Mythischen erweist
sich also als zu dem an sich historisch Möglichen hin geöffnet[38]. Strauß gesteht
daher selbst ein, daß "die Grenzlinie zwischen dem Mythischen und Historischen in Berichten, welche, wie die evangelischen, jenes erstere Element
in sich aufgenommen haben", immer "eine schwankende und fließende"[39]
bleiben werde. In diesem Geständnis manifestiert sich für Baur der Charakter des von Strauß geübten Verfahrens so deutlich wie nirgends sonst. "Dieß
ist der Punkt", schreibt er, "auf welchem die Strauß'sche Kritik und die Negativität ihrer Resultate den stärksten Angriffen ausgesetzt ist."[40] Denn:
"Die Kriterien des Mythischen, weit gefehlt, zur Ausscheidung des Mythischen vom Geschichtlichen auszureichen, dienen vielmehr gerade dazu, den
ganzen Inhalt der Geschichte zu verdächtigen."[41]

Seinen eigenen Standpunkt nennt Baur den einzigen, von dem aus es möglich
sei, das von Strauß geübte kritische Verfahren zu korrigieren und weiter-
zuführen[42]. Dabei geht er von der Einsicht aus, daß die Negativität der Resultate Strauß' nur dann zu überwinden ist, wenn man die von Strauß allein
als Kritik der Geschichte betriebene Kritik der Evangelien als eine selbständige Aufgabe methodisch in Angriff nimmt[43].

Für die mythische Kritik Strauß' besitzt die Tradition, die den Abstand zwischen den ursprünglichen Ereignissen und den schriftlichen Evangelien über-
brückt, die Bedeutung einer schöpferischen Größe. Nach seiner Ansicht sind
die Evangelien nichts anderes als "die stehend gewordene, in dem geschriebenen Buchstaben fixierte Tradition, wie sie durch das schöpferische Princip
des Mythus sich gestaltet hat"[44]. Eben diese Auffassung beruht dem Urteil
Baurs zufolge auf einer Mißachtung oder Verkennung der tatsächlichen Gestalt der vorliegenden schriftlichen Evangelien. Denn, so lautet sein Ein-

wand, "wie verträgt sich ... mit dem der mythischen Tradition eigenthümlichen Charakter der <u>Bewußtlosigkeit</u> und <u>Unabsichtlichkeit</u> die Beschaffenheit unserer Evangelien, welche in ihrem Verhältniß zu einander, <u>nichts</u>
<u>Zufälliges und Absichtsloses, sondern nur das Werk der Absicht und der</u>
<u>Reflexion</u> zu seyn scheinen?"[45] Baur beurteilt die in der mythischen Er-
klärung implizierte Traditionshypothese also deswegen als eine unzutref-
fende Beschreibung des Entstehungsprozesses der Evangelien, weil diese
"in ihrem Verhältniß zu einander eine Absichtlichkeit und Reflexion ver-
rathen, wie sie gerade nicht zum Charakter der Tradition gehört."[46] Daß
man die Traditionshypothese - etwa im Sinne der Intentionen Bruno Bauers -
gänzlich zu verwerfen habe, ist damit nicht gesagt. Als Schlüssel zum Verständnis der <u>Vorgeschichte</u> der Evangelien behält sie vielmehr ihr relative
Recht[48]. Um jedoch eine angemessene kritische Ansicht von den <u>Evangelien</u>
<u>selbst</u> zu gewinnen, hat man über die Traditionshypothese hinauszugehen
und sich zu bemühen, "<u>von der Tradition auf einen Punkt zu kommen ...,</u>
<u>auf welchem unsere Evangelien als die Erzeugnisse mit Absicht und Reflexi</u>
<u>on schreibender Schriftsteller begriffen werden können.</u>"[49] In diesem me-
thodischen Grundsatz Baurs spricht sich nichts anderes aus als die Forderung, von der mythischen Kritik zur Tendenzkritik fortzuschreiten.

Die Tendenzkritik als methodisches Prinzip ist jeweils dort gefordert, wo
eine geschichtliche Überlieferung in der Vermittlung durch einen erzählenden Schriftsteller vorliegt. Ihre erste Frage ist nicht, "welche objektive
Realität diese oder jene Erzählung an sich hat, sondern vielmehr, <u>wie sich</u>
<u>das Erzählte zum Bewußtseyn des erzählenden Schriftstellers verhält,</u> durc
dessen Vermittlung es für uns ein Objekt des historischen Wissens ist."[50]
Die Tendenzkritik fragt also, einfacher gesagt, "was ein Schriftsteller woll
te und bezweckte, aus welchem Interesse seine geschichtliche Darstellung
hervorgegangen, welche Tendenz er in ihr verfolgt"[51] und welchen Charakter seine Schrift durch die verfolgte Tendenz erhalten hat. Daß diese Frage
stellung es mit einem hermeneutischen Zirkel zu tun hat, ist Baur nicht ve
borgen: Er stellt einerseits fest, daß sich die Frage nach der Tendenz eine
Schrift nur "durch eine so viel möglich genaue Erforschung der geschichtlichen Verhältnisse, unter deren Einfluß der Schriftsteller geschrieben hat
beantworten läßt, bemerkt aber andererseits, erst durch die Erkenntnis
dessen, was ein Verfasser bezweckte, gelange man "auf den festen Boden
der concreten geschichtlichen Wahrheit."[53] Aus der Beobachtung dieses
Zirkels leitet Baur die Folgerung ab, daß es auf den richtigen Ausgangspunkt ankomme, von dem aus man zur Kritik der Evangelien aufbricht[54].
In diesem Sinne hebt er Strauß gegenüber hervor, daß er die Kritik der
Evangelien erst in Angriff genommen habe, nachdem ihm durch das Studium der Paulusbriefe und anderer einschlägiger Zeugnisse das Grundgerüst
der altchristlichen Entwicklung bekannt geworden sei[55]. Die von Baur durc
geführte Tendenzkritik der Evangelien setzt also einerseits das Grundgerüs
der altchristlichen Entwicklung voraus und ist andererseits zugleich sein
detaillierender Weiterbau; der Weg, den sie beschreitet, verläuft von den
mutmaßlichen Zeitverhältnissen zur Person der Verfasser und von den Zwe
ken und Absichten der Verfasser zurück zu den Verhältnissen ihrer Zeit. -

Daß die Tendenzkritik "Kritik der Evangelien" ist, also dasjenige vollzieht, was Baur bei Strauß vermißt, liegt auf der Hand. Ebenso deutlich
ist, daß die Tendenzkritik die Negativität der Resultate Strauß' insofern
überwindet, als sie bei dem Nachweis der Unglaubwürdigkeit der Evangelien nicht stehenbleibt, sondern darüber hinausgeht und ihr primäres Interesse darauf richtet, den positiven Ursprung der Evangelien aufzudecken
und damit zu zeigen, "wofür sie glaubwürdig sind."[56] Was schließlich die
Festlegung der Grenzlinie zwischen dem Historischen und dem Unhistorischen betrifft, so kann man von dem Standpunkt Baurs aus "zu einer wenigstens motivirteren Ansicht zu kommen hoffen"[57], da mit der erkannten
Tendenz einer Schrift ein zusätzlicher Maßstab geliefert wird, um das Feld
des bloß Problematischen zu beschränken. Wenn Baur die Tendenzkritik
freilich um dieses letzteren Vorzugs willen nicht allein "methodischer",
sondern "auch conservativer"[58] als die mythische Kritik nennt, so ist das
irreführend. Denn was bei dem Verfahren Baurs an historisch Tatsächlichem in den Evangelien übrigbleibt, ist keineswegs mehr, sondern eher weniger als bei dem Verfahren Strauß'. In dieser Hinsicht kann man daher dem
Protest, den Strauß am 17.11.1846 brieflich gegen seine Qualifikation als
'negativer Kritiker' Baur gegenüber erhob, nur recht geben[59].

3. Baurs Verständnis der AG

Ebenso wie die tendenzkritische Fragestellung ist auch die Bestimmung der
Tendenz der AG, wie Ovb sie vor 1870 vertritt, ein Erbe der Tübinger Schule. Über die gesamte AG-Auslegung innerhalb der Tübinger Schule soll hier
nicht berichtet werden. Wir beschränken uns darauf, exemplarisch auf das
von Baur vertretene AG-Verständnis hinzuweisen und dessen Entwicklung
bis zu dem Punkt zu verfolgen, von welchem Ovb ausging[1].

Die Entwicklung von Baurs Verständnis der AG läßt sich in zwei Phasen
untergliedern. Die erste Phase, die sich von dem Weihnachtsprogramm
über die Stephanusrede (1829) bis zu der Schrift über die Pastoralbriefe
(1835) erstreckt, ist dadurch gekennzeichnet, daß Baur noch nicht den Versuch macht, die AG insgesamt als Tendenzschrift auszulegen und sie als
solche in den kirchen- und theologiegeschichtlichen Prozeß der ersten zwei
Jahrhunderte einzuordnen. Der erste literarisch greifbare Ansatz, die AG
als Tendenzschrift zu verstehen, begegnet in der 1836 erschienenen Abhandlung: Über Zweck und Veranlassung des Römerbriefes. Damit beginnt die
zweite Phase. Sie endet mit der im Todesjahr Baurs (1860) erschienenen
zweiten Auflage des Buchs: Das Christenthum und die christliche Kirche der
drei ersten Jahrhunderte, worin es heißt: "Bei keiner neutestamentlichen
Schrift lässt sich ein bestimmter Tendenzcharacter so genau nachweisen,
wie bei der Apostelgeschichte."[2]

a) Erste Phase: Von 1829 bis 1835

In seinem Weihnachtsprogramm: De orationis habitae a Stephano Act. Cap.
VII consilio, et de Protomartyris hujus in christianae rei primordiis mo-

mento (1829) läßt Baur noch keinerlei Zweifel an der historischen Glaubwürdigkeit der AG und ihrer Abfassung von dem Paulusgefährten Lukas erkennen. Das einzige kritische Bedenken, das er vorbringt, ist textkritischer
Natur: Baur plädiert für die Streichung der Worte $\tau\tilde{\omega}\nu$ $\pi\epsilon\pi\iota\sigma\tau\epsilon\upsilon\kappa\acute{o}\tau\omega\nu$
AG 21,20[3].

Trotz dieser ganz konservativ-traditionellen Auffassung der AG zeigt
Baurs Verfahren bereits deutlich Merkmale, die für die Tendenzkritik
charakteristisch sind. Seine in nuce tendenzkritische Fragestellung
richtet sich freilich nicht auf die AG als solche, sondern auf die in der
AG überlieferte und für authentisch gehaltene Rede des Stephanus (AG 7,
2-53). Drei Momente in der von Baur vorgelegten historischen Interpretation der Stephanusrede verdienen in dieser Hinsicht Beachtung.

Erstens: Das dominierende Interesse Baurs gilt der von Stephanus verfolgten Intention. Baur fragt daher nach dem beherrschenden Grundgedanken der Rede, von dem aus alle Einzelaussagen als Momente einer
in sich geschlossenen Argumentation verstanden werden können und der
den in der Situation begründeten apologetischen Charakter der Rede mit
ihrer historischen Form zu vermitteln gestattet.

Zweitens: Baur beobachtet, daß der Duktus der Stephanusrede von dem
der Petrusreden AG 2,14 ff; 3,12 ff erheblich abweicht. Das Ergebnis
seines Vergleichs faßt er in dem Satz zusammen: "... duplex in Actis
nostris distinguendum esse apologeticarum orationum genus, alterum
conciliari posse cum Judaismo Christianismum, confidens, alterum
desperans de convertendis ad Jesum Christum Judaeorum animis, vul-
gari Judaismo inhaerentibus."[4]

Drittens: Aus dem Grundgedanken der Stephanusrede und aus der Einsicht in ihre Differenz zu den Petrusreden leitet Baur den Standort des
Stephanus in der Geschichte des frühen Christentums ab. Stephanus,
der Repräsentant der AG 6,1 genannten Hellenisten, war bemüht, die
"arctos Judaismi fines" zu durchbrechen[5]. In seinem Geist ging die
Einsicht auf, "quantum distet Christianismi indoles a Judaismo et Mosaicae religionis institutis."[6] Er wollte darum den christlichen Glauben "a molestis Mosaicae legis vinculis"[7] befreien und hegte, je weniger er an eine Bekehrung der Juden glaubte, desto mehr die Hoffnung
"fore, ut alias inter gentes suos nancisceretur Jesus Messias cultores"[8]
Stephanus erscheint geradezu als ein Paulus ante Paulum, und Baur
kann urteilen: "mortuum funesta vi Stephanum in eodem illo Paulo, qui
praecipuus necis hujus auctor interfuit, pulchriore et veriore specie
resurrexisse."[9]

In der Abhandlung: Über den wahren Begriff des $\gamma\lambda\acute{\omega}\sigma\sigma\alpha\iota\varsigma$ $\lambda\alpha\lambda\epsilon\tilde{\iota}\nu$ [10]
vertritt Baur im ganzen die gleiche konservative Grundauffassung der AG
wie in dem Weihnachtsprogramm des Vorjahres. Seine Bemerkungen zur
Pfingstgeschichte zeigen jedoch, daß seine kritische Einstellung im Wachsen begriffen ist.

Von den verschiedenen die Glossolalie beschreibenden Wendungen betrachtet Baur die Formel ἑτέραις γλώσσαις λαλεῖν (AG 2,4) als die ursprüngliche[11]. Zur Bestimmung ihres Sinns geht er von der Grundbedeutung des Wortes γλῶσσα als 'Zunge' aus, versteht darunter aber "nicht die gewöhnliche menschliche, sondern die Zunge des Geistes, ein höheres Organ, vermittelst dessen der Geist sich ausspricht."[12] Die Voraussetzung des ἑτέραις γλώσσαις λαλεῖν liegt in dem πλησθῆναι πνεύματος ἁγίου .

Wie sich dieses πλησθῆναι immer dann ereignet, wenn Menschen neu für die Gemeinde gewonnen werden, so entspricht ihm auch stets jenes λαλεῖν . Die AG freilich erwähnt die Glossolalie nur in einer repräsentativen Auswahl, nämlich nur dort, wo jeweils die ersten Vertreter einer neuen Menschenklasse (Juden AG 2; Heiden AG 10,46; Johannesjünger AG 19,6) der Gemeinde beitreten. Baur folgert: "War ... das γλώσσαις λαλεῖν etwas eben so Allgemeines und sich von selbst Verstehendes, wie die Ertheilung des πνεῦμα ἅγιον an alle zum Christenthum Bekehrte, so kann es auch nichts Ausserordentliches und Wundervolles, sondern nur etwas mit der Annahme des Christenthums von selbst Verbundenes gewesen seyn, es ist nur der Ausdruck für das in der ganzen Fülle seines Inhalts sich aussprechende christliche Bewußtseyn."[13]

In diesen Worten ist Baurs Kritik an der Pfingsterzählung bereits enthalten. Erscheint in AG 2 das ἑτέραις γλώσσαις λαλεῖν als ein Reden in fremden Sprachen, so beruht dies auf einer Umbildung des ursprünglichen Faktums, die zwar nicht Lukas selbst vollzogen hat, wohl aber die traditionelle Sage, welcher Lukas folgte[14]. Daß die Erzählung AG 2 unter dem Einfluß der Sage steht - Indizien dafür sind auch der Völkerkatalog[15], die Unklarheit des ἕτεροι 2,13[16] und der Umstand, daß das Pfingstwunder ohne die erwarteten historischen Folgen bleibt[17] -, ist eine Annahme, derentwegen sich Baur eigens verteidigt[18]. Irgendeine weitergehende Konsequenz für die AG insgesamt zieht Baur aus seiner Kritik der Pfingstgeschichte nicht.

Baurs im Jahre 1831 erschienene Abhandlung: Die Christuspartei in der korinthischen Gemeinde, der Gegensatz des petrinischen und paulinischen Christenthums in der ältesten Kirche, der Apostel Petrus in Rom[19] ist bekannt. Gestützt auf eine kritische Interpretation namentlich der Korintherbriefe, der Pseudoklementinen und der Petrussage gibt Baur hier einen ersten Entwurf seiner Konstruktion der frühchristlichen Entwicklung. Deren bewegendes Moment liegt in dem Gegensatz des partikularistischen petrinischen und des universalistischen paulinischen Christentums, der sich durch eine Reihe von Vermittlungsversuchen hindurchbewegt, um schließlich in der Einheit der altkatholischen Kirche aufgehoben zu werden. Während Baur den für echt gehaltenen Jakobusbrief[20], den ebenfalls für echt gehaltenen ersten Petrusbrief[21] und den unechten zweiten Petrusbrief[22] bereits als Schriften von vermittelnder Tendenz in diesen Prozeß einbezieht, wird ein entsprechender Versuch im Blick auf die AG noch nicht unternommen. Die AG kommt, soweit Baur überhaupt auf sie eingeht, lediglich als Quelle in Betracht[23]. Als kennzeichnend für die Einschätzung der Glaubwürdigkeit der AG mag genannt werden, daß Baur an der Tatsächlichkeit der sogen. zweiten Jerusalemreise des Pls (AG 11, 30) trotz Gal 1 f ebenso festhält[24] wie an der Historizität der Gestalt des Magiers Simon (AG 8, 9 ff)[25].

Dieser Befund wird durch zwei Mitteilungen Zellers bestätigt. Zeller berichtet, noch im Jahre 1833 habe Baur in seiner Vorlesung über die AG "weder die Authentie noch die rein geschichtliche Abzweckung dieser Schrift bezweifelt"[26]. Zwar habe er einzelne Irrtümer und mythische Bestandteile zugegeben und an den Wundererzählungen Kritik geübt; "aber es wurde zugleich ... die Auferstehung und eine darauffolgende Erhebung Jesu in den Himmel als geschichtliche Thatsache beibehalten, es wurde an dem Verhältniß zwischen dem zweiten Kapitel des Galaterbriefes und dem fünfzehnten der Apostelgeschichte noch kein Anstoß genommen"[27]. In seinem Alterswerk: Erinnerungen eines Neunzigjährigen[28] fügt Zeller dieser Nachricht eine interessante Ergänzung hinzu: Gelegentlich eines Besuchs bei Baur - "es wird im Winter 1834/35 gewesen sein"[29] - habe er (Zeller) die Unvereinbarkeit der Darstellungen des Apostelkonzils in der AG und im Galaterbrief behauptet und den Meister um eine Stellungnahme gebeten. "Baur antwortete mir, nachdem er sich die beiden Stellen noch einmal einen Augenblick angesehen hatte: diese Bemerkung habe sich ihm bis jetzt nicht aufgedrängt, er halte sie aber für wohlbegründet, und er bekräftigte sie sofort durch eine Auseinandersetzung darüber, wie die Umänderung des geschichtlichen Tatbestandes hier mit der ganzen Tendenz der Apostelgeschichte zusammenhänge ... . Nur um so merkwürdiger war es mir aber, daß Baur die Unvereinbarkeit der beiden Berichte nicht schon längst bemerkt hatte. Seine neutestamentliche Kritik bewegte sich eben damals noch in ihren Anfängen"[30].

In seiner mit mustergültiger methodischer Klarheit ausgearbeiteten Schrift: Die sogenannten Pastoralbriefe des Apostels Paulus aufs neue kritisch untersucht (1835) führt Baur den Nachweis, daß die Pastoralbriefe nicht von Pls stammen, sondern erst nach der Mitte des zweiten Jahrhunderts abgefaßt worden sind. Neben den vorausgesetzten kirchlichen Institutionen bilden die Häretiker, mit denen die Pastoralbriefe sich auseinandersetzen, das wichtigste Indiz dieser späten Entstehung. Baur zeigt, daß man in den Häretikern der Pastoralbriefe "die Gnostiker des zweiten Jahrhunderts ..., insbesondere die Marcioniten"[31] zu erkennen hat, und er stellt fest: "Vor diesen Feinden des christlichen Glaubens zu warnen, ihrem verderblichen Einfluß zu begegnen, die Mittel zu ihrer Bestreitung an die Hand zu geben, ist ... einer der am sichtbarsten hervortretenden Zwecke dieser Briefe."[3] Außer mit den Gnostikern haben die Pastoralbriefe es freilich auch mit einer judaisierenden Partei zu tun, "auf welche sich der Haß der Ebioniten gegen den Apostel Paulus vererbt zu haben scheint" und die in Pls nur "einen falschen Apostel und Propheten"[33], den Urheber der marcionitischer Irrlehre zu sehen vermag. Die Tendenz, welche die Pastoralbriefe dieser judaisierenden Partei gegenüber verfolgen, ist paulinisch-apologetischer bzw. irenischer Natur; sie ist als ein Nebenzweck mit dem Hauptzweck der antignostischen Polemik verbunden.

Von den Stellen, an denen Baur auf die AG eingeht, verdient eine[34] besondere Beachtung. Baur beobachtet die enge Verwandtschaft zwischen den Pastoralbriefen und der an die ephesinischen Presbyter gerichteten milesischen Abschiedsrede des Pls: "Hier ⟨sc in AG 20,18 ff⟩ sehen wir ja schon den Blick des Apostels auf dieselben Verhältnisse gerichtet, die uns in den Pastoralbriefen nur in ihrer bestimmtern Gestalt entgegentreten."[35] Pls spricht von reißenden Wölfen, die in die Herde eindringen, von Irrlehrern, die in der Mitte der Gemeinde selbst aufstehen werden, und er verwendet dabei Ausdrücke, "die offenbar auf ein schon weit um sich greifendes Sektenwesen hindeuten"[36]. Den wirksamsten Schutz vor dieser die Gemeinde bedrohenden Gefahr erwartet Pls - ebenso wie es in den Pastoralbriefen geschieht - von den Vorstehern der Gemeinde, die er deswegen nach Milet bestellte, um ihnen "vor seinem Scheiden aus dem Kreise seines bisherigen Wirkens diese Sorge aufs angelegentlichste ans Herz zu legen"[37]. Ist also die Verbindung von Ketzerpolemik und Gemeindeverfassung für die Pastoralbriefe und die milesische Rede in gleicher Weise kennzeichnend, so läßt sich daraus freilich kein Argument zugunsten des apostolischen Ursprungs der Briefe entnehmen, sondern nur umgekehrt ein weiterer Beweis gegen die Echtheit der Rede. Denn daß diese erst "post eventum" geschrieben ist, steht für Baur ohnehin fest: "Mit welcher Bestimmtheit sieht der Apostel schon jetzt sein ganzes künftiges Schicksal voraus, seinen in Banden und Gefangenschaft endenden apostolischen Lauf! Es ⟨sic! lies: Er⟩ ist schon jetzt $\delta\epsilon\delta\epsilon\mu\acute{\epsilon}\nu o\varsigma\ \tau\tilde{\omega}\ \pi\nu\epsilon\acute{\upsilon}\mu\alpha\tau\iota$, sieht sich schon jetzt im Geiste gebunden, ist schon jetzt im Begriff $\tau\epsilon\lambda\epsilon\iota\tilde{\omega}\sigma\alpha\iota\ \tau\grave{o}\nu\ \delta\rho\acute{o}\mu o\nu$, weiß schon jetzt, daß er von allen damals Anwesenden künftig keinen mehr sehen werde."[38] Eine Rede mit so bestimmten Voraussagen kann nicht von Pls selbst gehalten worden sein. Je deutlicher sie sich als eine "förmliche und feierliche Abschiedsrede im eigentlichsten Sinne" zu erkennen gibt, desto zwingender ist es, den "ohne Zweifel erst längere Zeit nachher schreibende⟨n⟩ Geschichtsschreiber"[39] als ihren Autor vorauszusetzen.

Daß Baur seine Auffassung der milesischen Rede für das Verständnis der AG insgesamt fruchtbar machen werde, ist eine naheliegende Erwartung. Es bietet sich der Versuch an, die in AG 20,18 ff vorausgesetzten Häretiker für die Frontstellung der AG überhaupt als repräsentativ oder doch wenigstens als bedeutungsvoll zu betrachten. Was Baur zugunsten der Unterstellung der Pastoralbriefe unter den Namen des Pls geltend macht[40], könnte mutatis mutandis auch das Motiv einer Darstellung des Pls sein, wie sie in der AG vorliegt[41]. Kurz: Wenn der Verf der AG (als Autor der Rede AG 20,18 ff) bereits die gleichen Häretiker vor Augen hat, die in den Pastoralbriefen bekämpft werden, und wenn er in einer jenen Briefen entsprechenden Weise auf das Auftreten dieser Häretiker reagiert, so scheint der Gedanke in greifbarer Nähe zu liegen, die AG als ganze von einer Ten-

denz her auszulegen, die derjenigen der Pastoralbriefe verwandt ist. Um so
überraschender ist es, daß Baur diesen Gedanken nirgends auch nur andeutet. Der Grund dafür liegt nicht in dem Thema seiner Schrift über die Pastoralbriefe, die immerhin Raum genug läßt, um auf den Ursprung der (beiden unechten!) Petrusbriefe[42] und des Mkevgl[43] in den Parteiverhältnissen der ältesten Kirche aufmerksam zu machen; er ist vielmehr sachlicher
Natur: Die Texte aus der zweiten Phase der AG-Auslegung Baurs, der wir
uns jetzt zuwenden werden, zeigen, daß die milesische Rede, obgleich sie
direkt auf den eigenen Standort des Verf's der AG hindeutet, für Baurs Tendenzkritik der AG keine Schlüsselstellung einnimmt. Baur steht so sehr unter dem Eindruck des in vorgnostischer Zeit spielenden Inhalts der AG und
des von diesem Inhalt geforderten Vergleichs mit den echten Paulusbriefen,
daß er auch für den Verf der AG nur Parteiverhältnisse von solcher Art voraussetzt, wie sie in einem früheren Stadium bereits die Situation des Pls
selbst kennzeichnen[44].

b) Zweite Phase: Von 1836 bis 1860

Baurs erster Versuch, die AG, wenn auch nur unter einem begrenzten Aspekt
als Tendenzschrift zu verstehen, begegnet in seiner Abhandlung: Über Zweck
und Veranlassung des Römerbriefs und die damit zusammenhängenden Verhältnisse der römischen Gemeinde (1836)[45]. Baur geht in dieser Abhandlung
von der Einsicht aus, daß es unmöglich ist, den Römerbrief als einen aus der
freien Entschluß des Pls hervorgegangenen dogmatischen Traktat zu verstehen[46]. Er zeigt, daß Pls in der römischen Gemeinde eine starke judenchristliche Partei voraussetzt, die an dem Universalismus des paulinischen Evangeliums Anstoß nimmt und der gegenüber Pls sich gezwungen sieht, seinen
Beruf als Heidenapostel zu verteidigen: "die Judenchristen sahen in dem Universalismus des Apostels einen auf ungerechte Weise zum Nachtheil der Jude
den Heiden gegebenen Vorzug; wogegen der Apostel geltend macht, da, so
weit von Gerechtigkeit die Rede seyn könne, hier alles nur auf den Glauben
oder die δικαιοσύνη ἐκ πίστεως ankomme, so sey die Zurücksetzung
der Juden gegen die Heiden nur die eigene Schuld ihres Unglaubens."[47]
Denn: "Würden die Juden, wie ihnen das Evangelium zuerst angeboten wurde (1,16;2,9.10), zuerst auch geglaubt haben (9,6), so würden sie nicht als
κατάπτωμα und ἥττωμα gegen den πλοῦτος und das πλήρωμα
der Heiden zurückstehen 11,12.25."[48]

Zur Bestätigung der angenommenen Korrelation zwischen dem Gedankengang des Römerbriefs auf der einen und den Parteiverhältnissen in der römischen Gemeinde auf der anderen Seite beruft Baur sich auf die (in Rom
abgefaßte[49]) AG, genauer: auf ihre Schilderung der Missionsmethode des
Pls. Baur beobachtet, daß die AG mit offenkundiger Absichtlichkeit und
strenger Konsequenz den Pls das Evangelium stets zuerst den Juden ver-
künden läßt und daß sie sein Auftreten unter Heiden von dem zuvor bewie-
senen Unglauben der Juden abhängig macht[50]. Die entsprechende Maxime
wird dem Apostel AG 13,46 selbst in den Mund gelegt: "Wenn also die Ju-

den, muß man hieraus schließen, sich nicht feindlich widersetzt hätten, so
würde den Heiden, so begierig sie dem Evangelium entgegen sahen (V. 48),
nichts davon zugekommen seyn, und Paulus wäre Judenapostel geblieben"[51].
Nach Baurs Auffassung liegt dieser Darstellung der AG eine unhistorische
und "des Apostels unwürdige Ansicht von seiner ἀποστολὴ εἰς τὰ
ἔθνη "[52] zugrunde. Er schreibt: "Entweder war er ⟨sc Pls⟩ überzeugt,
daß es an sich dem Willen Gottes gemäß sey, das Evangelium auch den Heiden zu verkündigen, oder nicht. Hatte er wirklich diese Überzeugung, so
konnte er den wirklichen Erfolg seines Heidenapostolats unmöglich darauf
ausgesetzt seyn lassen, ob sich gerade einige Juden widersetzlich und feindselig gegen ihn benehmen würden, ... hatte er aber jene Überzeugung nicht,
so konnte sie ihm durch einen so zufälligen Umstand nicht gegeben werden."[53]
Je konstanter in der AG hervorgehoben wird, daß es jeweils allein die eigene Schuld der Juden ist, die Pls zu den Heiden treibt, je geflissentlicher in
dieser Weise die Heidenmission der Verantwortung des Pls entnommen und
durch das jüdische Verhalten legitimiert wird, desto weniger läßt sich nach
Baur verkennen, daß der Verf der AG "mit seiner Darstellung einen auf den
Apostel Paulus, als Heidenapostel, sich beziehenden apologetischen Zweck
verbindet"[54]. Die Nötigung, Pls zu verteidigen, führt Baur auf eine in der
römischen Gemeinde ansässige, dem Pls feindliche judenchristliche Partei
zurück. Das bedeutet: Die AG setzt "dieselben Verhältnisse" voraus wie
der Römerbrief, und sie macht "in derselben apologetischen Absicht"[55]
wie Pls den Satz geltend, das Evangelium sei nur wegen des jüdischen Unglaubens auch zu den Heiden gelangt. Durch die Art und Weise freilich, in
der die AG diesen Satz in die missionarische Praxis des Apostels zurück-
projiziert, steht sie zu Pls selbst zutiefst in Widerspruch.

Während Baur in der Abhandlung über den Römerbrief lediglich auf die von
der AG geschilderte Missionsmethode des Pls eingeht und allein an ihr den
Tendenzcharakter der AG aufweist, chrakterisiert er in dem zwei Jahre
später erschienenen Aufsatz: Über den Ursprung des Episcopats in der
christlichen Kirche (1838)[56] die AG als ganze. Ohne irgendein Detail zu
diskutieren, und überhaupt ohne jede nähere Erörterung faßt er seine Auffassung in einem einzigen Satz zusammen, der freilich die Festigkeit einer
sicher begründeten historischen Einsicht verrät. Baur ordnet die AG in den
Prozeß des Ausgleichs von Paulinismus und Petrinismus ein[57], gibt ihre
paulinisch-apologetische Absicht nicht preis, hebt sie aber in eine konziliatorische Zweckbestimmung auf: Die AG, heißt es, ist "ihrer Grundidee
und innersten Anlage nach, wie es auch im Übrigen mit ihrer historischen
Glaubwürdigkeit stehen mag, der apologetische Versuch eines Pauliners,
die gegenseitige Annäherung und Vereinigung der beiden einander gegenüberstehenden Parteien dadurch einzuleiten und herbeizuführen, daß Paulus
so viel möglich petrinisch, und dagegen Petrus so viel möglich paulinisch
erscheint, daß über Differenzen, welche nach der eigenen unzweideutigen
Erklärung des Apostels Paulus im Galaterbrief ohne allen Zweifel zwischen
den beiden Aposteln wirklich stattgefunden haben, so viel möglich ein ver-
söhnender Schleier geworfen, und der das Verhältniß der beiden Parteien

störende Haß der Heidenchristen gegen das Judenthum und der Judenchristen gegen das Heidenthum über dem gemeinsamen Haß beider gegen die unglaubigen Juden, die den Apostel Paulus zum steten Gegenstand ihres unversöhnlichen Hasses gemacht haben, in Vergessenheit gebracht wird."[58]

Der erste an dem gesamten Text der AG durchgeführte Versuch, eine einheitliche Tendenz in diesem Buch nachzuweisen, wurde nicht von Baur und auch von keinem seiner Schüler, sondern von dem Berner Theologieprofessor Matthias Schneckenburger[59] in seiner Monographie: Über den Zweck der Apostelgeschichte (1841) vorgelegt[60]. Baur hat die Arbeit Schneckenburgers rezensiert[61] und in der Auseinandersetzung mit Schneckenburger diejenige Auffassung formuliert, die der Kritik der AG im ersten Teil des 'Paulus'[62] zugrunde liegt und mit der die Entwicklung von Baurs AG-Verständnis in der Hauptsache zum Abschluß kommt. Bevor wir den weiteren Aussagen Baurs nachgehen, ist es daher notwendig, über die Hauptresultate der Monographie Schneckenburgers zu berichten.

Schneckenburger fragt nach der leitenden Idee bzw. nach "Plan, Zweck und Bestimmung" der AG[63]. Er tut dies, weil er einerseits von den bisher unternommenen Versuchen, die in der AG vorliegende Auswahl aus den Begebenheiten des apostolischen Zeitalters und deren konkrete Beschaffenheit zu erklären, unbefriedigt ist und weil er andererseits die höchst bezeichnende Erwartung hegt, daß die erkannte Grundidee "das Buch aus dem Gebiete der Zufälligkeit herausheben, die Hauptbedenklichkeiten gegen die traditionell sowohl beglaubigte Authentie beseitigen, den Werth desselben für sich und im Verhältniß zu der paulinischen Literatur rechtfertigen, und ihm jenen wissenschaftlichen Reiz gewähren könnte, welcher abgeht, so lange es bloß als die Compilation vom Zufall zusammengewehter Materien dasteht"[64].

Schneckenburger geht von dem zweiten Teil der AG (c 13-28) aus[65]. Die maßgebenden Beobachtungen, die sich ihm aufdrängen, sind folgende: Pls wird mit "bewußter Absicht"[66] in seinen Wundertaten dem Petrus parallelisiert[67]. Die von Leiden verdunkelte Seite im Leben des Pls tritt stark in den Hintergrund; in der Regel "werden keine andern als solche Leiden ausführlicher mitgetheilt, in welchen Paulus als in einer Glorie dasteht"[68]. Zum Erweis der apostolischen Dignität des Pls hebt die AG mit Nachdruck seine unmittelbare Berufung durch Christus und seine beständige Führung durch ihn ("vermittelst von Zeit zu Zeit ihm zu Theil werdender Visionen"[69]) hervor. In seinem persönlichen Verhalten erscheint Pls als ein untadelig gesetzesfrommer Jude; jede dem Gesetz gefährliche Seite seines Wirkens wird übergangen[70]. Im Blick auf die amtliche Tätigkeit des Apostels wird einerseits die volle Harmonie mit der Urgemeinde und ihren Führern aufgewiesen und andererseits gezeigt, daß Pls sich über das Recht des jüdischen Volks, vor den Heiden das Evangelium zu hören, niemals hinwegsetzt[71]. Die historischen Lücken, welche ein Vergleich mit den Paulusbriefen in der Darstellung der AG aufdeckt, beziehen sich stets auf solche Momente, die dem positiven Paulusbild der AG nicht koordinierbar sind[72]. Der Lehrgehalt der paulinischen Reden schließlich ist so gefaßt, daß die

Eigentümlichkeit des paulinischen Evangeliums "kaum nur leise"[73] erahnt
werden kann. Aus all diesen Momenten ergibt sich für Schneckenburger der
Schluß, daß der Verf der AG "nicht einen rein historischen Zweck verfolgt",
sondern bestrebt ist, das Bild des Pls von allen für die Judenchristen anstößigen Zügen so weit wie möglich zu befreien[74]. Dieses aus dem zweiten
Teil der AG gewonnene Ergebnis weiß Schneckenburger auch aus ihrem ersten Teil (c 1-12) zu begründen[75]. Sein Gesamtresultat faßt er in folgenden
Sätzen zusammen:
"Was können wir ... als Zweck des so beschaffenen Buches anders erkennen, als die Vertheidigung des Paulus in seiner apostolischen Würde, seinem persönlichen und apostolischen Verhalten namentlich in der Heidensa-
che wider alle Anfeindungen und Vorwürfe der Judaisten? Welchem Zweck
dadurch genügt wird, daß Paulus nur von seiner dem Judenthum zugekehr-
ten Seite mit Weglassung und Modificirung dessen, was die Judaisten stören
könnte, übrigens mit möglichster in seinem Leben sichtbarer Verherrlichung durch göttliche Zeichen ..., in möglichster Conformität mit Petrus
dargestellt, dann auch vor der apostolischen Wirksamkeit Pauli dasjenige
aus der früheren Geschichte der Kirche beigebracht wird, was irgendwie
dazu dienen kann, den Paulus in günstigem Lichte und mit den übrigen
Aposteln in Harmonie und Gleichheit der Würde, seine Ideen als die urchristlichen durch die andern Apostel und Christus selbst legitimirten, ihn
als das Hauptwerkzeug zur Ausführung des messianischen Planes erscheinen zu lassen."[76]

Um die Eigenart der Konzeption Schneckenburgers ganz zu begreifen und
zugleich das Verständnis der von Baur geübten Kritik angemessen vorzu-
bereiten, ist neben dem genannten Gesamtresultat noch auf drei Momente
eigens hinzuweisen:

Erstens: Schneckenburger hält an der traditionellen Ansicht fest, daß die
AG von Lukas, dem Arzt und Reisegefährten des Pls, abgefaßt worden ist.
Lukas deutet in den sog. Wirstücken seine persönliche Anwesenheit bei den
erzählten Begebenheiten an[77]. Der Zeitpunkt der Abfassung der AG liegt
zwischen dem Tod des Pls und der Zerstörung Jerusalems[78].

Zweitens: Der Inhalt der AG ist, von unbedeutenden Einzelheiten abgesehen, als historisch glaubwürdig zu betrachten. Schneckenburger zeigt sich
beständig um den Nachweis bemüht, daß die aufgedeckte Tendenz die Historizität des Erzählten nicht beeinträchtigt[79]. Der tendenziöse Charakter der
Darstellung der AG beruht auf der Anordnung des Materials[80] und vor allem auf einer reflektierten Auswahl aus den Begebenheiten und Anschauungen des apostolischen Zeitalters. Die Erzählung der AG enthält daher nicht
die ganze Wahrheit, was sie aber enthält, ist als solches nicht falsch.

Drittens: Die AG als Tendenzschrift ist ausschließlich an paulusfeindliche
Judaisten adressiert[81]. Daß ihr Verf auch auf Pauliner wirken will, wie es
die von Baur 1838 gegebene Charakteristik impliziert, wird von Schneckenburger ausdrücklich bestritten[82].

Der Tenor der Baurschen Kritik an der Monographie Schneckenburgers ist
überwiegend positiv. Baur lobt die auf den Zweck der AG gerichtete Fragestellung und anerkennt das Gesamtergebnis: "Als eine apologetische Schrift
ganz derselben Tendenz hat auch schon Ref. die Apostelgeschichte aufgefaßt, und sich in diesem Sinne über sie ausgesprochen ...[83], dem Hrn.
Verf. gebührt jedoch das eigenthümliche Verdienst, diese Ansicht nach ihren verschiedenen Beziehungen durchgeführt, und dadurch erst auf eine
vollkommen überzeugende Weise begründet zu haben."[84]

Von den Einwänden Baurs verdienen besonders zwei unsere Beachtung.
Baur beurteilt es erstens als eine unbegründete Einseitigkeit, daß Schnek-
kenburger auf einer Adressierung der AG ausschließlich an Judaisten insistiert. Nach seiner Auffassung ist es eine Implikation der recht verstan-
denen paulinisch-apologetischen Tendenz, daß der Verf der AG mit seiner
Darstellung nicht allein auf Judaisten, sondern zugleich auch auf die eigene paulinische Partei wirken will. Der Verf der AG beabsichtigt, die Vorurteile der Judaisten gegen Pls zu beseitigen. Er verfolgt dabei den Zweck,
die durch jene Vorurteile begründete Feindschaft der Judaisten gegen die
Pauliner aufzuheben und so eine Vereinigung beider Parteien zu bewirken.
"Warum", fragt Baur, "soll es nun so undenkbar sein, daß so gut der Verfasser durch seine Darstellung den Judaisten anschaulich machen wollte,
der Apostel Paulus habe keineswegs eine so weit gehende antijüdische Richtung gehabt, als sie bei ihm voraussetzen, zwischen ihm und dem Apostel
Petrus habe in der Hauptsache eine vollkommene Übereinstimmung stattgefunden, er dasselbe auch den Paulinern vorhalten wollte? Oder sollte es
denn eine so unwahrscheinliche Voraussetzung sein, daß es schon damals
unter den Paulinern solche gab, welche an die Seite des Apostels, die in
seinen eigenen Briefen vor uns liegt, die vom Judenthum abgekehrte, sich
haltend, sich das Verhältniß des Apostels und somit auch des paulinischen
Christenthums zum Judenthum schroffer dachten, als es nach dem Verfasser der Apostelgeschichte gedacht werden darf ...?"[85]

Der zweite Einwand Baurs gilt dem Umstand, daß sich Schneckenburger
durch den nachgewiesenen Tendenzcharakter der AG nicht genötigt sieht,
an der Glaubwürdigkeit der AG und an ihrer Abfassung von Lukas zu zweifeln. Ein solcher Zweifel ist für Baur geradezu zwingend. Er hält Schnek-
kenburger zunächst das allgemeine Argument entgegen: "An sich schon
kann gewiß ein Schriftsteller, welcher so vieles absichtlich verschweigt,
... nicht für zu aufrichtig und gewissenhaft gehalten werden, um sobald
es in seinem Interesse lag, sich auch noch in ein schrofferes Verhältniß
zur wahren Geschichte zu setzen."[86] Die bloße Möglichkeit, daß der Verf
der AG nicht allein "negativ, durch Verschweigen von Thatsachen ..., sondern auch positiv die wirkliche Geschichte alterirt habe"[87], wird zur Wahrscheinlichkeit, sobald man die Parallelität von Petrus und Pls betrachtet[88];
sie wird zur Gewißheit, wenn man den Pls der AG mit dem Pls der echten
Briefe des Apostels vergleicht. Baur verweist exemplarisch auf AG 21,20 ff
und schreibt dazu: "... derselbe Apostel, welcher Gal. 5,3 in so ernstem
Tone erklärt: μαρτύρομαι δὲ πάλιν παντὶ ἀνθρώπῳ περιτεμνομένῳ
ὅτι ὀφειλέτης ἐστὶν ὅλον τὸν νόμον ποιῆσαι

(also auch auf das Gesetz sein ganzes Vertrauen setzen und von ihm allein sein Heil erwarten muß), soll sich nach der Apostelgeschichte ... zu einer Handlung verstanden haben, die ihn als einen φυλάσσων τὸν νόμον darstellte und ein öffentliches Zeugniß davon ablegte, daß er weit entfernt, das Gesetz zu abrogiren, vielmehr ein Lehrer sei, welcher ... die allgemeine Verbindlichkeit des mosaischen Gesetzes mit allen seinen Satzungen ... lehre. ... hätte der Apostel auch nur unter den Juden, die er zum Christenthum zu bekehren suchte, der für sie fortbestehenden Gültigkeit des Gesetzes nichts vergeben wollen, wie er in der Apostelgeschichte ... erklärt, welche Unwahrheit hätte er den Galatern gegenüber ausgesprochen!"[89] Der gesetzeskritische Pls der Briefe und der gesetzesfromme Pls der AG können nach Baur nicht, wie Schneckenburger es behauptet, "Einen Paulus" bilden; sie sind vielmehr "so divergirend und heterogen, daß die fehlende Vermittlung sich keineswegs von selbst ergibt, sondern, wenn gleichwohl der Verfasser ⟨sc der AG⟩ als historisch treuer Referent gelten soll, zuletzt nur in dem Apostel selbst gesucht werden müßte, d.h. der historische Character des Erzählers nur auf Kosten des moralischen Characters des Apostels behauptet werden könnte."[90]

Steht mithin fest, daß der Verf der AG seiner Tendenz wegen die geschichtliche Wirklichkeit positiv entstellt hat[91], so erhebt sich die Frage, was ihn dazu bewog. Baur stellt diese Frage noch nicht in seiner Rezension der Monographie Schneckenburgers, sondern erst in der Einleitung des 'Paulus'. Seine Antwort ist bekannt: Die Motive der in der AG vorliegenden Darstellung des Pls müssen in Verhältnissen liegen, in welchen aufgrund judenchristlicher Agitation "der Paulinismus so sehr zurückgedrängt war, daß er nur auf dem Wege einer alles Harte und Schroffe seiner Antithese gegen Gesetz und Judenthum mildernden Nachgiebigkeit sich erhalten und zu der ihm gegenüberstehenden mächtigen judenchristlichen Partei in ein die beiderseitigen Interessen in einer gemeinsamen Einheit so viel möglich ausgleichendes Einverständniß setzen konnte."[92] Bedenkt man, daß Pls sich bereits selbst zu verteidigen hatte, und beachtet man, wie er dies tat, dann folgt: Ein Schriftsteller, der Pls ebenfalls verteidigen muß, durch die Verhältnisse aber gezwungen wird, um seiner Apologie willen Pls selbst zu entstellen, kann nur einer anderen (späteren) Zeit angehören. An eine Autorschaft des Paulusbegleiters Lukas kann mithin "nicht mehr gedacht werden"[93].

In seinem Buch: Das Christenthum und die christliche Kirche der drei ersten Jahrhunderte[94] ordnet Baur die AG derjenigen Reihe von Schriften zu, die, von paulinischer Seite ausgehend, um eine Aussöhnung der divergierenden Richtungen des Paulinismus und des Judaismus bemüht sind und auf diese Weise dazu beitragen, "das Dasein einer alles Extreme von sich abschneidenden und die Gegensätze in sich vereinigenden katholischen Kirche" zu begründen[95]. Das in diesem Zusammenhang dargelegte Verständnis der AG[96] zeigt keine wesentlichen Abweichungen von der Auffassung, die Baur in seiner Auseinandersetzung mit Schneckenburger formulierte; lediglich dies läßt sich beobachten, daß Baur die Absicht des Verf's der AG, auch auf die eigene, paulinische Partei zu wirken, um eine Nuance entschiedener als früher betont[97]. Baurs Charakteristik gipfelt in zwei Aussagen: 1. Die in der AG vorliegende Darstellung der apostolischen Zeit läßt sich "nur aus einer absichtlichen, tendenzmässigen Veränderung des geschichtlichen Thatbestands erklären"[98]. 2. Die AG verfolgt nicht bloß einen apologetischen, allein auf die Verteidigung des Apostels Pls bezogenen Zweck, sondern eine "conciliatorische oder irenische Tendenz"[99]; sie ist "der Vermittlungsversuch und Friedensvorschlag eines Pauliners, welcher die Anerkennung des Heidenchristenthums von Seite der Judenchristen durch Zugeständnisse seiner Partei an den Judaismus erkaufen und in diesem Sinne auf beide Parteien wirken wollte."[100]

Mit dem zuletzt zitierten Satz übernimmt Baur nahezu wörtlich diejenige Formel, in der Zeller seine Erörterung über den Zweck der AG abschließend zusammenfaßte[101]. Zellers Untersuchung der AG, zuerst in einer Reihe von Artikeln der Th Jbb[102], später als Monographie[103] erschienen, ist von C. Schwarz[104] und W. Dilthey[105] als das gediegenste Werk der Tübinger Schule überhaupt bezeichnet worden. Ovb hat in Zellers Buch die eingehendste Begründung der konziliatorischen Zweckbestimmung der AG gesehen[106] und sein eigenes weiterführendes Verständnis in der Auseinandersetzung mit Zeller entwickelt. Die Untersuchung Zellers wird daher in Kapitel IV dieser Arbeit berücksichtigt werden[107]. Im Rahmen des vorliegenden Kapitels mag es genügen, durch den exemplarischen Bericht über die Entwicklung Baurs zu demjenigen "Standpunkt" der AG-Kritik hingeführt zu haben, von dem Ovb ausging, als er in seiner Jenaer Zeit die Überarbeitung des de Wetteschen Kommentars in Angriff nahm[108].

Bevor wir freilich darlegen, inwieweit Ovb den "Standpunkt" Baurs später hinter sich ließ und in welcher Weise er versuchte, den Zweck der AG neu zu beschreiben, haben wir zunächst in Kapitel III auf eine Modifikation der tendenzkritischen Fragestellung hinzuweisen.

Kapitel III: OVERBECKS FRAGE NACH DER FORM DER AG I:
DIE AG ALS SCHRIFTSTELLERISCHE KOMPOSITION

1. Vorbemerkungen

a) Vorläufige Abgrenzung der Formenfrage Overbecks von der formgeschichtlichen Methode

In seiner im Jahre 1882 veröffentlichten Abhandlung: Über die Anfänge der
patristischen Literatur hat Ovb sein methodisches Vorgehen von der Einsicht bestimmen lassen, daß eine literaturgeschichtliche Untersuchung des
altchristlichen Schrifttums nur als Frage nach dessen Formen sachgemäß
durchgeführt werden könne[1]. Ovb hat damals den bekannten Grundsatz formuliert: "Ihre Geschichte hat eine Literatur in ihren Formen, eine Formengeschichte wird also jede wirkliche Literaturgeschichte sein."[2] Mit Recht
hat man Ovb aufgrund des in diesem Satz ausgesprochenen methodischen
Prinzips und aufgrund der Resultate, die er mit seiner Hilfe erarbeitete,
einen Platz in der Vorgeschichte der späteren, terminologisch sogenannten
"formgeschichtlichen" Erforschung des Neuen Testaments eingeräumt[3].
Es muß jedoch, um Mißverständnisse gar nicht erst aufkommen zu lassen,
sogleich davor gewarnt werden, die hier bestehende Verbindung zu direkt
zu fassen oder gar die "Formengeschichte" Ovb's mit der formgeschichtlichen Methode im Sinne Gunkels, Dibelius' und Bultmanns auf einen Nenner zu bringen. Wenn irgendwo, so gilt es hier, die Maxime Ovb's zu be-
herzigen, daß es ernster Geschichtsschreibung um den Zusammenhang ihrer Objekte zu tun sei, "aber eben darum, eben damit sie über diesen Zusammenhang sicher urteilen könne, auch vor allem um die sorgfältige Tren-
nung der Tatsachen."[4] Eine genaue Beschreibung der verbindenden und
trennenden Momente kann freilich erst später versucht werden, nachdem
die Eigenart der Frage Ovb's nach den Formen der Literatur geklärt ist[5].
An der vorliegenden Stelle ist lediglich ein erster, zunächst isoliert blei-
bender Hinweis möglich: Martin Dibelius hat in den Anfangsworten seines
- in der ersten Auflage 1919 erschienenen - programmatischen Buchs: Die
Formgeschichte des Evangeliums unverkennbar auf den oben zitierten Grundsatz Ovb's Bezug genommen. Dibelius schrieb: "Der Satz, daß alle Literaturgeschichte Formgeschichte ist, darf gewiß nicht ohne Unterschied auf
jede Art von Schrifttum angewendet werden. Ein besonders weiter Geltungs-
bereich kommt ihm aber in Literaturen zu, bei denen die Persönlichkeit der
Verfasser in den Hintergrund tritt."[6] Dieser von Dibelius gewählte Einstieg in seine Arbeit ist für sein sachliches Verhältnis zu Ovb höchst aufschlußreich. Was nämlich bei Ovb ebenso prinzipiell gemeint war wie es
formuliert wurde, wird von Dibelius offensichtlich nur mit einer gewissen
Einschränkung übernommen. Diese Einschränkung aber bedeutet zugleich
eine Modifikation: Während Ovb in seiner Abhandlung: Über die Anfänge
der patristischen Literatur ausschließlich an den schriftstellerischen Werken als ganzen interessiert ist, schreibt Dibelius in einer Sammelrezen-
sion: "Die Formgeschichte hat es bekanntlich nicht mit den abgeschlossenen

literarischen Werken zu tun, sondern mit den kleinen Einheiten, die in
mündlicher oder schriftlicher Überlieferung weitergegeben werden ...
Die formgeschichtliche Betrachtung im strengen Sinn kann also überhaupt
nur bei solchen Werken Platz greifen, die Sammlungen solcher kleinen
Einheiten sind oder diese Einheiten in ihren Text einbauen. "[7] Während
weiter in dem formengeschichtlichen Programm Ovb's - wie jüngst M. Tetz
gezeigt hat[8] - die Frage nach den "Schriftstellerpersönlichkeiten", d. h.
nach dem jeweiligen Gestaltungswillen des individuellen Verfassers eine
konstitutive Funktion hat, findet die formgeschichtliche Methode im Sinne
Dibelius' primär (wenn auch nicht exklusiv) dort ihre Anwendung, wo der
Einfluß einer Schriftstellerpersönlichkeit eine Quantité négligeable ist:
"Die formgeschichtliche Betrachtung ist ... bewußt antiindividualistisch
und soziologisch"[9].

b) Überlegungen zum Beginn der formengeschichtlichen Arbeit Overbecks

Neben der vorläufigen Abhebung der Fragestellung Ovb's von der formgeschichtlichen Methode ist den Ausführungen dieses Kapitels noch eine zweite Unterscheidung voranzustellen. Der Satz, jede wirkliche Literaturgeschichte sei als Formengeschichte zu betreiben, bezeichnet das methodische
Prinzip, das Ovb in seinem Aufsatz: Über die Anfänge der patristischen Literatur befolgt. Davon zu unterscheiden ist das Resultat, das Ovb durch die
Anwendung jenes Prinzips gewinnt: die Aufstellung der Kategorie der christlichen Urliteratur und die Feststellung der literarhistorischen Diskontinuität
zwischen ihr und der patristischen Literatur. Die Unterscheidung zwischen
der methodischen Fragestellung und dem erzielten Ergebnis ist in unserem
Zusammenhang vor allem deswegen wichtig, weil beide im Werk Ovb's nicht
gleichzeitig auftauchen. Ovb's Frage nach den Formen der Literatur ist
älter als seine Einsicht in den spezifischen Charakter der christlichen Urliteratur. Die allmähliche Entstehung des Begriffs der christlichen Urliteratur, wie sie sich im Zusammenhang mit Ovb's Arbeit an der altchristlichen Literaturgeschichte vollzogen hat und verfolgen läßt, soll hier nicht
beschrieben werden. Es möge die Feststellung genügen, daß die zweite
Fassung der Vorlesung über die Geschichte der altchristlichen Literatur
- im Unterschied zur ersten Fassung - zwar eine relativ nah verwandte
Vorstufe des Aufsatzes von 1882 darstellt, daß dessen Resultate aber in
der Ausführung und Begründung, die Ovb ihnen 1882 gegeben hat, in jener
Vorlesung noch nicht belegt werden können. Seine Einsicht in die fundamentale Differenz der christlichen Urliteratur und der patristischen Literatur
hat Ovb erst zwischen dem WS 1879/80 und der Ausarbeitung seiner Abhandlung vom Jahre 1882 auf ihren präzisen und für ihn selbst abschließenden Be
griff gebracht.

Anders verhält es sich mit dem methodischen Grundsatz der Frage nach
den Formen. Bereits im Vorwort zum AG-Komm gibt Ovb "der Meinung"
Ausdruck, "dass es für den Streit um die Natur der Geschichtserzählung
der AG. sehr wichtig sei, die Künstlichkeit ihrer Formen schon ganz un-

abhängig von der Frage nach dem tieferen Zweck und Charakter des Buches zur Evidenz zu bringen."[10] Mit Recht hat Vielhauer auf die Relevanz dieser Stelle aufmerksam gemacht. Er hat jedoch die Ansicht geäußert, Ovb habe den zitierten Grundsatz im AG-Komm selbst noch nicht durchgeführt und habe mit ihm lediglich das methodische Prinzip der Abhandlung von 1882 "antizipiert"[11]. In seinem Aufsatz: Über Formengeschichte in der Kirchengeschichte hat Tetz den negativen Teil dieser These übernommen[12] und sie positiv dahin präzisiert, daß mit der ersten Auflage der 'Christlichkeit' (1873) die "bewußt formengeschichtliche Arbeit" Ovb's beginne[13]. Dieses Urteil hat Tetz inzwischen freilich selbst revidiert[14]. Durch die Wiedergabe einer höchst aufschlußreichen Passage aus der ersten Fassung der Vorl LG[15] hat er den Beweis erbracht, daß und in welcher Intensität bereits im Jahre 1870 eine formengeschichtliche Reflexion bei Ovb vorauszusetzen ist. Im Blick auf dieses Resultat erscheint es geboten, die von Vielhauer negativ entschiedene Frage, ob der oben aus dem Vorwort des AG-Komm zitierte Grundsatz im AG-Komm selbst bereits durchgeführt sei, erneut zu diskutieren. Eben dies ist die Aufgabe der folgenden Erörterung.

2. Overbecks Frage nach den Formen im AG-Komm

a) Analyse der Komposition der AG

Mit dem Satz von der Wichtigkeit der Formen für die Erkenntnis der Geschichtserzählung der AG begründet Ovb eine bestimmte Stoffanordnung in der Einleitung seines Kommentars. Er schreibt: "Umständlich könnte scheinen, dass ich § 1a die Feststellung des Plans der AG. aus den darüber § 1b zu wiederholenden Erörterungen ausgeschieden habe. Ich habe es in der Meinung gethan, dass es für den Streit um die Natur der Geschichtserzählung der AG. sehr wichtig sei, die Künstlichkeit ihrer Formen ... zur Evidenz zu bringen."[1] In dem hier hergestellten Begründungszusammenhang liegt ein Hinweis auf diejenigen Ausführungen, die die authentische Exegese und im Sinne Ovb's auch die Durchführung jenes methodischen Grundsatzes enthalten. An den genannten zwei Stellen der Einleitung skizziert Ovb jeweils den Aufriß der gesamten AG, zuerst in § 1a unter dem Stichwort "Plan" der AG[2], das zweite Mal in § 1b im Zusammenhang der Analyse von "Standpunkt und Zweck des Buches."[3] An der ersten Stelle ersetzt Ovb den von de Wette gebotenen Aufriß[4] durch eine exakte äußere Gliederung. An der zweiten Stelle gibt er eine inhaltliche Paraphrase und damit eine Illustration des vorher erarbeiteten theologischen Grundgedankens der AG. Beide Skizzen verlaufen parallel und in enger Entsprechung zueinander. Ihr Unterschied ist bedingt durch den jeweils leitenden Gesichtspunkt. Verwendet man, wie es die Rechtfertigung dieses doppelt mitgeteilten Aufrisses AG-Komm, XVI nahelegt, die Begriffe der dort genannten Maxime, so läßt sich formulieren: Im ersten Fall geht es um die Künstlichkeit der Formen, im zweiten um den tieferen Zweck und Charakter des Buchs. D.h. aber:

Was Ovb unter dem Begriff "Künstlichkeit der Formen" verstand, und inwiefern er es unternommen hat, sie "zur Evidenz zu bringen", muß sich
an den zusammenfassenden Ausführungen des § 1a über den Plan der AG
erkennen lassen.

Schon der erste Satz ist hier äußerst aufschlußreich. Er ist nichts anderes
als eine ausführliche Wiederholung des uns beschäftigenden methodischen
Prinzips: "Als planvoll angelegt giebt sich die Erzählung der AG. zu erkennen, schon wenn man zur Ermittelung ihres Plans die Aufmerksamkeit zunächst nur auf die äussere Anlage des Buchs oder die Gruppirung seiner
Erzählungen nach der äusseren Verwandtschaft ihres Inhalts und den äusseren Momenten ihrer Verknüpfung richtet und vom Grundgedanken oder
vom Zweck, welcher die Erzählung der AG. beherrscht, noch ganz absieht."[5]
Die Frage nach den Formen der AG ist hier aufgenommen als Frage nach
der äußeren Anlage oder der Gruppierung der Erzählungen; Ovb's Interesse
an den Formen dokumentiert und realisiert sich also in der Beachtung des
Aufbaus bzw. der schriftstellerischen Komposition[6]. In welchem Sinne Ovb
von der Künstlichkeit der Formen spricht, ist der folgenden Skizze seiner
Kompositionsanalyse selbst zu entnehmen[7].

Ovb nimmt das Auftreten des Pls zum Maßstab für die Haupteinteilung der
AG[8]. Danach scheidet sich ein fast ausschließlich von Pls handelnder Teil
(c 13-28) von dem vorangehenden (c 1-12), in dem Pls anfangs gar nicht,
später nur vorübergehend vorkommt.

Der erste Teil der AG zerfällt in zwei Abschnitte. Der frühere (c 1-5) stellt
die Urgemeinde "unter ausschliesslicher Leitung der Urapostel"[9] dar. Der
folgende Abschnitt (c 6-12) hebt sich von c 1-5 dadurch ab, daß sich der Horizont der Erzählung hier in zweifacher Hinsicht vergrößert: Zu den bereits
bekannten Personen treten die Hellenisten und Saulus hinzu; der geographische Schauplatz des Geschehens erweitert sich erstmals über Jerusalem hinaus. Innerhalb von c 1-5 bildet nach dem Vorwort (1,1-2) die Himmelfahrtserzählung (1,3-11) den glänzenden Eingang des ganzen Buchs[10]. Durch 1,8
wird der Fortschritt der Erzählung im großen vorgezeichnet[11]. Durch 1,4 f
dient die Himmelfahrtsperikope ebenso wie die Vervollständigung des Kreises der zwölf Apostel (1,12-26)[12] der Pfingsterzählung zur Vorbereitung.
An diese schließt sich in 2,43-5,42[13] eine "Schilderung der frühesten Zustände und Schicksale der Urgemeinde"[14] an. Den Aufbau dieses Stücks beschreibt Ovb in engem Anschluß an Zeller[15]: Die Schilderung 2,43-5,42
zerfällt danach in die beiden symmetrischen Erzählungsgruppen 2,43-4,31
und 4,32-5,42[16]. Beide beginnen mit einer "panegyrischen"[17], inhaltlich
ganz analogen, allgemeinen Charakteristik des Lebens der Urgemeinde
(2,43-47; 4,32-37). Beidemal folgt eine Wundererzählung (3,1-10; 5,1-11).
"Während aber an das erste Wunder seinem öffentlichen Charakter gemäss
eine zweite Lehrrede des Petrus angehängt wird (3,11-26), schiebt sich
das Strafwunder 5,1 ff, welches im Schooss der Gemeinde vorgeht, in die
allgemeine Schilderung, welche 5,12-16 fortgesetzt wird."[18] Auf ihre
Wunderwirksamkeit hin werden die Apostel jeweils verhaftet und von den

jüdischen Behörden zur Rechenschaft gezogen; doch gelangt ihre Sache beidemal zu einem glücklichen Ausgang (4,1-31; 5,17-42)[19]. Neben diesem Parallelismus beobachtet Ovb, daß die Erzählungen der zweiten Gruppe die früher dargestellten Verhältnisse durchweg in gesteigerter Form wiederholen. Dies gilt von den Gütergemeinschaft, den Wundern, dem Haß der Juden und dem für die Apostel siegreichen Ende ihres Konflikts mit den Behörden[20].

In c 6-12 treten drei Personen bzw. Personengruppen als Träger des Geschehens auf: die Urgemeinde mit den Aposteln, voran Petrus; Stephanus und die Hellenisten; Saulus. Charakteristisch für den Aufbau ist nach Ovb die "schon äusserlich kunstvolle Verflechtung"[21] der diesen Subjekten zugeordneten Erzählungsfäden. Nach der Wahl des Kollegiums der Sieben Männer (6,1-7) wendet sich die Erzählung den Hellenisten zu, zuerst dem Stephanus (6,8-7,60; 8,2), dann der Tätigkeit des Philippus in Samarien (8,4-13). Dabei treten die übrige Gemeinde (nur 8,1.3) und die Urapostel (nur 8,1) sehr zurück, während bereits dreimal - beiläufig - Saulus erwähnt wird (7,58; 8,1.3). Nach "vorübergehendem Auftauchen zweier Urapostel"[22] in Samarien (8,14-25) folgen die weitere Missionstätigkeit des Philippus (8,26-40) sowie die Bekehrung und die apostolischen Anfänge des Saulus (9,1-30)[23]. In 9,31-11,18 konzentriert sich der Verf auf Petrus, auf seine Wunder (9,31-43) und die Gewinnung des Heiden Cornelius (10,1-11,18). Im Anschluß daran treten wieder die Hellenisten auf, doch neben ihnen in Antiochien auch Barnabas und Saulus. Eine Reise der beiden Letztgenannten nach Jerusalem und zurück (11,27-30; 12,25) umrahmt den Bericht einer erneuten Verfolgung der Urgemeinde.
Der "innere Faden" - so konstatiert Ovb im Vorblick auf § 1b der Einleitung des AG-Komm -, der diese ineinandergeschlungene Darstellung durchzieht und zusammenhält, "kann nur bei tieferer Untersuchung sich zeigen"[24].

Auch den dem Pls gewidmeten zweiten Hauptteil der AG gliedert Ovb in zwei Abschnitte. Der erste handelt von den apostolischen Reisen des Pls (13,1-21, 16), der zweite von seinem Prozeß und seiner Gefangenschaft (21,17-28,31). Beide Abschnitte sind äußerlich verknüpft durch den Plan 19,21 und die Ankündigungen 20,23; 21,4.11 f.

Die apostolischen Fahrten des Pls faßt der Verf der AG zu drei großen Reisen zusammen: 13,1-14,28; 15,36-18,22; 18,23-21,16[25]. Jede Reise beginnt in Antiochien und schließt mit einem Besuch des Pls in Jerusalem[26]. Auf jeder der drei Reisen wird dem Apostel eine größere Rede in den Mund gelegt: Die Rede der ersten Reise richtet sich an Juden (13,16-41), die der zweiten an Heiden (17,22-31), die der dritten an Christen (20,18-35). Dabei ist jede Rede jeweils in den Teil der zugehörigen Reise verlegt, den der Verf der AG besonders betont[27]. Bei der ersten Reise ist dies der Anfang, der darum "zusammenhängend und mit gleichmässiger Ausführlichkeit"[28] erzählt wird, während sich die AG von 14,19 an mit vergleichsweise flüchtigen und allgemeinen Angaben begnügt. Bei der zweiten Reise ruht

das Hauptgewicht auf der Mitte, auf dem europäischen Teil; Anfang und
Schluß (15,40-16,10; 18,18-22) sind dagegen nur kurz behandelt. Von der
dritten Reise endlich erzählt die AG Anfang (18,23)[29] und Mitte (20,1-3)
"mit der grössten Flüchtigkeit"; betont ist diesmal der Schlußteil, "in
welchem diese Reise, sowohl vermittelst der Rede 20,18 ff als auch der
in aller Ausführlichkeit dem Leser vorgeführten Rückreise ... den Charakter einer Abschiedsreise erhält."[30] In der Darstellung des Prozesses
und der Haft des Pls unterscheidet Ovb wie in dem Reiseabschnitt drei
Teile: die Entstehung und Führung des Prozesses bis zur Ablösung des Felix (21,17-24,27); den Fortgang des Prozesses unter Festus (c 25 f); die
Überführung des Pls nach Rom und sein Auftreten in dieser Stadt (c 27 f).
Zur Komposition dieses Abschnitts hebt Ovb zweierlei hervor:

Er beobachtet einmal, daß die drei apologetischen Reden "nach einem ganz
ähnlichen Gruppirungsschema" wie die drei Reden der Reiseperiode über
den Prozeß verteilt sind[31]. Pls spricht 22,1-21 vor dem jüdischen Volk,
24,10-21 vor dem römischen Richter, 26,2-23 "vor einem combinirten jü-
disch-römischen Auditorium"[32]. Dabei trägt der Apostel stets den gleichen Hauptgedanken vor, jedoch in "verschiedener, jedesmal der Situation
angepasster Wendung."[33] Ovb macht zweitens auf den Parallelismus zwischen der Führung des Prozesses unter Felix und unter Festus aufmerksam:
Abgesehen von der Appellation und dem aus 25,8 zu erschließenden neuen
(politischen) Anklagepunkt wiederholten sich in 25,1-12 nur die dem Prozeß
schon unter Felix eigenen Motive[34]. Daß 25,1-12 und 23,12-24,27 "zwei
nach einem Schema gearbeitete Erzählungen" seien, ergebe sich vollends
daraus, daß 25,1-12, "was die frühere ⟨Erzählung⟩ mit detaillirender Brei-
te berichtete, in zusammengezogener Form vorführt, insbesondere Vs. 6-8
summarisch über den Inhalt der Verhandlung weggeht, soweit er ganz identisch vorauszusetzen ist mit dem 24,1-23 geschilderten."[35]

So weit in groben Zügen Ovb's Sicht des äußeren Aufbaus der AG. Auch ausserhalb der in diese Skizze eingearbeiteten Stellen nimmt Ovb immer wieder auf den Bauplan des Buchs und die Komposition einzelner Szenen Bezug[36]. Es darf danach als erwiesen gelten, daß Ovb eine Aufhellung der
"Formen" im AG-Komm nicht allein programmatisch gefordert, sondern
als Analyse der planvollen Anlage der AG auch tatsächlich unternommen
hat.

b) Folgerungen aus der Kompositionsanalyse für das Verständnis der AG

Zur Beantwortung der Frage, was die so gewonnene Einsicht zum Verständnis der AG austrägt, sind im Sinne Ovb's drei eng ineinander verzahnte
Momente zu nennen.

aa) Die AG - kein schlichter Geschichtsbericht

Der skizzierte Aufriß demonstriert das 'Literarische' oder 'Gemachte'
der AG. Er weist die AG als ein Werk überlegter Kompositionsarbeit aus,

dessen Aufbau die Züge bewußter, z.T. geradezu schematischer Konstruktion trägt. Eben dieser Charakter literarischer Konstruktion ist gemeint, wenn Ovb von der "Künstlichkeit" der Formen spricht. Der Gegenbegriff dazu wäre die unverfälschte 'Natürlichkeit' eines wirklichen Geschichtsverlaufs. Oder präziser: Von jeder Künstlichkeit der Formen noch frei wäre die Gestalt einer Schrift, die sich nicht als planvoller literarischer Entwurf, sondern als getreue Nachzeichnung geschehener Geschichte präsentierte.

Ovb hat diese Gegenüberstellung gelegentlich explizit ausgesprochen. In der Vorl ApZA, SS 1870, heißt es: "Wenn wir uns nun zur AG. ... wenden, so ist zunächst einmal klar, dass sie nicht in dem Sinne eine einfache Geschichtserzählung ist, dass sie eine schlichte Wiedergabe geschehener Dinge wäre, sondern dass sie den Stoff schon in sehr künstlichen Formen wiedergibt."[37] In die gleiche Richtung weist es, wenn Ovb anderwärts feststellt, es gebe keine allgemeinen Gründe "gegen die Erdichtung von Reden in einer Schrift, welche sich so künstlerisch freier Formen der Erzählung bedient wie die AG."[38]. Die Erhellung der Künstlichkeit der Formen gibt demnach insofern Aufschluß über die Eigenart der AG, als sie verbietet, in diesem Buch eine ungebrochene Wiedergabe historischer Tatsachen zu sehen.

bb) Die AG - kein Aggregat von Quellen

Die AG gibt sich durch ihre Anlage als das Produkt eines reflektiert gestaltenden Schriftstellers zu erkennen. Die Hypothesen Schleiermachers und Schwanbecks, wonach der Verf lediglich Sammler war und vorliegende Quellen ohne eigene Gestaltungskraft zusammentrug, die AG folglich als ein zufälliges Aggregat älterer Quellenschriften erscheint, bilden das exakte Gegenteil zu Ovb's Ansicht: "Eine solche Auffassung des Buchs verbietet schon, was ... über die Kunst seiner äusseren Anlage nachgewiesen wurde"[39]. Nicht schlichter historischer Referent, aber auch nicht geistloser Kompilator ist der Verf der AG, sondern der Schöpfer einer kunstvoll konstruierten Komposition[40]. Die Beschreibung des literarischen Charakters der AG ist für Ovb deswegen nichts anderes als ein Nachzeichnen des individuellen Verfahrens, wie es der Schriftsteller in selbständiger, schöpferischer und überlegter Weise bei der Abfassung seines Werkes befolgte. Die Verwendung von Tradition ist damit nicht ausgeschlossen, wohl aber die Voraussetzung, daß sie unverarbeitet und ohne Assimilation an den Plan des Schriftstellers begegnet. Die individuelle schriftstellerische Leistung des Verf's bildet den methodischen Ausgangspunkt der Interpretation und steckt zugleich den Horizont ab, in dem sich diese überwiegend bewegt.

cc) Die AG - eine theologische Tendenzschrift

Die Künstlichkeit der Komposition der AG hat ihr Korrelat in dem Zweck oder der theologischen Absicht des Buchs. Dies beweist im AG-Komm schon die der Gliederung § 1a parallele inhaltliche Paraphrase § 1b[41]. Es erhellt

ferner aus der Vorl ApZA, SS 1870: Auf den oben unter aa) zitierten Satz
von den "sehr künstlichen Formen" läßt Ovb hier sogleich die Feststellung
des theologischen Gesichtspunkts folgen, unter dem die Erzählung der AG
zu begreifen ist, um sodann beides, die Komposition und den Zweck, in einer gemeinsamen Übersicht über Inhalt und Anlage der AG zu illustrieren[42]
Das ist nur möglich, weil beide Aspekte aufeinander angelegt sind, und Ovb
kann daher resümieren: "Wir haben uns ... bei der Übersicht ihres ⟨sc der
AG⟩ Inhalts davon überzeugen können, dass sie schon eine viel zu kunstvoll
componirte Schrift ist, um eine unmittelbare und einfältige Wiedergabe des
Geschehenen zu sein. Sie verfolgt mit ihrer Erzählung vielmehr ihre besonderen dogmatischen Zwecke."[43] Die künstliche Komposition ist nur die phä-
nomenale Außenseite der inhaltlichen Tendenz. Beidemal haben wir es mit
einem der Reflexion des Verf's entsprungenen Entwurf zu tun: einmal unter
dem Aspekt der literarischen Gestalt, zum andern unter dem Gesichtspunkt
der theologischen Absicht. Die Beobachtung der "Künstlichkeit der Formen"
wie Ovb sie AG-Komm, XVI programmatisch fordert, erweist sich damit
als die methodische Basis und als das literarische Komplement der Fragestellung der klassischen Tendenzkritik[44].

3. Overbecks Frage nach den Formen in anderen Texten bis zum Jahre 1870

Bevor wir die Gemeinsamkeiten und Unterschiede zwischen der Formenfrage Ovb's, wie sie sich bis zum Jahre 1870 einschließlich darstellt, und der
formgeschichtlichen Methode zusammenfassend charakterisieren, haben wir
die Grundlage für einen solchen Vergleich im Werk Ovb's noch zu erweitern
und zu festigen. Aus dem insgesamt recht disparaten Quellenmaterial, welches bisher noch unberücksichtigt blieb, wählen wir vier Texte aus, von denen uns die ersten drei in die Nachbarschaft oder doch wenigstens in die eng-
re Vorgeschichte der programmatischen Fragestellung des AG-Komm führen
während Ovb im vierten die Relevanz der Formenfrage innerhalb des Unternehmens einer altchristlichen Literaturgeschichte thematisch erörtert.

a) Specimen

In seiner Habilitationsschrift setzt Ovb mit einer Durchsicht der kirchlichen Tradition über Hippolyts Schrift De Antichristo ein[1]. Es folgen Kapitel II "De libelli de Antichristo argumento et dispositione", Kapitel III
"De integritate libelli". Die Abfolge von Kapitel II auf III entspringt einer
klaren methodischen Reflexion. Ovb kleidet sie zu Anfang von Kapitel II in
die Worte: "Antequam de integritate libelli nostri dicam ea, quae dicenda
de ea arbitror, exponam de argumento et sententiarum ordine nonnulla,
quae quum ab eo, cui de libello nostro sententiam dicere in animo est, neg-
legi nullo pacto possunt, tum gravissimi sunt momenti ad quaestionem de
libelli integritate recte diiudicandam."[2] Von Interesse ist hier nicht nur,
daß Ovb überhaupt die dispositio bzw. den ordo sententiarum eigens berücksichtigt[3], sondern insbesondere auch, daß er darin eine entscheidende
Voraussetzung erblickt, um über die Integrität des Buchs sicher urteilen

zu können[4]. Im AG-Komm verfährt er ganz analog, wenn er etwa aufgrund der Kompositionsanalyse gegen Schleiermachers Ansicht vom Aggregatcharakter der AG Stellung nimmt oder von der Einsicht in argumentum und dispositio her die Abgeschlossenheit mancher Reden - gegen die These, sie seien unvollständig, weil der Redner unterbrochen wurde - verteidigt[5].

b) LC 1865 (Rez Strauß)

In seiner Besprechung von Strauß' Leben Jesu für das deutsche Volk kritisiert Ovb, daß Strauß das Johevgl immer noch zu sehr auf eine Stufe mit den Synoptikern gestellt habe. Ovb wirft die Frage auf, ob es nicht "den Eindruck einer fast unfruchtbaren Arbeit" mache, "wenn man den Verfasser am Schlusse der einzelnen Capitel des zweiten Buches[6] jedesmal auch die Parallelen des vierten Evangeliums einzeln ihres unhistorischen Charakters überweisen sieht, da doch für den Kenner dieser Charakter schon anderweitig feststeht (nämlich aus den ein für allemal erkannten Grundgedanken, wie sie die ganze Composition des vierten Evangeliums beherrschen) ..."[7] Ovb will hiermit sagen, die von Strauß geübte mythische Kritik der Einzelerzählungen sei dem Johevgl deswegen nicht adäquat, weil es eine Tendenzschrift sei, deren Komposition als ganze von bestimmten theologischen Grundgedanken beherrscht werde, eine Schrift also, bei der man es "nur mit bewußter (oder dem Evangelisten doch halbbewußter) und planmäßiger Erdichtung zu thun" habe[8]. Eine sachgemäße Kritik des Johevgl müsse bei den Ideen seines Verf's einsetzen und von daher "ein für allemal die consequente Metamorphose"[9], welche die synoptische Tradition im vierten Evangelium erfahren habe, vor Augen stellen.

Es liegt auf der Hand, daß Ovb hier ganz vom Standpunkt Baurs aus gegen Strauß argumentiert. Zugleich zeigen sich Übereinstimmung und Unterschied zu dem Ansatz im AG-Komm: Ovb rechnet beidemal mit einem reflektiert arbeitenden individuellen Verf. Hier wie dort sieht er die Korrelation zwischen den dogmatischen Grundgedanken und der von ihnen beherrschten Komposition. Der Unterschied liegt allein darin, daß die spezifisch literarische Seite der kritischen Fragestellung, die im AG-Komm zu profilierter Selbständigkeit kommt, hier noch umschlossen und überlagert erscheint von der Frage nach der Tendenz.

c) Entstehung

Dem Befund des AG-Komm zur direkten Bestätigung dienen zwei Sätze aus Ovb's Basler Antrittsvorlesung. Zum Beweis der nur untergeordneten Relevanz der Wunderfrage in der zeitgenössischen Kritik des NT nennt Ovb hier das Johevgl und die AG, d.h. die beiden kanonischen Schriften, "welchen die Kritik mit der grössten Entschiedenheit die historische Glaubwürdigkeit absprechen muss"[10]: Die "Hauptgrundlage" des gegenwärtigen Streits um das vierte Evangelium bildeten sein Verhältnis zu den Synoptikern "und die eigenthümliche Planmässigkeit seiner Erzählung"; desglei-

chen könne man über den allgemeinen Charakter der AG zur Entscheidung
kommen "aus einer alleinigen Prüfung seiner Paulus betreffenden Erzählungen, ihrer Composition und ihres Verhältnisses zu den paulinischen Brie
fen"[11].

d) Overbecks Auseinandersetzung mit Nitzsch in der ersten Fassung der Vorl LG

Es wurde bereits besprochen, daß Ovb in § 1[12] der ersten Fassung der
Vorl LG - von einer Kritik des dogmatischen Kirchenvater-Begriffs ausgehend - Patristik definiert als "Geschichte der alten christlichen Literatur."[13] In Auseinandersetzung mit Nitzschs Aufsatz: Geschichtliches und
Methodologisches zur Patristik[14] versucht Ovb, die leitende Fragestellung
einer solchen Geschichte noch weiter zu präzisieren.

Auch Nitzsch war bei der Suche nach einem einheitlichen und formgebenden
Gesichtspunkt, von dem her sich die Patristik als selbständige wissenschaft
liche Disziplin innerhalb der Theologie konsolidieren könnte, zu der Behauptung gekommen, "daß ... die patrologische Wissenschaft fortan nur
dann zu retten ist, wenn man sie ... zu einer kirchlichen Literärgeschichte stempelt."[15] Bei dieser Definition war Nitzsch jedoch nicht stehengeblieben. Er warf die Frage auf, ob es überhaupt legitim sei, von der kirchlichen Literatur als einem einheitlichen und besonderen Phänomen neben
den gleichzeitigen Nationalliteraturen zu reden. Seine Antwort: Die christlichen Schriftwerke des Altertums zeigen in der Tat, auch wenn sie verschiedenen Völkern und Sprachen angehören, untereinander eine größere
Verwandtschaft als mit der nichtchristlichen Literatur der gleichen Nation.
"Denn der christlich-kirchliche Geist erzeugte eine höhere und innigere
Einheit als der nationale."[16]

Dieser eigentümlich christliche Geist spricht sich aus "einerseits in einem
besonderen Inhalt, insofern diese Literatur sich nur um christlich-religiöse
oder theologische Gegenstände dreht, andererseits in einer besonderen
Form, insofern die sie bildenden Schriften in einem besonderen Kirchenstyl
verfaßt sind."[17] Unter "Kirchenstyl" versteht Nitzsch die unter dem Einfluß der heiligen Schriften entstandenen Merkmale der Erhabenheit, Präg-
nanz und Schlichtheit der "Bibelsprache". D.h. biblischer Stil und biblische Diktion konstituieren die formale Eigentümlichkeit der kirchlichen Literatur. Der Stil und die Literaturformen der klassischen Antike begegnen
dagegen, wenn überhaupt, nur korrumpiert oder in Ansätzen[18].

Während nun alle sonstige Literaturgeschichte nach Nitzsch auch einen - u.
U. sogar dominierenden - kunstgeschichtlichen Aspekt hat[19], ist dieser angesichts der kirchlichen Literatur trotz des besonderen Kirchenstils gegenstandslos. Dies gilt, "weil die Schriften der Kirchenväter im Allgemeinen
nicht Kunstproducte sind, weil auf den Styl und die Form weder bewußt noch
unbewußt Sorgfalt von ihnen verwandt ist, weil es ihnen insgemein nur auf
die Materien, die sie behandelten, ankam, weil überhaupt die ästhetische

Entwickelung des kirchlichen Styles, wenn eine solche wirklich stattgefunden hat, den allgemeinen Entwickelungsgang dieser Literatur nicht bedingt hat."[20] Das Interesse an den kirchlichen Schriften beruht sonach "wesentlich in dem besonderen Inhalte, nur nebenbei in der Form derselben"[21], und es ist für Nitzsch nur eine Konsequenz dieser Einsicht, wenn er die 'vage' oder 'unbestimmte' Definition der Patristik als einer kirchlichen Literärgeschichte[22] zu der Formel präzisiert, "die Patristik sei die Geschichte der Theologie in ihrer Gründungsperiode"[23].

Gegen diese Definition von Patristik und gegen die ihr zugrunde liegende Ansicht über die altchristliche Literatur erhebt Ovb Einspruch:

(1) Verstehe man mit Nitzsch in der Formel 'Patristik = Geschichte der Theologie in ihrer Gründungsperiode' Theologie nicht im technisch-wissenschaftlichen Sinn, sondern allgemeiner als "Inbegriff aller in die Sphäre des Bewußtseins erhobenen kirchlich-religiösen Interessen, als die Erscheinungsform des jedesmaligen zum Bewußtsein gelangten kirchlichen Geistes überhaupt"[24], so höre die Patristik ganz auf, Literaturgeschichte zu sein, was sie nach Nitzsch auch als Theologiegeschichte doch bleiben solle[25]. "Denn Theologie in diesem Sinn äussert sich durchaus nicht blos in der Literatur, sondern kommt auch in Sitte, Cultus, sonstigen äusseren Einrichtungen der Kirche zur Erscheinung."[26] Eine solche Geschichte der Theologie, wie sie Nitzsch vorschwebe, unter dem Titel 'Patristik' zu betreiben, wäre zudem ganz willkürlich, weil sie gar keinen Anknüpfungspunkt an dem habe, was man bisher 'Patristik' zu nennen pflegte. Scheide man nämlich aus der bisherigen Patristik dasjenige aus, was durch ein falsches theologisches (dogmatisches) Interesse ihren wissenschaftlichen Charakter trübe, so gerate man "immer nur auf den Begriff einer Geschichte der alten christlichen Literatur."[27]

(2) Nitzsch hat, nach Ovb's Urteil, zutreffend beobachtet, daß eine Literaturgeschichte im allgemeinen vorwiegend an der formellen Seite ihres Gegenstands interessiert ist[28]. Was Nitzsch zu seiner Definition 'Patristik = Geschichte der Theologie' brachte, war demgemäß die These, in dem speziellen Fall der altchristlichen Literatur sei der besondere Inhalt von (nahezu) exklusiver Wichtigkeit[29]. Dem hält Ovb zunächst entgegen, es sei gar nicht der Fall, daß die alten Kirchenschriftsteller durchweg gar kein oder ein nur völlig untergeordnetes Interesse auf die Form ihrer Schriften gerichtet hätten. Im Blick auf Chrysostomos und Gregor von Nazianz lasse sich nicht einmal sagen, daß ihnen die schöne Form gleichgültig gewesen sei; das Hauptwerk des Clemens von Alexandrien zeige zur Evidenz, daß und wie die Form zum Gegenstand der Reflexion eines Kirchenschriftstellers werden konnte; die Werke des Tertullian gehörten gerade auch "von Seiten ihrer Form zu den interessantesten Erscheinungen der Literaturgeschichte ihrer Zeit"[30].

Darüber hinaus - und das ist für Ovb nun von entscheidender Wichtigkeit - dürfe man von 'Form' nicht bloß als von 'ästhetisch schöner Form' oder als von 'bewußter Form' im Sinne künstlerischer Gestaltung reden[31]. Auch und gerade, wenn man das überwiegend formelle Interesse einer Literaturgeschichte festhalte, sei doch "die aesthetische Seite ... nur eine Seite ihrer Aufgabe"[32]. Literaturgeschichte in grundsätzlichem und umfassendem Sinne habe es vielmehr "mit der Entstehung der Literatur als solcher überhaupt" zu tun "und insofern mit ihrer Form, welche das Resultat dieser Entstehung ist."[33]

Die Pointe der letztgenannten Formulierung innerhalb der Diskussion mit Nitzsch liegt in dem umgreifenden Horizont, den Ovb für die literaturgeschichtliche Frage nach der Form reklamiert. Der Unterschied zu Nitzsch tritt in doppelter Hinsicht zutage.

Einmal ist Ovb bestrebt, die Beachtung der Form aus einer speziell kunsthistorischen bzw. literarästhetischen Betrachtungsweise herauszulösen. Die Form ist seiner Konzeption nach ein relevantes Merkmal der Literatur überhaupt, nicht nur eines sprachlichen Kunstwerks.

Sodann geht es ihm um einen literaturgeschichtlichen Ansatzpunkt, der die gegenseitige Isolation von Form und Inhalt überholt. Ovb orientiert die Literaturgeschichte an dem Faktum der Schriftstellerei als solcher[34]. Die einfache Tatsache, daß überhaupt Literatur begegnet, ruft die Literaturgeschichte auf den Plan. Das Eigentümliche ihres Interesses richtet sich auf das unverwechselbar Besondere ihres Gegenstands, d. h. auf das spezifisch Literarische an dem Phänomen Literatur. Als historische Disziplin fragt sie nach dem Zustandekommen oder der Genesis ihres Gegenstands. Ist das Grundproblem der Literaturgeschichte in diesem Sinne die "Entstehung der Literatur als solcher überhaupt", so ist evident, daß die Frage nach den Anfängen einer Literatur einen vorzüglichen Rang gewinnt. Wenn Ovb später "Über die Anfänge der patristischen Literatur" und "Über die Anfänge der Kirchengeschichtsschreibung" gehandelt hat, so hat er in der Tat Aufgaben zu lösen unternommen, die im Ansatz bereits an der vorliegenden Stelle fixiert sind. Dennoch ist zu beachten, daß die Frage nach der "Entstehung der Literatur als solcher überhaupt" nicht mit der Frage nach den "Anfängen" identisch ist oder in ihr einfach aufgeht. Im Sinne Ovb's stellt sich das Problem der Entstehung der Literatur als solcher in jedem einzelnen Fall, in dem ein schriftstellerisches Opus zum Gegenstand der Literaturgeschichte wird. Diese hat jeweils zu thematisieren, was dort geschieht, welche Bedingungen vorausgesetzt und welche Motive im Spiel sind, wo ein Schriftsteller es unternimmt, ein Werk zu schreiben[35].

Innerhalb dieser Problemstellung kommt der Beobachtung der Form zentrale Bedeutung zu. Ovb arbeitet mit der methodischen Prämisse, daß das Spezifische der Literatur in der literarischen Form greifbar wird. Der Prozeß schriftstellerischer Produktion kommt in der jeweiligen literarischen Form zu seinem Resultat. Deshalb hat umgekehrt die an der jeweiligen Entstehung interessierte Literaturgeschichte an der Form ihr heuristisches Prinzip. Was den Inhalt einer Schrift angeht, so wird er dabei keineswegs vernachlässigt oder gar ignoriert. Gerade durch die vorausge-

setzte Korrespondenz von Form und <u>Entstehung</u> der Literatur ist dies ausgeschlossen[36]. Denn das literarische Schaffen eines Schriftstellers ist gar
nicht zu erklären und zu beschreiben, ohne daß der verfügbare Stoff und
das gewählte Thema berücksichtigt werden. Das Thema ist für die Tatsache der Schriftstellerei ebenso wie für ihr 'Resultat' stets mitentscheidend;
die Form einer Schrift ist nur am Inhalt überhaupt wahrnehmbar. Die an
den Formen orientierte Literaturgeschichte kann mithin am jeweiligen Inhalt gar nicht vorbei. Was ausgeschlossen werden soll, ist lediglich das
entgegengesetzte Verfahren, daß nämlich der Inhalt rein für sich und isoliert von den Bedingungen seiner spezifisch literarischen Existenz ausgelegt wird. Nach Ovb wäre dies die Konsequenz der Definition der Patristik
als Theologiegeschichte (im Sinne Nitzschs). Die literaturgeschichtliche
Betrachtungsweise hält demgegenüber den Inhalt bewußt dort fest, wo er
konkret gegeben ist: im Rahmen eines bestimmten schriftstellerischen Entwurfs. Sie macht die literarische Form seiner Überlieferung zum methodischen Kanon seiner Interpretation. Anders gesagt: Die Frage nach der Form
als dem Resultat der Entstehung der Literatur als solcher erschließt, indem sie auf den Akt der schriftstellerischen Gestaltung zurückführt, gerade auch dem Inhalt einer Schrift seinen genuinen hermeneutischen Horizont[37].

So weit Ovb's Auseinandersetzung mit Nitzsch. Vergleicht man das Ergebnis
dieser Erörterung mit dem methodischen Einstieg im AG-Komm, so läßt
sich sagen: Ovb formuliert an der vorliegenden Stelle methodologisch-ab-
strakt, was er dort konkret auf die AG bezieht und an ihrem Text auch durchführt. Fragt eine Literaturgeschichte nach der Form als dem Resultat der
Entstehung der Literatur, so bedeutet dies in Anwendung auf die AG: Es gilt
die Künstlichkeit ihrer Formen zur Evidenz zu bringen, um über die Natur
ihrer Geschichtserzählung zu entscheiden. Die Künstlichkeit der Komposition macht es unmöglich, in der AG einen historisch getreuen Geschichtsbericht oder ein Aggregat von Quellen zu sehen. Die Konstruiertheit des Aufbaus ist vielmehr Resultat und Indiz ihrer tendenzbestimmten Entstehung[38].

4. Vergleich der Formenfrage Overbecks mit der formgeschichtlichen Methode

a) Unterschiede

Die Unterschiede zwischen der formengeschichtlichen Fragestellung Ovb's,
wie sie bis zum Jahre 1870 verfolgt wurde, und der formgeschichtlichen
Methode lassen sich am leichtesten erkennen, wenn man auf die beidersei-
tige Bedeutung der Schriftstellerpersönlichkeiten achtet.

Für die literaturgeschichtliche Formenfrage Ovb's ist die jeweilige Schriftstellerpersönlichkeit ein konstitutiver Faktor. Gleichgültig, ob Ovb nach
der Gesamtkomposition, nach der schriftstellerischen Anlage einzelner Szenen oder nach der Form bestimmter in sich geschlossener Einheiten eines
Werks (z.B. der Reden der AG) fragt, in jedem Fall ist die Person des
Schriftstellers das formgebende Subjekt. (Als solches, nicht unter psycho-
logischem Gesichtspunkt, ist der individuelle Autor relevant[1].)

In der formgeschichtlichen Methode kommt den Schriftstellerpersönlichkeiten eine entsprechende Bedeutung nicht zu. Allerdings hat man mit Recht
vor einer einseitigen Charakteristik gewarnt[2]. Wenn die Anhänger der formgeschichtlichen Methode programmatisch die Unterscheidung von Tradition
und Redaktion fordern[3], die Analyse der Redaktion des Traditionsstoffes[4]
oder des Rahmens der Geschichte Jesu[5] thematisch in Angriff nehmen; wenn
sie die literarische Bestimmung der Evangelienschriften als ganzer[6] und
"das theologische Begreifen des Leben-Jesu-Stoffes" durch die Evangelisten
in ihre Aufgabenstellung einbeziehen[7]; wenn sie schließlich der Entgegenstel
lung von "Formgeschichte" und "Literaturgeschichte" ausdrücklich widersprechen mit der Begründung: "Formen und Gattungen zeigen sich in der
höheren Literatur, d.h. in den Werken einzelner Schriftsteller und Dichter,
ebenso wie in der anonymen Kleinliteratur, wenn auch z.T. andere Formen
und Gattungen"[8], so läßt sich ihnen eine Berücksichtigung der individuellen
Verfasser nicht pauschal absprechen. Dieser Umstand hebt jedoch die Tatsache nicht auf, daß die formgeschichtliche Methode ihr genuines Anwen-
dungsgebiet dort hat, wo die zu untersuchenden Formen durch das literarische Schaffen von Schriftstellerpersönlichkeiten zwar eventuell sekundär
modifiziert, keinesfalls aber konstituiert sind. "Auf dem Boden der Volksüberlieferung, wo viele Namenlose sich durch Weitergabe des Überlieferten, durch Veränderung oder Vermehrung schaffend betätigen, und wo der
einzelne Autor keine literarischen Ziele hat, bedeutet die persönliche Eigenart des Dichters oder Erzählers wenig; weit wichtiger ist die Form, wie
sie durch praktische Bedürfnisse geschaffen oder durch Brauch und Herkom
men überliefert wird."[9]

Das Zurücktreten des formgebenden Einflusses einzelner Schriftsteller auf
dem Boden der Volksüberlieferung oder der "Kleinliteratur", deren Erforschung die genuine Aufgabe der formgeschichtlichen Methode ist, bedingt
einen dreifachen Unterschied dieser Methode zur formengeschichtlichen
Fragestellung Ovb's:

(1) Ovb's Frage nach den Formen ist an dem jeweiligen schriftstellerischen
Opus als einem ganzen orientiert. Auch wo er einzelne Szenen oder Abschnitte auf ihre Komposition und Form hin analysiert, kommen diese nur
als Teile des jeweiligen schriftstellerischen Ganzen in Betracht. Die Formgeschichte kennt ebenfalls die Frage nach dem jeweiligen Gesamtwerk. Ihre
spezifische Intention richtet sich aber auf die ursprünglich selbständigen
und formal abgeschlossenen "kleinen Einheiten"[10], die nicht Produkte
"schriftstellerische (!) Individualitäten" sind, sondern anonymen "formbil-
denden Gesetzen" gehorchen: "Diesen Gesetzen nachspüren, die Entstehung
jener kleinen Einheiten begreiflich machen, ihre Typik herausarbeiten und
begründen und solcherart zum Verständnis der Überlieferung gelangen - das
heißt Formgeschichte des Evangeliums treiben."[11]

(2) Wie Ovb verstehen auch die Vertreter der formgeschichtlichen Methode
die auszulegenden Texte primär nicht als Berichte über etwas, sondern als
Dokumente ihrer jeweiligen Entstehungssituation. Diese Entstehungssitua-

tion wird aber beidemal in unterschiedlicher Weise bestimmt. Bei Ovb handelt es sich - entsprechend der Annahme eines individuellen Autors - um einen unwiederholbaren, individuellen kirchen- oder theologiegeschichtlichen Moment. Aus diesem Moment erwachsen die Motive, die den Autor zur Schriftstellerei nötigen und ihn bei seiner Produktion leiten. Im Sinne der formgeschichtlichen Methode ist die Entstehungssituation eines Textes dagegen sein "Sitz im Leben"[12]. Dieser Begriff meint keine individuelle, sondern eine typische, wiederholbare, durch bestimmte soziologische Gegebenheiten konstituierte Situation. Mit dem Terminus "Sitz im Leben", schreibt Bultmann, ist "nicht der Ursprung eines einzelnen Berichts (als Berichtes über etwas) in einer einzelnen geschichtlichen Situation oder Person gemeint, sondern die Beziehung eines literarischen Stücks (als literarischen) auf eine allgemeine geschichtliche Situation (wie Krieg, Kult, Verkehr usw.), aus der die Gattung erwuchs, der jenes Stück zugehört."[13]

(3) Die Beschreibung der Form oder der Formen eines literarischen Werks ist für Ovb nichts anderes als ein Nachzeichnen der schriftstellerischen Tätigkeit des Autors. Die Formenfrage zielt auf die individuelle Gestalt eines Werks. Das schließt nicht aus, daß sie gegebenenfalls zu dem Resultat kommt, daß der Autor sich - für das Ganze oder für einzelne Abschnitte - bestimmter vorgeprägter Gattungen bedient hat[14]. Die Frage nach der Form ist aber sinnvoll auch dann zu stellen, wenn ein schriftstellerisches Opus nicht gattungsgeschichtlich zu klassifizieren ist. Der Gesichtspunkt der Form umgreift den der Gattung, mag im Einzelfall auch die Form nichts anderes als eine bestimmte Gattung sein. Im Gegensatz dazu macht die Formgeschichte entweder gar keinen Unterschied zwischen Form und Gattung[15], oder sie versteht die Form als ein konstitutives Merkmal der Gattung neben anderen; so wird nach Bultmann "eine Gattung durch drei Momente bestimmt: 1.) durch die Beziehung auf die allgemeine geschichtliche Situation (den 'Sitz im Leben'), 2.) durch den Inhalt bzw. Stoff (Wunder, ethische Weisung, Streitgespräch usw.), 3.) durch die Form."[16] Der Formbegriff der formgeschichtlichen Untersuchung der kleinen Einheiten ist - im Unterschied zu demjenigen Ovb's - gattungsgeschichtlich geprägt.

b) Gemeinsamkeiten

Neben den genannten Unterschieden sind nun aber auch die Gemeinsamkeiten zwischen Ovb's Frage nach den Formen und der formgeschichtlichen Methode nicht zu übersehen. Zweierlei ist hier zu nennen:

(1) Ebenso entschieden wie Ovb verwahren sich auch die Anhänger der formgeschichtlichen Methode gegen ein ästhetisches oder formalistisches Mißverständnis ihres Interesses an den Formen. 'Form' ist nicht bloß 'schöne Form' und erst recht nichts dem Inhalt gegenüber bloß Äußerliches. Dibelius schreibt: "Gewinn für das Verständnis des Inhalts, nicht ästhetischer Genuß, ist bei der Beschäftigung mit Stilkritik und Formgeschichte stets mein Ziel gewesen. Das, was man heute formgeschichtliche Methode

nennt, ist namentlich bei der älteren Generation immer wieder in den Verdacht geraten, es sei damit ein zwar lobenswertes, aber doch im Grunde überflüssiges, von der Sache ablenkendes Studium der Äußerlichkeiten gemeint; in dem Sinn aber, in dem ich die methodische Aufgabe ansehe, handelt es sich dabei nicht um ein müßiges Spiel der Ästheten, sondern um eine lange vernachlässigte Pflicht der Interpreten."[17] Diese Sätze hätten nicht nur von den anderen Formgeschichtlern[18], sondern auch von Ovb vorbehaltlos unterschrieben werden können.

(2) Nicht anders als Ovb geht die formgeschichtliche Forschung von der Annahme aus, daß die Form eines Textes das Resultat seiner Entstehung ist, daß mithin aus der Form auf die Entstehung zurückgeschlossen werden kann: Bei Dibelius heißt es, Formgeschichte könne "nur von der Voraussetzung aus getrieben werden, daß die Form jener Einheiten etwas über ihre Herkunft verrate"[19], und Bultmann schreibt der formgeschichtlichen Forschung die Aufgabe zu, "die Geschichte des in den Evangelien verarbeiteten Traditionsstoffes von seinen vorliterarischen Ursprüngen bis zu seiner literarischen Fixierung in den verschiedenen Evangelien zu beschreiben in der Erkenntnis, daß der Traditionsstoff ursprünglich aus Einzelstücken bestand, deren Entstehung und Geschichte durch die Untersuchung ihrer Form zu erhellen ist."[20] -

Bultmann hat gelegentlich über Strauß geurteilt, er sei "in methodischer Analyse wohl eigentlich der erste wirkliche Vorläufer" der formgeschichtlichen Forschung[21]. Es wird der oben versuchten Unterscheidung der Fragestellung Ovb's und derjenigen der formgeschichtlichen Methode zur Bestätigung dienen, wenn uns die im folgenden Abschnitt untersuchte spezielle Vorgeschichte der Formenfrage Ovb's zu einem Punkt der Forschungsgeschichte führen wird, wo man sich - im kritischen Lager der neutestamentlichen Wissenschaft - von der Methode und den Resultaten Strauß' distanziert.

5. Zur Vorgeschichte der Formenfrage Overbecks

Geht man bei der Suche nach eventuellen forschungsgeschichtlichen Anknüpfungspunkten für Ovb's literaturgeschichtliche Frage nach den Formen von den eigenen Äußerungen Ovb's aus, so gilt es zu unterscheiden. Für die Fassung der Patristik als altchristliche Literaturgeschichte ist sich Ovb - wie seine Aussagen lehren - bewußt, Vorgänger zu haben und in einer gewissen Tradition zu stehen[1]. Für die Präzisierung des literaturgeschichtlichen Gesichtspunkts zur Frage nach den Formen gibt es dagegen entsprechende Äußerungen nicht: Ovb entwickelt diese methodologische Idee in der Auseinandersetzung mit Nitzsch, ohne sich auf eine Autorität oder einen Vorgänger zu berufen; ebenso fehlt im AG-Komm für den Grundsatz, von der Künstlichkeit der Formen Aufschluß über Natur und Entstehung der AG zu erhalten, jeder explizite Nachweis aus der Forschungsgeschichte.

a) Vorläufer für Overbecks Fassung der Patristik als altchristliche Literaturgeschichte

Für seine Fassung der Patristik als Geschichte der alten christlichen Literatur hat Ovb sich auf die Werke von Pestalozzi und Möhler sowie auf Hefeles Rezension der Institutiones Patrologiae von Fessler berufen. Er hat diese Gelehrten wenigstens genannt als solche, die "schon auf den ganz richtigen Begriff"[2] der Disziplin der Patristik gekommen seien. Eine Lektüre der genannten Arbeiten beweist: Mehr als den Begriff einer altchristlichen Literaturgeschichte konnte Ovb ihnen in der Tat nicht entnehmen. Daß er durch sie dazu inspiriert wurde, Literaturgeschichte als Geschichte der Formen der Literatur zu betreiben, wie er es in der methodologischen Auseinandersetzung mit Nitzsch forderte, ist ausgeschlossen.

Zu einem entsprechenden Resultat führt die Durchsicht der drei Werke aus dem Gebiet der klassischen Philologie, die Ovb in der ersten Fassung der Vorl LG anerkennend erwähnt: der römischen Literaturgeschichten von Bähr, Bernhardy und Teuffel[3]. So unterschiedlich der Stand und die Richtung der methodologischen Reflexion ist, die diese Werke repräsentieren, so gilt doch von ihnen allen, daß sie nur dasjenige Moment vorweggenommen haben, für welches sich Ovb auch auf sie beruft: die literaturgeschichtliche Behandlung des Schrifttums der lateinischen Kirche als solche. Was sie über das allgemeine Unternehmen einer Literaturgeschichte hinaus speziell für die literarische Formenfrage austragen, erschöpft sich in sporadischer Anwendung ästhetischer Gesichtspunkte, in der Rubrizierung der Literatur unter bestimmten allgemeinen Gattungen und deren Definition. Daß eine Literaturgeschichte als Frage nach der Entstehung der Literatur als solcher und insofern als Frage nach ihren Formen zu betreiben sei, haben sie weder als Grundsatz formuliert noch sind sie faktisch entsprechend verfahren. Daß der Literaturhistoriker bei jeglichem - nicht nur bei ästhetisch relevantem - Schrifttum die Formen zu beachten habe, daß die Form das Resultat jeweils individueller schriftstellerischer Bemühung sei, vollends, daß sich literaturhistorische Kontinuität und Diskontinuität nur im Blick auf die Formen erschließe - diese methodischen Einsichten konnte Ovb von keinem der genannten Autoren übernehmen[4].

Dieser Befund - verbunden mit dem oben[5] konstatierten Fehlen weitergehender ausdrücklicher Hinweise Ovb's - könnte die Vermutung begründen, die literarische Formenfrage aufzuwerfen, sei ein originaler Gedanke Ovb's, zu dem er die schon vorgefundene allgemein-literaturgeschichtliche Behandlung des altchristlichen Schrifttums fortentwickelt bzw. präzisiert hätte. Es ist zu überprüfen, ob eine solche Vermutung zutrifft. Wir versuchen dies, indem wir uns von der in der ersten Fassung der Vorl LG begegnenden methodologischen Diskussion wegwenden und im Blick auf die konkrete Durchführung der Formenanalyse im Rahmen der AG-Auslegung Ovb's die Frage aufwerfen: Gibt es Analogien oder Anknüpfungspunkte zu der von Ovb unter dem Stichwort "Künstlichkeit der Formen" vorgenommenen Analyse der schriftstellerischen Komposition der AG?

b) Vorläufer für Overbecks Formen- bzw. Kompositionsanalyse

aa) Baur; Zeller

Sieht man zunächst auf die materiellen Resultate, die Ovb bei seiner Untersuchung der Anlage der AG gewinnt, so ist eine erste positive Antwort schon oben[6] vorbereitet. In das Bild, das Ovb von der Künstlichkeit der Komposition der AG entwirft, sind nicht nur mehrere Beobachtungen Baurs aufgenommen; seine Darstellung berührt sich darüber hinaus als ganze und in vielen Einzelheiten eng mit der entsprechenden Analyse Zellers. Was Zeller unter der Überschrift "Die Composition der Apostelgeschichte aus ihrer Zweckbestimmung erklärt" sachlich ausführt[7], muß als die nächste Analogie oder genauer: als der direkte Anknüpfungspunkt für Ovb's Gliederungsentwurf bezeichnet werden.

Bei diesem Hinweis ist jedoch nicht stehenzubleiben. Die eigenartige Emphase, mit der Ovb den Gesichtspunkt der schriftstellerischen Form hervorhebt, besitzt - selbst wenn man von der Erörterung in der ersten Fassung der Vorl LG ganz absieht - bei Zeller keine Entsprechung. Insbesondere ist in dem Buch Zellers die Verselbständigung des literaturgeschichtlichen Gesichtspunktes nicht zu belegen, welche Ovb in dem Satz zum Ausdruck bringt, die Künstlichkeit der Formen der AG sei "schon ganz unabhängig von der Frage nach dem tieferen Zweck und Charakter des Buches zur Evidenz zu bringen."[8] Bei Zeller wird genau umgekehrt die Komposition der AG "aus ihrer Zweckbestimmung" erklärt[9]; der entsprechende Passus ist der letzte des Abschnitts "Über den Zweck der Apostelgeschichte"[10]. Der Tatsache, daß der Verf der AG ein Schriftsteller ist, dessen Schaffen sich in der Form seines Werks manifestiert, räumt Ovb ein Eigenrecht ein gegenüber dem als selbstverständlich beibehaltenen, korrespondierenden Umstand, daß er als historisches Individuum eine dogmatische Tendenz verfolgt.

Daß Ovb Baur und Zeller nicht einfach reproduziert, mag auch die folgende Beobachtung nahelegen. Der schon mehrfach zitierte Quellenparagraph der Vorl ApZA ist in doppelter Fassung, aus dem SS 1867 und dem SS 1870, erhalten[11]. Ovb begründet darin beidemal den geringen Quellenwert der AG für die Geschichte des apostolischen Zeitalters. Dabei begegnet das Argument, die Künstlichkeit der Formen verbiete es, in der AG einen schlichten Geschichtsbericht zu sehen, erst in der Fassung vom SS 1870[12]. Die Tendenz der AG spielt in beiden Fassungen eine Rolle, jedoch mit dem Unterschied, daß Ovb sie im SS 1867 noch durchaus im Sinne Baurs und Zellers definiert, während er im SS 1870 die in der Einleitung des AG-Komm ausgesprochene Modifikation der Tübinger Auffassung zugrunde legt[13]. Darf man beide Momente parallelisieren, dann ergibt sich der Schluß: Wie Ovb's Neubestimmung der Tendenz der AG so signalisiert auch seine Einsicht in die Relevanz der literarischen Form als eines selbständigen Auslegungsaspekts eine gewisse Emanzipation von der Kritik der Tübinger Schule.[14]

Ist dieses Urteil zutreffend, so besagt es doch nicht, daß die von Ovb am Text der AG vorgenommene Formenuntersuchung in der neutestamentlichen Forschungsgeschichte überhaupt ohne Analogie sei. Jürgen von Kempski hat in seiner Studie: Über Bruno Bauer daran erinnert, daß Bauers Kritik der Evangelien auf den Nachweis des rein schriftstellerischen Ursprungs dieser Schriften gezielt habe und methodisch als "Formuntersuchung" anzusprechen sei: "Auch dieses Wort findet sich schon bei Bauer."[15] Die folgenden Erörterungen gehen diesem Hinweis genauer nach.

bb) B. Bauer, Johannes

Als Bruno Bauer 1840 seine Kritik der evangelischen Geschichte des Johannes veröffentlichte, hatte er seinen früheren, für das AT bereits durchgeführten[16] Plan, eine "Kritik der Geschichte der Offenbarung" zu schreiben, in doppelter Hinsicht verlassen[17]. Er hatte einmal die früher geübte spekulativ-kritische Exegese, die den völligen Verzicht auf die Hilfsmittel historisch-kritischer Arbeit einschloß, durch literarische Analyse ersetzt. Er hatte sodann sein Werk über die Religion des AT nicht, wie es seiner ursprünglichen Idee entsprochen hätte, durch eine Darstellung der religiösen Vorstellungen des Spätjudentums (als der Verstehensbedingung der Erscheinung Jesu) und darauf durch eine Beschreibung der Genesis frühchristlicher Theologie fortgeführt, sondern stattdessen genau am Ende dieser Entwicklungslinie, beim Johevgl, eingesetzt. Ausschlaggebend für diesen Einsatz bei dem "äußersten, spätesten Gebilde"[18] des Urchristentums waren zwei offene Probleme, von denen das zweite zugleich den Wandel in der Methode begründete. Bauer hatte erstens die "Geschichte des jüdischen Bewußtseyns" trotz der verbreiteten gegenteiligen Ansicht als "ein noch unbekanntes Gebiet" erkannt, auf dem er Fragen hätte aufwerfen müssen, die nur Anstoß erregt hätten; niemand habe z. B. bisher die Frage beantwortet, "wie die prophetische unmittelbare Anschauung vom Messias zu einem festen Reflexions-Begriff geworden sey"[19]. Bauer war zweitens auf den Tatbestand gestoßen, daß die vier neutestamentlichen Evangelien weder einen unreflektierten noch einen übereinstimmenden Bericht über die Erscheinung des historischen Jesus geben und einer Rekonstruktion der in Jesus geschehenen, von den Augen- und Ohrenzeugen aufgenommenen Offenbarung daher nicht ohne weiteres zugrunde gelegt werden können. Die von Bauer "in der Religion des Alten Testamentes praktizierte naive Identifizierung von literarischer und historischer Tradition"[20] war damit unmöglich geworden. Das bedeutete: Der Rekonstruktion und spekulativen Interpretation der Erscheinung Jesu mußte durch eine kritische Untersuchung der einschlägigen neutestamentlichen Literatur allererst das Fundament bereitet werden. "Um zur wirklichen Geschichte zu gelangen", schrieb Bauer, habe er es "vor Allem für nothwendig" gehalten, "die Reflexion, die über der Geschichte ihr besonderes Reich erbaut hat ... wieder der Reflexion zu unterwerfen, wodurch die gebrochene Erscheinung des Ursprünglichen aufgehoben wird und dieses in seiner wahren Gestalt zum Vorschein kommt. Wenn es nun darauf ankam, die evangelische reflectirende Geschichtsschreibung der

Kritik zu unterwerfen, so mußte der Verfasser ... von dem äußersten, spätesten Gebilde anfangen, um von hieraus zu dem Ursprünglicheren zu gelangen"[21].

Bauer führt in der Kritik der evangelischen Geschichte des Johannes den Nachweis, daß von allen kanonischen Evangelien im Johevgl die "äußerste Reflexionsbildung"[22] vorliege und darum der Abstand von der ursprünglichen Geschichte am größten sei. Er geht dabei dem "Geschichtspragmatismus"[23] des Evangelisten nach, verfolgt die Spuren, in denen sich die "Individualität des Schriftstellers"[24] verrät und unterwirft dessen kompositorische Tätigkeit einer eingehenden Analyse. Das schriftstellerische Vorgehen und die schriftstellerische Leistung des Johannes sind der Gegenstand seiner Untersuchung. Deren Resultat faßt Bauer in folgenden Sätzen zusammen: "Für manchen Standpunkt würden wir unverständlich reden, wenn wir sagten, der geschichtliche Stoff nach seiner Gestaltung, Anordnung, Gruppirung und selbst Ausbildung hänge innerlich mit den Reden zusammen und sey, wenn diese Reflexionswerk sind, nicht weniger durch die Reflexion bestimmt. Wir begnügen uns daher, ... daran zu erinnern, daß wir kein Atom gefunden haben, das der Reflexionsarbeit des vierten Evangelisten sich entzogen hätte."[25]

Die Synoptiker schätzt Bauer in dem gleichen Werk noch wesentlich anders ein. Sie stünden, heißt es gelegentlich, "in der Anordnung des geschichtlichen Stoffes ... viel höher" als Johannes[26]; ihre Architektonik sei noch "natürlich-gesund" und auch, wo sie "gemacht" sei, zeige sie sich doch der Größe des Gegenstandes angemessener als "diejenige, welche die Kunst unsers Verfassers gebildet hat."[27] Zwar habe in den synoptischen Evangelien "die Reflexion auch nicht gefeiert"[28], doch sei sie in den Reden am enthaltsamsten gewesen. Die längeren Reden seien Kompilationen von Sprüchen, hätten aber "die einzelnen Stücke ... wenigstens in ihrer ursprünglichen Selbständigkeit bewahrt ..., während der vierte Evangelist die Grundstoffe wesentlich verändert und bearbeitet"[29] habe.

Diese Sätze zeigen, mit welcher Erwartung Bauer auf die Kritik der Synoptiker blickte: Er nahm an, dort wenigstens Traditionsgut finden zu können, das von der Reflexionsarbeit der Evangelisten seiner Ursprünglichkeit noch nicht beraubt worden sei und die "formenreiche Unendlichkeit"[30] des Lebens Jesu noch treu wiedergebe[31]. Im Zuge der konkreten Arbeit an den synoptischen Evangelien erwies sich diese Erwartung jedoch als trügerisch. Bauer sah sich zur Preisgabe der bisher von ihm vertretenen Traditionshypothese Gieselers[32] und zu der Einsicht gezwungen, daß auch die Synoptiker wie das Johevgl rein schriftstellerischen Ursprungs seien. In der Ablehnung der Traditionshypothese konvergierte Bauers Kritik mit den Resultaten der wenige Jahre zuvor (1838) erschienenen Arbeiten Weißes und Wilkes. Bauer hat beide Gelehrte in der Vorrede seiner Kritik der evangelischen Geschichte der Synoptiker[33] als Vorläufer seiner eigenen Synoptikerauffassung gewürdigt. Er ist aber bei ihnen nicht stehengeblieben, sondern hat in der Auseinandersetzung mit ihnen den Ausgangspunkt seiner eigenen Weiterarbeit fixiert.

Bevor wir uns dieser Weiterarbeit zuwenden, empfiehlt es sich daher, auf die Werke Weißes und Wilkes näher einzugehen. Gerechtfertigt ist dies Vorgehen auch deshalb, weil beide unter dem Gesichtspunkt der Frage nach der schriftstellerischen Form nicht unergiebig sind.

cc) Weiße

Weiße und Wilke haben in der Forschungsgeschichte ihren festen Platz als Initiatoren der Markushypothese (Wilke) bzw. der Zweiquellentheorie (Weisse, in Anknüpfung an K.Lachmann)[34]. Im vorliegenden Zusammenhang interessiert nur ein einzelnes Moment ihrer Argumentation: ihre Abkehr von der Traditionshypothese.

Ihrer allgemeinen Intention nach versucht die Traditionshypothese das eigentümliche Phänomen der gleichzeitigen Übereinstimmung und Differenz zwischen den synoptischen Evangelien durch die Annahme zu erklären, daß sich innerhalb der mündlichen Überlieferung ein bestimmter Typus der Evangelien-Erzählung herauskristallisiert habe. Dieser Typus habe sich nicht auf eine einzige normative Gestalt fixiert, sondern sei in unterschiedlicher Ausprägung im Umlauf geblieben. Solche Modifikationen des gemeinsamen mündlichen Traditionstypus seien dann in unseren Synoptikern schriftlich niedergelegt worden oder zur Schriftlichkeit gleichsam 'geronnen'.

Weiße charakterisiert diese Theorie, die auf Herder und Gieseler zurückgeht, gleich zu Beginn seines Buchs mit Worten aus Strauß' Leben Jesu[35] Er tut dies, weil nach seiner Ansicht erst Strauß mit der Traditionshypothese vollen Ernst gemacht und sie konsequent durchgeführt hat: "Der Gedanke, aus welchem jene Hypothese hervorgegangen ist: daß zwischen der evangelischen Geschichte und deren Aufzeichnung in den schriftlichen Evangelien ein gestaltendes Princip in der Mitte liegen müsse, durch welches die Geschichte erst in die Form gegossen ward, in welcher sie unsere Evangelien aufgenommen haben: dieser Gedanke hat dadurch erst in Strauß seine rechte Consistenz und Haltung gewonnen, daß er, zum Begriff einer evangelischen Sage oder Mythologie ausgebildet, das ganze Gebiet der evangelischen Erzählungen in ausschließlichen Besitz genommen hat."[36] Weiße führt diese im Werk Strauß' kulminierende und zu ihrer vollen Konsequenz entfaltete Traditionshypothese auf den Impuls zurück, der von der Homeranalyse F.A.Wolfs ausging. Auf Wolf gehe die Tendenz zurück, Literaturprodukte, deren Entstehung etwas Rätselhaftes an sich habe, "darauf anzusehen, ob sie wirklich für das Werk eines bestimmten, namentlich bekannten Verfassers zu nehmen sind, oder nicht vielmehr für das allmähliche, unbewußte Erzeugniß einer nach und nach fixirten und erst zuletzt auch schriftlich aufgezeichneten mündlichen Überlieferung."[37] Auf die synoptischen Evangelien habe man die Konzeption Wolfs übertragen, einerseits um in negativer Hinsicht die Dissonanz dieser Texte und der wirklichen Geschichte zu erklären, andererseits um auch positiv "die eigenthümliche Gestalt und Beschaffenheit derselben, sei es ihrer Form oder ihrem Inhalte nach" ableiten zu können[38]. Zwei Stufen seien dabei auseinanderzuhalten. Den frühesten Anhängern der Traditionshypothese sei es hauptsächlich darauf angekommen, "die Form und äußere Gestalt"[39] der Synoptiker zu erklären. Die neueren Vertreter setzten diese Stufe voraus und hätten es ihr gegenüber mehr auf den Inhalt abgesehen; sie seien von der Absicht geleitet, den Inhalt der Evangelien mit Hilfe der Traditionshypothese "als einen sagenhaften, mythischen darzustellen"[40]. Hier liege auch der Standort von Strauß' Leben Jesu. Denn: "Was in Bezug auf den Inhalt der evangelischen Geschichte die 'mythische Ansicht', dasselbe ist ... in Bezug auf die Quellen dieser Geschichte die Traditionshypothese."[41]

Die Traditionshypothese zu widerlegen ist Weißes Absicht in der sein Werk einleitenden Abhandlung "Von den Quellen der evangelischen Geschichte."[4] Weiße entnimmt dabei den Schicksalen der Wolfschen Homerhypothese "ein Prognostikon"[43] auf den Erfolg seines eigenen Unternehmens. Nach neuen Forschungen auf dem Gebiet der klassischen Philologie könne von einer unmittelbaren Geltung der Wolfschen Ansicht kaum mehr die Rede sein. Einmal sei die Grundvoraussetzung, die Undenkbarkeit des Schriftgebrauchs in so früher Zeit, widerlegt. Sodann bilde der "Charakter wahrhafter poetischer Kunst ..., einer bis in das Einzelste und Kleinste hineingehenden Ausarbeitung der Form, welchen jene Gedichte durchgängig zeigen, ... einen so entschiedenen Gegensatz gegen die Formlosigkeit einer unmittelbar aus dem Munde des Volkes hervorströmenden Poesie, daß von Seite der ästhetischen Betrachtung nicht minder, als der gelehrt antiquarischen, die Nothwendigkeit hervortritt jene Ansicht aufzugeben."[44]
Der letzte Satz könnte bei dem Leser die Erwartung wecken, Weiße werde durch eine Analyse der "bis in das Einzelste und Kleinste hineingehenden Ausarbeitung der Form" der synoptischen Evangelien den Nachweis führen, daß wir es bei ihnen nicht mit dem Niederschlag anonymer Tradition, sondern mit spezifisch schriftstellerischen Entwürfen aus der Hand individueller Verfasser zu tun haben. Diese Erwartung wird jedoch nur begrenzt erfüllt. Auf den schriftstellerischen Charakter der Synoptiker beruft sich Weiße bei seiner Bestreitung der Traditionshypothese nur insofern, als er die Relation dieser Texte zueinander als ein Verhältnis spezifisch literarischer Abhängigkeit (nämlich des Matthäus und Lukas von Markus) erweist[45] Mit diesem, auf eine "Betrachtung ... der Composition und Anordnung des Ganzen"[46] gegründeten Beweis ist die Traditionshypothese als ein Weg zur Erklärung des synoptischen Problems in der Tat abgelöst. Sie ist jedoch nicht auf derjenigen grundsätzlichen Ebene widerlegt, die Weißes Exposition insbesondere die berufene Analogie der Wolfschen Homertheorie, erwarten läßt. Offen bleibt nämlich, wie sich die Traditionshypothese speziell zur Entstehung des Mkevgl verhält. Ob dies von seinem Ursprung her ein Produkt schriftstellerischer Arbeit oder aber nur 'geronnene Überlieferung' ist, diese Frage wird von Weiße - mit literarischen Gründen jedenfalls - nicht zur Entscheidung gebracht. An diesem Punkt führt erst die Arbeit Wilkes völlig von der Traditionshypothese ab.

dd) Wilke

Wilke beginnt sein mit geradezu inquisitorischer Logik aufgebautes Buch
mit einem Exposé des Problems[47]. Mit Hilfe dreier Tafeln[48] demonstriert
er, in welchem Umfang den Synoptikern ihr Stoff gemeinsam ist. Die vor-
handene Übereinstimmung, so lautet seine Folgerung, "erstreckt sich zu
weit in's Specielle, und die ihren ⟨sc der Synoptiker⟩ Umfang bestimmende
Verbindung der Materie beruht zu sichtlich auf besonderer Wahl, als daß
wir zur Erklärung einer solchen Harmonie nicht eine außerhalb des Objek-
tiven der beschriebenen Geschichte gegebene besondere Regel oder Bedingung, also die Abhängigkeit der Evangelisten von einem bereits geformten
Erzählungstypus, voraussetzen müßten."[49] Ein solcher geformter Erzählungstypus kann nach Wilke rein theoretisch entweder als eine schriftliche
oder als eine "irgendwie in mündlicher Rede den Verfassern vorgegeben
gewesene Einigungsnorm"[50] gedacht werden. Wilke hat jeder dieser beiden
Möglichkeiten einen der beiden Hauptteile seines Buchs gewidmet[51].

Im ersten Hauptteil werden zunächst diejenigen Merkmale zusammengestellt,
welche die hypothetisch angenommene mündliche Einigungsnorm aufweisen
muß, um den synoptischen Befund schlüssig erklären zu können[52]. Daran
schließen sich mehrere dem Text der Synoptiker entnommene "Data" an[53],
durch welche Wilke die Voraussetzung eines mündlichen Erzählungstypus
schrittweise erschüttert. Gegen Ende des siebten Datums kann er feststel-
len: "Bisher ... haben wir das mündliche Urevangelium (- wir verstehen,
wohl bemerkt, hier überall ein geordnetes) mit seiner Bestimmtheit und
stereotypischen Festigkeit so bestritten, daß wir es selbst als Faktum aufgehoben haben."[54]

Ist damit also die Existenz eines mündlichen Urevangeliums bestritten, so
macht Wilke mit dem nun folgenden achten Datum[55] die Probe aufs Exem-
pel, indem er zu einem neuen Beweisgang ansetzt und zu zeigen versucht,
"daß, gesetzt auch, es wäre ein mündliches Urevangelium in der postulir-
ten Weise vorhanden gewesen, dennoch unsere schriftlichen Evangelien mit
ihrer Anataxis davon nicht abgeleitet werden könnten."[56] Um das synoptische Problem als solches, d.h. um das Beieinander von Übereinstimmung
und Abweichung in den drei ersten Evangelien, geht es Wilke dabei nur mittelbar. Direkt richtet sich sein Interesse nur auf ein Teilproblem, nämlich
auf den Nachweis der von ihrem Ursprung her schriftlichen Gestalt der
'Einigungsnorm', d.h. des aus den Perikopen der ersten Tafel bestehenden Erzählungstypus. Spielten schon in dem vorangehenden Beweisgang
(1. - 7. Datum) Erwägungen und Beobachtungen zum schriftstellerischen
Charakter der Evangelien mehrfach eine Rolle[57], so rücken solche Beobachtungen jetzt (mit dem 8. Datum) zentral ins Thema. Wir kommen damit
zu derjenigen Erörterung des Wilkeschen Buches, die ihrer Idee nach das
Problem zu lösen versucht, das wir bei Weiße als noch offen bezeichnen
mußten.

Mit dem eben genannten Begriff "Anataxis" spielt Wilke auf Luk 1,1 und
seine Auslegung des Lukasprologs an[58]. Im Blick auf diese Auslegung kann

er seine Absicht auch dahin formulieren, er wolle "jenen von Lukas gemachten Unterschied", nämlich zwischen der ἀνάταξις der πολλοί und der
apostolischen παράδοσις , "an unsern evangelischen Schriften selbst ...
bestätigen."[59] Dieser Unterschied betrifft aber, wie Wilke gezeigt hat,
nicht den jeweiligen Inhalt, sondern die Form. Wilkes Beweisgang ist daher
seiner Intention nach nichts anderes als Formuntersuchung. Wilke verfährt
nach dem Grundsatz: "Schriftliche Erzählung und mündliche sind ... der
Form nach verschieden."[60] Er schreibt: "Da man jetzt gar zu gern, wenn
die Frage über den Ursprung der Evangelienharmonie erhoben wird, Alles,
was hierbei begreiflich oder räthselhaft zu sein scheint, auf mündliche Tradition zurückschiebt, so wird die durch's Einzelne hindurch geführte Nach-
weisung, daß die Stücke die, unter dieser Bedingung vorauszusetzende, Form
gar nicht haben, und daß sie nur die nach schriftstellerischen Berechnungen
eingerichtete haben, nicht unzweckmäßig sein."[61] Wilke will also nachweisen, daß aufgrund der schriftstellerischen Anlage der Synoptiker eine bestimmte Art der Entstehung für sie ausgeschlossen ist: Ihre "Anataxis"
macht es unmöglich, einen mündlichen Traditionstypus für ihre Genesis in
Anschlag zu bringen.

Einige zusätzliche Hinweise sollen das Verfahren Wilkes noch weiter erläutern und belegen.
Das Resultat seines Beweisgangs formuliert Wilke thetisch vorweg: "Wie
die in unsern Evangelien gegebenen Erzählungen von Thatsachen, also tragen auch schon die in ihnen referirten Reden das Gepräge schriftlicher Abfassung an sich. Sie sind nach schriftstellerischem Plan geformt, und keine Kompositionen der Sage oder der mündlichen Tradition."[62]

Zur Begründung dieses Resultats geht Wilke von einer grundsätzlichen Feststellung aus. "Die schriftstellerische Komposition", schreibt er, hat "un-
leugbar so gewisse, ihr allein eigenthümliche, Kennzeichen, daß, wenn es
darauf ankommt, ihr Produkt von einem andern, mit gleichem Inhalt in
mündlicher Mittheilung entstandenen ... zu unterscheiden, das Urtheil gar
nicht schwanken kann."[63] In acht Punkten faßt Wilke die Merkmale schriftstellerischer Produktion zusammen; hier seien nur zwei Punkte beispiel-
haft genannt: Liegt eine Rede vor, "die logisch geordnet, und gegliedert
ist" und sich von Anfang bis Ende konsequent nach den Gesetzen des Denkens entwickelt, dann bietet sich der Schluß an, "daß sie das Produkt besonderer Meditation sei, und sie ist um so sicherer für ein Erzeugniß
schriftstellerischer Kunst zu halten, wenn ihr, der absichtlich meditirten,
der Schein gegeben wird, ein bloß gelegentlich Gesprochenes ... zu sein"[64]
Oder: Sind wie in unseren Evangelien "Massen von Erzählungen ... neben
einander angereihet, nach Verwandtschaft des Inhalts, und so, daß sich dadurch Ganze zusammenordnen, und diese wieder im Verhältniß zu einander
Geschichtsperioden bilden; so haben wir das sichere Kennzeichen schriftstellerischer Anordnung"[65]. Alle von ihm aufgeführten Unterscheidungs-
merkmale faßt Wilke schließlich in den allgemeinen Satz zusammen, daß
zwischen einer mündlich-lebendigen und einer schriftlich abgefaßten Rede
derselbe Gegensatz bestehe "wie zwischen Natur und Kunst"[66].

Nach diesen Vorerörterungen wendet Wilke sich den synoptischen Texten zu, um exemplarisch das Vorhandensein der zuvor entwickelten Merkmale genuin schriftstellerischer Entstehung nachzuweisen[67]. Beachtenswert ist namentlich die Erörterung S. 130 ff. Wilke geht hier sämtliche Redeabschnitte der ersten Tafel durch und arbeitet heraus, daß sie - jeweils für sich betrachtet und in ihrer Verknüpfung miteinander - auf einen Schriftsteller zurückgehen, der das Ganze seiner Schrift von vornherein überblickt. Die einzelnen Abschnitte verraten, daß sie auf ein Geschichtsganzes angelegt und nur als Mittelglieder einer "successiv sich verlängernden Darstellung"[68] konzipiert sind. Die zusammengehörigen großen Erzählungsgruppen bilden nur scheinbar chronologische Perioden, in Wahrheit sind es Sachkomplexe[69]. Daraus entnimmt Wilke - ebenso wie aus den kompositorischen Mitteln der Wiederholung[70], der Steigerung[71] und des Parallelismus[72] -, daß der Bau der gesamten Erzählungsreihe ein Werk schriftstellerischer Kunst ist[73]. "Sowohl die Anordnung der Massen, als die Fassung des Einzelnen, deutet auf schriftstellerischen Plan."[74] Das den Synoptikern Gemeinsame auf ein mündliches Urevangelium zurückzuführen, ist mithin unmöglich.

Auch im zweiten Hauptteil seines Buchs spielt die Berücksichtigung des schriftstellerischen Charakters oder der Form der Evangelien für die Argumentation Wilkes mehrfach eine Rolle. Nur zwei Stellen seien hier herausgehoben:

Wilke unterscheidet in bezug auf die Evangelien den Stoff als dasjenige, was dem Schriftsteller vorgegeben war und von ihm empfangen wurde, von der Form als demjenigen, "was in den Darstellungen von der Produktivität des Erzählers selbst ausgegangen ist"[75]. Zur Form gehört einmal "die Anlage im Ganzen", sodann "auf's Einzelne gesehen ... das, was die Erzählungen und Darstellungen theils zu etwas in sich selbst Zusammenhängigem macht (die Fassung der Stücke für sich), theils in Beziehung auf ein Anderes, damit Verbundenes, stellt."[76] Die Form in diesem Sinne bezeichnet Wilke als "Werk der Reflexion"[77] des individuellen Schriftstellers. Im Blick auf seine eigene Aufgabe formuliert er: "Auf die Form und das überhaupt der Reflexion Angehörige ist bei unserer Frage vor Allem zu achten, weil hierin mehrere Schriftsteller, ohne eine Einigungsnorm vor sich zu haben, nicht zusammentreffen können."[78]

Das Gesamtergebnis seiner Schrift faßt Wilke in folgenden Worten zusammen: "Markus ist der Urevangelist. Sein Werk ist's, das den beiden andern Evangelien des Matthäus und Lukas zum Grunde liegt. Dieses Werk ist nicht die Kopie eines mündlichen Urevangeliums, sondern es ist künstliche Komposition. Daß seine Zusammenstellungen weniger durch geschichtlichen Zusammenhang, als durch vorausgedachte allgemeine Sätze bedingt sind, ungeachtet sie den Schein eines geschichtlichen Zusammenhanges angenommen haben, dies erklärt sich ... daraus, daß sein Urheber keiner der unmittelbaren Begleiter Jesu gewesen ist. ... Markus Werk, - das hat sich uns mit dem Hauptresultate zugleich ergeben, - hat, einzelne Interpolationen abgerechnet, ursprünglich keinen andern <u>Plan</u> und keine andere <u>Form</u> gehabt, als es jetzt hat."[79]

ee) B. Bauer, Synoptiker; ders., Evangelien

Im ersten Band seiner Synoptiker[80] und in dem elf Jahre später erschienenen vierten Band seiner Evangelien[81] ist Bruno Bauer auf die Arbeiten Weißes und Wilkes eingegangen, um sich in der Auseinandersetzung mit ihnen des Ansatzpunktes und des Zieles seiner eigenen Arbeit zu vergewissern.

Bauer hebt hervor, daß Weiße und Wilke von der Hypothese einer den Synoptikern vorgegebenen Tradition nur insofern abgerückt sind, als sie ein geformtes mündliches Urevangelium bestritten haben. Eine vorgegebene Tradition als solche haben sie nicht bezweifelt[82]. Anders gesagt: "Weiße und Wilke hatten die Traditionshypothese, <u>so weit sie die Form der Evangelien betrifft,</u> zum großen Theil bereits gestürzt . . ."[83]; für den <u>Stoff</u> der Evangelien hatten sie jedoch mit gegebener Überlieferung weiterhin gerechnet. Hierin sieht Bauer die Grenze ihrer Leistung. Freilich, auch innerhalb dieser Grenze sind Weiße und Wilke unterschiedlich weit vorangeschritten.

Was zunächst Weiße betrifft, so hatte er den Inhalt des Mkevgl in der von Papias beschriebenen Weise aus den Lehrvorträgen des Petrus abgeleitet. Dies ist nach Bauer schon durch die Form des Mkevgl ausgeschlossen. Weiße nehme ernstlich an, Markus habe " 'aus den vereinzelten, unzusammenhängenden Erzählungen eines einzelnen Apostels einen evangelischen Bericht <u>kümmerlich</u> zusammengestellt' "[84]; - "positives, vollkommen positives Factum dagegen ist es, daß das Urevangelium . . . einen <u>sehr bestimmten Plan</u> verfolgt, durch und durch eine vollkommene <u>Symmetrie</u> hat, daß seine Abschnitte künstlerisch <u>sich aneinanderschließen</u> und jedes Glied innerhalb der einzelnen Abschnitte einem streng vorgezeichneten Plane dient.'

In der literarischen Einschätzung des Mkevgl (bzw. des Urevangeliums), wie sie sich in diesen Worten ausspricht, stimmt Bauer mit Wilke überein. Er anerkennt, daß Wilke Weißes Ansicht von der Entstehung des Mkevgl nicht geteilt und dessen spezifisch schriftstellerischen Ursprung "im Grunde"[86] bewiesen habe: "Nach seiner gründlichen Arbeit darf er sagen, daß das Werk des Marcus 'nicht die Kopie eines mündlichen Urevangelium sondern künstliche Composition ist'[87]. Er darf dieses Werk wegen seiner Composition und weil es einen mit Bewußtseyn gesetzten Zweck mit gleicherweise freiem Bewußtsein durchführt, ein 'Kunstwerk'[88] nennen."[89]

Den Mangel oder die Schranke der Wilkeschen Untersuchung erblickt Bauer darin, daß unklar bleibe, "wie weit nach Wilke's Ansicht <u>bei der Gewißheit, daß die Form frei geschaffen ist, der Stoff</u> als gegeben vorausgesetzt werden soll."[90] Auch Wilke rechnete noch mit vorgegebener Überlieferung, und eben darin kann Bauer ihm nicht folgen. Die "Dialektik von Form und Inhalt"[91] nötigt ihn, über Wilke hinauszugehen: "Wenn <u>die Form durchweg</u>

schriftstellerischen Ursprungs ist und dem Evangelium des Marcus den
Charakter eines 'Kunstwerks' gibt, wenn aber eine 'künstliche Composition' auf den Inhalt nicht nur von Einfluß ist, sondern selber Inhalt schafft,
können wir dann noch bei der Anerkennung eines bestimmten Positiven stehen
bleiben? ... Nein!"[92] Die Aufgabe, die der Kritik nach Wilke noch bleibt
und die Bruno Bauer entschlossen ist, in Angriff zu nehmen, besteht demnach darin, "daß zugleich mit der Form auch der Inhalt darauf hin untersucht wird, ob er gleichfalls schriftstellerischen Ursprungs und freie Schöpfung des Selbstbewußtseyns ist."[93]

Das Ergebnis, das Bauer im Verlaufe der dreibändigen Kritik der Synoptiker erst schrittweise erarbeitet, ist dies: Die Geschichte des Erlösers, die
in den Evangelien "als ein wirklicher, empirischer Verlauf dargestellt worden" ist, ist in Wahrheit "nur ein Dogma, nur ein ideales Product des christlichen Bewußtseyns"[94]. "Die Frage, mit der sich unsere Zeit so viel beschäftigt hat, ob nämlich ... Jesus der historische Christus sey, haben wir
damit beantwortet, daß wir zeigten, daß Alles, was der historische Christus
ist, was von ihm gesagt wird, was wir von ihm wissen, der Welt der Vorstellung und zwar der christlichen Vorstellung angehört .... Die Frage ist
damit beantwortet, daß sie für alle Zukunft gestrichen ist."[95] Bauer will
mit diesem Resultat die Historizität Jesu nicht überhaupt bestreiten[96]; er
hat dies schon gar nicht von vornherein getan. Was er zeigen will, ist vielmehr, daß die Evangelien künstliche Literaturprodukte sind, die dem schöpferischen christlichen Bewußtsein entstammen. Ihre Kritik stößt daher immer nur auf Literatur. Als Werke literarischer Reflexion entziehen die
Evangelien ihrem Ausleger jeden Anhalt, um innerhalb ihrer selbst eventu-
elle historische Fakten oder auch nur vorliterarische Überlieferung ausfin-
dig zu machen; als Kunstprodukte halten sie den Kritiker im Horizont rein
literarischer Konstruktion fest. Die Frage nach dem historischen Jesus
wird daher beantwortet, indem sie suspendiert wird: Ihre Beantwortung ist
wegen des Textbefundes als methodisch unmöglich erkannt[97].

Aus dem hiermit abgesteckten Horizont der Evangelienkritik Bauers, namentlich aus der Art ihrer Anknüpfung an die Resultate Wilkes, geht hervor, daß sie nicht ausschließlich als Formuntersuchung zu bezeichnen ist.
Dennoch ist die Formanalyse ein konstitutives Moment seiner Arbeit.
Auf Schritt und Tritt zeigt sich Bauer bemüht, die Gestalt des Urevangeliums zu rekonstruieren bzw. eine bestimmte Textform als Urevangelium
zu erweisen, die z.T. vielschichtige literarische Abhängigkeit der Evangelien bloßzulegen und damit die Art und Weise ihrer spezifisch schriftstellerischen Konzeption zu klären. Die schriftstellerische Form findet dabei
Beachtung als Bau- oder Organisationsprinzip einzelner Szenen, als Pla-
zierung der Pointe, als Verknüpfung und Abfolge der Einzelerzählungen,
endlich als Komposition des Ganzen[98]. Vor allem in drei Argumentations-
richtungen fungiert die Form als stereotypes Beweismoment: Sie dient
erstens dazu, Texte der Evangelien von historischen Berichten zu unterscheiden und ihren Inhalt als unhistorisch zu erweisen[99]. Sie liefert zweitens das Kriterium, um die genuin literarische Entstehung der Evangelien

und ihrer einzelnen Erzählungen gegen eine vermeintliche Genesis in mündlicher Tradition darzutun[100]. Sie setzt endlich drittens dazu instand, innerhalb der Evangelien den Originalentwurf von den literarischen Derivaten zu unterscheiden[101].

Einige Beispiele sollen die Relevanz der Formenfrage in den Arbeiten Bruno Bauers abschließend illustrieren.

Den größten Teil des vierten Bandes der Kritik der Evangelien hat Bauer der Polemik gegen "Straußens Traditionshypothese" gewidmet[102]. Er wirft dort Strauß das "theologisch-materielle Interesse"[103] vor, aufgrund dessen er hinter die evangelischen Texte zurück nach einer nur eingebildeten evangelischen Geschichte frage. So bemerke er etwa bei der Behandlung der Schweigegebote Jesu gar nicht, "daß er es in diesen Pointen einzelner evangelischer Abschnitte mit schriftstellerischen Wendungen zu thun hat, daß die nächste Frage also auch nur die seyn kann, in welchem Zusammenhang sie mit der Composition des Ganzen ..., namentlich mit dem Plan des Urevangeliums stehen ..."[104]

Bei der Behandlung der Bergpredigt tadelt Bauer Strauß' Argumentation mit der mündlichen Überlieferung. Die mündliche Überlieferung solle nach Strauß die Sprüche Jesu zwar nicht aufgelöst, aber aus ihrem ursprünglichen Zusammenhang gerissen haben, so daß manche kleinen Stücke, wo gerade der Zufall sie abgesetzt hatte, liegengeblieben seien. Bauer zufolge hat sich Strauß hier "durch die chimärische Fluth der Überlieferung" von der Analyse des einzig gegebenen Tatbestandes: der Texte abhalten und darum "vom Zufall bestimmen lassen, wo die Wirklichkeit, angemessen befragt, auf das Bereitwilligste von ihrer Ordnung" Auskunft geben würde[105]. Denn: "Werden die Evangelien nicht als Niederschlag der Tradition, sondern als das, was sie sind, als schriftstellerische Compositionen ins Auge gefaßt, so tritt der Gegensatz des Urevangeliums, in welchem die kurzen, schlagenden und weltumwälzenden Antworten und Äußerungen des Herrn zur Masse wie zur Architektonik des Erzählungsstoffes in harmonischem Verhältniß stehen, und der spätern Compilationen klar hervor ... . Kurz, ... der Verlauf der schriftstellerischen Schöpfung, Composition und Compilation - Leben und Wirklichkeit - Gestalt und Individualität treten dann an die Stelle der nebelhaften Phrase."[105]

Was in diesen Worten nur anklingt, hat Bauer anderwärts mit aller Deutlichkeit ausgesprochen: Der Unterschied des Urevangeliums von den späteren Evangelien läßt sich als Unterschied in der Art der Komposition beschreiben. Die literarhistorische Abfolge vom ersten originalen Entwurf zu den von ihm abhängigen evangelischen Schriften ist ein Prozeß der Korruption der Form. "Ich habe nachgewiesen," - so schreibt Bauer in der Rückschau auf die drei ersten Bände seiner Kritik der Evangelien - "daß die Schriften des Lukas und Matthäus eine Anhäufung von bereits organisirter, aber ihrer ursprünglichen Gestalt beraubter Materie sind - daß sie auf eine Composition zurückweisen, ... deren Plan sie zerstört und deren einzelne Glieder sie entstellt haben"[107]. Lukas und Matthäus haben das Urevangelium verdorben und in solchem Ausmaß unkenntlich gemacht, daß wir - auf ihre Schriften allein angewiesen - nicht in der Lage sein würden, "den Plan dieser ursprünglichen Composition, ihre Gruppirung, den Zusammenhang und die innere Proportion der Gruppen, so wie den Bau vieler einzelner Erzählungsstücke" wiederherzustellen[108].

Wie konnte es zu solcher Entstellung des Urevangeliums kommen? Bauer hat diese Frage gestellt und darauf geantwortet: "Weil das materielle Interesse des Glaubens das Interesse an der Form unendlich überwog und den Sinn für die Form ertödtete."[109] In mangelndem Sinn für die Form erblickt Bauer - wie in der Geisteshaltung der werdenden (früh-)katholischen Kirche überhaupt[110] - ein Merkmal auch seiner eigenen Zeit: "Der herrschenden Formlosigkeit wird die ... Untersuchung, die aus dem schriftstellerischen Bau der Evangelien ihr gegenseitiges Verhältniß und ihren Ursprung bestimmt, als Formalismus, als reiner Formalismus gelten und das kirchliche Bewußtseyn wird sich freuen, daß seine Gleichgültigkeit gegen Zusammenhang und Proportion an der populären Abneigung gegen die straffe Bestimmtheit eine Stütze findet."[111] Weil es sich so verhält, hat Bauer sich keiner Illusion darüber hingegeben, welche Aufnahme seine Arbeit - die letzte und fundamentalste Bestreitung aller vorliterarischen Tradition, wie er meinte[112] - bei den Theologen seiner Gegenwart finden würde. Fragt sie, ruft er bitter und sarkastisch aus, "ob die Überlieferung der Gemeinde in ihrer mystischen Unbestimmtheit fähig ist, einen Plan zu entwerfen und das Detail zu schaffen, ob es außer dem Schriftsteller und Künstler ein Wesen gibt, welches die Form und Gestalt erzeugen kann, ob es außer der Form bestimmten Gehalt gibt, fragt sie, ob die Überlieferung die Hand um zu schreiben hat, den Geschmack, um zu componiren, die Urtheilskraft, um das Zusammenhängende zu verbinden, Fremdes abzuschneiden - die Frage wird vergeblich seyn, die Schamanen fahren fort, das Heiligthum zu umkreisen und drinnen werden die Kirchlichen eurer lächeln, wenn ihr beweisen wollt, daß Plan wie Detail der evangelischen Geschichte der schriftstellerischen Kunst ihren Ursprung verdanken."[113]

ff) Resultat

Als Resultat der vorstehenden Ausführungen ist festzuhalten: Ovb's Grundsatz, durch die Beobachtung der Künstlichkeit der Formen Aufschluß über die Entstehung und Eigenart der Geschichtserzählung der AG zu gewinnen und sein entsprechendes Verfahren bei der Auslegung und Beurteilung der AG sind in der neutestamentlichen Forschungsgeschichte nicht neu. Die nächste Entsprechung liegt in der Evangelienforschung, und zwar dort, wo sich im Kontext der Kritik an der Traditionshypothese mit sachlicher Notwendigkeit das Interesse den Schriftstellerpersönlichkeiten zuwandte und der Charakter der Evangelien als schriftstellerischer Kompositionen zum Thema der Beweisführung wurde. Während wir bei Weiße - neben einer wissenschaftsgeschichtlichen Aufhellung der abgelehnten Traditionshypothese - die Problemstellung als solche wenigstens exponiert fanden, zeigten sich bei Wilke und in den Arbeiten Bauers die methodische Reflexion auf den Schriftsteller und die schriftstellerische Form ebenso wie das zugehörige Spektrum methodologischer Begrifflichkeit - ganz analog dem Befund in Ovb's AG-Komm - in voller Ausbildung. Was Ovb von Wilke und Bauer in methodischer Hinsicht faktisch trennt, liegt in dem Umstand, daß Ovb die Frage nach dem Schriftsteller und der schriftstellerischen Komposition unter dem Einfluß der Tendenzkritik der Tübinger Schule durch die Reflexion auf den theologiegeschichtlichen Standort und den dogmatischen Zweck des jeweiligen Autors ergänzt (nicht aber ersetzt) hat. Ovb ist damit dem von seiten der Tübinger Schule gegen Bauer erhobenen Vorwurf begegnet, stets nur mit der unhistorisch-abstrakten Größe des christlichen Selbstbewußtseins oder der schriftstellerischen Reflexion zu arbeiten[114]. Er hat aber zugleich einen anderen Fehler vermieden, der sich mit nicht geringerem Recht unter das Stichwort der 'Abstraktion' stellen läßt: den Fehler nämlich, die theologische Tendenz einer Schrift abstrakt, d.h. isoliert von dem Faktum ihrer literarischen Formulierung, zum Thema der Interpretation zu machen[115].

In den Werken (Weißes,) Wilkes und Bruno Bauers finden sich die nächsten Entsprechungen für die Formenfrage, wie Ovb sie im Jahre 1870 gestellt hat. Die weitergehende Behauptung, daß Ovb durch die genannten Forscher beeinflußt wurde oder von ihnen historisch abhängig ist, kann nicht ausgeschlossen werden, und man mag sie immerhin für wahrscheinlich halten; stringent beweisbar ist sie jedoch nicht[116].

Kapitel IV: OVERBECKS WEITERFÜHRUNG DER TENDENZKRITIK:
STANDPUNKT UND ZWECK DER AG

In zweifacher Hinsicht knüpft Ovb bei der Aufgabe, "Standpunkt und Zweck"[1]
der AG zu bestimmen, an die Einsichten an, die ihm der Überblick über die
Komposition des Buchs vermittelte[2]. Erstens ist daran zu erinnern, daß die
Komposition es ausschließt, in der AG nur die zufällige und geistlose Kompilation vorgegebener Quellenschriften zu sehen. Nur weil sich im Gegenteil die AG als das planvoll angelegte Werk eines individuellen Schriftstellers präsentiert, kann nach Standpunkt und Zweck sinnvoll überhaupt gefragt
werden. Zweitens zeigt die Eigenart der Anlage im allgemeinen auch schon
die Richtung an, aus der die vom Verf verfolgte Intention selbst zu bestimmen ist. Die "Künstlichkeit der Formen" indiziert, daß die AG nicht schlichter Geschichtsbericht sein will, sondern um einer theologischen Absicht willen geschrieben ist.

Im folgenden gilt es darzustellen, wie Ovb diese Folgerung aus der Form
nun auch von seiten des Inhalts der AG zu bestätigen und konkret zu formulieren versucht.

1. Zurückweisung der rein historischen Zweckbestimmung und ihrer Abwandlungen

Zum Nachweis der negativen Tatsache, daß die AG einen rein historischen
Zweck nicht verfolgt, setzt Ovb mit einigen Beobachtungen zur Erzählungsweise und zum Stoff des Buchs ein[3].

Die AG selbst gibt ihr Thema nicht explizit an. Der Prolog AG 1, 1f, der
nach der Inhaltsangabe des Evangeliums eine analoge Aussage für die AG
erwarten läßt, verläuft als Anakoluth. In der altchristlichen Tradition erscheint die AG als Geschichte der Apostel, verfaßt "mit rein historischem
Zwecke zur Belehrung des Luc. 1, 3; AG. 1, 1 erwähnten Theophilus."[4]
Mißt man die AG mit diesem Maßstab, dann fällt zunächst der Mangel an
synchronistischer Darstellung auf. Mit einer gewissen Ausnahme in c 8-12[5]
verfolgt die AG immer nur einen Erzählungsfaden, ohne zu berücksichtigen
oder nachzutragen, was gleichzeitig anderwärts geschieht. Die AG verfolgt
aber nicht stets denselben Faden, so daß sachlich - durch eine Person oder
einen Ort - zusammengehöriges Geschehen in getrennte Blöcke zerfällt, deren verbindende Zwischenstücke fehlen. So ist z. B. ausgelassen, was mit
Petrus zwischen 12, 17 und 15, 1 ff oder mit Pls zwischen 9, 30 und 11, 25
geschah; ebenso fehlt die Geschichte der Urgemeinde während der ersten
Missionsreise des Pls (zwischen c 12 und c 15). Ovb's Frage lautet, wie
"diese ... scheinbar in Fragmente zerfallende sogenannte Apostelgeschichte"[6] erklärt werden soll: "Nach welchem Princip erzählt der Verfasser
diese AG.? Wie kommt es, dass er statt des historischen Gewebes, das zu
erwarten war, dem Ganzen die Gestalt eines einzigen, immer wieder abge-
brochenen und angestückelten Fadens giebt?"[7]

Geht man von dem Titel der AG aus, so überrascht weiter der beschränkte
Personenkreis, der in der AG eine Rolle spielt. Von den 1,13 genannten
Aposteln treten nur drei in der folgenden Erzählung noch namentlich her-
vor: Petrus, Johannes und Jakobus (die beiden letztgenannten jedoch nur
als Randfiguren). Daneben begegnet eine Reihe nicht-apostolischer Perso-
nen: die Sieben, insbesondere Stephanus und Philippus; der Herrenbruder
Jakobus; einige Paulusgefährten. Von c 13 an konzentriert sich die AG auf
Pls. Als eine Geschichte sämtlicher oder auch nur des größeren Teils der
Apostel kann die AG daher, was ihren Inhalt angeht, keinesfalls gelten.

Ist sie als eine Geschichte des Petrus und des Pls zu betrachten? Auch
dies hält Ovb nicht für möglich. Zwar sieht er in Petrus die Hauptperson
der ersten zwölf Kapitel. Doch berichtet die AG schon hier nur in einer
isolierenden[8] und fragmentarischen Weise von seinen Taten und Schicksalen. Von 12,17 an schenkt sie ihm - außer im Zusammenhang der Geschichte des Pls, in c 15 - keine Beachtung mehr. D.h.: Von Petrus wird in einer
Art erzählt, "die klar beweist, dass es nicht ... Absicht der Apg. gewesen sein kann, eine vollständige Geschichte des Petrus zu geben."[9] Mit Pls
verhält es sich nur auf den ersten Blick anders. In c 13 f und c 16 ff, wo
sich die Erzählung auf ihn konzentriert, beabsichtigt die AG zwar "bis auf
einen gewissen Grad Vollständigkeit", doch ist sie "weit entfernt", diese
wirklich zu erreichen[10]. Es fehlen die Jugendgeschichte und das Ende des
Pls, und wie lückenhaft die dazwischenliegenden Teile seines Lebens berichtet werden, zeigen schon die naturgemäß nur zufälligen biographischen
Daten der Briefe[11]. Dem Maßstab einer historischen Biographie wird also
auch der Paulusteil der AG nicht gerecht[12].

Mit der die AG insgesamt charakterisierenden Lückenhaftigkeit ihres Inhalts kontrastiert die Ausführlichkeit einzelner Partien, z.B. der Bekeh-
rungsgeschichte des Pls (deren entscheidender Inhalt zudem noch zweimal
wiederholt wird), der Corneliusepisode oder der Erzählung des paulinischen Prozesses. Sofern man sich auf einen Überblick über den Stoff der
AG beschränkt, liegt in der hiermit bezeichneten Ungleichmäßigkeit das
Hauptproblem des Buchs. Ovb kann darum den Kanon aufstellen, "dass der
die AG. in der Hauptsache erklärt hat, der das Räthsel ihrer auf den ersten Blick so empfindlichen Ungleichmässigkeit ihres Inhalts gelöst hat,
⟨der⟩ verständlich machen kann, was in ihr steht und nicht steht."[13]

Eine solche Erklärung kann nach Ovb von der Hypothese aus, die AG ver-
folge einen rein historischen Zweck, "d.h. sie erzähle die in ihr berichteten Thatsachen um ihrer selbst willen"[14], grundsätzlich nicht gelingen[15].
Hiervon müsse schon die wissenschaftliche Unzulänglichkeit der "neuesten"[16]
Versuche in dieser Richtung, wie sie u.a. von Meyer[17], Bleek[18] und Ewald[19]
vorgelegt worden waren, überzeugen. Ihren Mangel erblickt Ovb in einem
Doppelten:

Einmal können die genannten Exegeten das Thema der AG nur in der blas-
sesten, vom konkreten Inhalt des Buchs weitgehend abstrahierenden Weise
angeben[20]. Ovb schreibt dazu: "Gerade, worin auf dem Standpunkt dieser

Interpreten die Brauchbarkeit dieser Annahmen besonders besteht, ihre elastische Unbestimmtheit, ist ihre wissenschaftliche Werthlosigkeit begründet. "[21]

Die Verfechter eines rein historischen Zwecks der AG sind sodann, um das angenommene Thema mit den Eigentümlichkeiten des Inhalts der AG zu vermitteln, auf eine Reihe "der willkürlichsten Nothannahmen"[22] angewiesen. Die wichtigsten sind: Mangelnde Kenntnis des Verf's der AG[23]; Beschaffenheit seiner Quellen[24]; Fortsetzungsabsicht[25]; Bedürfnisse der ersten Leser[26]. Ovb sieht in dem Rekurs auf diese Annahmen ein methodisch unerlaubtes Verfahren. Die angeblich beabsichtigte Fortsetzung der AG sei schlicht eine Erfindung. Das Auffällige ihres Inhalts durch die Bedürfnisse der ersten Leser zu erklären, bedeute "Dunkles mit Dunklem zu erhellen."[27] Mit der Kenntnis des Verf's von den Begebenheiten der apostolischen Zeit und der Beschaffenheit seiner Quellen endlich seien Probleme angesprochen, "die selbst erst Gegenstand methodischer Untersuchung" werden müßten; nicht aber ließen sich "allgemeine Annahmen darüber unmittelbar als Nothbehelfe in anderen Fragen verwenden"[28].

Gegenüber der Ansicht, die AG erzähle die von ihr mitgeteilten Begebenheiten des apostolischen Zeitalters in rein historischer Absicht um ihrer selbst willen, bedeutet es für Ovb's Verständnis einen Fortschritt, wenn man anerkennt, daß diese Begebenheiten "einem höheren, in ihnen nicht unmittelbar gegebenen Gesichtspunkt untergeordnet sind"[29]. Die geläufigsten Hypothesen erklären die Ausbreitung des Evangeliums von Jerusalem bis Rom (so im Anschluß an Mayerhoff[30]) oder von den Juden zu den Heiden (so im Anschluß an Ebrard[31]) für den bestimmenden Grundgedanken der AG. Ovb konzediert diesen Hypothesen, daß sie sich auf AG 1,8 stützen können und auf einer tieferen Einsicht in das inhaltliche Gefälle der AG beruhen. Dennoch stimmt er nicht zu. Sein Haupteinwand besteht in der grundsätzlichen und verallgemeinernden Fassung eines Argumentes, das schon 1836 von Bleek gegen die Zweckbestimmung Mayerhoffs ins Feld geführt worden war. Wie läßt sich wohl denken, so hatte Bleek gefragt, "daß der Schriftsteller während der Abfassung seines Werkes sollte diesen Gesichtspunct vor Augen gehabt haben, da er nicht einmal darüber etwas meldet, wie das Christenthum zuerst nach Rom und nach Italien gekommen ist."[32] Die AG berichte nur von der Reise des gefangenen Pls nach Rom, den Anfang des Christentums daselbst setze sie stillschweigend voraus. Ovb hat dieses Argument mehrfach[33] aufgegriffen, jedoch nur als Spezifikation des grundsätzlichen Einwandes, daß die Zweckbestimmung Mayerhoffs - ebenso wie diejenige Ebrards - überhaupt die persönliche Beziehung der AG auf Pls übersehe. Ohne die Annahme einer solchen Beziehung müßten in der AG "alle die zahlreichen Züge, welche zur persönlichen Charakteristik des Apostels gehören, unerklärlich bleiben"[34]: so die zweimal wiederholte Bekehrungserzählung, die Nachrichten über die jüdisch-frommen Werke und die Gefährten des Pls, vor allem aber die ausführliche, ungefähr den vierten Teil des Buchs füllende Darstellung seines Prozesses. Um dieser Züge willen sei auch die Lückenhaftigkeit der Paulusdarstellung vom Standpunkt

Mayerhoffs und Ebrards aus nicht zureichend erklärbar, denn sie lasse sich eben "mit dem allgemeinen Satz, dass die AG. an der Person des Paulus gar kein selbständiges Interesse nehme, auf keinen Fall abfertigen"[35]. Die Lücken der AG, wie sie ein Vergleich mit den paulinischen Briefen zeigt, verbieten es nach Ovb zwar, in ihrem zweiten Teil eine Biographie des Pls zu sehen; sie sprechen aber nicht gegen jede besondere persönliche Beziehung auf den Apostel, sondern für eine bestimmte Modalität derselben. Es ist nur eine andere Formulierung des gleichen Sachverhalts, wenn Ovb schreibt: Die AG ist nicht ohne Rekurs auf die Gegensätze des ältesten Christentums, die sich an Person und Werk des Pls entzündeten, und "nur unter der Voraussetzung einer paulinisch-apologetischen Tendenz"[36] angemessen interpretierbar.

2. Wandlung der Auffassung Overbecks zwischen dem WS 1868/69 und dem SS 1870

Der erste uns bekannte Versuch Ovb's, den Zweck der AG aus ihrer Beziehung auf die Gegensätze des ältesten Christentums ausdrücklich zu bestimmen, findet sich in der frühesten Fassung der Vorl ApZA vom SS 1867. In der den Hörern diktierten Zusammenfassung des Paragraphen über die Quellen der Geschichte des apostolischen Zeitalters (§ 2) heißt es, die AG sei als Quelle nur kritisch geprüft und gesichtet zu verwenden; denn sie sei "eine wohl nicht vor dem Anfang des zweiten Jahrhunderts abgefasste, sehr lückenhafte und in einem die Gegensätze des Judenchristenthums und Heidenchristenthums vermittelnden Interesse die Thatsachen stark trübende Darstellung"[1]. In der sehr kurz gehaltenen Erläuterung dazu nennt Ovb die AG "eine ganz tendenziöse Darstellung", abgefaßt "in dem Interesse einer Vermittlung der Gegensätze des Paulinismus und des Petrinismus"[2]. Diese Vermittlung werde namentlich dadurch erstrebt, daß "Petrus möglichst paulinisch, Paulus möglichst petrinisch"[3] dargestellt werde. Dabei sei vor allem den Eigentümlichkeiten des Pls die Spitze abgebrochen worden, und da seine Person ohnehin im Vordergrund der AG stehe, so sei er "auch namentlich der leidende Theil bei dem angedeuteten Verfahren der Apg."[4]

Im WS 1868/69, als Ovb erneut über das apostolische Zeitalter las, legte er sein zum SS 1867 angefertigtes Manuskript an den eben berührten Stellen unverändert zugrunde. Offenbar schien ihm die dort formulierte Bestimmung des Zwecks der AG noch zutreffend zu sein und nicht der Korrektur zu bedürfen. Eine Stelle aus dem achten Paragraphen[5] der gleichen Vorlesung, den wir nur in der Fassung vom WS 1868/69 besitzen, bestätigt diesen Schluß. Die Besprechung der Funktion der Hellenistenerzählungen innerhalb der AG leitet Ovb dort mit dem Satz ein: "Als eine zu Gunsten des Paulus die Gegensätze des Juden- und Heidenchristenthums vermittelnde Tendenzschrift giebt sich die Apg. am unmittelbarsten in ihren paulinischen Partieen."[6]

Aus diesem Befund folgt, daß sich Ovb's früheste Bestimmung des Zwecks der AG noch ganz im Rahmen der Ansicht Baurs und Zellers bewegt[7]. Wie

die beiden führenden Vertreter der AG-Auslegung der Tübinger Schule
begreift auch Ovb noch im SS 1867 und im WS 1868/69 die AG im allgemeinen als eine zwischen den Parteien des Paulinismus und Petrinismus vermittelnde, also konziliatorische Tendenzschrift.

Als Ovb im SS 1870 zum dritten Mal über das apostolische Zeitalter las,
hatte er diese Position verlassen. In der diktierten Zusammenfassung des
zweiten Paragraphen ist die oben mitgeteilte Begründung dafür, daß die AG
nur nach kritischer Prüfung als Quelle zu benutzen sei, gestrichen und am
Rande durch eine Neufassung ersetzt worden. Die neue Begründung lautet:
Die AG sei eine "wohl nicht vor dem ersten Jahrzehnt des zweiten Jahrhunderts abgefasste Rechtfertigung des Heidenchristenthums ..., von einem
den Gegensätzen des Urchristenthums nicht blos äusserlich schon fern stehenden, sondern auch innerlich entfremdeten Standpunkt geschrieben, von
diesem aus die Thatsachen stark trübend und das apostolische Zeitalter jedenfalls nur sehr lückenhaft darstellend"[8]. Der auffälligste Unterschied
zwischen dieser neuen und der früheren Auffassung Ovb's sei hier gleich
festgehalten. Die frühere Annahme einer konziliatorischen Absicht der AG
setzt voraus, daß die beiden urchristlichen Parteien zur Zeit der AG noch
unversöhnt (oder jedenfalls nicht vollständig versöhnt) einander gegenüberstehen und daß ihr Gegensatz dem Autor vor Augen liegt. Nach Ovb's neuer
Auffassung steht der Autor der AG jenem Gegensatz bereits 'äusserlich
fern' und ist er ihm 'innerlich entfremdet'. Während also im ersten Fall
die Vereinigung der beiden Parteien für die Zukunft intendiert, in der Gegenwart aber als ein noch aktuelles, nach einer Lösung erst rufendes Problem empfunden wird, ist der Parteiengegensatz im zweiten Fall bereits
ein Phänomen der Vergangenheit, und ein Gespür für die mit ihm gesetzte
ursprüngliche Problematik ist schon gar nicht mehr vorhanden.

In die Zeit zwischen der zweiten und dritten Fassung der Vorl ApZA fällt
der Abschluß von Ovb's Arbeit an seinem AG-Komm. Dessen Vorwort ist
"Anfang April 1870"[9] in Jena unterzeichnet. Bevor wir daher die eben auf-
gezeigte neue Position Ovb's, wie er sie im SS 1870 (und danach) entfaltete,
weiter verfolgen, haben wir an den AG-Komm die Frage zu richten, welche
Bestimmung dort Zweck und Standpunkt der AG erfahren. Dazu zunächst
eine Vorbemerkung: Der Druck des AG-Komm begann ca. zwei Jahre, bevor das Manuskript abgeschlossen wurde, bereits im Frühjahr 1868[10].
Daraus folgt: Der Umschwung in der Zweckbestimmung, wie ihn ein Vergleich der zweiten und dritten Fassung der Vorl ApZA zu erkennen gibt,
erfolgte nicht einfach nur während der Vorarbeiten zum Kommentar, sondern genauer: nachdem ein Teil davon bereits fertig im Druck stand. Wenn
daher die beiden Vorlesungen jeweils den tatsächlichen Erkenntnisstand
Ovb's zutreffend wiedergeben, wird mit einem analogen Übergang innerhalb
des gedruckten Kommentars zu rechnen sein. Mit dieser Folgerung ist ein
von Ovb selbst gegebener Hinweis zu kombinieren. Ovb teilt im Vorwort
des AG-Komm mit, er habe den Druck "beim 22. Bogen" einige Wochen
aufgehalten "zum Zweck einer völlig neuen Durcharbeitung der Auslegung
der den Process des Paulus betreffenden Schlusspartie der AG. (21,17 ff),

bei welcher die klarere und bestimmtere Feststellung einiger Gesichtspunkte zum Theil nicht ohne Rückwirkung auf Früheres ist."[11] Neben anderem nennt Ovb als eine Folge dieser erneuten Durcharbeitung von AG 21,17-28,31 den Umstand, daß er in der dem Korpus des Kommentars vorangestellten, jedoch zuletzt geschriebenen Einleitung[12] Zellers Interpretation des Aposteldekrets "in noch etwas weitgehenderem Sinn"[13] bestritten habe als im Rahmen der Einzelauslegung von AG 15,1 ff. Nun ist aber die Auslegung des Aposteldekrets gerade in der Einleitung zum AG-Komm aufs engste mit der Bestimmung von Standpunkt und Zweck der AG verbunden. Auch der genannte Hinweis Ovb's führt also darauf, daß man innerhalb des AG-Komm einen Wandel im Verständnis des Zwecks der AG zu erwarten hat - einen Wandel, der mit der Auslegung der Prozeßpartie AG 21 ff wenigstens zusammenhängen und explizit spätestens in der Einleitung greifbar werden wird.

3. Bestimmung von Standpunkt und Zweck der AG im Korpus des AG-Komm
   (Auslegung von AG 1,1-21,16)

Wir entnehmen dem eben Gesagten die Anweisung, zuerst das Korpus des AG-Komm (genauer: die Einzelauslegung von AG 1,1-21,16) für sich nach Ovb's Ansicht über Standpunkt und Zweck der AG zu befragen.

a) Überblick über Overbecks Interpretation von AG 1,1-21,16

In c 1-5 entwirft der Verf der AG von der frühen Jerusalemer Gemeinde, sowohl von ihrem inneren Zustand wie von ihren Beziehungen nach außen, ein ideales Bild. Ebenso wie noch in 9,31 ff und c 12 verfolgt er den Zweck einer Idealisierung oder Verherrlichung der Urgemeinde insgesamt bzw. ihrer leitenden Personen[1]. Daneben klingen Motive an, deren konstitutive Bedeutung z.T. erst in c 6 ff hervortritt: die - von der Naherwartung der Parusie nicht mehr zu beirrende[2] - Idee einer universellen christlichen Mission[3]; die Feindschaft der Juden, deren habitueller Charakter den Antijudaismus der AG indiziert[4]; die vorsichtige, aber unverkennbar tendenziöse Unterscheidung des Verhaltens der Pharisäer und Sadduzäer zur christlichen Gemeinde[5].

Von c 6 an ist der leitende Zweck der AG die Rechtfertigung des christlichen Universalismus oder präziser: eine Apologie der gesetzesfreien Heidenmission des Pls. Dieser Apologie dienen einmal das Faktum der sukzessiven Vorbereitung, die dem Auftreten des Pls unter Heiden in c 6-12 vorausgeschickt wird, sodann die Art der Darstellung, welche die Wirksamkeit des Pls selbst und deren Vorbereitung erfahren.

In c 1-5 wird das Evangelium nur vor Juden verkündigt. Bevor Pls in c 13 seine erste Missionsreise antritt, vollzieht sich in c 6-12 der schrittweise Übergang der Verkündigung von dem ausschließlich jüdischen Forum zu den Heiden[6]. Nach der Mission der Hellenisten in Samarien und der Bekehrung des äthiopischen Eunuchen durch Philippus ist es Petrus, der die erste Heidentaufe vollzieht - ein Unternehmen, das von der Jerusalemer Gemeinde ausdrücklich gebilligt wird. Erst danach nehmen auch die Hellenisten - und von ihrer Gründung Antiochien aus schließlich auch Pls - die Heidenmission auf. Pls - so folgt aus dieser Darstellung - betritt in c 13 ff eine Bahn, auf der ihm Petrus und die Hellenisten vorangegangen sind und die im Grundsatz von der Jerusalemer Gemeinde bereits gutgeheißen wurde. Wie die AG im großen der Heidenpredigt eine Predigt ausschließlich vor Juden vorangehen läßt, so zeichnet sie auch im kleinen das Verfahren des Pls auf den einzelnen Stationen seiner Fahrten. In aller Regel beginnt Pls mit der Predigt vor Juden. Erst deren (wenigstens partieller) Unglaube und die Feindschaft, auf die er bei ihnen stößt, legitimieren und motivieren seine Wendung zu den Heiden[7]. Das ablehnende und feindliche Verhalten der Juden gegen die christliche Botschaft und ihre Träger ist - während der Wirksamkeit des Pls ebenso wie während ihrer Vorbereitung in c 6-12[8] - der eine Grundpfeiler, auf welchen die AG die Heidenmission begründet. Den zweiten Grundpfeiler, der unvermittelt neben dem ersten steht[9], erblickt Ovb in den Weisungen des auferstandenen und erhöhten Christus[10], wie sie sich nach dem programmatischen Auftrag 1,8 bei der Berufung des Pls, der Bekehrung des Cornelius, dem Übergang nach Europa und anderwärts wiederholen.

Jüdische Feindschaft und himmlische Offenbarungen als die beiden die Heidenmission begründenden Faktoren sind in der AG das Surrogat für das paulinische Evangelium[11]. Dieses Evangelium selbst ist bis auf einige Anklänge getilgt, d.h. es ist diejenige historische Größe eliminiert, die das apostolische Selbstverständnis des Pls bestimmte und den Apostel damit zum Vorkämpfer des Universalismus in der christlichen Gemeinde überhaupt werden ließ. Mit der Tilgung des paulinischen Evangeliums aufs engste verbunden ist der Umstand, daß die AG einerseits die Kämpfe, die Pls mit den Judenchristen auszufechten hatte, bis auf wenige Spuren übergeht[12], daß sie andererseits die Selbständigkeit und Unabhängigkeit des Apostels zugleich mit seiner Originalität geflissentlich zurücktreten läßt und durch einen gegenteiligen Eindruck zu ersetzen sucht[13].

Die apologetische Tendenz der Darstellung der AG erstreckt sich wie auf das Werk des Pls, die Heidenmission, so auch auf seine apostolische Würde und seine Person. Die AG nimmt Pls stillschweigend, aber wirkungsvoll in Schutz gegen die polemische Verzerrung zur Figur des Magiers Simon und stellt dieser Karikatur angelegentlich das ungetrübte Verhältnis des Apostels zur Urgemeinde gegenüber[14]. Pls ist jedoch nicht nur einig mit den Uraposteln, er ist auch gleichen Ranges wie sie. Die AG zeigt dies nach Ovb, indem sie einmal die objektive Realität des Damaskusereignisses ausarbeitet[15], das für Pls vertritt, was nach AG 1,21 f für die Urapostel das Zusammensein mit dem irdischen Jesus war; indem sie sodann Wert legt auf die Parallelität zwischen Petrus und Pls, namentlich was ihre Wunder und ihre Fähigkeit zur Mitteilung des Geistes angeht[16]; indem sie endlich wie die Urapostel in c 1-5 auch Pls ganz allgemein zum Gegenstand der Glorifizierung macht[17].

Der Apologie des Pls dient schließlich alles das, was Ovb unter dem Stichwort der Judaisierung des Apostels zusammenfaßt: seine Jerusalemreisen[18];
seine Werke jüdisch-gesetzlicher Frömmigkeit[19]; vor allem seine Verkündigung, deren Differenz zum Judentum auf die Anerkennung der Auferwek-
kung und Messianität Jesu, also auf dasjenige Moment reduziert ist, das allein auch zwischen den Uraposteln und den Juden strittig war[20].

An welche Leser sich der Verf der AG mit den skizzierten Elementen seiner Darstellung richtet, kann von der Sache her nicht zweifelhaft sein. Ovb
sagt es zudem mehrfach ausdrücklich: Die Apologie des Werks, der apostolischen Würde und der Person des Pls ist an judenchristliche oder judaistische Leser adressiert, deren Kritik an Pls als unberechtigt erwiesen und
deren Vorurteil abgebaut werden soll zugunsten einer positiven Schätzung
des Apostels[21].

b) Zuordnung der Interpretation Overbecks zu seiner früheren Auffassung

Wir gingen von der Beobachtung aus, daß sich zwischen dem WS 1868/69
und dem SS 1870, also zu einem Zeitpunkt, als mindestens der größere Teil
der im AG-Komm vorgelegten Einzelauslegung von AG 1,1-21,16 bereits ge-
druckt war, ein Wandel in Ovb's Verständnis der AG vollzogen hat[22]. Die
Frage ist, ob sich der hieraus zu ziehende Schluß, daß nämlich die Einzelauslegung von AG 1,1-21,16 noch Ovb's frühere Zweckbestimmung repräsentiert, durch den sachlichen Gehalt dieser Auslegung bestätigen läßt.

Diese Frage ist zu bejahen. Zwar gibt es einige Aussagen Ovb's, die auf
sein späteres Verständnis hinzudeuten scheinen. Hierher ist es zu rechnen,
wenn er in dem Umstand, daß die Charakterisierung des Pls als des Lehrers
der Heiden nach Athen statt nach Korinth verlegt ist, "die Verschiebung des
historischen Paulinismus in der AG."[23] sehr bezeichnend ausgesprochen
findet. Ähnlich heißt es zu der Berücksichtigung vorwiegend der extensiven
Seite der Wirksamkeit des Pls, sie lasse sich nur durch den "dem ursprünglichen Paulinismus schon stark entfremdeten Standpunkt"[24] der AG erklären. Diese und verwandte Aussagen[25] Ovb's passen ohne weiteres zu seiner späteren Bestimmung des Standpunkts der AG. Freilich, sie widersprechen auch der früheren Bestimmung nicht; denn daß - unter der Voraussetzung einer konziliatorischen Tendenz - Pls "namentlich der leidende Theil"[2]
der ursprüngliche Paulinismus in der AG mithin ganz erheblich verschoben
sei, stand für Ovb im Gefolge Baurs und Zellers auch im SS 1867 schon aus-
ser allem Zweifel. Der Satz, die AG sei schlecht paulinisch, verhält sich
als solcher indifferent zu der Unterscheidung von Ovb's früherem und spä-
terem Gesamtverständnis der AG.

Was jedoch die Annahme ausschließt, Ovb habe die Auslegung von AG 1,1
-21,16 unter der Voraussetzung vorgenommen, die AG sei "von einem den
Gegensätzen des Urchristenthums nicht blos äusserlich schon fern stehenden, sondern auch innerlich entfremdeten Standpunkt geschrieben"[27], ist
folgendes: Der christliche Universalismus und mit ihm sein vornehmster

Träger, der Apostel Pls, müssen den Ausführungen Ovb's zufolge zur Zeit
der AG noch umstritten gewesen sein. Die Interpretation von AG 15, 1 ff
beginnt Ovb mit der ausdrücklichen Feststellung, daß die "Frage nach der
Stellung der Heidenchristen in der Gemeinde" "noch als der Verfasser
schrieb eine lebendige war"[28]. Als dogmatische Apologie setzt die AG auf
Schritt und Tritt judenchristliche Gegner des Pls und des Paulinismus voraus. Nur weil es sich so verhält, ist die Abfassung einer so groß angeleg-
ten Apologie, wie sie nach Ovb's Ansicht in der AG vorliegt, überhaupt erklärbar. Nicht die Vergangenheit des Gegensatzes von Judenchristentum und
paulinischem Heidenchristentum, sondern seine Aktualität kennzeichnet den
Standort des Verf's der AG und setzt die konkreten Richtpunkte für sein
schriftstellerisches Verfahren. Dies läßt vor allem sein Umgang mit den
paulinischen Briefen erkennen. Der Verf ist weit entfernt davon, diese nicht
mehr zu kennen oder auch nur falsch zu verstehen. Vielmehr setzt er ihnen
überall dort, wo seine Erzählung sich überhaupt mit ihnen berührt, systematischen, tendenzmäßigen Widerspruch entgegen: So Gal 1 in 9, 1-30[29];
Gal 2, 1-10 in 15, 1-33[30]; Gal 2, 11 ff in 15, 36 ff[31]; Gal 2, 3-5 in 16, 1-3[32].
In 18, 24-19, 7 sieht Ovb immerhin eine kritische Auseinandersetzung der
AG mit den Nachrichten des 1. Korintherbriefs[33]. Es sei außerdem daran
erinnert, daß Ovb z. B. die gesamte 'Hellenistenepisode' für eine künstliche Konstruktion des Verf's der AG hält[34], daß er die sog. zweite Jerusalemreise des Pls[35], mit gewissem Vorbehalt auch die vorletzte (18, 22)[36],
als tendenziöse Fiktion bzw. willkürliche Erfindung erklärt und daß er selbst
eine Stelle wie 13, 38 f, deren Ableitung aus mangelndem Verständnis für
das paulinische Evangelium relativ nahe liegt, gerade in ihrer "Oberflächlichkeit" als eine "beabsichtigte, an eine bisher ganz petrinisch gehaltene
Rede angeschweisste Anspielung des Verfassers auf die am meisten charakteristische Lehre des Paulus"[37] beurteilt. Alle diese Indizien führen zu
dem Schluß: Die AG, wie Ovb sie nach seiner Auslegung von AG 1, 1-21, 16
im AG-Komm begreift, steht nicht schon weit jenseits der urchristlichen
Parteikämpfe, sondern ist als eine Tendenzschrift aus ihnen selbst erwachsen. Als Tendenzschrift richtet sie sich einerseits in apologetischer Absicht an Judenchristen; andererseits aber muß sie in dem gleichen Maße,
in dem sie das ihr überlieferte Paulusbild bewußt korrigiert, auch die Heidenchristen, in deren Namen sie schreibt, zu gewinnen suchen. Das Gesamtverständnis der AG, welches die beiden frühesten Fassungen der Vorl ApZA
belegen, bestimmt mithin auch die Auslegung Ovb's in dem größeren Teil
des AG-Komm[38].

4. Bestimmung von Standpunkt und Zweck der AG in der Einleitung des AG-Komm

Erst in der nach Abschluß der Einzelauslegung verfaßten Einleitung zum
AG-Komm hat Ovb zusammenfassend über Standpunkt und Zweck der AG
gehandelt[1]. Im Mittelpunkt steht dabei seine Auseinandersetzung mit Zeller. Ovb ist sich bewußt, nicht nur Zellers Auffassung des Aposteldekrets

entschiedener entgegengetreten zu sein als im Rahmen seiner Interpretation von AG 15, sondern in der Frage der Tendenz der AG überhaupt eine
"ziemlich abweichende Anschauung"[2] begründet zu haben. Um die Ausführungen Ovb's in ihren Nuancen zu erfassen, ist es notwendig, zuvor einen
möglichst präzisen Begriff von der Position Zellers zu gewinnen[3].

a) Zellers Interpretation der Tendenz der AG

Im Anschluß an den Nachweis, daß die AG keine rein geschichtliche Darstellung der apostolischen Zeit sei, sondern eine dogmatische Tendenzschrift, durch die ihr Verf eine bestimmte Wirkung "auf die noch im Kamp-
fe begriffenen Partheien" der Pauliner und der petrinischen Judaisten zu
erreichen beabsichtige[4], erwog Zeller drei Möglichkeiten, die Art der Tendenz der AG im Verhältnis zu den urchristlichen Parteien näher zu bestimmen: Gehe man von der tendenziös konstruierten Parallelität zwischen Pls
und den Uraposteln aus, so könne dieser ein petrinisches, ein paulinisches
oder ein vermittelndes Interesse zugrunde liegen. Die AG könne also begriffen werden entweder

    (1) als eine Empfehlung der Judenapostel und des Judenchristentums
    bei den Paulinern[5] oder
    (2) als eine Empfehlung des Pls und der Pauliner bei den Judenchristen[6]
    oder endlich
    (3) als eine Ausgleichung der beiden Parteien in einem gemeinsamen
    Dritten[7].

Den Gedanken an die erste Möglichkeit läßt Zeller rasch fallen: Zu offensichtlich sei der Verf der AG ein Pauliner, zu offensichtlich überwiege in
seiner Darstellung das Interesse an Pls und am paulinischen Christentum.

Für die zweite Möglichkeit weiß Zeller dagegen eine Anzahl schwerwiegen-
der Gründe geltend zu machen. Am wichtigsten sei der Umstand, daß die
Darstellung der AG ganz sichtbar in Pls und seiner Wirksamkeit gipfele,
und daß "die Palästinenser ihm zur Unterlage dienen, nicht er den Palästi-
nensern."[8] Im Blick auf die apostolischen Wunder lasse sich zeigen, daß
diejenigen des Pls denen des Petrus nachgebildet oder angepaßt seien, der
bestehende Parallelismus daher beabsichtige, Pls dem Petrus gleichzustel-
len, nicht umgekehrt. Das entgegengesetzte Verhältnis liege bei der Gleichheit der beiderseitigen Leiden und Verfolgungen vor. Hier habe der Verf der
AG die Erfahrungen des Pls künstlich vermindert, die der Urapostel künstlich vermehrt, beides in paulinisch-apologetischer Absicht[9]. Zeller führt
weiter die paulinischen Reden an. Hier handele es sich einerseits um ausdrückliche Apologien des Pls. Andererseits, in den Lehrvorträgen, trete
das spezifisch Paulinische völlig hinter dem jüdischen Monotheismus und
dem allgemeinen jüdisch-christlichen Messiasglauben zurück; der Universalismus und vereinzelte Erinnerungen an die paulinische Rechtfertigungslehre seien "im Mund eines Petrus und Jakobus ungleich häufiger und stärker"[10] zu finden als im Munde des Pls selbst. Zeller schließt hieraus: Der
Verf der AG schreibt mit Rücksicht auf "judaistische Antipauliner", auf Leu

te also, denen er die paulinische Lehre "durch keine andere Auktorität besser empfehlen zu können glaubte, als durch die der Judenapostel, denen er aber auch in dieser Form nicht den ganzen und reinen, sondern nur einen verstümmelten und äusserlichen Paulinismus vorzulegen für gut fand"[11]. In gleicher Weise deutet Zeller die Schilderung des Pls als eines gesetzesfrommen Juden, seine Missionsmethode, ferner die Tatsache, daß, und die Art, wie Petrus zum Anfänger der Heidenmission gemacht wird[12].

Trotz all dieser Argumente glaubt Zeller jedoch, nicht bei einer Zweckbestimmung im Sinne der zweiten Möglichkeit stehenbleiben zu können[13]. Er erinnert an seinen Nachweis, daß der historische Pls in der AG gründlich entstellt, sein Evangelium teils verschwiegen, teils - in seinem Kern - geradezu verleugnet worden sei, und stellt die Frage: Wozu diese Entstellung des historischen Sachverhalts, wenn der Verf es nur auf eine Rechtfertigung des Heidenapostels abgesehen hatte? Mußte nicht eine treue Darstellung des Pls die beste Apologie für ihn sein? Auf diese Fragen seien grundsätzlich zwei, alternativ zueinander stehende Antworten denkbar, nämlich "entweder, dass der Verfasser selbst diese unpaulinische Vorstellung von Paulus gehabt habe, oder dass er seinen apologetischen Zweck bei seinen Lesern nicht zu erreichen glaubte, wenn er ihm nicht den wahren Charakter und die reine Lehre des Apostels zum Opfer brachte."[14]
Die erste Antwort lehnt Zeller ab. Aufgrund seiner Sicht des Urchristentums hält er es für kaum denkbar, daß der Verf der AG von den heftigen Parteikämpfen keine exaktere Kunde, als sie sein Buch vermittelt, gehabt haben sollte und daß ihm nicht wenigstens die Briefe des Pls den wahren Charakter ihres Autors enthüllt hätten. Hinzu kommt ein am Text der AG selbst gewonnenes Argument. Die in der AG vorliegende Entstellung der Geschichte scheint ihm so bewußt konstruiert, so kunstvoll durchgeführt und derart konsequent in den Dienst ein und desselben Interesses gestellt, daß er sich außerstande sieht, sie auf ein dem Verf unmittelbar selbst zu eigenes, also unbewußt-falsches Verständnis zurückzuführen. Hat aber der Verf der AG Pls noch richtiger verstanden, als er ihn darstellt, muß also eine Differenz angenommen werden zwischen seinem Wissen und dem Gehalt seiner Erzählung, so ergibt sich: Eine bloße Apologie des Pls kann nicht der letzte und höchste Zweck des Verf's der AG sein, weil sie nicht gestattet, jene Differenz zureichend zu erklären. In dem gleichen Maße vielmehr, wie das Paulusbild der AG auf reflektierte Substitution des geschichtlich wahren zurückgeführt werden muß, erweist es sich als notwendig, bei dem Verf eine Absicht vorauszusetzen, die eine Verteidigung des Pls zwar nicht ausschließt, als solche aber darüber hinaus geht und die Art jener Verteidigung bestimmt. Als das letzte Ziel des Verf's der AG kann nach Zeller nur ein Vertrag oder Kompromiß mit dem entgegengesetzten Standpunkt angenommen werden. Die tendenziöse Entstellung der wirklichen Geschichte, voran des historischen Pls, ist die zu diesem Zweck von dem paulinisch gesonnenen Verf eingebrachte Konzession[15]. Zeller schreibt: "Wenn ein Pauliner der Gegenparthei solche Einräumungen machte, so heisst das: um dasjenige zu retten, was ihm an seinem Paulinismus das Wesentlichste ist, giebt er Anderes,

an und für sich gleichfalls höchst Wichtiges, preis, seine Schrift ist ein auf gegenseitige Zugeständnisse gegründeter Friedensvorschlag an die Gegenparthei."[16]

Am unverhülltesten findet Zeller diesen Zweck in AG 15 ausgesprochen. Das Aposteldekret ist das Kernstück des Friedensvorschlags und damit das Modell, nach dem die AG das Verhältnis der christlichen Parteien ihrer Zeit gestaltet wissen will. Beide Seiten sollen sich mit ihren Forderungen jeweils auf sich beschränken, die Judenchristen also beim Gesetz, die Heidenchristen bei der Freiheit vom Gesetz bleiben. Darüber hinaus sollen die Heidenchristen "nur die sog. noachischen Gebote beobachten"[17], d.h. - "wie die Proselyten des Thors"[18] - sich der für die Juden und Judenchristen anstößigsten Gewohnheiten enthalten.

Es ist für Zeller das notwendige Korrelat seiner Ansicht, das Paulusbild der AG beruhe auf reflektierter Substitution, wenn er annimmt, der Verf der AG wolle mit seinem Vergleichsvorschlag auch auf seine eigene Partei im Sinne der beabsichtigten Verständigung einwirken. Denn: "Nur dann wäre diese Bestimmung ... für die eigene Parthei des Verfassers unwahrscheinlich, wenn seine Auffassung des Paulinismus bei dieser in jener Zeit schon allgemein gewesen wäre."[19] Das ist jedoch ebensowenig der Fall, wie das Paulusbild der AG einfach dem falschen Verständnis ihres Autors entspringt. Zeller beruft sich für diese Annahme auf den "extreme⟨n⟩ Paulinismus der Gnostiker"[20], dem alle historischen Erklärungsgründe fehlen würden, wäre das Paulusbild der AG communis opinio unter den Paulinern ihrer Zeit gewesen. Hiergegen spreche auch der fortdauernde Parteienkampf innerhalb der christlichen Gemeinden. Wäre man nämlich auf seiten der Pauliner einig darin gewesen, den Judenchristen Gesetz und Beschneidung zu lassen, und hätte man durchweg auch Pls diesen Grundsatz beigelegt, dann blieben der "unauslöschliche Hass der Ebioniten gegen den Zerstörer des Gesetzes, die ganze Heftigkeit ihres Widerspruchs gegen das paulinische Christenthum, das Bedürfniss von Schutzschriften, wie die unsrige"[21] unbegreiflich. Endlich sei die gesamte kirchliche Praxis seit der Mitte des zweiten Jahrhunderts in den Zugeständnissen an den Judaismus lange nicht so weit gegangen wie die AG, da man die Beschneidung der Nachkommen getaufter Juden allgemein aufgegeben habe; die Konzessionen der AG könnten daher auf paulinischer Seite nicht vorher schon herrschend gewesen sein. Wollte sich der Verf der AG mit seinem Friedensvorschlag durchsetzen, dann mußte er mithin auch die eigene Partei für seinen Kompromiß zu gewinnen suchen[22]. Die Zurückführung des unhistorischen Inhalts der AG auf beabsichtigte Entstellung, die Aufhebung des einfachen paulinisch-apologetischen Zwecks in den eines Friedensvorschlags an die Gegenpartei, endlich die Annahme einer Adressierung der AG auch an die eigene Partei des Verf's - das sind die aufs engste miteinander verzahnten Elemente von Zellers Verständnis der AG als einer konziliatorischen Tendenzschrift. Sie sind zusammengefaßt in dem Resultat, die AG sei "der Friedensvorschlag eines Pauliners, welcher die Anerkennung des Heidenchristenthums von Seite der Judenchristen durch Zugeständnisse an den Judaismus erkaufen und in diesem Sinn auf beide Partheien wirken will."[23]

b) Overbecks Auseinandersetzung mit Zeller

Bei seiner Auslegung von AG 15 im Korpus des AG-Komm war Ovb, abgesehen von der modifizierten Bestimmung der alttestamentlichen Grundlage der vier Enthaltungsgebote 15,20.29[24] und von der veränderten Auslegung der Begründung 15,21[25], namentlich in folgendem Punkt von Zeller abgewichen: Gestützt auf die von Gieseler[26] und Ritschl[27] beigebrachten (und in einem Nachtrag am Rande[28] später noch vermehrten) Belege hatte Ovb festgestellt, die vier Verbote des Aposteldekrets hätten zur "stehenden Sitte der Kirche im nachapostolischen Zeitalter"[29] gehört. Sie ließen sich zudem als Streitgegenstand zwischen Judenchristentum und Paulinismus z.T. sogar bis in das apostolische Zeitalter hinauf verfolgen[30]. Die Echtheit des Aposteldekrets hatte Ovb hieraus nicht gefolgert; wohl aber hatte er diesem Tatbestand entnommen, daß die Verbote des Dekrets "auf thatsächlich bestehenden Verhältnissen"[31] beruhten, daß es daher nicht gestattet sei, sie "für einen späteren Vergleichsvorschlag des Verfassers der AG.... zu halten in dem Sinne, dass erst durch ihn diese Verbote ins Leben getreten wären."[32] In welchem Ausmaß und mit welchen Konsequenzen durch diese Einsicht die Konzeption Zellers getroffen werden sollte, war von Ovb nicht weiter erörtert worden[33]. Erst in der Einleitung zum AG-Komm, in der er auf den vorliegenden Gesichtspunkt zurückgreift, hat er ihm einen deutlich umrissenen Ort in der Auseinandersetzung mit Zeller zugewiesen.

Der oben entwickelte Satz, die AG sei "nur unter der Voraussetzung einer paulinisch-apologetischen Tendenz"[34] angemessen interpretierbar, bezeichnet die dem Korpus und der Einleitung des AG-Komm gemeinsame Basis und spricht zugleich aus, worin Ovb mit Zeller übereinstimmt. Ovb's Kritik an Zellers Konzeption setzt genau dort ein, wo Zeller über diesen Satz hinausgeht. Ovb's Frage lautet daher: Ist es nötig oder auch nur möglich, in der AG (mit ihrer paulinisch-apologetischen Tendenz) einen von paulinischer Seite entworfenen, an beide Parteien adressierten Friedensvorschlag zu sehen, wie Zeller es forderte? Ovb's Antwort zerlegt sich in drei Elemente.

aa) Die vier Enthaltungsgebote des Aposteldekrets

Ovb sieht zutreffend einen Grundpfeiler der Zellerschen Konzeption in der Ansicht, daß die Anschauungen der AG zu ihrer Zeit keineswegs opinio communis in paulinischen Kreisen waren und sich deswegen nur als Konzessionen an den Judaismus begreifen lassen, für welche der Verf auch seine eigene Partei gewinnen wollte[35]. Diese Ansicht sei im Blick auf die vier Enthaltungsgebote des Aposteldekrets nicht haltbar, weil diese Gebote auf Bestimmungen zurückgingen, "welche der Verfasser nicht gemacht hat, sondern schon vorgefunden haben muss"[36]. Ovb verweist für diese These le-

diglich auf die bei der Einzelauslegung von AG 15 gelieferte Begründung.
Dabei fällt auf, daß die dort vorliegende einschränkende Formulierung
("... in dem Sinne, dass ..."[37]) jetzt unberücksichtigt bleibt. Auch vermißt der Leser den Nachweis, daß die vier Verbote des Dekrets zur Zeit
des Verf's der AG der stehenden kirchlichen Sitte angehörten, einen Nachweis, der zur exakten Widerlegung der Hypothese Zellers schon an sich
notwendig ist, vollends aber in einem Buch, das die Frage nach der Stellung der Heidenchristen in der Gemeinde als eine in der Zeit der AG noch
lebendige, d.h. doch wohl: noch durch keine 'stehende' Sitte geregelte, bezeichnet[38]. Auf den vier Verboten des Dekrets liegt freilich nicht das
Schwergewicht der Argumentation Ovb's.

bb) Die Gesetzesverpflichtung der Judenchristen

Im Blick auf die in dem Beschluß des Apostelkonzils vorausgesetzte fortdauernde Gesetzesverpflichtung der Judenchristen stimmt Ovb Zeller zunächst zu: Es sei in der Tat ausgeschlossen, daß diese Regelung jemals
die herrschende Ansicht des paulinischen Heidenchristentums gewesen sei.
Seit der Mitte des zweiten Jahrhunderts habe man - nach dem Zeugnis der
Pseudoclementinen - selbst auf schroff antipaulinischer Seite an der unbedingten Gesetzesverpflichtung der Judenchristen nicht festgehalten und z.B.
die Beschneidungsforderung fallen gelassen[39]. Auch Justin verrate von einem entsprechenden Zugeständnis an den Judaismus "keine Vorstellung
mehr"[40]. Allerdings, die fortdauernde Verpflichtung der Judenchristen auf
das Gesetz werde durch diese Erwägungen nicht allein als die zur Zeit der
AG herrschende Ansicht der Heidenchristen ausgeschlossen, sondern - und
damit geht Ovb einen Schritt über Zeller hinaus - sie werde dadurch als Zugeständnis von paulinischer Seite überhaupt problematisch[41]. Eine Möglichkeit, die in AG 15 vorausgesetzte Gesetzesverpflichtung der Judenchristen
anders, d.h. nicht als Bestandteil eines Kompromißvorschlags, zu deuten,
findet Ovb im Kontext der AG selbst. Nach seiner Ansicht bietet sich der
ausdrückliche Rückgriff auf den Beschluß des Apostelkonzils in 21, 17-26
als dessen hermeneutischer Schlüssel geradezu an[42]. Ovb hält es zumindest für möglich, daß - von der antithetischen Beziehung zu Gal 2,1-10
abgesehen - die Bedeutung der den Judenchristen geltenden Voraussetzung
des Aposteldekrets in der Art der Verwendung, welche in 21,17-26 davon
gemacht wird, restlos aufgeht. Unter dieser Voraussetzung würde der Verf
der AG die Gesetzesverpflichtung der Judenchristen nicht als Konzession
an die Judaisten seiner Zeit gemeint haben, als das Zugeständnis also, daß
diese Gruppe der Gemeinde jetzt und weiterhin unangefochten beim Gesetz
bleiben solle, sondern allein als Hilfskonstruktion seiner Darstellung des
Apostels Pls. Die Intention der AG hätte man dann so zu umschreiben: "Ein
Gesetzesverächter könne Paulus schon wegen des damals bestehenden Grund-
vertrags nicht gewesen sein, der ihn als Juden an das Gesetz band und den
er selbst anerkannte."[43]

Was nach Ovb die Gesetzesverpflichtung der Judenchristen in dieser Weise auszulegen "fast nöthigt", ist der Umstand, daß der Verf der AG "einen höheren Standpunkt"[44] nicht allein kennt - das muß vielmehr auch bei der Annahme einer konziliatorischen Tendenz vorausgesetzt werden -, sondern explizit zur Darstellung bringt. Das geschieht in 13,38 f und vor allem in der Petrusrede 15,7 ff. Petrus nennt das Gesetz ein unerträgliches Joch auch für die Judenchristen; er behauptet "die vollkommene Gleichheit der Juden und Heiden dem Glaubens- oder Gnadenprincip gegenüber"[45], und indem er die Frage, ob das Gesetz rechtfertigt, zugleich mit der anderen behandelt, ob es noch verpflichtet, nimmt er die Freiheit vom Gesetz für Heiden und Juden in gleicher Weise in Anspruch. Nach Ovb's Folgerung kann der Verf der AG Petrus nur deshalb in dieser Weise reden lassen, weil für ihn selbst feststeht, daß eine unbedingte Verpflichtung auf das mosaische Gesetz in der christlichen Gemeinde überhaupt und also auch für die Judenchristen seiner Zeit nicht mehr besteht[46].

Schränkt man die Bedeutung der judenchristlichen Gesetzesverpflichtung soweit ein, daß sie nur noch als Mittel zum Zweck der Judaisierung des der Vergangenheit angehörenden Pls erscheint, dann ergibt sich nach Ovb die Folgerung: Es gibt in der AG keine Anschauung, mit der sie im Heidenchristentum ihrer Zeit so isoliert dastünde, daß man ihr den Zweck zusprechen könnte, das Heidenchristentum zugunsten einer Einigung mit dem Judaismus umzustimmen.

cc) Der nationale Antijudaismus der AG

Gegen die von Zeller verfochtene konziliatorische Tendenz führt Ovb als ein womöglich noch gewichtigeres Argument den "nationale⟨n⟩ Antijudaismus"[47] der AG an. Von den Belegen, die Ovb hierfür aus der Geschichtserzählung der AG erarbeitet, sind die wichtigsten: Einmal die konstante Feindschaft der Juden gegen die Christen und ihre Sache, die sich ebenso in der wiederholt hervorgehobenen Schuld am Tode Jesu[48] wie in den Verfolgungen der Urgemeinde, in den Anschlägen gegen den Apostel Pls und in dem verstockten Widerstand gegen das Evangelium äußert und die für den Verf der AG (neben himmlischen Weisungen) der eine entscheidende Faktor ist, auf den er die Ausbreitung des Evangeliums über Jerusalem hinaus und während der Reisen des Pls gründet[49]; sodann das Bestreben des Verf's, den Heiden gegenüber die Sache der Christen von der der Juden zu trennen, den Christen als solchen von heidnischer Seite die größtmögliche Geneigtheit zukommen zu lassen und "den Antagonismus der Heiden gegen die Christen auf die Solidarität der Letzteren mit dem Judenthum" zu beschränken und daraus zu erklären[50]. Eine Schrift, die so durchgehend von einem schroffen "Antagonismus gegen die Juden als Nation"[51] geprägt ist wie die AG, kann nach Ovb unmöglich auf jüdische Christen versöhnend wirken wollen: "Nichts kann vielmehr evidenter sein, als dass die AG. das jüdische Christenthum als solches preisgiebt und auf einem Standpunkt geschrieben ist, welchem das Heidenchristenthum als das in der Gemeinde durchaus vorherrschende Element gilt."[52]

dd) Resultat

Das Bild, das Ovb aufgrund der wiedergegebenen Erörterungen von Standpunkt und Zweck der AG entwirft, ist von der bisherigen Forschung im ganzen zutreffend beschrieben worden[53].

Nach Ovb ergibt sich (1) negativ: Die AG läßt sich nicht als eine zwischen den Parteien des urapostolischen Judenchristentums und des paulinischen Heidenchristentums vermittelnde Schrift betrachten. Zwar ist das von ihr vertretene Heidenchristentum - trotz 13, 38 f; 15, 7 ff - nicht mehr das des Pls. Aber die Momente, in denen sie von Pls abweicht, lassen sich nicht als Konzessionen an eine "ausserhalb ihrer eigenen Kreise stehende Partei", genauer: an "den Standpunkt des ursprünglichen und eigentlichen Judenchristenthums"[54] erklären.

Dem entspricht (2) positiv: Das "Judaistische" ist schon Bestandteil des Heidenchristentums, das die AG selbst vertritt. Ihre Abweichungen vom genuinen Paulinismus repräsentieren dasjenige Denken, das sich teils infolge judaistischer Beeinflussung, teils wegen der angeborenen Unfähigkeit der Heiden, den historischen Pls und seine Probleme zu verstehen, unter den Heidenchristen selbst verbreitete und schließlich die altkatholische Kirche insgesamt beherrschte. Die AG ist der Versuch "eines selbst vom urchristlichen Judaismus schon stark beeinflussten Heidenchristenthums, sich mit der Vergangenheit, insbesondere seiner eigenen Entstehung und seinem ersten Begründer Paulus auseinander zu setzen."[55]

c) Retardierende Momente in Overbecks neuem Gesamtverständnis der AG

Der zuletzt skizzierte Interpretationsansatz Ovb's erscheint auf den ersten Blick als ein konsequenter Gegenentwurf gegen die Konzeption Zellers. Für Zeller hing die Entscheidung zwischen einer bloß paulinisch-apologetischen und einer konziliatorischen Tendenz von der Beantwortung der Frage ab, ob die Abweichungen der AG vom ursprünglichen Paulinismus einfach nur das mangelnde Verständnis des Verf's (und der von ihm repräsentierten Partei) wiedergeben, oder ob sie bewußt konstruiert sind und mithin eine Differenz besteht zwischen dem Bewußtsein des Verf's und den Vorstellungen seiner Partei auf der einen, dem Gehalt der AG auf der anderen Seite. Zeller nahm eine solche Differenz an und entschied sich deshalb für die konziliatorische Tendenz. Anders Ovb: Nach seiner Auffassung bietet die AG - die richtige Interpretation des Aposteldekrets vorausgesetzt - keinerlei Anhalt, um die genannte Differenz zu behaupten. Die Anschauungen der AG sind vielmehr die im nachapostolischen Heidenchristentum verbreiteten, ihr 'Judaismus' ist ein integrierender Bestandteil des von ihrem Verf selbst vertretenen heidenchristlichen Denkens. Von einer konziliatorischen Tendenz im Sinne Zellers kann konsequenterweise nicht die Rede sein.

Sieht man näher zu, dann zeigt sich allerdings, daß das Resultat der Auseinandersetzung Ovb's mit Zeller weniger eindeutig, der vollzogene Wande weniger entschieden ist als es auf den ersten Blick und nach den in die Augen fallenden Spitzensätzen der Einleitung zum AG-Komm den Anschein hat. Die folgenden Erörterungen sollen dies verdeutlichen.

Die Quintessenz seiner Kritik an Baur und Zeller hat Ovb in den bekannten Satz zusammengefaßt: "Auf dem von den Kritikern der AG. bisher meist betretenen Wege hielt ich eine genügende Erklärung der Thatsache nicht für möglich, dass die AG. ebenso eminent heidenchristlich ist als schlecht paulinisch, und es scheint mir kaum denkbar, dass ein Buch, das zu Judenthum und Heidenthum schon so sehr die charakteristische Stellung der alten Kirche überhaupt einnimmt, noch ein Product des einfachen Gegensatzes der urchristlichen Parteien sein soll."[56] Der Standpunkt der AG ist in der Hauptsache der der alten Kirche, ihr Zweck nicht die Versöhnung der urchristlichen Parteien, sondern die Auseinandersetzung eines schlecht-paulinischen Heidenchristentums mit seiner eigenen Vergangenheit und seinem ersten Begründer Pls. Ist bei dieser Bestimmung jede Beziehung der AG auf eine "ausserhalb ihrer eigenen Kreise stehende Partei"[57] strikt vermieden, so ist schon hier zu fragen, wer oder was den Verf der AG denn nötigte, die vorgelegte Auseinandersetzung mit der Entstehung des von ihm vertretenen Heidenchristentums überhaupt vorzunehmen. Die Frage stellt sich verschärft, wenn Ovb anderwärts schreibt: "Die AG. ist das Buch eines Heidenchristen, der die Entstehung des Heidenchristenthums durch Paulus vertheidigen will, aber schon von einem Standpunkte aus, der den Gegensätzen des apostolischen Zeitalters durchaus entfremdet ist."[58] Von wem ging der Angriff aus, den die Verteidigung des Pls notwendig voraussetzt, wenn das jüdische Christentum bereits generell preisgegeben ist, die urapostolischen Kämpfe als etwas schon Fremdes zurückliegen und das herrschende Heidenchristentum in sich schon judaistisch durchsetzt ist?

In die gleiche Richtung ist auch von einer anderen Seite her zu fragen. Es wurde oben gezeigt, daß Zeller die in der AG vorliegende Entstellung der wirklichen Geschichte u.a. deswegen nicht auf eine unbewußt-falsche - also die bona fides einschließende - Vorstellung des Verf's zurückführte, weil sie ihm zu bewußt konstruiert und zu konsequent durchgeführt erschien[59]. An diesem Argument kann Ovb schon deswegen nicht vorübergehen, weil ihn die Analyse der Form der AG zu der Einsicht geführt hat, in welch hohem Maße die individuelle Reflexion des Verf's bei der Entstehung der AG beteiligt und für ihre Gestalt verantwortlich ist[60]. Entsprechendes läßt Ovb aber auch vom Inhalt der AG gelten. Ein gewisses Maß tendenziöser Berechnung muß schon im Spiel sein, wenn die in dem Beschluß des Apostelkonzils implizierte Bestimmung für Judenchristen ausschließlich für die vergangene apostolische Zeit gelten soll[61]. Auf den gleichen Tatbestand führt der Vergleich zwischen der AG und den paulinischen Briefen, mit dem Ovb seine Erörterung über Standpunkt und Zweck der AG in der Einleitung beschließt[62]. Dies gilt mindestens insofern, als Ovb hier vorgegebene Entfremdung und reflektierte Entstellung im Paulusbild der AG gemeinsam am Werk zeigt. Nicht ohne Reflexion ist es jedenfalls zu erklären, wenn die AG, die die paulinischen Briefe kennt, dennoch "die einzelnen Thatsachen aus dem Leben des Paulus, in welchen sie sich mit den Briefen berührt, in ein charakteristisch verschiedenes Licht"[63] gerückt hat: so die Reisen des Pls nach Jerusalem, die Kollekte und die Bekehrung des Pls, "welche in der AG. nicht den Bruch des Paulus mit dem Judenthum bezeichnet, sondern zu gerade entgegengesetzten Zwecken dient"[64]. Anzeichen einer Tendenz ist es weiter, wenn die Konflikte des Pls mit den Judenchristen (welche "mindestens in dem Lebensabschnitt des Paulus, dem seine Hauptbriefe angehören, ... einen Hauptinhalt seiner Wirksamkeit" bildeten[65]) fast völlig verschwiegen sind und das eigentümliche Evangelium des Pls "getilgt ist"[66]. Unmißverständlich wiederholt Ovb endlich, was er bereits im Korpus des AG-Komm begründete: "... der eigenen Erzählung des Paulus, welche am schärfsten sein Verhältniss zum uraposstolischen Christenthum und seinen judaistischen Anhängern darstellt (Gal. 1,11-2,21), hat die AG. systematischen Widerspruch entgegengesetzt (9,19-30; 15,1-16,3)."[67] Verhält es sich aber so, hat also der Verf der AG den Widerspruch zu den Paulusbriefen - in Grenzen wenigstens - durchschaut und gewollt, dann kann er dem falschen Paulusbild, dem eminent heidenchristlichen und schlecht paulinischen Standpunkt nicht schlechthin verfallen gewesen sein. Er muß vielmehr in den Nachrichten der Paulusbriefe eine Art Alternative zu seiner Darstellung erkannt haben und, insofern er jenen Briefen systematisch widersprach, zu solchem Widerspruch durch eine Frontstellung in seiner Gegenwart genötigt worden sein. Das Problem, das sich nach diesen Erwägungen für die Konzeption Ovb's stellt, lautet: An wen adressiert sich die paulinisch-apologetische Tendenz der AG, wenn der Verf ein Heidenchristentum repräsentiert, wie Ovb es beschreibt, Judenchristen als Adressaten aber entfallen? Oder anders: Wie läßt sich die im Text der AG unverkennbare tendenziöse Entstellung von Person und Werk des Pls (samt ihren Implikationen) vermitteln mit der Herleitung der AG aus einem den urchristlichen Gegensätzen entfremdeten Heidenchristentum, das zur Zeit des Verf's "das in der Gemeinde durchaus vorherrschende Element"[68] ist und dessen Denken der Verf als seine eigene Position selbst vertritt?

Ovb hat sich diesem Problem wenigstens in einer Anmerkung[69] ausdrücklich gestellt. Dabei ist es charakteristisch für die trotz allem bleibende Verhaftung Ovb's an den Standpunkt der Tübinger Kritik, daß er die notwendige Vermittlung nur in Gestalt einer Einschränkung seiner Gegenthese durch Zugeständnisse an die Auffassung Zellers vollzieht. Er schreibt: Seine Ableitung der AG aus der Vorstellungswelt eines schlecht-paulinischen Heidenchristentums versuche, die Erzählung der AG "innerlicher im Standpunkt des Verfassers zu begründen" und weniger ausschließlich auf seine praktischen Zwecke zurückzuführen, als Zeller es tue. Dennoch wolle er der AG durchaus nicht alles tendenziöse Verhalten gegenüber den historischen Tatsachen absprechen. Unbedingt müsse Zeller zugestanden werden, "dass insbesondere die Darstellung des Paulus in der AG. die historische und, wie angenommen werden muss, auch dem Verfasser bekannte Überlieferung zu tief und zu charakteristisch modificirt, um nur aus einer mangelhaften Auffassung des Heidenapostels begriffen zu werden." Weiter: Wenn er (Ovb)

auch die von Zeller behauptete Singularität der AG im Heidenchristentum
ihrer Zeit bestreite, so solle doch damit keineswegs gesagt sein, die Anschauungen der AG hätten das Heidenchristentum ihrer Zeit ausschließlich
beherrscht: "Hiergegen würde sich mindestens von gnostischer Seite Ein-
wendung erheben lassen und andererseits scheint Justin ein Heidenchristenthum zu vertreten, das dem Paulus noch entfremdeter ist als die AG." Als
ein "vermittelndes Werk" müsse die AG auf jeden Fall betrachtet werden.
Nur habe sie es nicht mehr mit den einander schlechthin ausschließenden
Positionen der urchristlichen Petriner und Pauliner zu tun, "und indem sie
in der Hauptsache nur auf Heidenchristen ihr Absehen gerichtet hat, ist sie
den Kreisen, auf welche sie wirken will, nicht so fremd, wie diess namentlich bei der Annahme einer Bestimmung der AG. für Judenchristen der Fall
wäre."

In diesen Sätzen bleibt die Schlußfolgerung aus dem nationalen Antijudaismus der AG unangetastet. Die These, daß sich die AG nicht an jüdische Christen wendet, hält Ovb voll aufrecht. Die Möglichkeit, in der AG dennoch ein
"vermittelndes Werk" zu sehen und ihr tendenziöses Verhalten gegenüber
den geschichtlichen Tatsachen zu erklären, gewinnt er durch eine Differenzierung innerhalb des Heidenchristentums selbst. Neben den Anschauungen
der AG ist Raum zu lassen einerseits für die Gnosis, andererseits für ein
dem Pls noch über die AG hinaus fremd gewordenes Christentum, wie es
z.B. Justin vertritt. Diese Differenzierung bildet, sofern die AG Tendenzcharakter haben soll, den notwendigen Ersatz für den als nicht mehr aktuell
bezeichneten Parteiengegensatz, mit dem Zeller arbeitete. Denn während
die AG qua Tendenzschrift von Zeller an dem Gegenüber der judenchristlichen Partei festgemacht wurde, erklärt sie Ovb aus dem Gegenüber einer
heidenchristlichen Fraktion. Eine genaue Beschreibung dieser Fraktion hat
Ovb in der Einleitung zum AG-Komm nicht mehr gegeben. Erst die Auseinandersetzung mit Hilgenfeld zwang ihn, seine Ansicht zu präzisieren. Trotzdem wird man aufgrund des AG-Komm bereits sagen können, daß Ovb eine
gnostische Richtung kaum ernsthaft in Betracht gezogen hat. Es kann nach
allem nur eine Gruppe in Frage kommen, die noch stärker judaistisch beeinflußt ist als die AG selbst[70]. Das bedeutet aber: Der Judaismus der AG
ist nicht einfach nur ein Strukturmoment des Heidenchristentums, das sie
selbst vertritt. Am Ausmaß judaistischer Beeinflussung unterscheiden sich
vielmehr innerhalb des Heidenchristentums verschiedene Fraktionen, und
daher ist der Judaismus der AG z.T. wenigstens doch wieder Konzession
an eine noch extremere Gruppe. Die heidenchristliche Fraktion, deren sich
Ovb zur Erklärung des Tendenzcharakters der AG bedient, bildet deswegen
nicht nur ein formales Surrogat, sondern auch eine inhaltliche Entsprechung
zu dem Judenchristentum Zellers.

d) Bestimmung des politischen Nebenzwecks der AG

Soweit Ovb's Bestimmung der Tendenz der AG bisher erörtert wurde, erschien die AG als ein Buch, das sich an christliche Leser richtet und die-

sen gegenüber einen bestimmten innerkirchlich relevanten Standpunkt vertritt. Bevor wir Ovb's Arbeit an der Tendenzbestimmung unter diesem Aspekt über den AG-Komm hinaus weiter verfolgen, haben wir einen bis jetzt übergangenen Gesichtspunkt nachzutragen: Die AG richtet sich gewiß in erster Linie an Christen, aber sie ist daneben doch auch "nicht ohne Rücksicht auf die Heiden, insbesondere die Römer und ihren Staat geschrieben"[71] und verfolgt den römischen Staatsbehörden gegenüber einen "politischen Nebenzweck"[72].

Nicht im strengen Sinn zu ihrer politischen Seite, wohl aber zu den Momenten, mit welchen sich die AG zumindest auch an heidnische Leser wendet, gehört die Tatsache, daß die AG den religiösen Gegensatz der Christen gegen das Heidentum nur in der mildesten Weise hervortreten läßt[73] und im Grunde auf das Bekenntnis zum Monotheismus[74] und den (allerdings anstößigen) Auferstehungsglauben[75] beschränkt. Daneben ist die von Ovb immer wieder beobachtete, in Kontrast zum Unglauben der Juden stehende heidnische Empfänglichkeit für die christliche Verkündigung zu nennen[76]. Diese Empfänglichkeit, durch die Bekehrung römischer Würdenträger noch unterstrichen[77], soll dokumentieren, daß die Sache der Christen "den grössten Anspruch" hat auf das Interesse und die Geneigtheit des heidnischen Publikums[78].

Die im strengen Sinne politische Apologetik der AG, die nicht auf die Darstellung des paulinischen Prozesses beschränkt ist, dort aber zu ihrem prägnantesten Ausdruck kommt[79], definiert Ovb als das Bestreben des Verf's der AG, dem Christentum "die Gunst der römischen Staatsbehörden zuzuwenden durch consequente Darstellung des guten Einvernehmens, in welchem die Personen der apostolischen Zeit, insbesondere Paulus, mit dem römischen Staat und seinen Beamten standen"[80]. Auch unter diesem Gesichtspunkt ist es bemerkenswert, daß die ersten Missionserfolge des Petrus und des Pls in der Heidenwelt römische Beamte für das Evangelium gewinnen. In Betracht kommt außerdem folgendes:
(1) Mehrfach und von berufener Seite wird in der AG ausgesprochen, daß die politischen Beschuldigungen des Pls gegenstandslos sind[81]. Die AG verrät damit, wie Ovb sagt, "in der deutlichsten Weise das Interesse, die politische Ungefährlichkeit des Christenthums hervortreten zu lassen"[82].

(2) Wiederholt erfahren die Christen den Schutz der römischen Behörden[83]. Das politische Motiv des Prozeßberichtes kann Ovb geradezu auf den Nenner bringen: "Die festen Formen des römischen Rechts sind es, welche den Paulus gegen jüdische Vergewaltigung schützen."[84] Entsprechende Bedeutung hat die entgegenkommende Behandlung, die Pls selbst in der Gefangenschaft zuteil wird[85]. Die AG will mit diesem Verfahren der römischen Staat beamten Pls gegenüber "gleichsam das Vorbild hinstellen, das für die Behandlung des Christenthums durch den Staat maassgebend sein soll."[86]

(3) Mit der "Geflissentlichkeit", mit der die AG "durchgängig das freundliche Verhältniss namentlich der römischen Behörden zu Paulus hervorhebt"[87], hängen zwei Eigenschaften zusammen, die Pls schon rein persön-

lich mit den Heiden verbinden: sein römisches Bürgerrecht, das, sobald man es nur erkennt, auch respektiert wird[88], und seine hellenistische Herkunft[89].

(4) Ovb's eigene Zusammenfassung der den politischen Nebenzweck der AG konstituierenden Erzählungselemente in der Einleitung des AG-Komm[90] ist mit dem Gesagten erschöpfend wiedergegeben. Es besteht jedoch Anlaß, das Verhältnis des Pls zum Judentum als ein weiteres Element hinzuzufügen. Um das Besondere der Auffassung Ovb's an diesem Punkte nicht zu verwischen, bedarf es freilich einer sorgfältigen Unterscheidung.

Auszugehen ist von einer negativen Feststellung: Die dogmatische Judaisierung des Pls[91] deutet Ovb als einen Faktor der Tendenz der AG, der von ausschließlich innerkirchlicher Relevanz ist, mit welchem der Verf daher allein auf christliche Leser zu wirken beabsichtigt. Das bedeutet: Mit der politischen Apologetik der AG hat die dogmatische Judaisierung des Pls nichts zu tun. Als Ovb in dem ihm zur Rezension vorliegenden Werk von Grau auf eine gegenteilige Behauptung stieß, schrieb er: "Der Verfasser stützt sich wiederum auf ein Wahngebilde nur des Rabbinismus unserer Tage, wenn er in der AG. das Christenthum 'als das wahre Judenthum den Schutz des römischen Staats in Anspruch nehmen' sieht, 'welcher dem Judenthum als religio licita zukomme' (S. 324). Gröber kann man die gegenseitige Stellung von Christen, Juden und Römern in ihren Anfängen nicht verkennen."[92] Auch die weit sublimere These Schneckenburgers, wonach die Judaisierung des Pls nur mittelbar auf den römischen Staat, direkt aber auf die in Rom ansässigen Judenchristen berechnet sein sollte, die aus Furcht, die jüdischen Privilegien zu verlieren, sich gegen das paulinische Heidenchristentum abschirmten[93], bezeichnet Ovb als "grundfalsch"[94]. Was ihn zu dieser Stellungnahme bewegt, ist unschwer zu erkennen. Es liegt in 18,14 f; 25,13 ff offen vor Augen, insofern dort die dogmatischen Streitfragen zwischen Juden und Christen ausdrücklich und programmatisch aus der Zuständigkeit, dem Interesse und dem Verständnis der römischen Behörden ausgeklammert werden. Was danach die Römer nichts angeht und nichts angehen soll, kann nicht zugleich die Ebene sein, auf der sich die politische Apologetik bewegt. Hinzu kommt, daß an den Stellen, die sich nach Ovb unmißverständlich an die römischen Heiden richten, soweit dort zugleich das Verhältnis Juden - Christen in den Blick kommt, nicht deren dogmatische Affinität, sondern vielmehr ihre nationale Distanzierung von Belang ist[95]. Diese Beobachtung leitet zu der positiven Feststellung über.

Im Zusammenhang seiner Kritik der von der AG behaupteten hellenistischen Herkunft des Pls schreibt Ovb: "Paulus ist in der AG. seinem Volk entfremdet und fast halber Heide"[96]. Da die Herkunft aus Tarsus für sich genommen noch nicht die politische Unschuld eines Mannes belegt, andererseits aber jene Angabe von Ovb der tendenziösen Fiktion immerhin verdächtigt wird, ist - mit aller Vorsicht zunächst - zu schließen, daß Ovb bereits die nationale Distanzierung des Pls vom Judentum als solche als ein politisch-apologetisches Argument der AG beurteilt. In die gleiche Richtung weist die

Beziehung, die Ovb dem römischen Bürgerrecht des Pls auf die Anklage
16, 20 f gibt. Er findet in dem Bürgerrecht des Apostels "eine sehr präg-
nante Zurückweisung" jener Anklage: "Der Verfasser will Heiden das Recht
bestreiten, sich als Römer dem Juden Paulus gegenüberzustellen."[97]
Die Distanzierung des Pls von der jüdischen Nation trägt nach Ovb's Auslegung auch in 18, 14-17 eine eigene Betonung: Der Verteidigung des Pls kommt
Gallio geradezu zuvor, die Züchtigung des Juden Sosthenes aber läßt er mit
feindseliger Gleichgültigkeit geschehen[98]. Zu vergleichen ist ferner Ovb's
Interpretation von 19, 33 f[99]. Diese Stellen legen zusammengenommen den
Schluß nahe, daß Ovb in der nationalen Entfremdung des Pls von seinen
jüdischen Volksgenossen nicht allein den Kontrast zu dem korrekten oder
gar freundlichen Verhalten der Römer erblickt, daß er vielmehr jene Distanzierung daneben auch als ein eigenständiges positives Argument im Rahmen der politischen Apologetik der AG wertet. Der deutlichste Beleg für
diese Auffassung findet sich in Vorl Kampf, wo Ovb nach einer Übersicht
über den Inhalt von AG 21-28 fortfährt: "Jedenfalls wird ihnen ⟨sic! lies:
Ihnen⟩ schon aus dieser Übersicht klar sein, dass ihre ⟨sc der AG⟩ Darstellung, ebenso wie die der evangelischen Literatur von der Leidensgeschichte, eine Stellung der Christengemeinde zum Heidenthum und zum heidnischen Staat voraussetzt, welche im Verhältnis zu ihrer Stellung zum Judenthum geradezu freundlich war, und eine Zeit widerspiegelt, in welcher
die junge Christengemeinde bemüht war, sich durch immer strengere nationale Loslösung vom Judenthum ... in der Gunst der Heiden, insbesondere
der römischen Staatsbehörden, zu erhalten. ... In den Juden haben Christen und Römer ihren gemeinsamen Feind."[100]

Der letzte Satz, der mit der römischen Judenfeindschaft den Faktor nennt,
der vorausgesetzt werden muß, wenn man die nationale Distanzierung der
Christen vom Judentum als eigenständiges politisch-apologetisches Argument geltend macht, wird von Ovb in dieser Ausdrücklichkeit aus der AG
selbst freilich nicht belegt. Doch zeigt er an, wodurch Ovb auf den vorliegenden Gedanken geführt wurde: Die Entsprechungen in der apologetischen
Literatur des 2. Jahrhunderts bilden hier den hermeneutischen Schlüssel
seiner Auslegung der AG[101]. -

Die Konsequenzen, die Ovb aus seinen Beobachtungen zum politischen Zweck
der AG zieht, betreffen den kirchengeschichtlichen Standort des Buchs. Die
politische Seite der AG setzt "eine gewisse Abkehr von den inneren Fragen
welche die Urgemeinde ganz erfüllten und ausschliesslich ihr Verhältniss
zum Judenthum betrafen", und damit "eine schon ziemlich weitgehende Rei
und Abgeschlossenheit der Verhältnisse der Christengemeinde"[102] voraus.
Es müssen schon einige Konflikte mit der römischen Staatsgewalt stattgefunden haben, "welche das Interesse, die rechte Stellung der Gemeinde zu
ihr festzustellen und in ihrer Eigenthümlichkeit zur Anerkennung zu bringen"[103], erwachen ließen. Dies führt nach Ovb frühestens in die Zeit Tra-
jans und läßt die AG "als einen unmittelbaren Vorläufer der im Zeitalter
der Antonine besonders blühenden sogenannten apologetischen Literatur erscheinen."[104]

5. Diskussion mit Hilgenfeld nach dem Erscheinen des AG-Komm

Es war Hilgenfeld, der in seiner Rezension des Ovb'schen Kommentars im Sinne der Tübinger Schule das Wort ergriff, um "die herrschende kritische Gesammtauffassung der Apg."[1], d.h. ihre konziliatorische Tendenz, gegen Ovb zu verteidigen. Hilgenfelds kritische Bemerkungen lassen sich in zwei Gruppen zusammenfassen. In der ersten Gruppe rechtfertigt Hilgenfeld seine schon 1860 vertretene Auslegung von AG 15 gegen die Kritik Ovb's[2]. In der zweiten Gruppe, die im vorliegenden Zusammenhang vor allem von Interesse ist, diskutiert er Ovb's Neubestimmung von Standpunkt und Zweck der AG. Wir wenden uns unter a) gleich den Argumenten dieser zweiten Gruppe zu, um sodann - unter b) - Ovb's briefliche Antwort an Hilgenfeld zu besprechen.

a) Hilgenfelds Rezension des AG-Komm

Hilgenfelds Einwände gegen Ovb's neues Gesamtverständnis der AG kreisen um das Problem, das bereits in Abschnitt 4. c) dieses Kapitels[3] aufgeworfen wurde: Wie verhält sich die theologiegeschichtliche Ansiedlung der AG innerhalb eines judaistisch beeinflußten, schlecht paulinischen Heidenchristentums zu der tendenziösen Apologetik mindestens einiger Partien des Buchs?

Hilgenfeld setzt mit einem Referat ein[4], welches die Position, die Ovb in der Einleitung zum AG-Komm nach seiner Kritik an Zeller bezieht - wenigstens in ihren eindeutig vorwärtsgewandten Elementen - im ganzen[5] zutreffend wiedergibt. Er übersieht freilich nicht, daß der Kommentar Ovb's insbesondere in seinen exegetischen Partien auch noch eine andere Gesamtanschauung verrät. Hilgenfeld ist daher in der Lage, sich für seine Kritik an Ovb's Abkehr von der konziliatorischen Interpretation wenigstens teilweise auf Ovb selbst, nämlich auf gewisse Stellen aus dem Korpus des AG-Komm, zu berufen. Dem Katalog seiner Gegenargumente stellt er den Satz voran, trotz der eben skizzierten Abweichung von der seit Baur herrschenden kritischen Gesamtauffassung der AG hebe es "der neueste Bearbeiter selbst hervor, wie absichtlich der Verf. der Apg. den Paulus und den Paulinismus gegen judenchristliche Vorurtheile und Beschuldigungen"[6] verteidige. Hilgenfeld bestätigt hiermit de facto unsere Behauptung einer Differenz zwischen dem größeren Teil des Kommentar-Korpus und der vorangestellten Einleitung. Allerdings sieht er nicht, daß es sich dabei um eine Zäsur in der Entwicklung der Einsichten Ovb's handelt (und er untersucht darum auch nicht die jüngere Position Ovb's für sich nach retardierenden Momenten). Dieser Umstand begründet jedoch gerade das Interesse an seiner Rezension. Indem sie nämlich den Unterschied der früheren zur späteren Auffassung Ovb's als Inkonsequenz der letzteren geltend macht, wirkt sie auf diese als katalysierender Faktor. Daß Ovb's neue Konzeption, wie er sie in der Einleitung zum AG-Komm dargelegt hat, eines solchen Faktors tatsächlich bedarf, wurde bereits angedeutet[7].

Als Belege für die absichtliche Verteidigung des Pls durch den Verf der AG
gegen judenchristliche Polemik nennt Hilgenfeld zunächst die Erzählungen
vom Magier Simon sowie von den Begegnungen des Pls mit Barjesus und
mit den Skeuassöhnen. Nur bei Judenchristen sei Pls als ein "arger Teu-
felskünstler" verschrien gewesen, und wenn die AG nun ihn und sein Zerrbild so absichtlich auseinanderhalte, so könne er (Hilgenfeld) nicht glauben,
"dass die Apg. gar nicht für judenchristliche Leser geschrieben sei."[8]
Nicht anders sei es zu verstehen, wenn die AG vom Streit des Pls mit den
judenchristlichen Aposteln schweige und alles übergehe, was Pls als selbständigen Heidenapostel ausweisen könnte. "Für paulinische Leser des Galaterbriefs wird wahrlich nicht Apg. 9, 20 f ... alles getilgt, was Paulus
selbst (Gal. 1, 15-24) für seine uranfängliche Selbständigkeit und Unabhängigkeit von den Uraposteln geltend macht."[9] Deutlicher noch als diese indirek-
ten Berücksichtigungen judenchristlicher Gegner des Pls seien die direkten
in 15, 1 ff und 21, 20 ff: Unverkennbar werde hier der Versuch gemacht, ge-
mäßigte Christen jüdischer Geburt zur Anerkennung der heidenchristlichen
Gesetzesfreiheit zu bewegen. Es sei nur das Korrelat zu diesem Zweck,
wenn die AG in irenischer Absicht den - den Apostel in Mißkredit bringen-
den - Widerstand des Pls gegen die Beschneidung des Titus in Jerusalem
und gegen das Verhalten des Petrus in Antiochien übergehe; nicht Paulinern,
sondern Judenchristen biete sie "als Ersatz"[10] die Beschneidung des Timotheus. Hilgenfeld faßt seine Bestimmung des Standpunkts der AG dem Versuch Ovb's gegenüber in folgendes Schlußurteil zusammen: "Die Losreis-
sung des Christenthums von dem ungläubigen Judenthum besteht in der Apg.
zusammen mit dem Bestreben, das gläubige Judenthum mit dem gesetzesfreien Heidenchristenthum auszusöhnen und in einer christlichen Gesammt-
Kirche zu vereinigen. Der Paulinismus der Apg. ist so unrein nicht, dass
er im Grunde diesen Namen nicht mehr verdiente. Er ist Unions-Paulinismus ... Die Apg. stellt uns die Richtung des Paulinismus auf die katholische Einigung in ihrem Beginne dar."[11]

b) Overbecks Antwort

Das Votum Hilgenfelds hat Ovb von dem neuen Weg, den er in der Einleitung des AG-Komm zur Erklärung der AG beschritten hatte, nicht abge-
bracht. Wohl aber stellte es eine Nötigung dar, der Struktur und den Grup-
pierungen des nachpaulinischen Heidenchristentums genauer nachzugehen
und damit den Standort der AG im Sinne seiner neugewonnenen Einsichten
zu verdeutlichen.

Ein erster Ansatz hierzu liegt in dem Brief Ovb's vom 17. 11. 1870 vor, in
dem er Hilgenfeld auf dessen Rezension antwortete[12]. Als den Kern seiner
Differenz zu Hilgenfeld bezeichnet Ovb hier "den Begriff Pauliner"[13], d. h.
die Vorstellung von der Eigenart des nachpaulinischen Heidenchristentums.
"Pauliner im strengen Sinn des Worts sind für mich etwas in der ganzen
alten Kirche durchaus Unfindbares."[14] Paulinische Leser des Galaterbriefs
die für dessen Schroffheiten noch ein Auge gehabt und seinen Gedankengang

noch in genuinem Sinne verstanden hätten, habe es "sehr bald gar nicht mehr gegeben."[15] Die Heidenchristen hätten sich zwar des von Pls ihnen gebrachten Evangeliums als glückliche Besitzer gefreut. An einem "vollkommenen correcten Bewußtsein über die Provenienz dieses Besitzes"[16] habe ihnen jedoch so wenig gelegen, daß sie durchaus in der Lage gewesen seien, der von judenchristlicher Seite betriebenen Disqualifikation des Pls zugunsten der Urapostel Gehör zu schenken. Es sei daher keineswegs widersinnig oder auch nur unwahrscheinlich, den in AG 9 oder selbst in AG 16,1-3 dem Galaterbrief entgegengestellten Widerspruch an Heidenchristen gerichtet zu denken - an solche nämlich, die an Pls als einem Apostaten der väterlichen Religion irre gemacht worden seien. Ebenso sei es gut zu erklären, wieso der heidenchristliche Verf der AG den Pls noch unter das Maß an evangelischer Freiheit habe herabdrücken können, das er für sich und seine Zeit in Anspruch genommen habe: "Gewisse Hauptresultate des Paulinismus liessen sich festhalten, den Bedenken aber, welche gegen die Person des Paulus das Judenchristenthum rege gemacht hatte, konnte man geneigt sein, manches nachzugeben, um so mehr als der Verfasser Vorboten des marcionitischen Ultrapaulinismus vielleicht schon vor Augen hatte, und sie möglicher Weise 20,29 berücksichtigt"[17].

Zwei Momente in dem Antwortschreiben Ovb's an Hilgenfeld sind besonders bemerkenswert:

(1) Die vorliegende Briefstelle ist der einzige Ort, an dem Ovb einer Frontstellung gegen die 'Gnosis' (im weiteren Sinne, d.h. unter Einschluß Marcions) eine gewisse Relevanz für die Gestaltung des Paulusbildes der AG zumißt[18]. Zwar hat Ovb, wenngleich mit unterschiedlicher Entschlossenheit, AG 20,29 f stets als Bezugnahme auf gnostische Häretiker des beginnenden zweiten Jahrhunderts gedeutet[19]. Er hat dieser Einsicht jedoch, außer bei der Erörterung der Datierungsfrage[20], eine weitergehende Bedeutung für das Verständnis der AG, ihrer Tendenz und ihrer Entstehungssituation, sonst niemals eingeräumt.

Man wird dies bis zu einem gewissen Grad erstaunlich finden müssen[21]. Denn der Versuch, die AG wenigstens partiell aus einer antignostischen Blickrichtung ihres Verf's zu erklären, wäre nicht ohne Anknüpfungspunkte in der Forschungsgeschichte gewesen[22]. Ein solcher Versuch hätte zudem dem Duktus der Abkehr Ovb's von Zeller durchaus entsprochen. Sollte das Heidenchristentum der AG, wenn es den Kämpfen des historischen Pls schon so fern gerückt und so fremd geworden war, wie Ovb annimmt, wirklich nur mit dem späten Reflex dieser Kämpfe zu tun gehabt haben? Ovb schreibt selbst zu AG 20,29 f, es "möchte die Schärfe der Polemik dieser Stelle allerdings schon eine gewisse Bedeutung der bekämpften Erscheinung voraussetzen"[23], und anderwärts heißt es unter Anspielung auf Ausführungen Ritschls: "Das zweite Jahrhundert beherrschte der Gegensatz nicht mehr gegen das Judenchristenthum, sondern gegen den Gnosticismus, und dieser letztere Gegensatz leitete die Erinnerung an Paulus."[24] Ovb's Verwurzelung in den Fragestellungen der Tübinger Schule war jedoch offensichtlich

so stark, daß er trotz dieser Einsicht nicht wirklich versucht hat, die AG
unter Voraussetzung des antignostischen Kampfes auszulegen. Auch in dem
vorliegenden Brief an Hilgenfeld räumt er ja dem Blick des Verf's der AG
auf die "Vorboten des marcionitischen Ultrapaulinismus"[25] nur den Rang
eines subsidiären Motivs für dessen Entwurf ein. Was grundlegend und be-
herrschend für Ovb's Ansicht ist (und bleibt), erhellt gleich aus dem ersten Satz, den er Hilgenfeld entgegenstellt: "Auch Ihre Anzeige beweist mir
nicht, warum die gegen Judenchristliches gerichteten Spitzen der AG, die
freilich auch ich anerkenne, gegen Judenchristen direct und nicht gegen
judenchristlich beeinflußte Heidenchristen gekehrt sein sollen."[26]

(2) Die judenchristliche Beeinflussung des Heidenchristentums scheint nach
Ovb's Aussagen in der Hauptsache die Schätzung der Person des Pls zu betreffen. Dabei fällt weiter auf, daß Ovb das Verhalten der AG und ihrer Adressaten zu Pls ganz parallel beschreibt. Beide freuen sich des von Pls ihnen
gebrachten Evangeliums als glückliche Besitzer, genauer: sie halten gewisse "Hauptresultate des Paulinismus"[27] fest; beide aber stehen nicht an, sei
es der Kritik des feindseligen Judenchristentums an der Person des Heidenapostels Gehör zu schenken (so die Adressaten der AG[28]), sei es den so unter Heidenchristen erweckten Bedenken gegen Pls manche Konzessionen zu
machen (so die AG selbst[29]). Das bedeutet: Die Differenz zwischen der AG
und den judenchristlich beeinflußten Heidenchristen, an die sie sich wendet,
ist nur ein gradueller; der Maßstab, an dem sie zu erkennen ist, liegt in
dem beiderseitigen Umgang mit der Person des Pls.

6. Präzisere Bestimmung von Standpunkt und Zweck der AG aufgrund des Vergleichs mit Justin

Die in dem Brief an Hilgenfeld angeschnittenen Fragen nach der theologischen Gedankenwelt, nach Differenzen und Gemeinsamkeiten innerhalb des
nachpaulinischen Heidenchristentums waren für Ovb's Neuverständnis der
AG zu fundamental, als daß er es bei den vorgeführten Andeutungen hätte
bewenden lassen können. Schon wenige Monate nach Vollendung seines Kommentars, noch vor Empfang der Rezension Hilgenfelds, hatte Ovb sich diesem Problemkomplex zugewandt und den Plan gefaßt, ihn in Gestalt eines
systematischen Vergleichs zwischen Justin und der AG zu erörtern[1]. Das
Gespräch mit Hilgenfeld bestätigte ihm die Dringlichkeit eines solchen Unternehmens[2]. Das Resultat seiner Bemühungen veröffentlichte Ovb in ZwTh
1872 unter dem Titel: Über das Verhältniss Justins des Märtyrers zur Apostelgeschichte.

In dieser Abhandlung hat Ovb die AG und Justin in erster Linie unter dem
Gesichtspunkt des beiderseitigen Verhältnisses zu Pls - seiner Person und
seinen theologischen Grundanschauungen - miteinander verglichen. Wir beschränken uns darauf, darzustellen, inwieweit es Ovb aufgrund dieses Vergleichs gelungen ist, Standpunkt und Zweck der AG präziser zu bestimmen.

a) Degeneration des Paulinismus

Die Frage, ob Justin den Judaisten oder den Paulinern zugehört[3], hält Ovb im Ansatz für ebenso verfehlt wie den Versuch, die AG aus einer direkten Beziehung auf den ursprünglichen Parteienstreit der christlichen Gemeinde zu erklären: Beides ist ein Anachronismus und führt sachlich in die Irre.

Der Streit, den der historische Pls gegen die Judenchristen focht, spielte sich noch ganz innerhalb des Koordinatensystems der jüdischen Religion ab[4]. Dieses Koordinatensystem fiel durch die "gewaltige Verschiebung" dahin, die sich in der christlichen Gemeinde dadurch vollzog, daß sie "schon im Laufe des apostolischen Zeitalters von ihrem nationalen Boden, dem des Judenthums, losgerissen zu werden und bald fast ganz auf den Boden der heidnischen Völker überzutreten begann."[5] Als nach dem Tode des Pls die Heidenchristen das numerische Übergewicht in der Gemeinde gewannen und die Vertretung des 'Paulinismus' den heidenchristlichen Epigonen des Apostels zufiel, nahm der ursprüngliche Parteiengegensatz eine völlig andere Gestalt an: "Er wurde aus einem jüdischreligiösen ein überwiegend nationaler."[6] Die Fragen, um die Pls gekämpft hatte, verloren ihre Einsichtigkeit und Aktualität. Das Problem des Universalismus war mit der Existenz des Heidenchristentums, d.h. durch die Gewalt des Faktischen, sowieso entschieden. Um die Relevanz der Abrogation des Gesetzes durch das Evangelium und der daran geknüpften Rechtfertigungslehre des Pls zu verstehen, "fehlte dem Heidenchristenthum von Anfang an die natürliche Voraussetzung des Gebundenseins an das Gesetz"[7]. Gerade aufgrund solcher Distanz oder Gleichgültigkeit gegenüber dem Kern der paulinischen Lehre wurde es aber möglich, daß umgekehrt der Judaismus, so "machtlos" er seinerseits im ganzen blieb, "doch im Einzelnen Erfolge unter den Heidenchristen"[8] erzielte. Den Unterschied zwischen dem Denken des nachpaulinischen Heidenchristentums und dem originalen Paulinismus führt Ovb demnach auf zwei Faktoren zurück: 1. auf den Fortfall bzw. das Fehlen der jüdischen Grundanschauungen des Pls unter den Heiden und die dadurch bedingte Unverständlichkeit der paulinischen Anliegen; 2. auf judaistische Untergrabung[9]. Innerhalb des durch diese zwei Faktoren unrein gewordenen Paulinismus lokalisiert Ovb Justin und die AG. Beide sind - mit diesem Resultat schließt Ovb seine Abhandlung - "zwei besonders ähnliche Belege ... für das, was man im nachapostolischen Heidenchristenthum, soweit man an dieses den Maassstab des Paulus anlegen will, die Degeneration des Paulinismus nennen kann."[10] Beide kommen, mit der Formel Ovb's gesprochen, darin überein, daß sie die Resultate der paulinischen Wirksamkeit voraussetzen und festhalten, doch ohne deren ursprüngliche Begründung[11]. Die Unterschiede aber, die zwischen der AG und Justin bestehen, hält Ovb nicht für so groß, daß sie nicht durch den zeitlichen Abstand, d.h. durch die zwischen beiden verlaufene Entwicklung des _einen_ "getrübten Paulinismus"[12] hinreichend erklärt werden könnten[13]. Allerdings, dies gilt mit _einer_ Ausnahme.

b) Strittigkeit der Person des Paulus

Unter der Voraussetzung einer lediglich immanenten oder internen Weiterentwicklung ist es nach Ovb nicht erklärbar, "wie sich die auch in der AG. vorliegende Herabdrückung des Paulus zu vollständiger und jedenfalls feindseliger Ignorirung bei Justin steigern konnte."[14] An diesem Punkt erweist es sich für Ovb vielmehr als notwendig, auf Einwirkungen ab extra, d.h. von außerhalb des der AG und Justin gemeinsamen 'getrübten Paulinismus', zu rekurrieren. Er nennt deren zwei: Einmal Einflüsse von seiten judaistischer Gegner des Pls, sodann den Streit Justins mit Marcion[15]. Was das zweite Moment angeht, fällt auf, daß Ovb dies nur noch zum Verständnis Justins, nicht mehr, wie in dem oben erwähnten Brief an Hilgenfeld[16], zur Erklärung der AG heranzieht. Im übrigen hat die Auseinandersetzung mit Marcion hier wie dort nur unterstützende Bedeutung[17]. Als primäres und entscheidendes Motiv für das von der AG unterschiedene Verhalten Justins zu Pls kommen die judaistischen Einflüsse in Betracht.

Bei diesen Einflüssen denkt Ovb nicht daran, daß Justin aus Rücksicht auf Juden bzw. jüdische Christen, also im Sinne einer Konzession an einen ihm fremden Standpunkt, von Pls schweigt[18]. Vielmehr ist Ovb der Ansicht, daß Justin selbst aufgrund judaistischer Agitation feindselig gegen Pls gestimmt ist und ihn deshalb als Apostel nicht mehr anerkennt und überhaupt mit Stillschweigen übergeht. Die Frage, inwiefern Justin solcher Agitation besonders ausgesetzt war, läßt Ovb - unter Hinweis auf Justins samaritanische Herkunft - auf sich beruhen[19]. Den möglichen Einwand, ob denn ein Einfluß von judaistischer Seite sich auf das Verhalten Justins zur Person des Pls beschränkt haben könne, hält Ovb für unberechtigt: "Denn haben wir als den gemeinschaftlichen Standpunct Justins und der AG. bezeichnet, dass sie die Resultate der paulinischen Wirksamkeit anerkennen, aber nicht ihre ursprüngliche Begründung, so ist es diesem allgemeinen Standpunct nur entsprechend, wenn die Bestrebungen der Judaisten unter Heidenchristen vor der AG. auf Justin zwar in Bezug auf die Person des Paulus Fortschritte gemacht, gegen die Emancipation der Heidenchristen aber gar nichts auszurichten vermocht haben."[20]

Mit dieser Unterscheidung hinsichtlich des Erfolgs der judaistischen Agitation im Heidenchristentum hat Ovb die Voraussetzung geschaffen, um präzise angeben zu können, inwiefern es möglich ist, die Erzählung der AG einerseits "innerlicher im Standpunkt" ihres Verf's zu begründen und "weniger ausschliesslich aus seinen praktischen Zwecken abzuleiten als diess bei Zeller der Fall ist", ohne ihr andererseits "alles tendenziöse Verhalten den historischen Thatsachen gegenüber" absprechen zu müssen[21]. Eben so wie in dem Brief vom 17.11.1870 gesteht Ovb auch in der vorliegenden Abhandlung Hilgenfeld zu, daß die AG als Tendenzschrift "jüdische Gegner des Paulus" voraussetzt[22]. Seine Differenz zu Hilgenfeld fixiert er auf die Alternative, "ob der Judaismus, den die AG. bekämpft, ausserhalb" - so Hilgenfeld - "oder in erster Linie schon innerhalb des Heidenchristenthums zu suchen ist" - so Ovb -, ob die AG also direkt auf judenchristliche Gegner des Pls "oder auf Heidenchristen, welche Judaisten an Paulus irre gemacht haben", wirken soll[23]. Indem Ovb an der zweiten Möglichkeit festhält, nimmt er an, daß der degenerierte Paulinismus die der AG und ihren Adressaten gemeinsame und von beiden in gleicher Weise unreflektiert schon vorausgesetzte theologische Basis ist. Der degenerierte Paulinismus ist also nicht erst das Produkt tendenziöser Entstellung, zu welcher eine Nötigung auch gar nicht mehr existiert hätte. Wenn die AG nun auf diesem gemeinsamen Fundament gleichwohl mit Gegnern zu tun hat, so ist dies nach Ovb eine Folge jener nur in einem ganz bestimmten Punkt erfolgreichen judaistischen Agitation. Ovb betrachtet den Standpunkt Justins, insofern er sich nicht durch bloße Fortentwicklung, sondern durch judaistische Beeinflussung von der AG unterscheidet, als exemplarisch für die von der AG bekämpfte Opposition: "Gerade Justin ist mit seinem Verhalten gegen Paulus ein sehr treffender Beleg für das Bestehen des Bedürfnisses nach einem Buche von der Tendenz der AG. in der ersten Hälfte des zweiten Jahrhunderts."[24] Die Differenz zwischen der AG und ihren Gegnern ist also auf eine unterschiedliche Schätzung der Person des Pls reduziert. Allein aus dieser Differenz erklärt Ovb das tendenziöse Verhalten der AG, das damit zugleich auf den Umkreis dieser Differenz limitiert ist. Daraus folgt: Die AG qua Tendenzschrift ist eine Apologie der Person des Pls.

7. Overbecks Festhalten an den erreichten Einsichten in der Zeit nach 1872; Überprüfung der Schlüssigkeit seiner Konzeption

Die Resultate, die sein Aufsatz: Über das Verhältniss Justins des Märtyrers zur Apostelgeschichte zur Frage nach Standpunkt und Zweck der AG enthält, hat Ovb während seiner weiteren Arbeit an diesem Gegenstand nicht mehr geändert. Bedenkt man, daß jener Aufsatz mit seinem Erscheinungsjahr 1872 noch der Frühzeit Ovb's angehört, versteht sich diese Feststellung keineswegs von selbst. Sie soll deshalb durch eine Skizze der Aussagen belegt werden, die in den einschlägigen nach 1872 verfaßten Texten Ovb's a) über die Genesis der altkatholischen Kirche, b) über Standpunkt und Zweck der AG vorliegen. Dabei wird sich zugleich Gelegenheit ergeben, Ovb's endgültiges Gesamtverständnis der AG auf seine immanente Schlüssigkeit hin zu überprüfen.

a) Genesis der altkatholischen Kirche

Als das die Geschichte des apostolischen Zeitalters beherrschende Problem betrachtet Ovb nach wie vor den Gegensatz zwischen Pls und den urapostolischen Judenchristen[1]. Die Judenchristen, die sich von ihren ungläubigen Volksgenossen nur durch die Anerkennung der Messianität Jesu unterschieden, verharrten im Verband des Judentums, trugen das Evangelium nur zu ihren Volksgenossen oder vertraten mindestens den Satz, daß nur Christ werden könne, wer zuvor Jude geworden sei. Anders Pls: Durch seine Kritik des Gesetzes als Heilsweg destruierte er die Juden und Heiden trennen-

de religiöse Schranke; seine auf das Kreuz Jesu begründete Verkündigung
der Glaubensgerechtigkeit erhob universellen Anspruch und richtete sich
an die unbeschnittenen Heiden nicht anders als an die frommen Juden. Pls
wurde dadurch zum Begründer des Heidenchristentums, kam aber zugleich
in einen schroffen Gegensatz zu seinen jüdischen Glaubensbrüdern[2]. Auf
dem Apostelkonzil kam es zwischen den beiden Parteien lediglich zu der
praktischen Übereinkunft, sich gegenseitig gewähren zu lassen, nicht aber
zu einer prinzipiellen Einigung. So hatte Pls bis an das Ende seiner Wirksamkeit mit judenchristlicher Gegenmission innerhalb seiner Gemeinden
zu kämpfen und stand in diesem Kampf "stets allein", d.h. "nie war er in
der Lage, etwa die ersten Jünger Christi für sich anrufen zu können."[3]
Der Gegensatz zwischen Pls und den Judenchristen blieb im apostolischen
Zeitalter unüberbrückt.

Mit dieser These steht Ovb noch durchaus auf dem Boden der Tübinger Schule. Seine Kritik an deren Auffassung der ältesten christlichen Geschichte
richtet sich nicht auf die Behauptung des paulinisch-judenchristlichen Gegensatzes für das apostolische Zeitalter, sondern nur auf die Überschätzung
seiner Tragweite. "Die Gegensätze, welche Baur im apostolischen Zeitalter
aufgedeckt hat, haben gewiss darin bestanden, aber sie haben nicht die Bedeutung für die älteste Geschichte der Kirche, die er ihnen beilegt."[4] Es
ist nach Ovb eine Konsequenz dieser Überschätzung, wenn Baur aus den
Gegensätzen des Urchristentums zwei Parteien ableitet, deren Streit bis in
die späte nachapostolische Zeit akut blieb und aus deren sukzessiver Versöhnung die altkatholische Kirche hervorging. Ovb nennt diese Konstruktion
Baurs "historisch eine blosse Erfindung"[5]. Die altkatholische Kirche sieht
er nicht als Ergebnis der Versöhnung von Paulinern und Judenchristen an,
sondern als Produkt der Degeneration des von Pls begründeten Heidenchristentums. Darum geht dem gegen Baur gerichteten Vorwurf, er habe den
Streit des Urchristentums in seiner Tragweite erheblich überschätzt, der
andere zur Seite, Baur habe "das sehr bald eingetretene starke Übergewicht
des Heidenchristenthums in der Gemeinde" entschieden vernachlässigt[6].
Das für die Entstehung der altkatholischen Kirche zunächst grundlegende
Geschehen sieht Ovb in dem Übertritt des Christentums auf heidnischen Boden und in dem Heranwachsen der Heidenchristen zur mehr und mehr unan-
gefochtenen Majorität in der Gemeinde[7].

Infolge dieses Geschehens sank auf der einen Seite das ursprüngliche Judenchristentum "sehr bald zu verhältnissmässig geringer Bedeutung" ab: "In
der That ist sein Ende, soweit es nicht einfach in die grosse wesentlich heidenchristliche Kirche aufging und sich in seiner Isolirtheit behauptete, seine förmliche Ausscheidung aus der altkatholischen Kirche seit dem Ausgang
des zweiten Jahrhunderts gewesen."[8] Auf der anderen Seite aber war das
verbleibende und die altkatholische Großkirche beherrschende Heidenchristentum keineswegs rein paulinisch. Ovb wird nicht müde zu betonen, daß
die Gedanken des Pls mit ihrem Urheber dahingefallen sind und weder sein
Evangelium noch seine Person das Heidenchristentum je beherrscht haben[9].

Die Ursachen dieses Faktums sind: Einmal das gleichsam naturgegebene Desinteresse und Unverständnis geborener Heiden für die im Judentum wurzelnden Grundlagen des paulinischen Evangeliums[10]; sodann - dies richtet sich gegen von Engelhardt und damit gegen Ritschl - die von Anfang an wirksamen Einflüsse judenchristlicher Gegenmission[11].

Das bedeutendste Erbe, das die altkatholische Kirche aus der Hand judenchristlicher Missionare empfing, war nach Ovb die in den Evangelien niedergelegte Tradition der irdischen Geschichte Jesu[12]. Gering dagegen blieb der Einfluß der Judenchristen auf die Lehre der altkatholischen Kirche in den Punkten, die einst zwischen ihnen und Pls strittig waren. Denn zu den besonderen Anliegen der judenchristlichen Verkündigung verhielten sich die Heidenchristen nicht weniger spröde als zu den Spezifika des paulinischen Evangeliums. Als antipaulinische Agitation war das Wirken der Judenchristen allein insofern von Erfolg, als es ihm gelang, das Ansehen der Person des Pls unter den Heidenchristen in den Hintergrund zu drängen und mindestens zeitweise sogar ernsthaft zu erschüttern[13].

Diese Sicht des nachapostolischen (altkatholischen) Heidenchristentums hat ihr exaktes Spiegelbild in Ovb's Grundauffassung der AG. In diesem Spiegelbild wird freilich auch erkennbar, was an jener Sicht problematisch ist: ob und wie nämlich durch judaistische Einflüsse Feindschaft gegen die Person des Pls erweckt werden konnte in Kreisen, die für die Spitzen des paulinischen Evangeliums und damit für die ursprüngliche Motivation der judenchristlichen Paulusfeindschaft ohne Verständnis und Interesse waren[14].

b) Standpunkt und Zweck der AG

Zellers konziliatorische Interpretation der AG lehnt Ovb weiterhin entschieden ab[15]. Er beurteilt die AG als ein Glied in dem Prozeß der Umwandlung des Christentums, die sich beim Übertritt vom jüdischen auf den griechisch-römischen Kulturboden mit geschichtlicher Notwendigkeit vollzog, nicht aber durch Parteienkampf und -versöhnung absichtsvoll herbeigeführt wurde. Die AG gehört also in den Werdeprozeß der altkatholischen Kirche "nicht als das Programm eines dieser Umwandlung vorausgehenden und an ihrer Herbeiführung beteiligten, absichtlichen Standpunkts, sondern als ein Product des Heidenchristenthums, das selbst schon behaftet ist mit allen ... charakteristischen Merkmalen jener Umwandlung."[16] Von diesem Standpunkt aus, der also die entscheidende Metamorphose schon hinter sich hat, entwirft die AG eine Darstellung der apostolischen Wirksamkeit des Pls, "wie eben dieses spätere Heidenchristenthum seinen Stifter allein noch sich zu erklären und zu verstehen wusste."[17] Die theologischen Grundelemente dieses Entwurfs beschreibt Ovb in der seit der Einleitung zum AG-Komm geläufigen Weise[18]. Wenn er seine Charakteristik dahin zusammenfaßt, die in der AG vorliegende Auffassung der ältesten Ausbreitung des Evangeliums im römischen Reich entspreche "im Grunde schon vollkommen der, welche wir in der alten Kirche etwa seit 150 überhaupt herrschen sehen"[19], ist

freilich ein Charakterzug noch unberücksichtigt geblieben: der Umstand,
daß die AG Pls "noch" zu verteidigen hat[20].

Der Apostel Pls war zur Zeit der AG noch eine umstrittene Gestalt. Ovb
entnimmt das der AG selbst. In Vorl Einl II heißt es, die AG lasse das an-
tinomistische Evangelium nicht einfach aus Unverständnis oder Desinteresse verschwinden, sondern sei "<u>geflissentlich</u> darauf aus, geradezu die
<u>entgegengesetzte Vorstellung</u> von Paulus zu begründen, nämlich als einem
tadellos strengen Beobachter des mosaischen Gesetzes."[21] Sechs Jahre
später, in der Vorl AG, wirft Ovb die Frage auf, aus welchem Grunde die
Erzählung über Pls "mit so <u>unzweifelhaft apologetischer Tendenz</u> das eigenthümliche paulinische Evangelium so vollständig zurücktreten und statt
dessen sogar den Paulus wiederholt eine diesem Evangelium widersprechende Stellung einnehmen"[22] lasse. Beides erklärt Ovb durch die Annahme, die Erzählung der AG sei auf Gegner des Pls[23] - Heidenchristen, die
durch judaistische Einflüsse an Pls irre geworden sind[24] - berechnet. Bei
diesen Gegnern, so muß der Leser Ovb's nun aber sogleich schließen,
kann Pls nur aufgrund derjenigen Momente in Mißkredit geraten sein, welche die AG zu seiner Verteidigung übergeht oder in ihr Gegenteil verkehrt:
d.h. aufgrund der gegen die jüdische Religion gerichteten Intentionen seines Evangeliums.

Hieraus folgt zweierlei. Einmal kann der Streit um Pls nicht - wie es in
Ovb's Aufsatz ZwTh 1872 geschieht - in der Weise personalisiert werden,
daß zwar die Schätzung der Person des Pls und seiner Rolle bei der Heidenmission strittig ist, die gegenerischen Gruppen sich aber zum Sachgehalt
seines Evangeliums in gleicher Weise indifferent verhalten. Dagegen sprich
die Art der Paulus-Verteidigung, wie die AG sie Ovb zufolge vornimmt.
Zum anderen: Der oben mitgeteilte Satz, die AG schildere den Pls so, wie
das von ihr vertretene Heidenchristentum "seinen Stifter allein noch sich
zu erklären und zu verstehen wusste"[25], kann mindestens nicht als eine zu-
reichende und umfassende Beschreibung des Verhaltens der AG gegenüber
Pls gelten. Denn mit der Konzeption der Gegner, ihren Vorwürfen gegen Pl
lag eine Alternative wenigstens im Horizont der AG.

Die Frage ist, ob diese beiden Folgerungen Ovb's Grundansicht vom altkatholischen Standpunkt der AG nur einschränken und sich, als bloßer Anlaß
zur Modifikation, grundsätzlich mit ihm vertragen, oder ob sie ihm, ernst
genommen, widersprechen[26].

c) Immanente Kritik der Konzeption Overbecks

Ovb selbst hat geglaubt, diese Frage im ersten Sinne entscheiden zu können
Die Notwendigkeit, Pls noch zu verteidigen, zeigt danach an, daß die AG einen noch <u>älteren</u> Standpunkt vertritt als den der <u>fertigen</u> altkatholischen Kir
che. Die AG befindet sich jedoch "schon ganz auf der Bahn der späteren,
in der Kirche allgemein gewordenen Anschauungen", oder anders: sie ist
"mitten aus den allerdings noch in der Bildung begriffenen" Vorstellungen

der altkatholischen Kirche heraus geschrieben[27]. Diese Lokalisierung bedeutet für das Problem der bona fides des Autors: "Was die AG. unrichtig darstellt, stammt mindestens zu einem sehr starken Theile aus einer Anschauung, welche die Dinge eben nicht mehr anders versteht und deren historische Erinnerungen schon durch verschiedene nicht in der Willkür des Einzelnen liegende Motive stark getrübt sind."[28]

Diese Sätze bilden für sich genommen eine schlüssige Präzision der Ansicht Ovb's vom schroff heidenchristlichen Charakter der AG. Dennoch ist die skeptische Frage keineswegs von der Hand zu weisen, ob nicht vieles von dem, was Ovb's eigenen Aussagen zufolge die AG zur Apologie des Pls einsetzt, hier mehr vergessen als tatsächlich aufgehoben und vermittelt ist. Um solche Skepsis zu begründen, würde bereits eine Übersicht über alle diejenigen Stellen insbesondere der Vorl AG vollkommen ausreichen, an denen Ovb tendenziöses Verschweigen, tendenziöse Entstellung und tendenziöse Fiktion im Text der AG nachweist[29]. Wir verzichten darauf, diese Belege im einzelnen vorzuführen, und geben stattdessen abschliessend zwei andere Hinweise: aa) auf den thematischen Rang, den der Verf der AG Ovb zufolge der Verteidigung des Pls einräumt; bb) auf eine kritische Notiz Ovb's zu Wernles Lukasinterpretation.

aa) Thematischer Rang der Apologie des Paulus in der AG

Die besondere Beziehung der AG auf die Person des Pls hatte Ovb schon in der Einleitung zum AG-Komm als ein wesentliches Moment für die Zweckbestimmung des Buchs geltend gemacht[30]. In ZwTh 1872 nannte er die Verbreitung des Evangeliums durch Pls unter den Heiden, d.h. den "Lebenszweck" des Apostels, "gewissermaassen das Thema der ganzen AG."[31]

Noch zugespitzt begegnen ähnliche Aussagen auch in späteren Texten. In der Vorl AK vom WS 1872/73 heißt es, im Mittelpunkt des Interesses der AG stehe der Apostel Pls. Seine Wirksamkeit bilde das ausschließliche Thema von c 13-28, auf ihn sei aber "auch schon der ganze erste Theil des Buchs als Vorbereitung bezogen"[32]. In dem über das Lukevgl handelnden Paragraphen der Vorl Einl II sieht Ovb die unmittelbarste Veranlassung, nach dem Paulinismus des dritten Evangeliums zu fragen, in dessen Zusammengehörigkeit mit der AG[33]. Denn die AG stelle sich selbst in ein besonders enges Verhältnis zu Pls; nicht nur in den Wirstücken, in denen der Verf durch die Beibehaltung der 1. Person Plural der Quelle den Anspruch erhebe, ein Reisegenosse des Pls zu sein[34], sondern auch und vor allem durch ihr ganzes Thema: "... dieses Thema sind ... mit nichten die Apostel selbst, sondern vielmehr recht eigentlich Paulus. Ihn kann man als den Gegenstand der AG. bezeichnen."[35]

Der Begründung und Ausführung dieser These widmet Ovb in Vorl Einl II und in Vorl AG jeweils einen eigenen Abschnitt[36]. Beidemal räumt er dabei der Erzählung vom Prozeß des Pls eine hermeneutische Schlüsselfunktion ein. Dieser Schlußteil der AG (21,17-28,31), der alle übrigen Partien an

Ausführlichkeit übertrifft und sich zugleich durch "unmittelbare Klarheit des Zusammenhangs"[37] auszeichnet, hat es eindeutig auf eine Apologie der Person des Pls abgesehen. Pls wird einerseits als unter dem Schutz der Rechtsformen des römischen Staates und unter dem Wohlwollen seiner Beamten stehend dargestellt und von jedem Vergehen gegen die römischen Gesetze freigesprochen. Andererseits ist der Sinn der Erzählung "so unzweideutig wie möglich"[38], ihn gegen die jüdischen Anschuldigungen des Abfalls von der alttestamentlichen Religion zu verteidigen. Als Schlußabschnitt der AG entfaltet der Prozeßbericht aber zugleich das Ziel, auf welches die AG insgesamt hinaus will: "Die Apologie der apostolischen Wirksamkeit des Paulus, welche hier ⟨sc in AG 21,17-28,31⟩ den unmittelbaren Gegenstand der Erzählung bildet, ist in der That das Grundthema der ganzen AG."[39]

In dem Bericht von den Missionsreisen des Pls 13,1-21,16 wird der geographische Grundriß der Erzählung, abgesehen von den beiden Zwischenstücken 15,1-33 und 18,24-19,40 und den paulinischen Reden, durch vier Arten von Bemerkungen unterbrochen. Ovb stellt zusammen die Notizen 1. über apostolische Wunder des Pls[40]; 2. über die Treue des Pls gegen die jüdische Religion[41]; 3. über seinen Missionsgrundsatz, mit der Predigt stets bei den Juden zu beginnen und sich erst nach deren bewiesenem Unglauben den Heiden zuzuwenden[42]; 4. über den Glauben der Heiden und den von den römischen Behörden dem Pls gewährten Schutz[43]. Die erste Gruppe dient dem Nachweis, daß Pls als Apostel gleichberechtigt neben Petrus steht Die vierte Gruppe wirbt um die Gunst Roms. Die übrigen Notizen zeigen Pls als gesetzestreuen, der väterlichen Religion verpflichteten Juden. Bedenkt man weiter, daß die AG alles fortgelassen hat, was angesichts der während des Prozesses verhandelten Anklagen anstößig sein mußte (des Pls Wirken a Lehrer und Hüter seiner Gemeinden, seine Kämpfe mit den Judaisten, seine Briefe, sein Evangelium), dann - so Ovb - zeigt sich, daß schon die Erzählung der Reisen nur angelegt ist auf die Verteidigung des Pls im Prozeß. Der Prozeßbericht spricht lediglich mit besonderem Nachdruck aus, was sich als Resultat bereits aus c 13 ff ergibt[44].

Auf die Verteidigung des Pls sind auch die ersten zwölf Kapitel der AG bezogen. Sie bilden den Hintergrund[45], die "Voraussetzungen"[46] oder die Vorbereitung[47] der selbständigen Wirksamkeit des Pls. Denn sie zeigen, daß die Heidenmission nicht die revolutionäre Tat des Pls ist, und arbeiten zugleich die Grundlagen aus, auf denen sie ruht[48]. Eine Notiz aus der Vorl AG, niedergeschrieben im Blick auf die stillschweigende Einführung damaszenischer Christen 9,2, kann Ovb's Auffassung zusammenfassend charakterisieren: Wir lernen, schreibt er, aus AG 9,2, wie wenig es der AG um die Ausbreitung des Evangeliums "an und für sich zu thun ist, wie ganz vielmehr nur um die Modalität dieser Ausbreitung, soweit sie gewissen religiösen Annahmen zur Grundlage dient. Nicht in objectiver historischer Weise will die AG von der Ausbreitung des Evangeliums erzählen, sondern vom Hergang bei dieser Ausbreitung, soweit dieser der Entwicklung des paulinischen Heidenapostolats ... zur apologetischen Erklärung dient. Was sonst und über diesen Zweck hinaus in Hinsicht auf die Ausbreitung des Evangeliums ... abfällt, ist zufällig und bleibt ... vom Verfasser selbst unbeachtet."[49]

Der thematische Rang, den der Autor der AG nach Ovb der Verteidigung des Heidenapostels einräumt, läßt einen Rückschluß zu auf die Aktualität und Relevanz des Streits um die Person des Pls. Wenn die Apologie des Pls nicht ein Zweck der AG neben anderen ist, sondern Thema und Absicht dieser Schrift insgesamt beherrscht und insbesondere auch jenen Partien zugrunde liegt, die direkt gar nicht von Pls handeln, dann muß der Streit um Pls von kaum zu unterschätzender Bedeutung gewesen sein. Dies wäre der Zuordnung der AG zur werdenden altkatholischen Kirche, die für die Gegensätze und Streitfragen des apostolischen Zeitalters kein Verständnis mehr aufbringt, nur dann nicht zuwider, wenn jener Streit nicht von judaistischen Einflüssen ausgelöst wäre. Denn soll die von der AG vorausgesetzte Paulus-Gegnerschaft nicht auf nur mehr unreflektiertem und um seine Gründe unbekümmertem Ressentiment beruhen, was wieder die gezielte Apologie der AG nicht erklären würde[50], dann impliziert die These der judaistischen Provenienz, daß auch der zu Lebzeiten des Pls anstößige Sachgehalt seines Evangeliums noch in einem Ausmaß umstritten gewesen sein muß, wie es in der Sphäre von Unverständnis und Desinteresse nicht gut denkbar ist.

bb) Verknüpfung der Person des Paulus mit dem Gesetzesproblem

In seinem in ZNW 1900 veröffentlichten Aufsatz: Altchristliche Apologetik im Neuen Testament weist Wernle sämtliche kanonischen Evangelien dem "werdenden Katholizismus"[51] zu. Sie seien keine Parteischriften im Sinne der Tübinger Schule und stünden schon jenseits der zwischen Pls und den Judenchristen ausgefochtenen Kämpfe. Ihr beherrschendes Anliegen sei die Apologetik, gegenüber Juden und Judenchristen der Diaspora bei Matthäus, vornehmlich gegenüber Heiden und Heidenchristen bei Markus, Lukas und Johannes. Die evangelische Geschichte für die jeweiligen Adressaten von allem Anstößigen und Fremdartigen möglichst zu befreien und den jeweiligen Bedürfnissen und Voraussetzungen gemäß darzustellen, sei Zweck und Gestaltungsprinzip der Evangelien. In diesem Zusammenhang schreibt Wernle im Blick auf einige charakteristische Züge des Lukevgl[52]: "In all dem Paulinismus zu wittern, ist ganz verkehrt. Zur Zeit des Autors hat der innerchristliche Gesetzesstreit gar nichts, die Mission und Apologetik gegenüber Heiden und Juden alles bedeutet."[53] Nicht sehr verschieden hiervon hatte Ovb in Vorl Einl II geurteilt: Der Universalismus sei das einzige innere Band, welches das Lukevgl noch mit dem ursprünglichen Paulinismus verbinde[54]; völlig entfremdet sei das Lukevgl der paulinischen Kritik des Judaismus und der Idee einer Aufhebung des Gesetzes im Evangelium[55]; für die asketischen Züge des Lukevgl (Hochschätzung von Armut und Demut) sei die Ableitung vom Paulinismus teils ausgeschlossen, teils unwahrscheinlich[56];

insgesamt müsse das Lukevgl weit eher als heidenchristlich denn als paulinisch beurteilt werden[57]. Trotz dieser Auffassung hakt Ovb an den zitierten Sätzen Wernles ein und tadelt energisch, daß Wernle "vom Paulinismus des Lucasevangeliums überhaupt zu reden verwehren"[58] wolle. Wenn Wernle dem innerchristlichen Gesetzesstreit für das heidenchristliche Lukevgl alle Bedeutung abspreche, sei de facto vergessen, daß der Stifter des Heidenchristentums Pls gewesen sei. Darum widerlege sich Wernles These schon durch die Existenz der AG als Fortsetzung des dritten Evangeliums. Ovb fährt fort: "Unter den für den Verfasser des Lucasevangeliums gegebenen historischen Verhältnissen war er ⟨sc der Verf⟩ gar nicht in der Lage, sich 'Mission und Apologetik gegenüber Heiden und Juden' alles sein zu lassen, ohne das⟨s⟩ ihm 'der innerchristliche Gesetzesstreit' (und mit ihm Paulus) etwas und selbst sehr viel war. Der Paulinismus des Lucas braucht nicht 'gewittert' zu werden, vor allem, weil er sich von selbst versteht und dem Evangelium durch den Zusatz der AG. auch ganz grob aufgeprägt ist."[59]

Das Interessante dieser kritischen Notiz ist die reflektiert vorgenommene Verknüpfung der Bedeutung der Person des Pls (als des Stifters des Heidenchristentums) und der innerchristlichen Gesetzesfrage auch noch für die Zeit des dritten Evangelisten. Nur wegen dieser Verknüpfung kann Ovb Wernles Behauptung der Irrelevanz des innerchristlichen Gesetzesstreits durch den Hinweis auf die thematisch der Apologie des Pls gewidmete AG als widerlegt betrachten. Nur aus dem gleichen Grunde ist er in der Lage, den Streit um das Gesetz "und mit ihm Paulus" noch sehr viel bedeuten zu lassen. Da wir auf die gleiche Verknüpfung bereits oben[60] geführt wurden, dürfen wir festhalten: Die Person des Pls ist zur Zeit der AG noch umstritten, doch nicht isoliert von seiner Lehre, sondern zugleich mit oder genauer: aufgrund seiner Gesetzeskritik und seines Verhältnisses zu den judenchristlichen Aposteln. Die Abschnitte des Galaterbriefs etwa, welchen die AG mit Überlegung entgegentritt, müssen dasjenige zur Sprache gebracht haben, was für die Gegner der Grund ihrer Paulusfeindschaft gewesen ist.

Man wird nun gewiß einräumen müssen, daß die AG zu ihrer tendenziösen Paulusdarstellung und zu den vorgenommenen Konzessionen an den gegnerischen Standpunkt nur in der Lage war, weil sie auf die Eigentümlichkeiten von Lehre und Verhalten des Pls kein entscheidendes Gewicht mehr legte, daß sie also insofern dem Pls entfremdet und 'schlecht paulinisch' ist. Die AG kann aber nicht einfach als Produkt eines schon zur altkatholischen Kirche hin degenerierten Paulinismus begriffen werden, wenn Pls aufgrund judaistischer Einwirkungen noch so umstritten war und noch einer so systematisch durchgeführten Apologie bedurfte, wie es nach Ovb's Aussagen vorauszusetzen ist. Ebenso kann die Paulusdarstellung der AG nicht als für ihre Zeit unbedingt repräsentativ betrachtet werden. Was die Gegner betrifft, liegt das auf der Hand. Deren Position erklärt sich jedoch nur, wenn eine Erinnerung an den wirklichen Pls noch lebendig war und noch vertreten wurde. Das bedeutet: Insofern Ovb das beherrschende Thema und die

ausgeprägte Tendenz der AG durch Adressaten erklärt, die unter judaistischen Einwirkungen zu Paulusgegnern geworden sind, wird nicht nur seine
Annahme des altkatholischen Standpunkts der AG erheblich belastet; seine
Interpretation enthält damit sogar, trotz allem, was dagegen angeführt
wird, immer noch kräftige Elemente, die auf eine konziliatorische Deutung
hindrängen[61].

8. Zur Vorgeschichte der Abweichung Overbecks von der AG-Auslegung der Tübinger Schule

Nachdem wir Ovb's Bestimmung von Standpunkt und Zweck der AG bis zu
seinen spätesten Aussagen verfolgt haben, ist es die letzte Aufgabe des vorliegenden Kapitels, die Frage nach der Herkunft bzw. Entstehung der Konzeption Ovb's zu beantworten. Daß wir diese Frage lediglich im Blick auf
die von Zeller abweichenden, über seinen Standpunkt hinausgehenden Elemente des Ovb'schen Gesamtverständnisses thematisieren, bedarf nach
dem Vorangehenden keiner weiteren Begründung.

a) Ritschl, Altk Kirche, 2. Aufl., 1857

Ovb's historische Konstruktion der Genesis der altkatholischen Kirche steht
ohne Frage in enger Nachbarschaft zu dem Entwurf Albrecht Ritschls[1]. Beide kommen darin überein, daß sie die altkatholische Kirche nicht als das
durch allmähliche Ausgleichung entstandene Resultat des bis tief in das zweite Jahrhundert hinein andauernden Gegensatzes von Petrinismus und Paulinismus verstehen. Die Funktion, die im Konzept der Tübinger Schule der
schließlichen Synthese der feindlichen Parteien zukommt, übernimmt bei
Ritschl und Ovb der fundamentale, die urchristlichen Gegensätze im wesentlichen zur Vergangenheit machende Einfluß des heidnischen Bodens auf die
Entwicklung des nachapostolischen Christentums. Beide verstehen die altkatholische Kirche in ihrem Kern als das Ergebnis einer Degeneration des
ursprünglichen Heidenchristentums. Daß Ovb die Verhältnisse der apostolischen Zeit erheblich anders als Ritschl sieht, kann hier auf sich beruhen.
Daß er die Nachwirkungen antipaulinisch-judaistischer Agitation als einen
nicht zu vernachlässigenden Faktor für die Erklärung der altkatholischen
Kirche beurteilt, ist ein beachtenswerter Unterschied zu Ritschl, der jedoch die enge Nachbarschaft beider, gemessen an ihrer gemeinsamen Herkunft aus der Tübinger Schule, nicht aufhebt.

Eine in unserem Zusammenhang schwerwiegende Differenz liegt dagegen in
folgendem: Ovb's Gesamtverständnis der AG ist - ebenso wie (von ihren
Voraussetzungen her) dasjenige Baurs, Schweglers, Zellers und Hilgenfelds -
die konsequente Anwendung seiner Ansicht von der Entstehung der altkatholischen Kirche auf einen Text des zweiten Jahrhunderts. Diese Verknüpfung
ist bei Ritschl aufgelöst. Ritschl versteht die AG nicht als Repräsentanten
des spät-nachapostolischen Heidenchristentums, sondern als eine i.g. historisch zuverlässige Quelle für die Geschichte des apostolischen Zeitalters[2].

D.h.: Die Verwandtschaft zwischen Ovb's und Ritschls historischer Ableitung der altkatholischen Kirche wird gekreuzt von einer schroffen Unterschiedenheit in ihrer Beurteilung der AG.

b) Ritschl, Th Jbb 1847

Läßt sich auch speziell für die AG-Erklärung Ovb's ein Anknüpfungspunkt in der Forschungsgeschichte nachweisen? Diese Frage ist zu bejahen, und zwar - überraschenderweise - wiederum unter Hinweis auf eine Arbeit Ritschls. Genau zehn Jahre vor der zweiten Auflage der Altk Kirche und seiner damit vollzogenen Absage an die Tübinger Schule hatte Ritschl in den Th Jbb 1847 einen Aufsatz veröffentlicht mit dem Thema: Das Verhältniss der Schriften des Lukas zu der Zeit ihrer Entstehung. Gegen die Kritik Baurs verteidigte Ritschl darin seine schon früher[3] dargelegte Ansicht, das kanonische Lukevgl sei durch eine vornehmlich in antimarcionitischem Interesse vorgenommene Überarbeitung des paulinisierenden sog. marcionitischen Lukevgl entstanden. Zur Widerlegung der Gegenthese Baurs, jene Überarbeitung habe dem ursprünglichen Lukevgl "den Schein einer paulinischen Einseitigkeit" nehmen und ihm "auch eine für Judenchristen geeignete Form" geben wollen[4], sie sei also ebenso wie die Abfassung der AG in konziliatorischer Absicht erfolgt[5], machte Ritschl u.a. folgendes geltend:

(1) Die Aufnahme der Erzählung vom Einzug Jesu in Jerusalem (Luk 19,29-46) werde man "nicht gerade auf eine irenische Gesinnung des Verfassers gegen das Judenchristenthum" zurückführen können; denn angesichts von v 42-44 sei zu bedenken, "wie schwer sich noch Judenchristen des zweiten Jahrhunderts durch den Gedanken an die Zerstörung der heiligen Stadt getroffen fühlen mussten"[6].

(2) Wenn sich der ursprüngliche Parteiengegensatz bis in das zweite Jahrhundert hinein in seiner Schroffheit erhalten hätte, wie Baur es bei seiner Bestimmung der Tendenz der AG voraussetze[7], sei "weder zu begreifen, wie ein Pauliner, der eine klare Anschauung von Paulus hatte, das Bild desselben so verfälschen konnte, noch dass eine Schriftstellerei dieser Art den beabsichtigten Erfolg haben konnte."[8] Die Paulusdarstellung der AG sei für einen mit dem ursprünglichen Paulinismus noch vertrauten Pauliner "eine moralische und intellektuelle Unmöglichkeit"[9].

(3) Die AG werde nur verständlich, wenn man annehme, daß "die Ausgleichung der beiden Partheien so im Allgemeinen nicht sowohl der Zweck als vielmehr die Voraussetzung der Schriften des Lukas"[10] sei Der Verf der AG sei dem Pls bereits entfremdet; er habe ihn selbst nicht besser oder anders verstanden, als er ihn darstelle[11].

(4) Der Verf der AG sei einer derjenigen "Pauliner" der Mitte des zweiten Jahrhunderts, "welche mit der Anhänglichkeit gegen Paulus seine Ansicht von der Freiheit der Heidenchristen vom Gesetz festge-

halten hatten, zugleich aber in ihrem friedlichen Zusammenleben mit
Judenchristen das Verständnis seiner allerdings nicht leichten Lehr-
weise verloren hatten."[12] Derselben vermischten Partei gehöre auch
Justin an. Ritschl begründet dies durch einen Vergleich von Dial 47
und AG 15[13].

(5) Die vier Verbote des Aposteldekrets seien kein vom Verf der AG
erfundener Kompromißvorschlag[14]. Sie seien in gemischten Gemeinden mit ursprünglich judenchristlicher Majorität entstanden und vom
Verf der AG schon vorgefunden worden. Sie stellten kein erst noch zu
verwirklichendes Programm dar, sondern repräsentierten "die Basis,
von welcher der Verfasser ... ausging"[15].

(6) An einer paulinisch apologetischen Tendenz sei festzuhalten. Der
gleiche Grund aber, der es verbiete, eine konziliatorische Tendenz
anzunehmen - die schon vollzogene Ausgleichung von Paulinern und
Petrinern -, mache es auch unmöglich, die Apologie des Pls als (direkt) auf judenchristliche Vorwürfe berechnet zu denken. Der Verf der
im Kanon stehenden lukanischen Schriften habe vielmehr Marcion im
Auge. Diesem trete er direkt entgegen, a) um das eigene judaistisch
gefärbte Paulusbild gegen Marcions antijüdisches Pls zu verteidigen;
b) weil "natürlich Marcion's Wirksamkeit im Namen des Paulus ...
die milderen Judenchristen misstrauisch machen ⟨musste⟩ gegen die
mit ihnen consoiirten judaisirenden Pauliner"[16] und deren alte Vorwürfe erneut zu erwecken drohte. Ritschls Resümee lautet: "Aus dieser Situation glaube ich die Abfassung beider Schriften erklären zu dürfen, die theils polemisch gegen Marcion, theils in dem Sinne irenisch
gegen die Judenchristen waren, als sie einem möglichen Bruch vorbeu-
gen sollten."[17] Dabei herrsche im Lukevgl die erste Richtung, in der
AG, die Marcion direkt nur 20,29 f berücksichtige, die zweite Richtung.

Die beiden wichtigsten Unterschiede zwischen der skizzierten Konzeption
Ritschls und dem Ovb'schen Gesamtverständnis der AG liegen darin, daß
Ritschl noch von der Tübinger Sicht der Genesis der altkatholischen Kirche
ausgeht und daher eine Vorstellung von der Vereinigung judaisierender Pauliner und milder Judenchristen vertritt, die wir bei Ovb nicht mehr finden;
daß er weiter aus seiner theologiegeschichtlichen Einordnung der AG die
(in sich schlüssige) Konsequenz der antimarcionitischen Frontstellung ableitet[18], die Ovb nur einmal vorsichtig andeutet[19]. Hiervon abgesehen stimmen beide jedoch in wesentlichen Punkten überein:
Die AG verfolgt keine konziliatorische Tendenz. Eine konziliatorische Tendenzschrift im Sinne Baurs und Zellers ist überhaupt historisch gar nicht
vorstellbar[20]. Zur Zeit der AG war die Versöhnung der urchristlichen Parteien (im ursprünglichen Sinne jedenfalls) kein aktuelles Problem mehr.
Die AG repräsentiert einen stark getrübten, judaistisch durchsetzten Paulinismus. In der Gesetzesfrage ist Justin der nächste Geistesverwandte des
Verf's der AG. Die Verbote des Aposteldekrets hat der Verf der AG schon
vorgefunden; sie sind nicht als Friedensvorschlag gemeint. Der Verf der AG

kann wegen seines nationalen Antijudaismus auf Judenchristen nicht versöhnend wirken wollen (dies klingt bei Ritschl wenigstens an, vgl Punkt 1).
Nimmt man zu diesem Befund hinzu, daß Ovb sich an zwei für die Entwicklung seines neuen Verständnisses der AG zentralen Stellen - AG-Komm,
XXIX; ZwTh 1872, 338,1 - auf Ritschls Aufsatz beruft, dann wird die These nicht zu gewagt sein, daß Ovb in seiner Abkehr von Zeller durch Ritschl
<u>mindestens beeinflußt</u> ist.

c) B. Bauer, AG

Der Aufsatz Ritschls bildet nicht den einzigen Anknüpfungspunkt für Ovb's
neues Verständnis der AG. Mit allem Nachdruck ist vielmehr außerdem hin
zuweisen auf Bruno Bauers Buch: Die Apostelgeschichte eine Ausgleichung
des Paulinismus und des Judenthums innerhalb der christlichen Kirche[21].

Der Grundthese Bauers, wonach die AG "durchweg eine freie Schöpfung und
künstliches Product" ist und ihre Entstehung "freier Reflexion"[22] verdankt
steht Ovb zwar in der gleichen Distanz gegenüber wie die Tübinger Schule.
Mit seiner theologiegeschichtlichen Einordnung der AG, d.h. mit der Bestimmung ihres Standpunkts in Relation zum ursprünglichen Parteienstreit,
hat Bauer jedoch eine entscheidende Einsicht Ovb's vorweggenommen. Die
folgenden Hinweise mögen dies erläutern[23]:

> (1) Die Übereinstimmung und Differenz zwischen Schneckenburger und
> Schwegler benutzt Bauer, um auf die Schwierigkeit ihrer Grundvoraus-
> setzung aufmerksam zu machen. Bauer beobachtet, daß beide bei ihrer
> Interpretation der AG in der Hauptsache die gleiche Konstellation der
> Parteien voraussetzen, obwohl sie in der chronologischen Ansetzung
> der AG um fast ein Jahrhundert auseinandergehen. Dem stellt er die
> These entgegen, "... eine Geschichtsanschauung, die in zwei Zeitpunk-
> ten, die durch ein Jahrhundert - (und zwar durch welch ein Jahrhundert
> durch welche Kämpfe und Entscheidungen!) - von einander getrennt sind
> genau dieselben Partheien und diese Partheien genau in derselben Stel-
> lung wieder zu finden im Stande ist, kann nicht anders als fehlerhaft
> seyn."[24]

> (2) In der zeitlichen Ansetzung der AG stimmt Bauer mit Schwegler un-
> gefähr überein. Er bestreitet aber, daß es in der Mitte bzw. in der
> zweiten Hälfte des zweiten Jahrhunderts noch Judenchristen gab, die
> die Aufnahme der Heiden in die Gemeinde von der vollständigen Unter-
> werfung unter das mosaische Gesetz abhängig machten und denen gegen
> über der Apostel Pls "nur um den Preis der niedrigsten Zugeständnis-
> se"[25] zur Anerkennung gebracht werden konnte. "Wo sind die Zeugniss
> dafür, daß der Universalismus der Gemeinde um die Mitte des zweiten
> Jahrhunderts eine prekäre Existenz sich erst erbetteln mußte? Nirgend
> nirgends sind sie aufzufinden."[26]

> (3) Bauer hält es für unmöglich, daß unter den Bedingungen des noch
> lebendigen Streits der Parteien ein Buch wie die AG entstehen konnte:

Niemandem hätte es in den Sinn kommen können, "einen 'versöhnenden Schleier' zu weben und auf eine Ausgleichung der Differenzen zu rechnen, indem er diesen Schleier über die Streitpunkte auswarf"[27]; niemand wäre auch bereit gewesen, auf einen solchen Friedensvorschlag zu hören. Daß die AG von dem Streit der paulinischen und judenchristlichen Partei - "haltlose Anklänge"[28] ausgenommen - nichts mehr erkennen lasse, müsse daher zu dem Schluß führen, daß jener Streit zur Zeit der AG bereits der Vergangenheit angehörte und in Vergessenheit geraten war. Bauers These lautet: "Als die Apostelgeschichte geschrieben wurde, war die Spannung der Partheien zusammengefallen, <u>war</u> der Gegensatz schon verschleiert, die Differenz verwischt, <u>hatte</u> sich der Friede schon gemacht - die Apostelgeschichte ist nicht <u>ein Friedensvorschlag</u>, sondern der <u>Ausdruck</u> und <u>Abschluß</u> des Friedens und der Erschlaffung."[29]

(4) In welchem Interesse hat der Verf der AG sein Werk geschrieben, wenn die Annahme einer konziliatorischen Tendenz im Sinne der Tübinger Schule unhaltbar ist? Im Gegensatz zu Baur und Schwegler, die davon ausgingen, daß das Judenchristentum zur Zeit der AG <u>noch</u> die entschiedene Herrschaft in der Kirche behauptete (und daß die AG einen in die Enge getriebenen Paulinismus vertritt)[30], schreibt Bauer: "Die Apostelgeschichte <u>brachte</u> erst das Judenthum innerhalb der Gemeinde <u>zur Herrschaft</u> und <u>Anerkennung</u>"[31].

Der Begriff "Judenthum" meint hier freilich nicht "das historische jüdische Volkswesen."[32] Bauer sieht vielmehr, daß der Verf der AG dem jüdischen Volk feindlich gegenübersteht - ebenso feindlich, wie sich die Juden nach seiner Darstellung zur christlichen Gemeinde verhalten. Daß die Juden (im historischen Sinne) von der Gemeinde ausgeschlossen sind, ist für die AG bereits definitiv entschieden[33]. Mit dem Begriff "Judenthum" meint Bauer aber auch nicht das historische Judenchristentum: Der Verf der AG habe nichts gegen die Freiheit der Heidenchristen, er denke nicht daran, sie auf das mosaische Gesetz zu verpflichten; "auf dem Boden, auf welchem sich das Judenthum, von dem wir sprechen, durchsetzte, war vielmehr die Freiheit der Heidenchristen und die Universalität der Gemeinde eine <u>unbestreitbare Wahrheit</u>"[34]. Mit dem Begriff "Judenthum" meint Bauer eine bestimmte Macht oder Geisteshaltung, die er in wechselnden Gestalten "bis in die neueste Zeit"[35] glaubt verfolgen zu können und die unter den Bedingungen des zweiten Jahrhunderts etwa mit dem zusammenfällt, was Ovb als 'schroff heidenchristlich und schlecht paulinisch' charakterisiert. Das "Judenthum", welches die AG zur Herrschaft zu bringen trachtet, ist nach Bauer "der ewige Gegner ... der historischen Unterschiede, der ursprünglichen Gestaltung ..., der Erschütterung, die der eigenmächtige Held, der den Entschluß und die Kraft zu seinem Handeln aus dem Born seines Innern holt, in das Leben der Gewohnheit und in die Welt der Satzung und Überlieferung bringt"; es ist jene "conservative, ausgleichende, contrerevolutionäre" Macht, "welche die Einschnitte, die die schöpferische Selbstmacht in dem gewohnten Verlauf der Geschichte macht, alsbald wieder ausfüllt, die Gränzmarken, die der Held als Zeugniß seines Wirkens hinterläßt, in die Vergangenheit weit zurückschiebt und die Entdeckung zu einem Ausfluß der Tradition macht - die Macht, die die Revolution, die der entdeckende Held bewirkte, alsbald wieder der Vergangenheit und Überlieferung unterwirft, dadurch aber freilich auch die Entdeckung sicher stellt und zur Fassungskraft des großen Haufens herabzieht. "[36]

Übertragen auf die AG und ein wenig konkreter gesprochen heißt das: "Nein! es war keine eigenmächtige Revolution - das ist das Grundthema, welches der Verfasser der Apostelgeschichte im Interesse dieses Judenthums durchführt - es war Nichts Ursprüngliches und Schöpferisches, es war kein Frevel der Selbstmacht, als Paulus den Heiden das Heil brachte und sie vom Gesetz entband - er that nur, was der Himmel wollte und der Himmel längst vor ihm durch Petrus ausgeführt hatte. "[37]

Wenn man sich über die Differenzen in der Terminologie hinwegsetzt und davon absieht, daß Bauers Buch die Gestalt eines genialen - z. T. flüchtigen - Entwurfs hat und insofern mit der schwerfälligen Akribie Ovb's scharf kontrastiert, wird die vorstehende Skizze zum Beweis der nahen Verwandtschaft beider Konzeptionen hinreichen. Doch sei auf einen Vergleich der Thesen Bauers mit Ovb, AG-Komm, XXIX ff (insbesondere XXXI XXXI, 2; XXXIII) ausdrücklich hingewiesen.

d) Zum Problem der Abhängigkeit Overbecks von Ritschl

Eine Abhängigkeit Ovb's von Ritschl und Bruno Bauer läßt sich durch eigene explizite Erklärungen Ovb's nicht erhärten[38]. Im Blick auf sein Verhältnis zur Ritschl hat Ovb eine Abhängigkeit oder Beeinflussung sogar ausdrücklich bestritten.

Nachdem bereits Hilgenfeld auf die Beziehung zwischen Ovb's AG-Erklärung und dem Aufsatz Ritschls aus dem Jahre 1847 hingewiesen hatte[39], behauptete von Engelhardt in seiner Justin-Monographie, Ovb habe bei seiner Interpretation Justins und der AG die von Ritschl in Altk Kirche (2. Aufl.) entwickelten "Anschauungen von dem 'herabgekommenen Paulinismus in den heidenchristlichen Gemeinden' in modificirter Weise acceptirt und verwerthet. "[40] Ovb beschränkte sich in seiner Rezension darauf, hiergegen ausdrücklich Protest einzulegen[41]. Als er jedoch siebzehn Jahre später die Lektüre von Otto Ritschls Biographie seines Vaters[42] zum Anlaß nahm, sich über sein Verhältnis zu Albrecht Ritschl Rechenschaft abzulegen, kam er auf die genannte Behauptung von Engelhardts und seinen Protest dagegen erneut zu sprechen[43]. Auch damals, im Juni 1897, stellte Ovb jede Beeinflussung energisch in Abrede: "Seine ⟨sc Ritschls⟩ Entstehung der altkatholischen Kirche habe ich in erster Auflage kaum je in Händen gehabt, die zweite Auflage war mir noch bei Abfassung meines Aufsatzes über Justin und AG. (Herbst 1872), obwohl ich das Buch in meiner Bibliothek schon seit 1861 besass, nur aus den Zuträgereien der Tageslitteratur und aus gelegentlichem Nachschlagen einzelner Stellen bekannt. ... So mag denn, wer anderer Ansicht sein zu können meint und Lust dazu hat, in allen meinen bisherigen Publicationen nach einer einzigen Stelle blind suchen, in welcher er den Geist Ritschl's wiedererkennen könnte. Ich möchte selbst das Gespenst so wenig wie andere sehen."[44]

Man kann mit einigem Grund fragen, ob Ovb's Behauptung über die Intensität seiner Bekanntschaft mit der zweiten Auflage von Ritschls Altk Kirche historisch zutrifft oder ob sich in ihr nicht vielmehr die Abneigung des späten Ovb gegen die "Ritschelei"[45] reflektiert. Wir möchten der zweiten Möglichkeit den Vorzug geben[46]. Auch dann bleibt freilich mit dem Protest Ovb's in HZ 1880 die eindringliche Warnung davor erhalten, sich in der Frage nach Herkunft bzw. Entstehung von Ovb's neuem AG-Verständnis bei dem Hinweis auf eine (modifizierende) Übernahme Ritschlscher Gedanken zu beruhigen. Daß Ovb, als er die Überarbeitung des de Wetteschen Kommentars begann, die Arbeiten Ritschls - ebenso wie das Buch Bruno Bauers - kannte, ist kaum zu bezweifeln. Wäre jedoch hiermit Ovb's Abwendung von Zeller bereits hinreichend motiviert, so bliebe offen, warum sich diese Abwendung erst während des Drucks des AG-Komm vollzogen und erst in der Einleitung niedergeschlagen hat. Um dies zu erklären, ist in jedem Fall noch ein anderer Faktor geltend zu machen. Die oben vorgetragenen Erörterungen über den Termin der Abkehr Ovb's von Zeller[47] legen die Hypothese nahe, daß dieser Faktor in der von Ovb, AG-Komm, XVII genannten, frühestens im Sommer 1869 vorgenommenen "völlig neuen Durcharbeitung der Auslegung der den Process des Paulus betreffenden Schlusspartie der AG. (21,17 ff)" zu suchen ist. Diese Hypothese läßt sich durch folgende Gesichtspunkte erhärten:

(1) Grundlegend für Ovb's neues Verständnis der AG ist der Satz, daß die Bedeutung der in AG 15 vorausgesetzten Verpflichtung der Judenchristen auf das Gesetz im Sinne des Verf's der AG in der Episode 21,17-26 aufgeht. Da diese Einsicht Ovb bei der Auslegung von AG 15 im AG-Komm noch fremd war, in der Einleitung aber vertreten wird, ist es sehr wahrscheinlich, daß sie sich ihm erschloß, als er die Interpretation von 21,17-26 erneut bearbeitete und zu ihrer abschließenden Gestalt brachte.

(2) Ein analoges Verhältnis wie zwischen 21,17-26 und dem Beschluß des Apostelkonzils besteht innerhalb der Konzeption Ovb's zwischen der Prozeßpartie als solcher (21,17-28,31) und der gesamten vorangehenden AG. Es steht nach Ovb außer allem Zweifel, daß die Darstellung des Prozesses eine speziell auf die Person des Pls bezogene apologetische Tendenz verfolgt. Zugleich gibt diese Partie durch ihre Stellung am Schluß der AG, durch ihre Konzentration auf ein Thema, durch die Klarheit des Zusammenhangs und die Ausdrücklichkeit der Aussa-

gen zu erkennen, worauf die AG als solche hinauswill[48]. Die Prozeßpartie bildet für Ovb den hermeneutischen Schlüssel der gesamten AG
und zeigt, daß die Person des Pls Thema und Tendenz des Buchs überhaupt beherrscht. Diese doppelte Einsicht in die Thematik und die hermeneutische Funktion von c 21 ff, die ein integrierender Bestandteil
der neuen Konzeption Ovb's ist, liegt in der Auslegung von c 21 ff im
AG-Komm faktisch bereits vor [49]. Ihre Entstehung ist mithin im Zusammenhang der Arbeit Ovb's an diesen Kapiteln zu lokalisieren. Daß
die weitere Ausführung und Klärung des Satzes von dem speziellen Bezug der AG auf die Person des Pls erst in der Diskussion mit Hilgenfeld, namentlich durch den Vergleich Justins und der AG erfolgte, ist
davon unbetroffen.

(3) Den nationalen Antijudaismus und die politische Apologetik der AG
arbeitete Ovb bereits bei der Auslegung von AG 1-20 an den einschlägigen Stellen heraus. Die Interpretation von AG 21 ff brachte für Ovb
insofern nichts prinzipiell Neues. Wenn sich dennoch von einem Er-
kenntnisgewinn Ovb's im Zuge seiner Auslegung der Prozeßpartie reden läßt, so bezieht sich dieser a) auf das Gewicht, das die AG der politischen Apologetik beimißt: An keiner anderen Stelle der AG konnte
Ovb ein vergleichbar massiertes Auftreten von Erzählungselementen
beobachten, die sich in apologetischer Absicht an den römischen Staat
richten. Bei der Auslegung von AG 21 ff gewann Ovb b) einen Blick für
die in der AG vorliegende geflissentliche Verknüpfung des nationalen
Antijudaismus und der politischen Apologetik, eine Verknüpfung, die
teils durch die Konfrontation jüdischer Feindschaft und römischen Schu\
zes, teils durch die Integration der Distanzierung des Pls vom jüdische\
Volk in den Aufweis des ungetrübten Verhältnisses der Christen zum
römischen Staat bewerkstelligt ist. Man darf vermuten, daß die Konsequenzen, die Ovb aus dem nationalen Antijudaismus, dem politischen
Nebenzweck der AG und der daraus resultierenden nationalen "Mittel-
stellung"[50] des Pls zwischen Judentum und Heidentum für die kirchen-
und theologiegeschichtliche Einordnung dieses Buchs zieht, wenn sie
sich auch nicht als eine exklusive Frucht seiner Beschäftigung mit AG
21 ff betrachten lassen, doch dadurch erheblich gefördert wurden.

Treffen die zuletzt genannten Beobachtungen zu, dann ist als Ergebnis dieses Abschnitts festzuhalten: Ovb's Abkehr von Zellers AG-Interpretation
hat sich - nicht ohne Kenntnis der in eine eng verwandte Richtung zielenden
Versuche Ritschls und Bruno Bauers und wohl auch nicht ohne Einfluß von
dieser Seite - im Zuge seines exegetischen Bemühens um den Sinn des Schl\
teils der AG (21,17-28,31) vollzogen.

Exkurs: OVERBECKS AUSLEGUNG DER AG UND DIE FORSCHUNG ZWI-
SCHEN 1870 UND DEM ENDE DES 19. JAHRHUNDERTS

Soweit die Auseinandersetzung mit einzelnen Beiträgen aus der nach seinem Kommentar erschienenen Literatur über die AG den Charakter oder
die Formulierung der Konzeption Ovb's mitgeprägt hat, sind wir im vorigen Kapitel bereits darauf eingegangen. Alle übrigen Beziehungen zwischen
Ovb und der Forschungsgeschichte nach 1870 haben Ovb's Auffassung der
AG nicht erkennbar modifiziert und stellen sich lediglich als Konsequenz
des Gesamtverständnisses dar, das Ovb bis zum Jahre 1872 erarbeitet und
von da an in allen Hauptmomenten unverändert festgehalten hat; wir beschränken uns daher darauf, das Wichtigste unter drei Stichworten zusam-
menzufassen.

1. Overbeck und die konservative AG-Forschung

Im Jahre 1834 schrieb Olshausen in der Einleitung zu seinem Kommentar
über die AG, er könne sich hier u.a. deswegen besonders kurz fassen, weil
noch "Niemand im eigentlichen Sinn die Unächtheit der Apostelgeschichte
behauptet"[1] habe. Durch die Tendenzkritik wurde eine solche Feststellung
unmöglich gemacht. Seit ihrer Anwendung auf die AG richtet sich daher,
ohne daß durch das Jahr 1870 eine Grenze oder auch nur eine Zäsur bezeichnet würde[2], das Bemühen der konservativen Forschung vornehmlich auf zwei
Momente: auf die Verteidigung der Autorschaft des Paulusbegleiters Lukas[3]
und auf die Sicherstellung der historischen Glaubwürdigkeit der AG, insbesondere ihrer Vereinbarkeit mit den Paulusbriefen[4]. Nur streng innerhalb
des Rahmens, der durch die lukanische Verfasserschaft und durch die Historizität des Inhalts abgesteckt ist, wird auch versucht, den leitenden Gesichtspunkt bzw. den Zweck der AG zu bestimmen. Eine Analyse solcher Zweckbestimmungen, wie sie z.B. Nösgen[5], B.Weiß[6] und Zöckler[7] vorgelegt haben,
würde zeigen, daß sie an manchen Punkten durch das AG-Verständnis der
Tübinger Schule positiv beeinflußt worden sind[8]. Dennoch stimmen sie alle
darin überein, daß es durch den richtig gedeuteten Zweck ausgeschlossen
wird bzw. ausgeschlossen werden soll, in der AG eine Tendenzschrift zu
sehen, die um der beabsichtigten Wirkung willen die geschichtlichen Tatsachen entstellt hat oder auch nur überhaupt, ohne eine wirkliche Entstellung
der Geschichte, in einen Streit christlicher Parteien eingreift. Der hiermit
bezeichnete schroffe Gegensatz gegen die Tübinger Tendenzkritik schließt
eine ebenso entschiedene Ablehnung der Arbeit Ovb's ein[9]. Zwar erkennt
man in der Regel an, daß sich die Konzeption Ovb's von derjenigen Baurs
und Zellers unterscheidet[10]; von dem eigenen Standpunkt aus beurteilt man
diesen Unterschied jedoch nicht als einen Gewinn an zuverlässiger Einsicht
in den wahren Charakter der AG[11], sondern eher als ein Indiz für die innere Widersprüchlichkeit und Haltlosigkeit der Tendenzkritik insgesamt[12].

In der zuletzt genannten Hinsicht nimmt die Monographie von K.Schmidt:
Die Apostelgeschichte unter dem Hauptgesichtspunkte ihrer Glaubwürdigkeit

kritisch-exegetisch bearbeitet (1882) eine Sonderstellung ein. Schmidts Arbeit trägt, wie ihr Verfasser im Vorwort selbst erklärt, "einen apologetisc. polemischen Charakter": "Ausgehend von dem Wunsche, mein Vertrauen zu der Geschichtlichkeit der lukanischen Darstellung wissenschaftlich gerechtfertigt und gegenüber dem Widerspruch bewährt zu finden, habe ich eine gründliche Auseinandersetzung mit der von Baur, Zeller, Overbeck geübten Kritik erstrebt. Unter diesen habe ich mich vornehmlich an Overbeck gehalten als denjenigen, dessen Arbeit unter den von dieser Richtung ausgegangenen umfassenden Untersuchungen des Buches die letzte und die bedeutendste ist."[13]

In den Fragen der lukanischen Verfasserschaft[14] und der historischen Glaub würdigkeit[15] der AG steht Schmidt zu Ovb in keinem geringeren Gegensatz als andere konservative Forscher. Ovb's Abweichung von der Zweckbestimmung Baurs und Zellers wertet er jedoch als Fortschritt und als eine Annäherung an die eigene, richtige Interpretation.

Bei der Untersuchung des Zwecks der AG geht Schmidt von der Voraussetzung aus, daß Lukas, der Verf der AG, ein vertrauter Gefährte des Pls und - wie Pls selbst - jüdischer Herkunft ist[16]. Hieraus wird der Schluß gezogen, daß das Interesse des Lukas an der Geschichte der apostolischen Zeit "demjenigen gleichartig gewesen sein wird, welches für den Ap. selbst wenn er in späterer Zeit auf den Verlauf derselben zurückblickte, das höchste und vornehmste gewesen sein muss."[17] Das Interesse des Pls an der christlichen Geschichte ergibt sich aus Rm 9-11. Die Reflexion des Apostel richtet sich hier auf den Umstand, daß das jüdische Volk in seiner überwiegenden Mehrheit von der Heilsgemeinde ausgeschlossen ist[18]. Dieser Umstand weckte "Zweifel an der Treue und Gerechtigkeit des heilsgeschichtlichen Waltens Gottes"[19]; er bereitete dem Bewußtsein der Christen überhaup vorrangig aber dem der Judenchristen[20], "den denkbar schwersten Anstoss" und stellte damit zugleich "die dringendste Aufforderung"[21] dar, seine Genesis zu untersuchen. Es war daher "eine innere Nothwendigkeit"[22], daß die geschichtliche Betrachtung des apostolischen Zeitalters von judenchristlicher Seite aus begonnen wurde[23] und sich zunächst darauf konzentrierte, den "Thatbestand der Ausgeschlossenheit Israels in seinem geschichtlichen Zusammenhange begreifen zu lernen."[24] Eben dies versucht Pls in Rm 9-1 indem er es unternimmt, den Nachweis zu führen, daß der faktische Verlauf der jüdischen Geschichte dem göttlichen Heilsplan nur scheinbar widerspric

Aus der Erörterung des Pls in Rm 9-11 leitet Schmidt die - im weiteren Ver lauf seiner Untersuchung dann bestätigte - Erwartung ab, auch Lukas werde "auf dem Standpunkt eines jüdischen Gliedes der von dem jüdischen Volke getrennten Kirche Christi ... das negative Ergebniss der apost. Mission, di Ausgeschlossenheit dieses Volkes von der in dem Ev. von Christo angebotenen Heilsgemeinschaft, als einen für das christliche Bewusstsein anstössige Thatbestand in's Auge fassen und ... denselben in seinem Werden und seinem geschichtlichen Zusammenhange so ... darzustellen suchen, wie es geeignet ist, den Anstoss als unbegründet, nämlich jenes Ergebniss als Verwirklichung eines göttlichen Planes erscheinen zu lassen."[26]

Schmidt ist sich bewußt, mit seiner Bestimmung des Zwecks der AG, wonach "das historische Interesse des Verf. wesentlich durch israel. Herkunft desselben bedingt und auf einen Entwicklungsprocess israelitischer
Geschichte gerichtet"[27] ist, von den sonst üblichen Erklärungsversuchen
erheblich abzuweichen. Lediglich bei Ovb - und zwar an dem Punkt, an
welchem Ovb von Baur und Zeller abweicht - findet er eine "Annäherung"[28]
an die eigene Konzeption. Schmidt erläutert dies wie folgt: Nach Ovb ist
die AG eine Apologie der von Pls vollzogenen Begründung des Heidenchristentums. Diese Apologie richtet sich nicht an ein dem heidenchristlichen
Verf gegenüberstehendes Judenchristentum, sondern an das Heidenchristentum selbst. Der Anstoß, den der Verf der AG zu beseitigen versucht, ist
dem Bewußtsein der Heidenchristen immanent; er ist daraus entstanden,
daß das Heidenchristentum vom urchristlichen Judaismus stark durchsetzt
ist und sich dem reinen Paulinismus entfremdet hat. "Die Vorstellung ist
... die, dass das Heidenchristenthum infolge Eindringens judaistischer An-
schauungs- und Sinnesweise hinsichtlich der Berechtigung seiner Entstehung
von Zweifeln beunruhigt war und das Bedürfniss hatte, sich selbst die apost.
Geschichte so zurechtzulegen, dass diese Entstehung als eine gerechtfertigte erschien."[29] Das der Tübinger Schule gegenüber neue, positive Moment dieses Verständnisses liegt darin, daß hier "der dem Heidenchristenthum innerlich gewordene Judaismus" als die Wurzel des apologetischen Interesses der AG begriffen wird, daß also der Standpunkt der AG nicht eigentlich der heidenchristliche, sondern "der vom Heidenchristenthum in
sich aufgenommene judenchristliche"[30] ist. Mit dieser Einsicht befindet
sich Ovb Schmidt zufolge durchaus auf dem richtigen Wege. Ovb geht jedoch nicht weit genug, da er an der - mit seiner theologiegeschichtlichen
Ortsbestimmung des Verf's der AG gar nicht mehr koordinierbaren - Ansicht festhält, die AG setze Zweifel an der Legitimität der paulinischen Heidenmission voraus. Daß das Heidenchristentum, ohne mit einer mächtigen
judenchristlichen Partei konfrontiert zu sein, selbst an der Berechtigung
seiner eigenen Existenz irre wurde, findet Schmidt undenkbar[31]. In der
Konsequenz des von Ovb angetretenen Weges liege es vielmehr, mit den
Adressaten der AG zugleich auch den Gegenstand ihres apologetischen
Interesses neu zu bestimmen: Dieser könne nicht die Entstehung des Heidenchristentums sein, sondern nur "die Entwicklung, welche die Ausgeschlossenheit des jüd. Volkes zum Ergebniss hatte."[32]

In seiner Rezension stellt Ovb ohne Einschränkung fest, daß er zu Schmidt
in einem Gegensatz stehe, der sich nicht überbrücken lasse. Den Versuch,
die AG "unter dem Hauptgesichtspunkte ihrer Glaubwürdigkeit kritisch-exegetisch" zu bearbeiten, betrachtet Ovb als ein wissenschaftlich unmögliches Unternehmen[33]. Wie aller ernsthaft kritischen Exegese gehe es auch seinem
(Ovb's) AG-Komm um den Sinn der AG. Von da aus werde die Frage der
Glaubwürdigkeit oder Unglaubwürdigkeit "als problematisch und relativ" behandelt, während Schmidt in ihr "eine dogmatische Alternative" erblicke[34].
Wegen dieser Differenz sei "an eine ernst zu nehmende Discussion" mit
Schmidt "nicht zu denken"[35]; für das Verständnis der AG besitze seine Ar-

beit "nicht den geringsten Werth"[36]. Was Schmidts Auseinandersetzung mit Ovb's Bestimmung von Standpunkt und Zweck der AG betrifft, so beklagt Ovb nicht ohne Grund, daß Schmidt die Ausführungen des AG-Komm nur unvollkommen aufgefaßt[37] und vor allem die später vorgelegten Korrekturen unberücksichtigt gelassen[38] habe. Die Tatsache dagegen, daß Schmidt trotz dieser Versäumnisse nicht einfach seine eigene Ansicht derjenigen Ovb's entgegenstellt, sondern, indem er den schlecht-paulinischen, heidenchristlichen Standpunkt des Verf's der AG und seine paulinisch-apologetische Tendenz für unvereinbar erklärt, etwas von der immanenten Problematik der Konzeption Ovb's aufdeckt, läßt Ovb - zum Schaden der Sache - unerörtert.

2. Overbeck und die kritische AG-Forschung

Eine Mittelstellung zwischen der konservativen und der kritischen AG-Forschung nehmen Mangold[1] und Reuss[2] ein. Während Reuss das AG-Verständnis Ovb's nur als eine Art Kuriosität notiert[3], wird es von Mangold in seinen Hauptmomenten relativ ausführlich und durchaus zutreffend beschrieben[4]. Mangold legt einerseits die Gründe dar, welche Ovb bewogen haben, die konziliatorische Tendenzbestimmung aufzugeben und macht andererseits darauf aufmerksam, daß Ovb die AG gleichwohl von einer Tendenz her versteht, welche mit dem urchristlichen Parteiengegensatz "im innigsten Zusammenhang"[5] stehe. Er kommt zu dem Schluß: Das AG-Verständnis Ovb's "ist selbstverständlich eine Abwandlung der Baur-Zellerschen Ansicht über den Zweck der Apostelgeschichte, die bei aller Selbständigkeit ihres Urhebers sich in der Auffassung des Einzelnen auf das Innigste mit derselben berührt und nur durch einen anderen Gesichtspunkt für die Auffassung des Ganzen die Einzelbeobachtungen zu einem andern Resultate combinirt."[6] In der Sache stehen Mangold und Reuss der Arbeit Ovb's gleichermaßen distanziert gegenüber: Beide nehmen eine gemäßigt konziliatorische Tendenz an, die den Verf der AG zwar bei der Auswahl des Materials und bei der Akzentsetzung beeinflußt, ihn jedoch nicht dazu verführt hat, Tatsachen zu erfinden oder umzubilden[7].

Auf seiten der kritischen AG-Forschung findet Ovb's Kommentar durchweg eine anerkennende Aufnahme; das Maß der sachlichen Übereinstimmung ist jedoch unterschiedlich groß.
Von einem der Tübinger Schule gegenüber leicht modifizierten tendenzkritischen Standpunkt aus beurteilt Lipsius[8] den Kommentar Ovb's. Nach Lipsius kommt Ovb's Abweichung von Baur und Zeller am deutlichsten in dem Satz zum Ausdruck, die AG sei "der Versuch eines selbst vom urchristlichen Judaismus schon stark beeinflussten Heidenchristenthums, sich mit der Vergangenheit, insbesondere seiner eigenen Entstehung und seinem ersten Begründer Paulus auseinander zu setzen."[9] Lipsius erblickt hierin "a material advance upon previous criticism, and one which leads of itself to an abatement of that character of interestedness which Baur and Zeller ascribed to the author."[10] Nach seiner Auffassung geht Ovb jedoch zu weit; denn weder

lasse sich bezweifeln, daß der heidenchristliche Verf der AG noch einer
starken judenchristlichen Partei gegenüberstehe, noch sei die AG zureichend zu erklären, wenn man auf die Annahme einer Tendenz verzichte und
ihre Erzählung allein aus dem mangelhaften Verständnis des nachapostolischen Heidenchristentums für das apostolische Zeitalter ableite. Ohne zu
berücksichtigen, in welcher Hinsicht auch Ovb die AG noch als Tendenzschrift versteht, stellt Lipsius fest:
"Dr. Overbeck, seems ... not sufficiently to have considered that the parallel evolved between Peter and Paul, the inauguration of the Gentile mis-
sions ascribed to the former, and the punctual observance of the law to the
latter, cannot be explained from ignorance of the apostolic age, but only
from a conscious purpose. This ist still more evident from another circum-
stance, namely, that the Pauline epistles with which the author was certainly well acquainted give an entirely different picture of the party-differences.
But the existence of a conscious purpose implies that the Gentile Christianity represented in the Acts of the Apostles had still to struggle for its rights
against the attacks of Judaisers, and though not amounting to a proposition
of peace to the other side, the book is certainly an apology for Gentile Christianity and its founder in opposition to the attempt of Judaisers to exhibit it
as a falling away from the primitive faith."[11]

Genau an dem Punkt seiner Konzeption, welchen Lipsius als ungenügend
kritisiert, findet Ovb die Zustimmung und die Gefolgschaft derjenigen Forscher, die Mattill im Anschluß an ein Wort H. J. Holtzmanns[12] unter der
Bezeichnung " 'Could-Not-See' School"[13] zusammengefaßt hat. Die Vertreter dieser Richtung - H. J. Holtzmann[14], Pfleiderer[15], Jülicher[16], Harnack[17] u. a.[18] - sehen in der AG ein Dokument des zur altkatholischen Kirche hin sich entwickelnden und dem Paulinismus bereits fremd gewordenen
Heidenchristentums. Sie verstehen die AG nicht als einen historisch zuver-
lässigen Bericht, aber auch nicht als eine in einem bestimmten Parteiinter-
esse abgefaßte Tendenzschrift, sondern nehmen an, ihr Verf habe das apostolische Zeitalter unbefangen und bona fide so dargestellt, wie man es in seiner Gegenwart allein noch sich zu erklären vermochte und wie es den Bedürfnissen seiner Zeit entsprach[19].
"Der Autor ad Theophilum", heißt es bei Holtzmann, "will den Weltbau
der christl. Kirche schildern; er befolgt auch wirklich in dem allgemeinen Grundriss, nach welchem seine Darstellung dieses Werk aufgeführt
werden lässt, durchaus geschichtliche Erinnerungen. Die Baumeister
und Werkleute aber, welche dabei betheiligt sind, zumal die beiden Haupt-
apostel selbst, dann aber auch das gesammte übrige Personal, nicht am
wenigsten die Mitglieder der Synode zu Jerusalem, treten im kirchlichen
Kostüm einer späteren Zeit auf den Schauplatz und handeln unter Voraussetzungen, welche, geschichtlich genommen, z. Th. erst die Folgen und
Erträgnisse ihrer eigenen Lebensarbeit, vor Allem aber derjenigen des
Pls. bilden. Die ganze Scenerie ist diejenige der werdenden kath. Kirche. ... Man schreibt eben aus der Zeit und für die Zeit."[20]

Ovb's Verhältnis zu dieser Auffassung der AG ist das exakte Gegenstück seines Verhältnisses zur Tübinger Schule. Seine Arbeit zeigt in beiden Richtungen zugleich Übereinstimmung und Differenz. Was Ovb von Baur und Zeller unterscheidet, verbindet ihn mit den Vertretern der " 'Could-Not-See' School"; die Konvergenz mit dieser jüngeren Forschungsrichtung wird aber durch diejenigen Elemente limitiert, die der bleibenden Verhaftung Ovb's an den Standpunkt der Tübinger Tendenzkritik entspringen. Konkret gesprochen bedeutet dies: Die Kritik an Baurs Konstruktion der altkatholischen Kirche, die in der Einsicht gipfelt, die ursprünglichen Gegensätze in der christlichen Gemeinde seien nicht versöhnt, sondern vergessen worden, die Einordnung des Verf's der AG in den degenerierten Paulinismus der nachapostolischen Zeit, die kein Verständnis mehr für Pls, seine Lehre und seine Kämpfe aufbringt, schließlich die These, die AG sei nicht das Programm, sondern ein Produkt der werdenden altkatholischen Kirche, - diese Momente und alles, was mit ihnen zusammenhängt, stellen Ovb eindeutig auf die Seite Holtzmanns, Pfleiderers und Jülichers. Wenn Ovb jedoch gleichzeitig daran festhält, daß die AG eine Tendenzschrift ist, die als ganze das Ziel verfolgt, den Apostel Pls gegen ein Heidenchristentum zu verteidigen, das bis zur Paulus-Feindschaft vom Judaismus beeinflußt worden ist, und wenn er weiter annimmt, durch diese paulinisch-apologetische Absicht werde der Verf der AG genötigt, dem Galaterbrief reflektierten Widerspruch entgegenzusetzen und die Gestalt des Pls wissentlich von allem Anstößigen zu befreien, so trennt ihn dies von den liberalen Exegeten im letzten Drittel des 19. Jahrhunderts und läßt ihn als einen Nachfolger Baurs und Zellers erscheinen. Man kann, wie Mattill mit Recht feststellt, Ovb den "Founder of the 'Could-Not-See' School"[21] nennen, da er entscheidende Einsichten dieser Gruppe von Forschern zuerst formuliert und ohne Frage anregend auf sie eingewirkt hat; man muß dann aber sogleich hinzufügen, daß jene 'Schule' über Ovb hinausgegangen ist oder, was das gleiche besagt, daß ihr Ovb selbst strenggenommen nicht angehört[22].

Während die Anhänger der " 'Could-Not-See' School" den theologiegeschichtlichen Standort des Verf's der AG im Anschluß an Ovb bestimmen, anders als Ovb aber die AG nicht mehr als Tendenzschrift verstehen, versucht Schmiedel, beides miteinander zu verbinden. Von allen nach 1870 vorgelegten Interpretationen der AG kommt darum diejenige Schmiedels dem Verständnis Ovb's am nächsten[23]. Nach Schmiedel wird weder die Annahme einer konziliatorischen noch die einer rein paulinisch-apologetischen Tendenz der AG gerecht: "There remains only ... one other possible view of the author's tendency. His aim is to justify the Gentile Christianity of himself and his time, already on the way to Catholicism, and he seeks to do this by means of an account of the origin of Christianity."[24] Von diesem Zweck her erkläre es sich, daß der Pls der AG niemals in Konflikt mit den Uraposteln gerate, daß er vielmehr in ihren Fußstapfen gehe, von ihnen abhängig sei und dem Petrus durchweg parallelisiert werde[25]. Ohne Frage sei der Verf der AG in seiner Verehrung für die Apostel gar nicht mehr in der Lage gewesen "to conceive the idea of their having ever been at variance with

one another."[26] Dennoch gehe es nicht an, alle Unrichtigkeiten der AG einfach aus mangelhafter Kenntnis des Verf's abzuleiten. Da der Verf die Briefe des Pls notwendig gekannt haben müsse, gebe es vielmehr "no way of
acquitting the writer of Acts from the charge of having moulded history un-
der the influence of 'tendency'."[27] Ganz im Sinne der Intention Ovb's
(s AG-Komm, XXXII,1) fügt Schmiedel hinzu: "Only this tendency must be
understood as being simply a consistent adherence to the view of the history that he had before he studied his sources."[28]

3. Overbeck und die Versuche der Quellenscheidung in der AG

a) Wiederaufleben der Quellenkritik um 1885

In der Mitte der achtziger Jahre des 19. Jahrhunderts gewinnt die Quellenfrage, die nach der Untersuchung Schwanbecks[1] nur mehr als ein untergeordnetes Problem behandelt worden war, bei einem Teil der Forschung erneut eine für die Interpretation der AG konstitutive Bedeutung. Am Beginn
dieser zweiten Phase der Quellenkritik steht Jacobsens Schrift: Die Quellen
der Apostelgeschichte (1885). In der ein Jahr später erschienenen 1. Auflage seiner Einleitung widmet auch B. Weiß der Frage nach den Quellen der
AG, der er schon früher seine besondere Aufmerksamkeit zugewandt hatte[2],
eine eingehende Erörterung[3]. Die durch Jacobsen und Weiß neu angeregte
Frage nach den Quellen der AG wird während des Jahrzehnts von 1885 bis
1895 von mehreren Forschern, u.a. von Sorof, Feine, Spitta, Clemen[4]
und Jüngst, aufgenommen und in selbständiger Weise zu lösen versucht.
Wir verweisen hierzu auf die Referate Heitmüllers und Loisys[5].

Wie eindrucksvoll die Versuche, das Problem der AG auf dem Wege einer
Analyse ihrer Quellen zu lösen, selbst für einen aus der Tübinger Schule
hervorgegangenen Forscher sein konnten, läßt sich an den Arbeiten Hilgenfelds beobachten. In der Rezension von Ovb's AG-Komm hatte Hilgenfeld
Ovb's "gründliche und wesentlich befriedigende Untersuchung über die Quel-
len-Schriften der Apg., insbesondere über die Wirstücke"[6] ausdrücklich
anerkannt. Vier Jahre später faßte er in der Historisch-kritischen Einleitung in das Neue Testament, die er als Summe seiner bisherigen neutestamentlichen Untersuchungen verstand, seine Auffassung von den Quellen der
AG in folgenden Punkten zusammen: 1. Im Blick auf AG 1,1-8,3 könne man
"schwerlich zu irgend sicheren Ergebnissen"[7] gelangen. 2. Bei der Darstellung der Simon-Episode habe der Verf der AG "nach aller Wahrscheinlichkeit wenigstens das bei den Judenchristen von Mund zu Munde gehende
Zerrbild des Paulus"[8] im Auge gehabt; auf die Benutzung einer schriftlichen
judenchristlichen Quelle könne die Wahrnehmung führen, daß in AG 9,31-43
eine Rundreise des Petrus erzählt und von der Tabitha unpaulinisch gesagt
werde: ἦν πλήρης ἔργων ἀγαθῶν καὶ ἐλεημοσυνῶν ὧν ἐποίει.
3. In AG 13 f und in den Wirstücken zeige sich die Spur eines paulinischen
Reiseberichts[9]. Diesem höchst zurückhaltenden Urteil und dem überhaupt
nur untergeordneten Interesse an der Quellenfrage entsprach die grundsätz-

liche Feststellung, mit der Hilgenfeld den Abschnitt über die AG eröffnete: "Hier ⟨sc in der AG, im Unterschied zum Lukevgl⟩ fehlen die vielen Vorgänger in der schriftlichen Aufzeichnung. Die Apg. erscheint von vorn herein nicht bloss als die erste paulinische, sondern als die erste schriftliche Bearbeitung ihres Stoffs. Gewiss ein Fingerzeig, dass man die Apg. nicht, wie es seit Schleiermacher ... vielfach geschehen ist, auf gar zu viele Quellenschriften und deren blosse Zusammenstellung zurückführen darf."[10]

Von dieser Position rückt Hilgenfeld unter dem Einfluß der in den Jahren 1885-1895 blühenden Quellenkritik entschieden ab. In seiner 1895/96 erschie nenen buchstarken Abhandlung: Die Apostelgeschichte nach ihren Quellenschriften untersucht schreibt er nach einem Überblick über die neueste Literatur: "Die wichtige Frage nach den Quellen der Apostelgeschichte ist ... jetzt so ernstlich in Angriff genommen, dass sie nicht umgangen werden kann. Ich unternehme die Untersuchung mit der grössten Bereitwilligkeit, von den neuesten Quellenforschern zu lernen. Den Zweck und die Anlage der Apostelgeschichte lasse ich vorläufig bei Seite, um mich der Erforschu ihrer Quellen ganz hinzugeben."[11] Hilgenfeld kommt in der genannten Abhandlung[12] zu dem Resultat, daß sich der gesamte Stoff der AG bis in einzelne Verse und Verspartikel hinein auf verschiedene Quellenschriften und die Zutaten des Verf's der AG verteilen lasse. Drei schriftliche Quellen seien zu erkennen: judenchristliche πράξεις Πέτρου, hellenistische πράξεις τῶν ἑπτά und paulinische, von dem Paulusbegleiter Lukas abgefaßte πράξεις Παύλου; der Autor ad Theophilum habe sie im Sinne des von ihm vertretenen Unionspaulinismus miteinander verbunden, durch eine Fülle (noch erkennbarer!) kleiner Zusätze modifiziert und um mehrere selb hinzugefügte große Passagen erweitert. Im Rückblick auf diesen Versuch de Quellenanalyse heißt es in einem späteren Aufsatz Hilgenfelds: "Für die Unterscheidung verschiedener Bestandteile in der Apostelgeschichte meine ich auf der von Schleiermacher gebrochenen Bahn, bei dankbarer Benutzung neu erer Forschungen, namentlich von B.Weiss, nicht ganz vergebens gearbeitet zu haben."[13]

b) Overbecks Reaktion

Die Reaktion Ovb's auf die Quellenkritik der achtziger und neunziger Jahre ist derjenigen Hilgenfelds genau entgegengesetzt: Ovb hält nicht nur an der in seinem Kommentar erarbeiteten Ansicht von den Quellen der AG unbeirrt fest (1)[14]; er erhebt zugleich auch energischen Widerspruch gegen die Methode der Quellenscheidung und versucht, sie ihres Unrechts zu überführen (2)[15].

(1) Bei der Erörterung über die Quellen war Ovb in der Einleitung des AG-Komm[16] zu folgendem Resultat gelangt: Die einzige bereits an Eigentümlich ten der Form zu erkennende und darum allein sicher nachweisbare schriftliche Quelle der AG ist die Wirquelle[17]. Der Verf hat aus ihr nicht nur die Wirstücke entnommen, sondern vermutlich auch das Itinerar der ersten Mis

sionsreise und alles "auf Quellen beruhende Detail der Erzählung C. 16 -28."[18] Zur Ermittlung anderer schriftlicher Quellen, deren Benutzung angesichts der späten Abfassungszeit der AG "die allgemeine Wahrscheinlichkeit"[19] für sich hat, ist man allein auf das inhaltliche Kriterium angewiesen, daß eine Erzählung um so sicherer auf Überlieferung beruht, je weniger direkt sie sich dem Zweck des Verf's einfügt[20]. Dieses Kriterium gestattet die Vermutung, daß die AG in den Petrusgeschichten, namentlich in den petrinischen Wundererzählungen, "von älterer Tradition, vielleicht von einer älteren Darstellung"[21] abhängig ist und daß sie sich in 8,9-24 "an eine gegebene und schon ziemlich entwickelte Tradition"[22] anlehnt. Alles Weitere ist offenzulassen. In strenger Übereinstimmung mit diesem Resultat heißt es in der Vorl AG (WS 1895/96): "Der ganzen Anlage seines Werks nach ... hat der Verfasser mit seinen Quellen, mögen diese mündliche oder schriftliche gewesen sein, sehr frei geschaltet und directe Spuren einer von ihm benutzten schriftlichen Quelle, was auch die namentlich seit B.Weiss in Umlauf gebrachten Quellenscheidungsversuche ... sagen mögen, nur in den in der 1. Person des Plurals erzählten Abschnitten ... bestehen lassen. ... Im Übrigen sind die Quellen der AG. unkenntlich und nur im Allgemeinen ⟨ist⟩ die Annahme wahrscheinlich, dass besonders ihrem ersten Theil durch die Tradition in irgendwelcher Form schon fixirte Sagen zu Grunde liegen mögen."[23]

(2) Ovb's Widerspruch gegen die Quellenkritik, wie er sich aus verschiedenen Notizen der Collectaneen, insbesondere aber aus der Vorl AG[24] ergibt, kreist um zwei Momente: Die seit B.Weiß' Einleitung wieder aufgelebten Quellenscheidungshypothesen "haben ... in dieser zweiten Periode ihrer Geschichte nur alle Sicherheit ihrer Methode durch verkehrte Verquickung mit ihr an sich fremden, apologetischen Tendenzen vollends aufs tiefste erschüttert, ohne den ursprünglichen Grundschaden der Methode, welcher im absolut hypothetischen Character ihrer Grundannahmen (insbesondere ihrer vollständigen Wurzellosigkeit in der Tradition) liegt, irgend überwunden, ja nur ernstlich bedacht zu haben."[25]

Im Unterschied zur ersten Periode der Quellenkritik, die er aus dem kritischen Geist des Rationalismus ableitet, sieht Ovb in der Quellenkritik der zweiten Periode ein Produkt der Apologetik[26], genauer: des apologetischen Gegensatzes gegen die Tübinger Schule. Die seit B.Weiß aufgekommene Quellenscheidung repräsentiert eine "Apologetik neuen Stils"[27]. Für sie besitzt das Ziel, die Echtheit und die historische Glaubwürdigkeit der AG zu verteidigen, die gleiche dominierende Bedeutung wie für die herkömmliche Apologetik. Man erkennt jedoch, daß dieses Ziel nicht mehr zu erreichen ist, wenn man mit der Tendenzkritik die innere Einheitlichkeit und Geschlossenheit des vorliegenden Textes voraussetzt. Man sieht sich daher gezwungen, "verwickeltere Wege" zu gehen und das Problem "zurückzuverlegen": "Ursprünglichkeit, Authentie, Glaubwürdigkeit der AG. sind hier Qualitäten, die man der AG. unmittelbar zuzusprechen aufgibt, aber den hinter der AG. liegenden Quellen sollen sie zukommen und damit auch indirect der AG."[28]

Die apologetische Quellenkritik ist nach Ovb's Urteil ein typisch theologisches Unternehmen. Wenn ein Text Anstoß erregt und zur Kritik herausfordert, fragt sie hinter seine überlieferte Gestalt zurück, um diese von der zugrunde liegenden Quelle zu unterscheiden. Indem sie so darauf ausgeht, einen zwar unbestimmteren, aber dafür auch brauchbareren "praeexistenten Kanon"[29] zu rekonstruieren, verschafft sie der Theologie die Möglichkeit, sich unter dem Schein der Verpflichtung auf den gegebenen kanonischen Text von diesem je nach Bedürfnis zu emanzipieren. Geht es der Theologie darum, "sich den Kanon unterthan zu machen"[30], so hat sie in der Quellenkritik einen Ersatz für die preisgegebene allegorische Interpretation: "In der That eröffnet die Quellenanalyse der Discussion Horizonte, die am Weite hinter denen der allegorischen Exegese in keiner Weise zurückstehen. Handelt es sich darum, einem heiligen Text sein kanonisches Ansehen für immer zu sichern, so ist das bei den Experimenten der Quellenanalyse nicht aussichtsloser als bei denen der Allegoristik."[31]

Gegen die Methode der Quellenscheidung, die in der angedeuteten Weise mit apologetischen Tendenzen 'verquickt' ist, erhebt Ovb grundsätzlichen Widerspruch. Wird die Quellenkritik dagegen als rein historische Analyse betrieben, so kann sie nicht a limine abgewiesen, sondern nur von Fall zu Fall auf ihre Berechtigung hin überprüft werden[32]. Im Falle der AG - anders als etwa beim Pentateuch[33] - ist diese Berechtigung nach Ovb's Urteil freilich nicht gegeben. Die Quellenscheidung findet hier, "wie man wohl sagen darf, in der Luft"[34] statt, sie ist bodenlos: "Die modernen Quellenscheidungs-Experimente bei der AG. lassen an den Stern der Magier ⟨denken⟩ , den die Pilger einst auf dem Grunde eines gewissen Brunnens in Jerusalem erblicken konnten, da er schliesslich da wieder untergegangen sein sollte. Nicht alle, die hineinguckten, erblickten ihn, sondern nur die, quibu mens est sanior. Und Gregor von Tours, der ... von diesem Stern berichtet, hatte selbst davon durch einen Diaconus gehört, der mit fünf Genossen in den Brunnen hineingesehen hatte, aber nur zwei hatten den Stern gesehen ... Nur Leute wie diese zwei können hoffen, alles zu sehen, was heuzutage Spitta und Consorten an Quellen in der AG. erblicken."[35]

Zur Begründung dieses skeptischen Urteils macht Ovb, sieht man von dem Detail seiner exegetischen Auseinandersetzung mit "Spitta und Consorten" ab[36], folgende Überlegung geltend: Die Quellenliteratur, welche die Quellenkritik aus dem Text der AG zu rekonstruieren versucht, ist "eine absolut problematische oder hypothetische Grösse"[37]. Dies gilt nicht nur, weil wir von den angeblichen Quellen der AG auch nicht "einen Buchstaben unmittelbar besitzen"[38] - während z.B. im Mkevgl eine Quellenschrift der anderen beiden Synoptiker unabhängig von diesen vorliegt; es gilt vor allem auch deswegen, weil weder in der AG selbst noch sonst irgendwo in der Tradition ein Äquivalent zu der Aussage Luk 1,1 (πολλοὶ ἐπεχείρησαν ...⟩ überliefert ist: "Auch nicht Ein altes Zeugnis berichtet uns <u>direct</u> oder <u>indirect</u> davon, dass etwas von diesen vermutheten Quellen der AG. jemals existirt hat und nennt uns nur eine einzige davon."[39] Weil es sich so verhält, ist die Quellenkritik auf Beobachtungen an der Form und am Inhalt des Textes der AG selbst angewiesen. Indizien der Form, die weit wertvoller sind, da sie "dem blos subjectiven Ermessen die engsten Schranken ziehn"[40], begegnen allein in den Wirstücken. Beobachtungen am Inhalt der AG gestatten einerseits ohnehin nur ungefähre Resultate[41] und kommen andererseits lediglich dann als Quellenindizien in Betracht, wenn zuvor nachgewiesen wird, daß sie weder durch das schriftstellerische Verfahren des Verf's, noch durch seine theologische Intention zureichend erklärt werden können. Ein solcher Nachweis ist jedoch nur innerhalb der im AG-Komm[42] abgesteckten engen Grenzen möglich. Ja, Ovb kann sagen: "Keine einzige Erzählung der AG. fällt so aus dem Zusammenhang des Buchs, dass sie durchaus in einer dem Verfasser überlieferten Form darin Aufnahme gefunden hätte."[43] Dies bedeutet: Der Fehler der Quellenkritik liegt nach Ovb's Diagnose darin, daß sie, um das Rätsel der AG zu lösen, den gegebenen Text hinterfragt und auf hypothetische Quellen zurückgeht, ohne zuvor überzeugend dargetan zu haben, daß nach einer Analyse des überlieferten Textes und seines inneren Zusammenhangs von einem Rätsel der AG überhaupt noch mit Gründen zu reden ist. Die primäre Frage, die eine methodisch abgesicherte Interpretation stellen muß, lautet: "Hat denn dieses Buch, so wie es uns im NT. vorliegt, Sinn oder hat es so keinen Sinn?"[44] Da Ovb diese Frage in allen wesentlichen Hinsichten zu bejahen weiß, ergibt sich für ihn die Konsequenz, "dass der Quellenscheidung in der Lösung der Räthsel der AG. nur eine subsidiäre Bedeutung zukommt"[45].

Kapitel V: OVERBECKS FRAGE NACH DER FORM DER AG II: DIE AG
UND DIE ANFÄNGE DER KIRCHENGESCHICHTSSCHREIBUNG

Als Ovb in seinem 1892 erschienenen Rektoratsprogramm: Über die Anfänge der Kirchengeschichtsschreibung auf die bis heute gegensätzlich be-
antwortete Frage einging, ob der Verf des Lukevgl und der AG der erste
christliche Historiker sei, nahm er zu einem Problem Stellung, dessen
Lösung ihm in den Grundzügen schon längst vertraut war. Bereits in seiner Rektoratsrede vom 17. Oktober 1876[1] und in der noch einmal um vier
Jahre älteren Vorlesung: Geschichte der alten Kirche (WS 1872/73) hatte
Ovb die These seines späteren Programms verfochten, daß die AG nicht
zur Kirchengeschichtsschreibung gehöre und der Ehrentitel eines "Vaters
der Kirchengeschichte" ohne Einschränkung dem Euseb zu belassen sei.
Dieser Aussagenreihe stehen freilich andere Texte aus dem Nachlaß Ovb's
gegenüber, die dem Verf des Lukevgl und der AG nicht nur historiographische Absichten zusprechen, sondern ihn zugleich eben deswegen unter das
schärfste Verdikt stellen[2]. Es überrascht daher nicht, wenn K. L. Schmidt
von der Argumentation Ovb's schreibt, sie vollziehe sich "in allerdings
etwas schwankender Weise"[3], und wenn einerseits Nigg den Satz, die AG
gehöre nicht zur Kirchengeschichtsschreibung, z. T. bis in die Formulierungen hinein im Anschluß an Ovb begründet[4], andererseits aber auch Viel
hauer, der im ausdrücklichen Gegensatz zu Nigg Lukas als "Historiker"
zeichnet, sich auf Ovb beruft[5].

Es ist die Aufgabe des vorliegenden Kapitels, Ovb's Beiträge zur Diskussion des Problems, ob die Kirchengeschichtsschreibung mit der AG beginn
in der Reihenfolge ihrer Entstehung vorzuführen und nach der Klammer zu
fragen, die sie zusammenhält. Um dabei den besonderen Charakter der Fr
gestellung Ovb's von vornherein in den Blick zu bekommen, empfiehlt es
sich, vorweg den übergreifenden Horizont zu skizzieren, innerhalb dessen
der historiographische Charakter der AG nur ein Teilproblem ausmacht.
Dieser Horizont spannt sich um die Begriffe der Urliteratur und der Urgeschichte, denen wir uns daher zunächst zuwenden[6].

1. Overbecks Begriffe Urliteratur und Urgeschichte

a) Urliteratur

aa) Unterscheidung von Urliteratur und patristischer Literatur

Die zentrale Einsicht, die Ovb in seiner Abhandlung: Über die Anfänge der
patristischen Literatur vorträgt, liegt in der Unterscheidung von christlicher Urliteratur und patristischer Literatur. Ovb's These ist, daß mit den
ersten schriftlichen Aufzeichnungen in der christlichen Gemeinde noch keineswegs die Literatur entstanden ist, "welche sich mit der Kirche am Leben erhalten hat und in deren alter Zeit die patristische Literatur genannt
zu werden pflegt"[7], daß also im NT deren Entstehung zunächst nicht zu suchen ist[8].

Bei der Begründung dieser Einsicht verfährt Ovb nach der Maxime, daß jede Literatur ihre Geschichte in ihren Formen habe, Literaturgeschichte also als Formengeschichte zu betreiben sei[9]. Es ist demzufolge ein Vergleich der Formen der neutestamentlichen und der patristischen Schriften, der die Erkenntnis herbeiführt, daß es zwischen beiden Literaturen literarhistorisch keinen Zusammenhang gibt: Überblickt man nämlich, schreibt Ovb, "das Neue Testament in Hinsicht auf die literarische Form seiner Bücher, so hat man es entweder mit Formen zu tun, welche allerdings allen Zeitaltern der christlichen Literatur gemein sind, aber dann befindet man sich damit auch überhaupt noch gar nicht im eigentlichen Bereich der Literatur; oder es sind wirklich Formen, welche in diesen Bereich gehören, nur lassen sich dann diese Formen gar nicht zu den bleibenden und in diesem Sinn der christlichen Literatur überhaupt eigentümlichen rechnen, da sie vielmehr absterben, noch bevor es zur gesicherten Existenz einer Literatur der Kirche kommt."[10]

In die erste der hier unterschiedenen Schriftengruppen gehören die echten Briefe des NT[11]. Im Blick auf die katholischen Briefe wagt Ovb nicht zu entscheiden, ob sie der ersten oder der zweiten Gruppe zuzuordnen sind[12]. Eindeutig zur zweiten Gruppe rechnet er die Evangelien, die AG und die Apokalypse: In diesen Schriften begegnen die ersten Versuche des Christentums, sich in literarischer Form darzustellen. Dennoch bilden sie nicht die Keimformen der christlichen Literatur, die in der Geschichte eine bleibende Existenz gefunden, d.h. fortgelebt und sich lebendig entwickelt hat. Vielmehr sind "Evangelium, Apostelgeschichte und Apokalypse ... historische Formen, die von einem ganz bestimmten Zeitpunkt an in der christlichen Kirche verschwinden. Und zwar fehlen sie in ihrer Literatur von diesem Zeitpunkt an nicht nur tatsächlich, sondern es besteht gar keine Möglichkeit ihrer ferneren Pflege mehr."[13]

Das Ende der Urliteratur fällt mit der formellen Konstitution des zweigliedrigen - Evangelien- und Apostelteil umfassenden - neutestamentlichen Kanons zusammen, ist also in der Zeit zwischen 150 und 180 n. Chr. anzusetzen. Ovb nennt den Kanon den "Totenschein"[14] der Urliteratur und schreibt dazu: In dem Vorgang der ausschließlichen Privilegierung des (wirklich oder vermeintlich) apostolischen Zweiges der christlichen Urliteratur lag, "indem er aller weiteren Pflege der im Kanon vertretenen literarischen Formen einen Riegel vorschob und neue Evangelien, Apostelgeschichten und Apokalypsen in der christlichen Gemeinde unmöglich machte, an sich selbst die formelle Beurkundung der Tatsache, daß die Quellen, aus denen diese Urliteratur ihr Leben gesogen hatte, versiegt seien und sie ihr Ende erreicht habe."[15]

Die mit der Bildung des neutestamentlichen Kanons gesetzte Zeitgrenze schließt alle spätere christliche Literatur von der Urliteratur aus; sie schließt aber nicht alle früheren Schriften in diese Kategorie ein. Von den vor 150/180 n. Chr. abgefaßten Schriften rechnet Ovb außer den im NT erhaltenen noch zwei Komplexe zur Urliteratur: Einmal die Gruppe der sog. apostolischen Väter, die durch ihre Formen - echter Brief, katholischer

Brief, Apokalypse - "ohne weiteres der den neutestamentlichen Schriften wesentlich verwandten Literatur"[16] zugehört; sodann zwei nur in Fragmen ten erhaltene Werke, die ὑπομνήματα des Hegesipp und die λογίων κυριακῶν ἐξηγήσεις des Papias[17].

Mit den genannten Schriften ist der Kreis der christlichen Urliteratur im allgemeinen umschrieben. Ovb zeigt, daß zu dem Zeitpunkt, als die Urliteratur ihr definitives Ende erreichte, die patristische Literatur bereits die älteste Periode ihrer Geschichte, ihre Entstehungsgeschichte, hinter sich hatte. Die patristische Literatur beginnt mit der Apologetik des zweiten Jahrhunderts, setzt sich in der ältesten Ketzerpolemik fort und gelangt mit dem - dem formellen Abschluß des neutestamentlichen Kanons ungefähr gleichzeitigen - Hauptwerk des Clemens von Alexandrien zu dem Moment ihrer Entwicklung, "in welchem sie mit allen wesentlichen Bedingungen zu ihrer vollständigen Entfaltung versehen erscheint."[18]

Das Unterscheidende zwischen der christlichen Urliteratur und der patristi schen Literatur läßt sich im Sinne Ovb's durch drei eng miteinander verbun dene Bestimmungen beschreiben:

(1) Ovb nennt die christliche Urliteratur eine Literatur, "welche sich das Christentum so zu sagen aus eigenen Mitteln schafft, sofern sie ausschließ- lich auf dem Boden und den eigenen inneren Interessen der christlichen Ge- meinde noch vor ihrer Vermischung mit der sie umgebenden Welt gewach- sen ist."[19] Damit soll nicht gesagt sein, daß die Formen der Urliteratur alle durchaus neu wären. Das gilt vielmehr allein von der Form des Evan- geliums[20]. Entscheidend ist nur, "daß, wo diese Urliteratur des Christen- tums von Formen Gebrauch macht, die ihr schon gegeben sind, sie doch nur an Formen der religiösen Literatur früherer Zeiten anknüpft. Wovon sie sich aber in der Tat noch ganz fernhält, das sind die Formen der bestehen- den profanen Weltliteratur, daher sie insofern, wenn nicht eine rein christli che, so doch eine rein religiöse genannt werden kann."[21]

Im Gegensatz zur christlichen Urliteratur definiert Ovb die patristische Li- teratur als die "griechisch-römische[.] Literatur christlichen Bekenntnis- ses und christlichen Interesses."[22] Er fügt erläuternd hinzu: "Bei dieser Definition läuft die Frage nach einer Entstehung der patristischen Literatur auf die andere hinaus: Wann ist in der im römischen Reich bestehenden und allgemein gelesenen Literatur, in der profanen oder der Weltliteratur der Zeit, auch das Christentum aufgetreten, und wie ist dieses dazu gekommen, sich auch in dieser Literatur vernehmlich zu machen?"[23] Auf den ersten Teil dieser Doppelfrage wurde schon geantwortet: Die patristische Literatu beginnt mit der Apologetik des zweiten Jahrhunderts. Die Frage, wie die Christen dazu gekommen sind, ihre anfänglich ausnahmslose Abstinenz ge- genüber den Formen der Weltliteratur aufzugeben, beantwortet Ovb unter Hinweis auf die damalige historische Situation der Gemeinde. Unter dem Druck des gewalttätigen Widerstands, den das Christentum von seiten des römischen Staats erfuhr, und angesichts der leidenschaftlichen Abneigung, auf die es bei der Mehrzahl der Gebildeten stieß, entschlossen sich einzelne Lehrer der Gemeinde, die Sache der Christen vor dem heidnischen Publikum, "vor der fremden Welt draußen"[24], zu vertreten. Wenn sie dabei nicht nur in der Sprache der angeredeten heidnischen Leserschaft, sondern auch in den ihr geläufigen und unmittelbar verständlichen Literaturformen schrieben, so geschah das, weil "jedes Literaturwerk ein Symptom seines Publikums"[25] ist oder - konkreter gesprochen - weil der heidnischen Welt gegenüber eine bestimmte Voraussetzung wegfiel, von welcher der christliche Schriftsteller, solange er sich an Glaubensgenossen wandte, ausgehen konnte. In der Abhandlung von 1882 erblickt Ovb diese Voraussetzung in der zwischen den Lesern und dem Schriftsteller bestehenden Gemeinsamkeit des christlichen Glaubens, d.h. in dem gemeinsamen Glauben an den (christlichen) Inhalt einer Schrift. Genau diese Voraussetzung aber entfiel, sobald ein Schriftsteller seine Leser nicht mehr in der Gemeinde, sondern unter den Heiden suchte. Ovb schreibt daher: "Unter ausdrücklichem Absehen zwar nicht von seinem persönlichen Glauben, aber vom Glauben seines Publikums redet der Apologet. So schöpft er denn auch aus dem Inhalt seiner Schrift nicht die geringste Autorität, da dieser Inhalt in seinem Falle solche bei seinem Publikum gar nicht hat, sondern der Anspruch auf Gehör, mit welchem er auftritt, liegt lediglich in der literarischen Form seines Werkes oder kommt ihm nur als Schriftsteller zu."[26] Hieraus ergibt sich: Im Bereich der den Horizont der christlichen Gemeinde nicht überschreitenden Urliteratur konnte ein Schriftsteller aufgrund des christlichen Inhalts seiner Schrift seines Publikums sicher sein. Die schriftstellerische Form war gleichsam von allen fremden Aufgaben entlastet, um rein im Dienst der Explikation des Inhalts zu stehen. Die christliche Religion war die Klammer, die Autor, Werk und Leser verband, und insofern die Urliteratur diesen Rahmen nicht verließ, war sie eine "rein religiöse"[27]. Das änderte sich in der apologetischen Literatur. Hier galt es, trotz des christlichen Inhalts Leser zu finden und diesen Lesern einen Inhalt annehmbar zu machen, der ihnen mindestens fremd war. Sollte diese Aufgabe gelingen, mußten wenigstens die verwendeten schriftstellerischen Formen dem Publikum geläufig sein. Geläufig aber waren ihm die Formen der allgemein gelesenen profanen Literatur. Indem christliche Lehrer begannen, sich dieser Formen zu bedienen, entstanden die ersten Ansätze der patristischen Literatur, einer Literatur, die in demselben Maße nicht mehr 'rein religiös' ist, als sie "wirklich als die Frucht eines der Versuche des Christentums betrachtet werden kann, sich durch eine sich selbst abgezwungene Anpassung an das ihm Fremde zu behaupten."[28]

(2) Mit der in der Apologetik des zweiten Jahrhunderts beginnenden Rezeption profaner Formen entsteht, wie Ovb formuliert, "unvermeidlicherweise eine Literatur, in welcher es fraglich ist, ob das Christentum mehr die Sprache der Literatur behandelt oder diese das Christentum."[29] In diesen Worten ist angedeutet, daß sich die Differenz zwischen der Urliteratur und der patristischen Literatur auch auf den jeweiligen christlichen Inhalt erstreckt. Inwiefern dies der Fall ist, hat Ovb - wenigstens unter einem ein-

zelnen Gesichtspunkt - in der zweiten Fassung der Vorl LG näher ausgeführt. Er hat dabei zugleich gezeigt, daß mit der Differenz des Inhalts auch eine solche der Überlieferung verbunden ist.

Den Abschnitt über die Literatur bis Clemens von Alexandrien - nach Ovb's damaliger Terminologie: "Die Urperiode"[30] der altchristlichen Literaturgeschichte - leitet Ovb in der zweiten Fassung der Vorl LG durch die Behandlung der Frage ein: "Wie steht es mit der Erhaltung der ältesten christlichen Litteratur"?[31] Als die hervorstechendsten Tatsachen nennt er 1. "die ganz besonders gute Erhaltung der apologetischen Litteratur"[32]; 2. den Umstand, daß die die Grenzen der christlichen Gemeinde nicht verlassende innerchristliche Literatur nicht nur den Hauptteil des Untergegangenen ausmache, sondern selbst "grösstentheils verloren"[33] sei; was sich davon erhalten habe, liege "fast durchaus im N.T. vor."[34] Beide Tatsachen seien keineswegs zufällig, sondern in der Eigenart der genannten Schriftenkomplexe begründet.

Die apologetische Literatur gewähre "ihrer Natur nach ... nur die oberflächlichste Einsicht in die eigenthümlichen Anschauungen, in das eigenthümliche Leben der ersten Christengemeinde"[35]. Ihre Aufgabe sei es nämlich gewesen, die Christen gegen die unter Heiden umlaufenden Vorurteile zu verteidigen. Diese Vorurteile hätten sich aber allein auf die äußere Erscheinung der Gemeinde, auf die Oberfläche ihres Wesens bezogen. Der Argumentationshorizont der Apologeten sei eben dadurch vorgezeichnet gewesen, und zwar um so mehr, als in die gleiche Richtung auch die Scheu der Schriftsteller gewirkt habe, "die eigentlichen christlichen Religionsmysterien durch Enthüllung vor Ungläubigen zu profaniren."[36] Auf die innerchristliche Literatur hätten dagegen weder jene heidnischen Vorurteile noch diese christliche Scheu irgendwelchen Einfluß gehabt. Sie vermittle dem Leser daher ein viel gründlicheres und aufschlußreicheres Bild von den tatsächlichen inneren Verhältnissen der Gemeinde.

Im Blick auf diesen Unterschied stellt Ovb fest: "Somit möchte es ja vom Standpunkt des Historikers aus sehr zu beklagen sein, dass uns gerade von der apologetischen Litteratur des zweiten Jahrhunderts verhältnissmässig so viel erhalten ist, dagegen so viel verloren von der für uns viel werthvolleren übrigen christlichen Litteratur. Allein hier wiederum tritt die fundamentale Verschiedenheit des Standpunkts des Historikers und des Standpunkts der Kirche ein."[37] Die Kirche habe von dem Zeitpunkt an, da sie sich in ihren Grundzügen konstituiert hatte, den Anspruch erhoben, ihre gegenwärtige Gestalt reiche bis in die Anfänge der christlichen Gemeinde zurück und sei von da an unverändert die gleiche gewesen. Dieser einen Unterschied von Vergangenheit und Gegenwart leugnende Anspruch habe insbesondere den Umgang der Kirche mit der Tradition ihrer Anfangszeit bestimmt. Die Kirche habe "im Ganzen die Tendenz gehabt, ... ihre ältesten Litteraturdenkmäler nicht zu erhalten, sondern untergehen zu lassen"[38]. Zur Erhaltung und weiteren Überlieferung von Schriften aus der Urperiode der Kirche habe es jeweils besonderer Bedingungen bedurft. Von der apologetischen Lite-

ratur seien diese Bedingungen erfüllt worden - durch die "Flachheit" und
"Oberflächlichkeit" ihres Gehalts! Ovb schreibt: Das Bild, welches die apologetische Literatur vom Zustand der christlichen Gemeinde erkennen ließ,
war "so blass und allgemein, dass nicht leicht ein Conflict dieser Darstellung mit den späteren Verhältnissen entstehen konnte, und eben darum hat
sich ... die älteste Apologetik so gut erhalten"[39]. Die innerchristlichen
Schriften ließen dagegen zu tief in das wirkliche Wesen der christlichen Anfangszeit sehen, sie erinnerten die spätere Kirche zu sehr daran, daß sie
einst ein anderes Aussehen hatte, ihre gegenwärtige Gestalt also das Resultat einer Geschichte sei, als daß sie an ihrer Erhaltung hätte interessiert
sein können[40]. Die ältesten innerchristlichen Schriften konnten sich - mit
zwei Ausnahmen[41] - allein unter dem Schutz des Kanons vor dem Untergang
retten[42], und auch dies nur, weil die spätere Kirche den Kanon als inspiriert ansah und darin Recht und Verpflichtung zur allegorischen Interpretation erblickte -: "An der allegorischen Interpretation des Canons aber hat
die Kirche in der That das Mittel, den historischen Widerspruch zwischen
ihrem späteren Standpunkt und den Schriften ... aus der Urzeit der Kirche
... nie zum Bewusstsein kommen zu lassen."[43]

(3) In dem Verhalten der Kirche zur christlichen Urliteratur reflektiert sich
nicht nur die sachliche Distanz zwischen einem dogmatischen Selbstverständnis auf der einen und der historischen Aussage bestimmter Texte auf der anderen Seite. Das Verhalten der Kirche wird vielmehr von Ovb noch um eine
Nuance anders interpretiert: "Es ist, als wenn die christliche Urlitteratur
einer ganz anderen Welt angehörte, für die man gar kein Auge mehr hatte
und die man demgemäss entweder geradezu gar nicht mehr sah, oder noch
sah, aber gar nicht mehr verstand, mit der man sich daher im günstigsten
Falle nur noch durch die gewaltsamste Umdeutung in Einklang zu setzen
vermochte."[44] Die dem Bisherigen gegenüber neue Nuance dieser Worte
liegt darin, daß Ovb die christliche Urliteratur nicht allein als mit dem dogmatischen System der Kirche schwer koordinierbar bezeichnet, daß er es
vielmehr objektiv schwer, wenn nicht geradezu unmöglich nennt, sie überhaupt zu verstehen. Unter diesem Gesichtspunkt befinden sich aber die Kirche und die historische Wissenschaft - unbeschadet der im übrigen zu kon-
statierenden 'fundamentalen Verschiedenheit' ihrer Standpunkte - der Urliteratur gegenüber in der gleichen Lage. Im Blick auf die wissenschaftliche
Erforschung der Urliteratur bedeutet dieser Sachverhalt, daß sie "an allen
Schwierigkeiten jeder Paläontologie teilnimmt"[45]. Um das Dunkel der Urliteratur und den notwendigerweise 'paläontologischen' Charakter ihrer Erforschung als solche zu erklären, hat man zwei Gründe zu nennen: Einmal
ist an die fragmentarische Erhaltung der Urliteratur zu erinnern. Dies ist
freilich insofern ein schon abgeleitetes Moment, als es neben anderem die
Schwerverständlichkeit der Urliteratur (für die Kirche) schon voraussetzt.
Im Blick auf die Schwierigkeiten, welche eine literaturgeschichtliche Behandlung der Urliteratur zu überwinden hat, kommt ihm selbständige Bedeutung zu; insgesamt gesehen hat es nur eine potenzierende Wirkung. Grundle-
gender ist darum ein zweites Moment: Im Gegensatz zu der durch "erzwunge-

ne Gemeinverständlichkeit" sich auszeichnenden apologetischen Literatur ist die christliche Urliteratur "darum für spätere Geschlechter und noch für uns so schwer verständlich, weil sie für ihr ursprüngliches Publicum so unmittelbar verständlich war. Sie redet die Sprache ihrer Leute und verzichtet demnach auf alle Künste der Litteratur, weil sie es kann. Sie kann unmittelbar einen Glauben anrufen, den sie mit den Lesern, die ihr vorschweben, theilt, und diese mit ihr. Was kümmert sie da der litterarische Ausdruck dessen, was sie zu sagen hat? Aber freilich, diese Sorglosigkeit muss sie mit dem Preis besserer Verständlichkeit für eine spätere und jede ihr ferner stehende Welt zahlen."[46]

bb) Folgerungen für die AG

Die 'paläontologische' Aufgabe einer Darstellung der christlichen Urliteratur hat Ovb in seiner Abhandlung nicht in Angriff genommen. Er hat sich mit der vorläufigen Aufstellung und Bestimmung "des allgemeinen Begriffs" dieser Literatur begnügt. Für die uns beschäftigende spezielle Frage nach der Form der AG bleibt der Ertrag daher gering. Die AG repräsentiert eine der Formen oder, wie Ovb auch sagen kann, eine der Schriftengattungen[4] der Urliteratur. Eine Erörterung darüber, was diese Gattung als solche konstituiert, fehlt. In Vorl Einl I, wo Ovb die Schriften des Apostelteils des NT ihrer "litterarischen Art oder Form nach"[49] in vier Gruppen gliedert, findet sich lediglich die lapidare Erklärung: "Was die AG. ihrer litterarischen Form nach ist, sagt ohne weiteres ihr Name, und eine zweite Schrift der Art findet sich in der Gesammtgruppe der ... Apostelschriften des N.T's nicht"[50]. Was der Leser hier vermißt, wird von Ovb auch in anderen Texten nicht dargelegt. Eine ähnliche Feststellung ist im Blick auf einen zweiten Punkt zu treffen. Ovb nennt die Form des Evangeliums "die einzige originelle Form ..., mit welcher das Christentum die Literatur bereichert hat."[51] Dieser Satz impliziert, daß nicht nur die Apokalypse, sondern auch die Apostelgeschichte eine Form ist, welche die christliche Gemeinde aus "der religiösen Literatur früherer Zeiten"[52] übernahm. Woran Ovb dabei denkt und welcher Aufschluß aus der angenommenen literaturgeschichtlichen Abhängigkeit der AG für das Verständnis dieses Buchs folgt, wird nirgends gesagt.

Trotz dieses Befundes darf nicht übersehen werden, daß Ovb in seiner Abhandlung den allgemeinen Satz, die AG gehöre zur Urliteratur und partizipiere an ihren Merkmalen, wenigstens in einer Hinsicht konkretisiert. Ovb legt nachdrücklich Protest ein gegen die Bezeichnung der Evangelien und der AG als der 'historischen Bücher' des NT[53]. Diese Bezeichnung verleite dazu, die genannten Schriften "in den allgemeinen Strom der Literatur der alten Kirche hineinzuziehen", und habe "in Hinsicht auf die Apostelgeschichte z.B. bis jetzt kaum ein Bedenken gegen die Meinung ... aufkommen lassen, daß in diesem Buch der Anfang der Kirchengeschichtsschreibung liegt."[54] Mindestens diese literaturhistorische Konsequenz sei jedoch grundverkehrt. Denn einmal sei das Thema der Evangelien und der AG der historischen Literatur der Patristik verschlossen gewesen und habe niemand auch nur den Versuch gemacht, eine Fortsetzung jener Bücher zu schreiben[55]. Sodann verbiete es der Vergleich der Formen der sog. historischen Bücher des NT mit denen der historischen Literatur der alten Kirche, einen literaturgeschichtlichen Zusammenhang zwischen ihnen zu behaupten. Nehme man nämlich einen solchen Formenvergleich "auch nur oberflächlich" vor, so werde "auch wer es über sich gewänne, Evangelien und Apostelgeschichte einerseits und die eusebianische Kirchengeschichte andererseits, allem Augenschein ... zum Trotz, für Exemplare einer und derselben Schriftengattung zu betrachten, ⟨doch⟩ daran verzweifeln müssen, die Form der Kirchengeschichte des Eusebius wirklich aus der der Evangelien und der Apostelgeschichte abzuleiten."[56] Ob aber bei dem unausweichlichen Zugeständnis der am Inhalt und an der Form ablesbaren Diskontinuität "die Auffassung der Evangelien und der Apostelgeschichte als Bücher historischer Art noch haltbar ist"[57], diese Frage könne dahingestellt bleiben.

Die Grenzen, in denen Ovb hier allein gegen die Existenz einer Geschichtsschreibung im NT Stellung nimmt, sind durch das Thema: Über die Anfänge der patristischen Literatur, nicht durch die Sache selbst bedingt[58]. Denn daß die Evangelien und die AG keine historischen Bücher sind, genauer: daß sie nur entweder zur Urliteratur gehören können, dann aber mit Geschichtsschreibung nichts zu tun haben, oder historiographischen Charakter besitzen, dann aber aus dem Bereich der Urliteratur ausgeschlossen werden müssen, dieser Satz ist im Sinne Ovb's auch dann zu begründen, wenn man den Blick nicht auf das Problem des literaturgeschichtlichen Zusammenhangs mit der patristischen Literatur konzentriert. Der nicht-historische Charakter aller Urliteratur ist für Ovb.eine direkte Konsequenz seines Begriffs der Urgeschichte. Inwiefern dies der Fall ist, soll im folgenden gezeigt werden.

b) Urgeschichte

aa) Merkmale des Begriffs

Urgeschichte und Urliteratur sind Parallelbegriffe: Jede Urliteratur gehört zu einer Urgeschichte und umfaßt deren literarische Dokumente. Urgeschichte und Geschichte stehen einander als Komplementärbegriffe gegenüber. Beidemal hat man es mit der Vergangenheit zu tun, im Falle der Urgeschichte aber "mit einer Vergangenheit besonderen Sinnes, mit einer besonderen Art von Vergangenheit, einer solchen, die Vergangenheit im ausgezeichneten Sinn ist."[59] Der hier angesprochene Unterschied schließt einen Unterschied des Alters mit ein, insofern - unbeschadet möglicher Überschneidungen[60] - die Urgeschichte eines historischen Subjekts dessen Geschichte vorangeht. Das höhere Alter der Urgeschichte allein ist für ihren Begriff jedoch nicht konstitutiv, wie schon daraus erkennbar wird, daß Geschichte niemals im Laufe der Zeit in Urgeschichte übergehen kann und Urgeschichte zwar ein-

mal Gegenwart, aber nie in dem hier in Rede stehenden prägnanten Sinn
Geschichte war. Vollends unabhängig ist die Urgeschichte von dem Merkmal des hohen Alters: "Sie kann vielmehr auch sehr jung sein, und ob sie
alt oder jung ist, macht überhaupt keine Eigenschaft aus, die ihr ursprünglich zukäme."[61]

Urgeschichte und Geschichte unterscheiden sich nach Ovb in doppelter Hinsicht: "formell, sofern sie verschieden überliefert sind ..., aber auch materiell, sofern ihr Inhalt ein verschiedener ist, die Gegenstände, die in
Beiden behandelt werden, einer verschiedenen Welt oder verschiedenen
Entwicklungsreihen angehören."[62]

Die Überlieferung der Urgeschichte zeichnet sich durch Dunkelheit, Schwerverständlichkeit und fragmentarischen Charakter aus[63]. "Der Schleier,
der ... über jeder Überlieferung liegt, ist bei der Urgeschichte bis zur
Undurchdringlichkeit gesteigert."[64] Um Urgeschichte zu verstehen, bedarf es daher "besonderer Bemühung"[65]; es kann nur Forschern "mit
'Katzenaugen' " gelingen, "die im Dunkeln sich zurechtfinden."[66]

Materiell ist die Urgeschichte "Entstehungsgeschichte"[67]. Sie umfaßt den
Vorgang der Konstitution eines historischen Subjekts[68] und legt den Grund
zu seiner historischen Wirksamkeit. Die Urgeschichte vollzieht sich im Ver-
borgenen, abseits von der Welt; ebenso wie ihre literarischen Dokumente
ist sie esoterischer Natur. Der in ihr entstehende "Organismus" konzentriert sich ganz auf sich selbst und ist nur mit sich selbst beschäftigt. Erst
wenn er feste Formen entwickelt hat, die ihn von der gleichzeitigen geschichtlichen Umwelt als individuelle Größe deutlich unterscheiden, nimmt er die Beziehung zu dieser Welt auf und beginnt seine Geschichte[69]. Ovb definiert daher: "Die Kirche (die christliche Kirche) ist das in die grosse Welt - die Welt
des römischen Reichs - hinausgetretene Christenthum oder das Christenthum
mit Ausschluss seiner Urperiode (des Urchristenthums), wo das Christenthum noch ganz in seinen jüdischen Windeln lag, noch ganz in seine jüdischen
Anfänge geschlossen und in die grosse Welt noch nicht hinausgedrängt war."[70]

bb) Unmöglichkeit von Geschichtsschreibung während der Urgeschichte

Daß es während einer Urgeschichte keine Geschichtsschreibung gibt oder -
um es gleich auf das hier allein interessierende Gebiet zuzuspitzen - daß
die Urperiode des Christentums noch keine Kirchengeschichtsschreibung
kannte, diese Tatsache folgt bereits aus der Eigenart der Überlieferung dieser Urperiode. Diese könnte nicht so dunkel und trümmerhaft sein, wie es
nach Ovb zu ihrem Begriff gehört, wenn der überlieferte Gegenstand, das
Ur-Christentum, schon eine historiographische Behandlung seiner selbst
hervorgebracht hätte. Nun gibt sich aber in der Eigenart einer Tradition
stets die Eigenart der tradierten Sache zu erkennen[71]. Ist das richtig,
dann läßt die Dunkelheit der Tradition den Schluß zu, daß während der Urperiode des Christentums eine Kirchengeschichtsschreibung nicht nur faktisch

nicht entstand, sondern von der Sache her auch gar nicht entstehen konnte. Dies ist in der Tat aus zwei Gründen der Fall:

(1) Die fundamentalste Voraussetzung für das Aufkommen einer Geschichtsschreibung ist das Vorhandensein eines geschichtsfähigen Subjekts. Diese Voraussetzung ist aber während der Urgeschichte nicht gegeben, weil das historische Subjekt hier noch im Entstehen begriffen ist. Ein mögliches Objekt der Geschichtsschreibung ist allererst das Resultat der Urgeschichte. Ovb schreibt daher: "Die historische, allein der Sache adaequate Definition der Kirche ist, dass sie die historisch fertige Gestalt des Christenthums ist, in welcher das Christenthum seine historische Existenz erlebt hat, welche beginnt vom Moment, wo sich das Christenthum aus dem ·Evangelium als seinem praehistorischen Embryo zur Gestalt der Kirche entwickelt hatte ..."[72]

(2) Entstehungsgeschichte ist für Ovb eine Periode besonders kräftigen Lebens[73]. In ihr ist insbesondere das Christentum noch stark genug, das Wissen von sich fernzuhalten, oder umgekehrt: in ihr ist das Christentum auch deswegen noch von jedem Schatten des Verfalls frei, weil das Wissen noch nicht begonnen hat, es zu zersetzen. In diesem Sinn gehört zur Urgeschichte des Christentums "das Dunkel, dessen zum Werden alles, was ins Dasein tritt, so zu sagen bedarf"[74], oder jene "Dunstschicht des Unhistorischen", von der Nietzsche schrieb, sie sei "einer umhüllenden Atmosphäre ähnlich, in der sich Leben allein erzeugt, um mit der Vernichtung dieser Atmosphäre wieder zu verschwinden."[75] Die Urgeschichte ist demnach nicht nur für den späteren Betrachter hinter einem dichten Schleier verborgen; in dem Fehlen historischer Selbstbetrachtung oder in dem "Dunkel des eigenen Unbewusstseins"[76] hat sie vielmehr selbst eine Existenzbedingung. Hätte sich das Christentum im Verlauf seiner Entstehungsgeschichte selbst schon zum Objekt der Geschichtsschreibung gemacht, so wäre es "in der Wiege erstickt"[77].

Nimmt man zu diesen Erwägungen noch hinzu, daß Geschichtsschreibung während der Urgeschichte nur 'Gegenwartsgeschichte' sein könnte, 'Gegenwartsgeschichte' für Ovb's Begriffe aber ein Unding ist[78], so wird vollends deutlich, daß Ovb dem Ur-Christentum als solchem eine Geschichtsschreibung nur absprechen kann. Für die AG bedeutet das: Ihre Zugehörigkeit zur Urliteratur steht und fällt mit ihrem nicht-historiographischen Charakter. Die Frage, wie sich die AG zu den Anfängen der Kirchengeschichtsschreibung verhält, ist von hier aus gesehen nichts anderes als die Übertragung oder die konkrete Zuspitzung des Problems der Unterscheidung von christlicher Urliteratur und griechischer Literatur christlichen Bekenntnisses auf ein bestimmtes neutestamentliches Buch[79].

2. Overbecks Begründung des nicht-historiographischen Charakters der AG in Vorl AK (WS 1872/73)

Die Argumente, die Ovb in den verschiedenen Fassungen der Vorl ApZA und im AG-Komm gegen das Verständnis der AG als eines historischen Buchs geltend macht - die Künstlichkeit der Formen, der Mangel an synchronistischer Darstellung, die Ungleichmäßigkeit des Inhalts und die dogmatische Tendenz - wurden bereits oben besprochen[1]. Ovb hat in den genannten Texten, wie er selbst ausdrücklich anmerkt, "alle allgemeineren aus dem Charakter der Zeiten der ältesten Kirche entnommenen Betrachtungen"[2] gegen die Behauptung eines rein historischen Zwecks der AG unterlassen. Die damit bezeichnete Schranke seiner Argumentation wird erst in der frühesten Fassung der Vorlesung: Geschichte der alten Kirche gesprengt. Das Problem des historiographischen Charakters der AG stellt Ovb in dieser Vorlesung zugleich insofern in einen größeren Horizont, als er es - für unsere Kenntnis erstmalig - im Rahmen der Frage nach den Anfängen der Kirchengeschichtsschreibung behandelt. Das Resultat, das er dabei im Blick auf die AG erzielt, ist gegenüber seiner früheren Ansicht nicht neu; wohl aber weicht die Art der Begründung von der bisher verfolgten ab.

Die Vorlesung: Geschichte der alten Kirche (WS 1872/73) beginnt, soweit das Manuskript noch rekonstruiert werden kann[3], mit zwei einleitenden Paragraphen über den "Begriff der Kirche als Object der Geschichte" (§ 1) und über die "Geschichte der Kirchengeschichtsschreibung" (§ 2).

a) Begriff der Kirche als Objekt der Geschichtsschreibung

Den Gedankengang des ersten Paragraphen eröffnet Ovb mit zwei Definitionen des Begriffs der Geschichte[4]. Geschichte als objektiver Vorgang oder als ein besonderes Wirklichkeitsfeld ist danach "Entwickelung innerhalb des unserer Erfahrung zugänglichen Weltlaufs."[5] Geschichte als wissenschaftliche Disziplin ist "die Beschreibung der im Laufe einer bestimmten Zeitperiode von einem Objecte innerhalb des unserer Erfahrung zugänglichen Weltlaufs erlittenen Veränderungen."[6] Setzt man diese Begriffsbestimmungen voraus, so müssen zwei Bedingungen gegeben sein, wenn die Kirche ein Subjekt der Geschichte und ein mögliches Objekt der Geschichtsschreibung sein soll: 1. muß die Kirche "eine Entwickelung haben oder Veränderungen erleiden"; 2. müssen diese Veränderungen "für uns wahrnehmbar sein oder im Bereich unserer Erfahrung liegen"[7].

Wer in diesem Sinn eine Geschichte der Kirche annimmt, gerät Ovb zufolge mit einem doppelten Kirchenverständnis notwendig in Kollision: Einmal mit dem katholischen, weil es einer echten Veränderung der Kirche keinen Raum gibt; sodann mit dem schroff protestantischen, welches die Kirche als die Gesamtheit der Erwählten oder als ecclesia invisibilis möglicher Erfahrung entzieht. Beide Fassungen des Kirchenbegriffs formulieren kein mögliches Objekt der Geschichtsschreibung. Sie heben die Geschichte der Kirche als Wissenschaft auf und sind darum "für die Kirchengeschichte an sich selbst unbrauchbar."[8]

Trotz dieses Verdikts ist es nicht Ovb's Absicht, dem katholischen und
dem schroff protestantischen Kirchenbegriff überhaupt jede Berechtigung
abzusprechen. In einer beigefügten Erläuterung legt er dar, daß beide Kir-
chenbegriffe die Kirche aus dem empirischen Lauf der Geschichte herausheben und eben damit ein Moment zum Ausdruck bringen, das unabdingbar
zum Wesen der Kirche hinzugehöre. Denn es stehe fest, "dass die Kirche
als religiöse Heilsanstalt eine Seite hat, nach welcher sie ... über alle
Erfahrung hinausgeht und von aller Geschichte unabhängig ewig sich selbst
gleich ist. Ohne diess hört die Kirche überhaupt auf, eine lebendige religiöse Heilsanstalt zu sein, und das Bewusstsein, nicht in der Welt, sondern ihr gegenüber zu stehen, kann die Kirche nie verlassen, ohne dass
sie mit ihrem eigenen Ursprung bräche"[9]. Wird die Kirche als 'religiöse
Heilsanstalt' betrachtet, so gehören hiernach Überweltlichkeit oder Un-
weltlichkeit - in welcher Form sie auch gedacht seien[10] - notwendig zu ihrem Begriff. Von einem solchen Standpunkt aus kann die Kirche jedoch nicht
zum Gegenstand der Geschichtsschreibung gemacht werden; denn als "über-
geschichtlich und von Seiten ihrer rein religiösen Bedeutung entzieht sich
die Kirche aller Geschichte"[11]. Wird die Kirche historisch betrachtet, dann
ist es notwendig, den religiösen Standpunkt zu verlassen und die für ihn un-
aufgebbaren Merkmale der Kirche preiszugeben. Ohne die Dualität beider
Betrachtungsweisen und die Implikationen ihres Gegensatzes weiter zu verfolgen, kommt Ovb zu dem Schluß: Religiöse und historische Betrachtung der
Kirche sind von Grund auf verschieden und unvereinbar; beiden entspricht
ein jeweils besonderer Kirchenbegriff.

b) Anfang der Kirchengeschichtsschreibung

Wann hat die Kirchengeschichtsschreibung begonnen? Zur Beantwortung
dieser Frage geht Ovb von der unter a) genannten Definition der Geschichte
aus. Er folgert, daß alle Kirchengeschichtsschreibung ein zweifaches Interesse voraussetzt: 1. das Interesse an der geschichtlichen Entwicklung,
d.h. an den Veränderungen und Schicksalen, welche die Kirche im Laufe
der Zeit erlitt; 2. das Interesse, "die Kirche irgendwie in ein Verhältniss
zu sonstigem Geschehen zu setzen, sie der Kette der sonstigen geschichtlichen Ereignisse einzuordnen, sie zu dem, was anders ist, zu ihrer ihr
fremden Umgebung in Beziehung zu setzen"[12]. Dies doppelte Interesse, auf
welchem die Kirchengeschichtsschreibung beruht, ist ein Interesse des Wissens[13]. Das bedeutet für Ovb: Wo es aufkommt, kann das Verhältnis der einzelnen Glieder zur Kirche "kein rein religiöses mehr sein, sondern irgendwie muß die Kirche schon aus einem Object nicht sehenden Glaubens zu einem Object erkennenden Wissens geworden sein."[14] In den sog. historischen Büchern des NT, den Evangelien und der AG, ist dieser Schritt noch
nicht vollzogen; "nichts liegt ihnen ferner als ein historisches wissenschaft-
liches Interesse am Object ihrer Erzählung."[15]

Aus den Überlegungen, durch die Ovb dieses Urteil teils erläuternd, teils
begründend zu stützen sucht, sind folgende eng miteinander verbundene Gesichtspunkte hervorzuheben:

Ovb weist zunächst darauf hin, daß die Evangelien und die AG "selbst noch zur Urzeit der Kirche"[16] gehören. Damit ist gesagt, daß sie jener Periode entstammen, in welcher die Kirche "nicht sowohl darauf gerichtet war, sich zur Welt in Beziehung zu setzen, als noch ganz mit sich selbst beschäftigt war und in der geheimnissvollen, der Erkenntniss ungemein schwer zugänglichen Arbeit begriffen war, sich selbst ihre sichtbaren Grundformen zu geben."[17] Es wurde schon oben[18] gezeigt, daß nach Ovb's Verständnis die Urzeit der Kirche deren Konstitutionsperiode ist. In ihr vollzieht sich der Entstehungsprozeß der Kirche, in welchem diese noch ganz nach innen gewandt ist und aus welchem die Existenz der Kirche in sichtbaren Grundformen als Resultat erst hervorgeht. In ihrer Urzeit kann die Kirche noch nicht zum Gegenstand einer Geschichtsschreibung werden, weil sie sich zur Außenwelt noch nicht in Beziehung gesetzt und damit zu einer Größe der Geschichte noch gar nicht konsolidiert hat.

Aufgrund der mit dem fehlenden Außenbezug gesetzten Distanz des Ur-Christentums zur gleichzeitigen Weltkultur gewinnt ein zweites Moment Bedeutung, das Ovb ebenfalls an den Begriff der Urzeit anknüpft: "Bedenkt man", schreibt er, "welche hohe Entwickelung wissenschaftlichen Denkens überhaupt Geschichtsschreibung voraussetzt, ... so wird niemand schon in der Urzeit des Christenthums geschichtliche Bücher im eigentlichen Sinn hervortreten zu sehen erwarten."[19]

Ovb führt drittens die Beobachtung ins Feld, daß die sog. historischen Bücher des NT auf einem Standpunkt geschrieben seien, "für welchen das vergangene Geschehen, von dem sie berichten, nicht im mindesten als vergangenes und in seiner selbstständigen Eigenthümlichkeit Interesse hat"[20]; der historische Stoff sei in jenen Schriften vielmehr noch vollkommen den religiösen Ideen der jeweiligen Gegenwart unterworfen[21]. Dieser Sachverhalt lasse sich nicht nur vom Jesusbild der Evangelien ablesen, er ergebe sich prinzipiell in der gleichen Weise auch aus der Geschichtserzählung der AG. Denn die AG erzähle "die älteste Verbreitung des Evangeliums durch Paulus, welches ihr Hauptthema ist, keineswegs um ihrer selbst willen und auf Grund eines durch objective Betrachtung gewonnenen Wissens davon, sondern ihr Zweck ist, zu zeigen, dass einem gewissen Bilde, das sich vor jener Verbreitung in den christlichen Kreisen der damaligen Zeit verbreitet hatte, auch die Wirklichkeit entsprach."[22] Was Ovb mit dieser Charakteristik der AG sagen will, ist offenbar dies: Das religiöse Selbstverständnis der christlichen Gemeinde zur Zeit des Verf's der AG umschloß auch ein Bild ihrer eigenen Entstehung. Es hatte sich eine bestimmte Vorstellung "der ältesten Verbreitung des Evangeliums durch Paulus" gebildet, und die Gemeinde bedurfte dieser Vorstellung, um sich der Legitimität ihrer Existenz zu versichern. Über diesen Rahmen geht die Geschichtserzählung der AG faktisch und intentional nicht hinaus. Was ihr Verf beabsichtigt, ist nur die konkrete Verifikation und Ausarbeitung eines dem Selbstverständnis seiner Gegenwart inhärierenden Moments. Die AG expliziert nur dieses Selbstverständnis, insofern in ihm eine Vorstellung der vergangenen Wirklichkeit schon mitgesetzt ist; nicht aber, formuliert Ovb, "ist diese Wirklichkeit an

<u>sich selbst</u> das erste Interesse des Schriftstellers und soll etwa mit dieser
Wirklichkeit ein in der Vorstellung der Gläubigen unabhängig davon beste-
hendes Bild berichtigt werden, was freilich ein ganz wissenschaftlicher historischer Zweck wäre."[23] Die AG ist also für Ovb genau in dem Maße
kein historiographisches Unternehmen, als sie die Vergangenheit nur unter
der Führung und im Dienste des christlichen Gegenwartsbildes von ihr zur
Darstellung bringt. Sie ist eine dogmatische Schrift, weil in ihr die Vergangenheit als solche mit ihren dem Gegenwartsinteresse nicht einfach koordi-
nablen Konturen weder enthüllt noch intendiert wird[24].

Der gleiche Sachverhalt wird nur unter einem anderen Blickwinkel betrachtet, wenn Ovb gegen den vermeintlich historiographischen Charakter der
Evangelien und der AG viertens ihre <u>Pseudonymität</u> geltend macht[25]. Ovb
behauptet: "Diese Schriften sind ... alle pseudonym, d.h. ihre Verfasser
hüllen sich in fremde ... besonders angesehene Namen der Vorzeit ein"[26].
Wir lassen diese angesichts der offenkundigen <u>Anonymität</u> der vorliegenden
Texte äußerst befremdliche These, was die Evangelien betrifft, hier auf
sich beruhen[27]. Im Blick auf die AG liegt ihr in der Analyse Ovb's verifi-
zierbares Wahrheitsmoment in Ovb's Deutung der kommunikativen Redeweise der Wirstücke. Der Verf der AG hat danach die in seiner Quelle vorliegende 1. Person Plural beibehalten, um selbst als Reisebegleiter des Pls
zu gelten[28]. Genau dies Verfahren ist aber nach Ovb's Urteil "auf dem Gebiete ... wirklicher Geschichtsschreibung schlechterdings sinnlos"; denn
es wird dadurch "gerade ein Verhältniss verhüllt, welches wissenschaftliche Geschichtsschreibung vielmehr ihrem Wesen nach auf das schärfste
hervorkehren wird": der Unterschied der Zeiten[29].

Wie die Evangelien und die AG des NT bilden auch Hegesipps ὑπομνήματα
nicht den Anfang der Kirchengeschichtsschreibung. Ovb hat an diesem
Punkt seine frühere Auffassung revidiert. In der Vorl ApZA vom SS
1867 konnte er noch sagen: "Die Schrift Hegesipps war eine bis zur Zeit
des Verfassers herabgeführte Kirchengeschichte."[30] Jetzt, im WS
1872/73, heißt es dagegen: Was Euseb von den ὑπομνήματα Hegesipps
mitteilt[31], "besagt nicht einmal, dass dieses Werk die Form einer historischen Geschichtserzählung hatte, den historischen Zweck des Werks
aber schliesst es jedenfalls aus."[32] Die Absicht Hegesipps sei keine
andere gewesen als festzustellen, was apostolische Lehrtradition sei,
und diese gegen die gnostischen Häresien abzugrenzen.

Ein historisches Interesse an der Kirche ist nach Ovb erst in der Theologie der Apologeten erwacht. Wie deren Schriftstellerei und Theologie
überhaupt ist auch ihr historisches Interesse ein Produkt der Auseinandersetzung mit der heidnischen Umwelt. Von heidnischer Seite wurde
dem Christentum seine junge Entstehung zum Vorwurf gemacht. Damit
wurde zugleich der christliche Wahrheitsanspruch entschieden bestritten. Diesem Angriff setzten die Apologeten ihre Überzeugung von dem
hohen Alter der christlichen Offenbarung entgegen, eine Behauptung also, die "ihrer Natur nach ... nur mit historischen Mitteln"[33] zu be-

weisen war. Die Grundlage eines solchen Beweises bildete das AT; seine Durchführung wurde in Gestalt von synchronistischen Tabellen unternommen, welche den Sinn hatten, das der Überlieferung aller anderen Völker überlegene Alter der im AT gegebenen Tradition zu demonstrieren.

Die altchristliche Chronographie umfaßte anfangs allein die alttestamentliche Vorgeschichte des Christentums. Wurde später auch die Kirchengeschichte bis auf die Gegenwart des jeweiligen Autors herab in die chronographische Behandlung einbezogen, so war dabei - wie Ovb namentlich aus der Chronik des Julius Africanus entnimmt - noch das besondere Interesse leitend, die bereits verflossene und die noch ausstehende Frist der 6000jährigen Weltdauer zu berechnen. Ovb erblickt in der altchristlichen Chronographie nicht den Anfang, wohl aber eine unmittelbare Vorstufe der Kirchengeschichtsschreibung: Indem die Chronographen die Kirche dem Zusammenhang der allgemeinen Weltgeschichte zu- und einordnen, schaffen sie "eine unentbehrliche Vorarbeit für eine im vollkommenen Sinn so zu nennende Kirchengeschichte"[34], für welche sie zugleich das notwendige chronologische Gerüst bereitstellen.

Die erste wirkliche Kirchengeschichte ist die ἐκκλησιαστικὴ ἱστορία des Euseb. Euseb knüpfte bei der Ausarbeitung dieses Werks ausdrücklich an seine früher verfaßte Chronik an[35]. Nach ihrer Form und auf ihre Genesis gesehen, ist seine Kirchengeschichte nichts anderes als die selbständig organisierte und zugleich aus dem beengenden Kontext der synchronistischen Tabellen der Weltchronik herausgelöste Kolumne der Christen. Daß gerade zur Zeit des Euseb die erste Kirchengeschichte geschrieben wurde, weiß Ovb unschwer zu erklären: Die Erhebung der bisher verfolgten Kirche zu staatlicher Anerkennung ließ das Phänomen der Veränderung so unmittelbar erfahren, daß sich der Rückblick der Kirche auf sich selbst und mit ihm die Frage buchstäblich aufdrängte, wie aus den unscheinbaren Anfängen ein derart glänzendes Gebilde, wie Euseb es in der konstantinischen Kirche zu erkennen glaubte, entstanden sei[36].

Unter der Voraussetzung der hier nur flüchtig skizzierten positiven Ansicht über den Anfang der Kirchengeschichtsschreibung[37] ergibt sich für Ovb ein fünftes Argument gegen die Existenz historischer Schriften im NT: "Nimmt man nämlich an, dass schon zur Zeit der Entstehung der neutestamentliche Schriften ein historisches Interesse an der Kirche erwacht ist, so wird man völlig ratlos vor der Frage stehen, wo dann dieses Interesse in den später folgenden Jahrzehnten, ja Jahrhunderten geblieben ist."[38] Anders gesagt: "Wenn jene neutestamentlichen Bücher wirklich historische Bücher sind, w kommt es, dass wir nach ihnen eine lange Zeit hindurch Bücher dieser Art in der Kirche gar nicht mehr auftauchen sehen, und namentlich die Literatu der Kirchengeschichte sich ohne allen sichtbaren Zusammenhang mit jener altchristlichen Literatur entwickelt, sondern nachweislich ihren Ausgang vo ganz anderen Punkten nimmt?"[39]

3. Zwei zusätzliche Argumente gegen den historiographischen Charakter
der AG in Anfänge KG 1876

In seiner am 17.10.1876 gehaltenen Rektoratsrede trug Ovb die gleiche Auffassung über die Anfänge der Kirchengeschichtsschreibung vor wie schon
in der Vorl AK vom WS 1872/73. Soweit auch die Argumente mit den früher
angeführten übereinstimmen, ist bereits in den Anmerkungen zum vorigen
Abschnitt darauf hingewiesen worden. Hier seien lediglich zwei Momente
nachgetragen, durch die Ovb seine Argumentation 1876 ergänzte.

a) Argumentation unter Voraussetzung des dogmatischen Kanonbegriffs

Daß die erzählenden Bücher des NT nicht den Anfang der Geschichtsschreibung in der Kirche bilden, entwickelt Ovb unter Voraussetzung nicht nur des
(von ihm geteilten) kritischen, sondern auch des "traditionellen" Verständnisses dieser Bücher[1]. Als "traditionell" bezeichnet er dabei nicht die Auffassung der konservativ-apologetischen Interpreten seiner Zeit[2], sondern
diejenige Betrachtungsart der neutestamentlichen Schriften, die mit der ungebrochenen Gültigkeit der dogmatischen Idee des Kanons mitgesetzt ist.
Alle kanonischen Schriften gelten danach als inspiriert, d.h. als einzigartig
und "schon durch ihren Ursprung dem Zusammenhange mit sonstiger Litteratur enthoben"[3]. Von dem Zeitpunkt an, da die Evangelien und die AG einen
Bestandteil des Kanons bildeten, konnte deshalb nach Ovb's Urteil "in der
Kirche nicht mehr daran gedacht werden ..., diese Bücher für historische
Schriften im eigentlichen Sinne des Worts zu halten, da man überhaupt darauf verzichten musste, sie in irgendeines der Fächer sonstiger Litteratur
einzureihen."[4]

Was dies besagt, expliziert Ovb im Blick auf die AG wie folgt: Für den 'kirch-
lich-traditionellen' Standpunkt ist die Darstellung, welche die AG von ihrem
Gegenstand gibt, "im Wesentlichen unwiederholbar."[5] Was die AG erzählt,
ist von der Art, "dass es vor Allem richtiger nicht erzählt werden kann,
dass im Grunde jede andere Darstellung des Erzählten überflüssig ist, jedenfalls keine, die noch unternommen würde, etwas Anderes als so zu sagen
eine Paraphrase der AG. sein darf, geschweige denn, dass sie die AG.,
sich von ihr emancipirend, zu übertreffen den Anspruch erheben dürfte."[6]
Die Wiederaufnahme des Gegenstands der AG ist also nur als Zitation, Paraphrase oder Auslegung der AG selbst statthaft. Eine eigenständige, sich von
der AG emanzipierende Behandlung ihres Themas ist, solange die kanonische
Geltung dieses Buchs vorausgesetzt wird, unmöglich. Mit dieser Koinzidenz
von Thema und Darstellung ist nach Ovb das Verständnis der AG als eines
historischen Buchs unvereinbar. Er erinnert daran, daß jeder Historiker
durch die "nach allen Dimensionen unendliche Reihe des zeitlichen Geschehens" zum Verzicht auf Vollständigkeit gezwungen wird[7]. Die unvermeidli-
che Auswahl kann nach verschiedenen leitenden Gesichtspunkten erfolgen.
Eine historische Darstellung hat daher stets den Charakter eines korrigiblen Versuchs. Anders gesagt: "im Wesen jedes Gesichtswerks liegt so zu

sagen seine Wiederholbarkeit; ... jedes ist problematisch."[8] Dies vorausgesetzt müßte die AG, soll sie als der Anfang der Kirchengeschichtsschrei
bung betrachtet werden, an dem problematischen Charakter aller historischen Literatur partizipieren und eigenständigen Versuchen über ihr Thema allen Raum neben sich offen lassen. Genau dies hat die kirchliche Anschauung jedoch - mindestens "in Zeiten ihrer ungebrochenen Energie"[9] -
stets bestritten[10].

b) Verweis auf das urchristliche Verhältnis zur Geschichte

Als Gedanke nicht neu, aber im Zusammenhang der Argumentation mit neu
em Gewicht versehen und nuancierter ausgearbeitet ist Ovb's Hinweis darauf, daß das Fehlen einer Geschichtsschreibung in den Anfangszeiten der
Kirche "in der ganzen Denkart des ältesten Christenthums begründet"[11] se
Ovb setzt bei dem schon aus der Vorl AK, WS 1872/73, bekannten Begriff
der Kirchengeschichtsschreibung an, wonach diese auf der Einordnung der
Kirche in den sonstigen Weltlauf und der Beobachtung erlittener Veränder-
rungen beruht. Der Anwendung dieser beiden Gesichtspunkte auf die Kirche
habe sich "zunächst ihr ganzer Glaube in den Weg"[12] gestellt. Denn: "Die
Kirche ist eine Gemeinschaft, welche für ihre Bekenner nicht aus der Zeit,
sondern aus der Ewigkeit stammt, nicht in der Zeit, sondern in der Ewigkeit steht, und der darum ihnen zufolge die Zeit nichts anhaben kann."[13]

Die Kirche im Verständnis der frühen Christen gehört nach dieser Formuli
rung einer prinzipiell nicht-zeitlichen Wirklichkeit an. Sie gilt als eine Grö
se, die - über den Zeitlauf erhaben - von der Zeit nicht tangiert wird, die
daher dem erfahrbaren Weltlauf nicht zugeordnet werden kann und gegen da
Erleiden von Veränderungen immun ist. Daß ein solches Kirchenverständni
die Idee einer Kirchengeschichtsschreibung nicht aufkommen läßt, leuchtet
unmittelbar ein[14]. Auffällig ist jedoch, daß Ovb mit der Antithese von Zeit
und Ewigkeit und der schroff ausschließenden Bestimmung des Verhältnisses der Kirche zur Zeit und Geschichte die urchristliche Eschatologie in de
Griff zu bekommen meint. Es hat den Anschein, als übersehe Ovb den funda
mentalen Unterschied eines Bewußtseins zeitloser Ewigkeit und des dialekt
schen Zeitbezugs der apokalyptischen Naherwartung, wenn er im unmittelbaren Anschluß an das vorige Zitat fortfährt: "Dieser Glaube verzichtete in
seiner ersten Energie auf jede Geschichte für die Kirche, denn er lebte in
der Erwartung des baldigsten, durch eine zweite Erscheinung des Erlösers
auf Erden herbeigeführten Endes der zeitlichen Weltordnung."[15] Solange d
Erfüllung dieser Hoffnung noch ausstand und der Blick der Christen "ausschliesslich auf eine noch bevorstehende Zukunft gerichtet war", blieb ihne
"jeder Gedanke einer Geschichtsschreibung verschlossen, welcher nur dem
dessen Auge auf die Vergangenheit blickt, aufgeht."[16]

Nimmt man die letzten Sätze für sich, dann war es ein ganz bestimmtes Ze
verhältnis, nämlich der exzessive, jeden Blick in die Vergangenheit absor-
bierende Zukunftsbezug und das Bewußtsein, am Ende der Geschichte zu st

hen, wodurch im Urchristentum Geschichtsschreibung ausgeschlossen wurde. Dem Kontext zufolge erscheint die apokalyptische Naherwartung dagegen als die ursprüngliche und zugleich kräftigste Form, in der sich die Christen der zeitlosen Ewigkeit ihrer Gemeinschaft bewußt waren. Diese Deutung
urchristlicher Eschatologie kommt einer Überformung ihrer Eigenart durch
sachfremde Kategorien gleich: Ihr dialektischer Geschichtsbezug wird in das
einlinige Bewußtsein vermeintlicher Übergeschichtlichkeit oder Geschichts-
Immunität hinein nivelliert[17].

Es ist eine direkte Folge dieser Nivellierung, daß Ovb den Wegfall der eschatologischen Naherwartung in seiner möglichen Relevanz für das Aufkommen
eines historischen Interesses der Kirche an ihrer Vergangenheit gar nicht
diskutiert. Er begnügt sich damit, festzustellen: "Aber auch als der urchristliche Glaube sich seinen Erfahrungen entsprechend verwandelte, was ihm als
eine nahe Zukunft gegolten hatte, sich in eine unbestimmte Ferne verlor -
was übrigens nur sehr allmählich geschah - und man in den Strom der Zeit
hereingezogen war, galt es nur um so mehr, sich der Folgen der Zeit und
des Bewusstseins davon zu erwehren, nämlich der Veränderung, und im Glauben an eine stetige, wandellose Gegenwart der beseligenden Kräfte, welche
nach christlicher Überzeugung der Stifter der Kirche in die Zeit eingeführt
hatte, zu verharren."[18] Ist also Lukas nicht mehr 'Historiker' als Pls, und
Pls nicht weniger als Lukas? Diese Frage bleibt in Ovb's Rektoratsrede un-
besprochen.

Ein weiteres Bedenken kommt hinzu: Ovb schreibt, der Verf der AG wolle
die Vergangenheit "nicht als solche darstellen"[19], sondern bemühe sich, anschaulich zu machen, "dass einem gewissen Bilde davon in gewissen christlichen Kreisen des beginnenden zweiten Jahrhunderts auch die Wirklichkeit
in jenem früheren Zeitalter entsprach"[20]. Daß dies kein historischer Zweck
ist, leuchtet ein. Fraglich ist aber, wie sich die so beschriebene Absicht des
Verf's der AG mit der Charakteristik "der ganzen Denkart des ältesten Christenthums"[21] als eines Bewußtseins über die Zeit erhabener Ewigkeit vertragen soll. Wie kann unter der Herrschaft eines solchen Ewigkeitsbewußt-
seins in der Gemeinde ein Bild von der Vergangenheit entstehen? Wie kann
vollends die Absicht aufkommen, dieses Bild von der Vergangenheit als solches auszuarbeiten? Wer entschlossen ist, das Selbstverständnis des urchristlichen Glaubens so zu beschreiben, daß mit ihm jedes positive Verhältnis
zur Geschichte, zu geschichtlicher Vergangenheit und geschichtlicher Veränderung radikal ausgeschlossen ist, gerät zwangsläufig vor die Alternative,
entweder dem Lukas jenes Selbstverständnis abzusprechen und ihn in diesem
Sinn jenseits des Ur-Christentums anzusiedeln, oder die Eigenart seines
Werks zu vergessen. M.a.W.: Ovb's Kennzeichnung urchristlicher Denkart
in Anfänge KG 1876 ist als Argument gegen den historiographischen Charakter der AG nicht stichhaltig.

4. Modifikation der Auffassung Overbecks in späteren Texten

Auf den nur gut drei Seiten, die Ovb in dem gedruckten Programm des Jahres 1892 der AG widmet[1], hat er seine früher (Vorl AK, WS 1872/73; Anfänge KG 1876) vorgetragene These nicht aufgegeben, wohl aber durch eine
behutsame Einschränkung in eine differenzierte und damit sachgemäßere
Gestalt gebracht. Ovb hat sich dabei auf Beobachtungen gestützt, die in den
Texten von 1872/73 und 1876 noch nicht begegnen, die er aber anderwärts,
unter verschiedenen Stichworten der Collectaneen und in Vorl Einl II, ebenfalls festgehalten und ausgewertet hat und die dort - z. T. wenigstens - die
Grundlage für Folgerungen bilden, welche für sich betrachtet nicht einer
vorsichtigen Abschwächung (wie in dem Programm von 1892), sondern eine
radikalen Preisgabe seiner bisher festgestellten Ansicht über das Verhältn
der AG zur Historiographie gleichkommen. Die Frage ist, wie dieser Tatbestand gedeutet werden muß: Hat Ovb in seinem Urteil geschwankt? Hat e
seine 1872/73, 1876 und auch noch 1892 vertretene Position später verlassen? Oder bilden die Ausführungen des Programms von 1892 den Rahmen,
in den die radikalen Sätze des Nachlasses zurückzuholen sind, weil Ovb ihren Wahrheitsgehalt doch nur als Anlaß zur Modifikation seiner im übrigen
festgehaltenen These, daß die AG nicht den Anfang der Kirchengeschichtsschreibung bildet, vor der literarischen Öffentlichkeit glaubte verantworter
zu können? Die Beantwortung dieser Fragen ist der Gegenstand der folgenden Erörterung. Sie geht von dem Programm des Jahres 1892 aus, wendet
sich dann den einschlägigen Aussagen des Nachlasses zu und versucht schli
lich, den Kern der Konzeption Ovb's unter Berücksichtigung des im 1. Abschnitt dieses Kapitels abgesteckten Horizonts zusammenfassend zu formulieren.

a) Overbecks modifizierte Argumentation in Anfänge KG 1892

In dem Programm des Jahres 1892 gibt Ovb, bevor er prüft, ob die Kirche
geschichtsschreibung mit der AG beginnt, Rechenschaft über den vorausgesetzten Begriff der Geschichtsschreibung. Die beiden früher an der entspre
chenden Stelle genannten Kriterien[2] faßt er unter dem Stichwort: "Chronolc
gische Auffassung des beschriebenen Objekts"[3] in eines zusammen. Als zw
tes unerläßliches Merkmal fügt er neu hinzu: die Absicht des Schriftsteller
die Geschichte des beschriebenen Gegenstands "auf die Nachwelt zu bringe
Dürfen beide Merkmale keinem historiographischen Werk fehlen, so kann i
einer Gemeinschaft der Gedanke, ihre Geschichte zu schreiben, erst aufko
men, "wenn sie ⟨1⟩ an sich die Zeiten auseinander zu halten gelernt hat,
sei es ⟨a⟩ durch Beziehung ihrer Geschicke auf sonstiges Geschehen und
Vergleichung von Beiden, sei es ⟨b⟩, indem sie durch Rückkehr auf sich
selbst ihre Vergangenheit von ihrer Gegenwart unterscheidet, - was nicht
geschehen kann ohne das Bewusstsein erlittener Veränderung, - und ⟨2⟩
zu alledem dieser Unterscheidung irgend welchen Werth für die Zukunft zu-
erkennt."[5]

Das Urchristentum entsprach beiden Forderungen nicht. In exakter Parallelität zu dem eben zitierten Satz erklärt Ovb: "⟨1.⟩ Die religiöse Auffassung
ihrer Gemeinschaft, in welcher die ersten Christen lebten, liess sie diese
Gemeinschaft sub specie aeterni betrachten, d.h. eben nichts Anderes, als
von einem Unterschied ihrer Vergangenheit von ihrer Gegenwart nichts wissen, und ⟨2.⟩ eine historische Zukunft erwarteten sie für sie auch nicht."[6]
Ovb argumentiert hier zunächst mit der ihm geläufigen Entgegensetzung
'religiöser' und 'historischer' bzw. 'chronologischer' Auffassung. Wo
die erste herrscht, die ihren Gegenstand 'sub specie aeterni', d.h. im
Lichte der Zeit entrückter Ewigkeit betrachtet, kann die zweite nicht aufkommen. Die religiöse Auffassung nimmt an ihrem Gegenstand keine Veränderung wahr, er erscheint ihr wandellos, in dauernder Identität mit sich
selbst und eben darum nicht als geschichtsfähiges Subjekt. Es wurde bereits
bei der Besprechung der Rektoratsrede von 1876[7] darauf hingewiesen, daß
diese Kennzeichnung der Denkart des Urchristentums auf dessen apokalyptische Eschatologie nicht zutrifft. Im vorliegenden Fall scheint Ovb dieser
Differenz selbst Rechnung zu tragen, da er - jedenfalls wenn man seine Formulierung streng nach dem Buchstaben auslegt - der gekennzeichneten 'religiösen Auffassung' als zweites Argument die urchristliche Naherwartung
hinzufügt: "... und eine historische Zukunft erwartete sie ... auch nicht."[8]
Was Ovb sagen will, ist offenbar dies: Wie die eschatologische Naherwartung
für die ersten Christen den Gedanken der Überlieferung an die Nachwelt aus-
schloß, so schirmte die religiöse Betrachtung ihrer Gemeinschaft 'sub specie aeterni' sie ab gegen eine Erfahrung des Unterschieds der Zeiten. Beide
Momente sind ihrer Struktur nach nicht identisch[9], müssen darum auch nicht
zugleich erlöschen, ergänzen sich aber in der Unterdrückung des Gedankens,
Geschichte zu schreiben.

Dem Beginn historischer Literatur im Bereich des Christentums muß nach
dem Gesagten ein Wandel im "Bewusstsein"[10], in der Denkart oder im Selbstverständnis der Christen vorangehen. Einen solchen Wandel - darin liegt die
Einschränkung, durch die Ovb seine bisherige Argumentation modifiziert -
oder genauer: "die ersten Spuren des allmählichen Eintretens solcher Veränderung" erblickt Ovb nun bereits im NT, und er findet, daß sie in den lukanischen Schriften sogar "besonders deutlich"[11] sind. In ihnen habe die
urchristliche Naherwartung ihre anfängliche Energie verloren, und ihr Verfasser besitze nach AG 3,21 bereits die Vorstellung "eines gewissen, für
historische Schicksale der Christengemeinde offenen Zeitraums."[12] Die vorliegende Stelle des Programms von 1892 ist m.W. die einzige, an der Ovb
das auch sonst von ihm beobachtete Phänomen der sog. Parusieverzögerung
in den Schriften des Lukas[13] direkt für die Frage nach den Anfängen der
Kirchengeschichtsschreibung auswertet. Seine Tragweite ist allerdings begrenzt: Damit, daß sich das Ende der Geschichte für Lukas in unbestimmte
Ferne verliert, ist zunächst nur eine condicio sine qua non für die Erfahrung
historischer Schicksale und für den Gedanken einer Überlieferung an die
Nachwelt gegeben. Ob jene Erfahrung und dieser Gedanke seinen Schriften
tatsächlich ihr Gepräge geben, ob Lukas also tatsächlich als Historiker an-

gesehen werden muß, ist für Ovb durch den bloßen Wegfall der Naherwartung noch nicht entschieden. In dem Programm von 1892 verneint Ovb dies und geht über die Behauptung nicht hinaus, Lukevgl und AG seien im NT di Bücher, "die wie historische am meisten aussehen."[14] Die Frage, die es nun zu prüfen gilt, ist, ob es nach den Aussagen des Nachlasses bei der Th se vom bloß historischen Aussehen der Lukasschriften wirklich sein Bewen den hat.

b) Overbecks Interpretation des Zusammenhangs von Lukevgl und AG

Für die Erkenntnis der Einstellung des Lukas zum Stoff seiner Schriften, seines historischen oder nicht-historischen Bewußtseins, hat Ovb der Tatsache des lukanischen Doppelwerks hohe Bedeutung beigemessen. Unter dem Stichwort "Lucasevangelium (Characteristik). Historicismus" schriel er:

"⟨1.⟩ Nichts ist characteristischer für Lucas' Auffassung der evangelisch Geschichte als einem Object der Geschichtsschreibung als sein Gedanke, d Evangelium eine AG. als Fortsetzung zu geben. ⟨2.⟩ Es ist das eine Tactlo sigkeit von welthistorischen Dimensionen, der grösste Excess der falschen Stellung, die sich Lucas zum Gegenstand giebt, der sich auch unmittelbar in der Thatsache aufdeckt, dass die AG. neben den Evangelien wie eines de armseligsten und ärmsten Bücher neben solchen, die durch ihren Reichthur zu den höchsten gehören, steht."[15]

Wir wenden uns zunächst dem 1. Satz des Zitats zu. Sein Sinn ist nicht so selbstverständlich, wie der heutige Leser beim ersten Zusehen vielleicht meinen könnte. Nach allem, was Ovb bisher über den nicht-historiographischen Charakter der AG gesagt hat, scheidet nämlich die Deutung aus, als zeige die Fortsetzung des dritten Evangeliums durch ein historiographische Werk (eben die AG), daß Lukas sich auch im Evangelium als Historiker ver stehe[16]. Als Voraussetzung, von der weitere Folgerungen - in diesem Fall in bezug auf die Eigenart des Lukevgl - abgeleitet werden können, läßt sich der historische Charakter der AG im Sinne Ovb's keineswegs ansehen. Sei Gedanke scheint vielmehr zu sein, daß sich Lukas speziell durch die Zusan menfügung beider Schriften, also durch die Tatsache, daß er auf das Evangelium als πρῶτος λόγος die AG als δεύτερος λόγος folgen läßt, als Historiograph der evangelischen Geschichte zu erkennen gibt[17].

Zur Erläuterung und Sicherung dieser Interpretation läßt sich anführen, wa Ovb in Vorl Einl II, § 9,1 über das Verhältnis der AG zum Lukevgl vorgetragen hat[18]. Ovb erklärt hier die Herkunft beider Schriften von demselben Verfasser aus Gründen des Stils und der Theologie für klar erwiesen[19]. Nehme man hinzu, daß sich die AG in ihren Anfangsworten ausdrücklich als Fortsetzung des Lukevgl zu erkennen gebe, sollte man "den engsten Zusam menhang zwischen beiden Büchern"[20] erwarten. Auffallenderweise sei jedoch gerade das Gegenteil der Fall. Ovb überprüft die angeblichen Vor- und Rückbeziehungen zwischen Lukevgl und AG und gelangt dabei zu einem durc weg negativen Resultat: Nirgends blicke das Evangelium auf die AG voraus[21], und auch umgekehrt sei unverkennbar, "dass des Evangeliums in der AG. nie mehr gedacht wird und die Anführungen der AG. aus der evangelischen Geschichte das vom Verfasser abgefasste Evangelium einfach ignoriren, ja zum Theil so gehalten sind, dass der Verfasser sogar sich gar nicht unbedingt abhängig zeigt von der von ihm selbst in seinem Evangelium vertretenen Tradition."[22]

Ist dies richtig, dann folgt: Die in AG 1,1 ausgesprochene Anknüpfung der AG an das Lukevgl stellt nur eine sehr äußerliche und lockere Verbindung zwischen beiden Büchern her[23]. Sie ist nicht schon mit ihrem Stoff gegeben und wächst auch nicht organisch aus ihm hervor[24], sondern ist ihm fremd und oktroyiert. Sie ist nichts anderes als eine künstliche literarische Konstruktion, die als solche der Absicht des Lukas entspringt, "seinen Stoff in die Form einer eigentlichen Geschichtserzählung zu bringen"[25]. In diesem Sinn kann Ovb zusammenfassend formulieren, daß das Band, welches Lukevgl und AG verbindet, "wenn auch vom Verfasser selbst hergestellt, doch nur auf einer willkürlichen Fiction beruht (nämlich auf der Fiction, der Historiker der Anfänge des Evangeliums zu sein), und nur eine künstliche Verbindung zwischen zwei Stoffen ⟨schafft⟩, die einander ganz fremd sind und die erst unser Evangelist miteinander in formelle Verbindung bringt, indem er sie beide als die zwei Theile Einer Geschichte hinstellt."[26]

Aus diesen Überlegungen Ovb's ergibt sich: Als chrakteristisch für den Historiker Lukas betrachtet Ovb nicht die Eigenart der vorliegenden AG, aber auch nicht schon die Tatsache, daß Lukas überhaupt eine AG verfaßt hat. Das gemeinte Indiz für Lukas' historiographische Auffassung der evangelischen Geschichte liegt vielmehr darin, daß er das Evangelium durch eine AG fortgesetzt hat, also in dem Faktum der durch AG 1,1 hergestellten Verknüpfung beider Schriften. Den 'Historiker' gibt diese Verknüpfung insofern zu erkennen, als sie die Vorstellung einer kontinuierlichen, in ein Früher und Später gegliederten Ereignisfolge wachruft und dadurch den Stoff des Evangeliums nachfolgendem Geschehen grundsätzlich koordiniert, zum Anfangsteil "Einer Geschichte"[27] macht.

Auch der 2. Satz der oben[28] mitgeteilten Notiz Ovb's ("Es ist das eine Tactlosigkeit ...") bedarf ausdrücklicher Interpretation. Man wird zunächst geneigt sein, dieses ungemein scharfe Verdikt von dem Gegensatz historischer und religiöser Betrachtung her auszulegen. Lukas - so hätte man Ovb's Auffassung dann zu umschreiben - hat eine "Tactlosigkeit von welthistorischen Dimensionen" begangen, indem er zum Objekt der Historiographie machte, was seiner genuinen Provenienz nach Gegenstand religiöser Verehrung ist; er hat die evangelische Geschichte in den Bereich des erkennenden Wissens versetzt und damit mindestens den ersten Schritt getan, sie dem nicht-sehenden Glauben streitig zu machen; in seinem Werk beginnt die Theologie, das Christentum als Religion in Frage zu stellen. Die gedanklichen Voraussetzungen dieser Interpretation - die Antithese 'hi-

storisch-religiös' und die Kritik des lukanischen 'Historicismus'[29] - sind
Ovb's Denken nicht aufgezwungen. Insofern hat die vorgetragene Auslegung
ihr Recht.

Trotzdem ist fraglich, ob sie zutrifft. Neben anderen Schwierigkeiten[30]
steht dem vor allem eine spätere Notiz entgegen, die sich auf das vorliegende Verdikt ausdrücklich zurückbezieht. Unter dem gleichen Stichwort
"Lucasevangelium (Characteristik). Historicismus", n 5[31] heißt es: "Ein
dem oben ... ⟨sc unter n 2⟩ gewürdigten Gedanken, dem Evangelium die
Fortsetzung einer AG. zu geben, entsprechender ist es, die Vorgeschichte
um eine Geschichte der Geburt des Täufers zu bereichern." Ist also auch
dies ein Beleg bzw. ein Indiz dafür, daß Lukas die evangelische Geschichte
als Historiograph auffaßt? Überraschenderweise fährt Ovb fort: "Lucas erweitert den Bereich der religiösen Huldigung von der Hauptperson auch über
die Nebenpersonen der evangelischen Geschichte, wenn auch die Hauptperson
immer im Mittelpunkt bleibt, sofern die eine durchaus als ihr Vorläufer
und Ankündiger behandelt wird (der Täufer im ersten Capitel des Evangeliums), die Apostel als die nachkommenden historischen Zeugen."

Ovb versteht nach diesen Worten die Erweiterung der evangelischen Geschichte um die Geburtsgeschichte des Täufers als ein der Fortsetzung des
Evangeliums durch die AG korrespondierendes Unternehmen. Dennoch sagt
er nichts davon, daß dies die historische Einstellung des Lukas zum Stoff
seiner Schriften zu erkennen gebe. Er beschreibt das Verfahren des Evangelisten vielmehr als Ausdehnung der "religiösen Huldigung" nach rückwärts zum Täufer und nach vorwärts zu den Aposteln. Nicht der profane Zugriff eines Historikers ist demnach für Lukas kennzeichnend, ein Zugriff,
der der religiösen Verehrung ihren Gegenstand raubt und ihn an das Wissen
preisgibt, im Gegenteil: Die Sphäre religiöser Huldigung bleibt als solche
erhalten und erfährt sogar eine Bereicherung um die Randgestalten der evangelischen Geschichte.

Wenn Ovb die Bereicherung der Vorgeschichte des Lukevgl nun "dem oben ..
gewürdigten Gedanken", das Evangelium durch eine AG fortzusetzen, parallelisiert, fordert er dazu auf, auch die Vorschaltung der Geburtsgeschichte
des Täufers jener 'Würdigung' zu unterziehen. Wendet man aber den Vorwurf der "Tactlosigkeit von welthistorischen Dimensionen" auf das Unternehmen des Lukas an, wie Ovb es an der zweiten Stelle beschreibt, dann
liegt auf der Hand, daß jener Vorwurf anders auszulegen ist, als es oben
versucht wurde; von der Antithese 'religiöse - historische Auffassung der
evangelischen Geschichte' her ist er dann nicht zu begreifen. Taktlos erscheint das Verfahren des Lukas jetzt vielmehr insofern, als er die religiöse Verehrung nicht exklusiv auf die Person Jesu richtet, sondern den Vorläufer und die apostolischen Zeugen in sie einbezieht. Gewiß läßt Lukas Jesus als die Hauptperson der evangelischen Geschichte im Mittelpunkt stehen.
Aber er nähert ihr unter dem Gesichtspunkt der religiösen Huldigung den Täufer und die Apostel doch immerhin an und mißachtet durch solche Koordina-
tion die Singularität Jesu.

Legt man Ovb's Tadel in dieser Weise von der zweiten Stelle her aus, dann klärt sich auch, was bei der früheren Deutung dunkel blieb[32]: Es wird verständlich, wieso sich die falsche Stellung des Lukas zu seinem Gegenstand "unmittelbar in der Thatsache aufdeckt, dass die AG. neben den Evangelien wie eines der armseligsten und ärmsten Bücher neben solchen, die durch ihren Reichthum zu den höchsten gehören, steht."[33] Woher diese Differenz zwischen der AG und den Evangelien (mit Einschluß des dritten!)? Ist die AG der Versuch, auch die Apostel in den Bereich jener Huldigung einzuholen, die ihren genuinen Gegenstand an der Person Jesu hat, dann rührt ihre Armseligkeit daher, daß die Apostel bzw. die von ihnen handelnde Tradition mit solchem Versuch überfordert sind. Die Apostel geben das nicht her, wofür die AG sie beansprucht. Als Objekt religiöser Verehrung ist Jesus unvergleichlich. Der Versuch, ihn und die Apostel, wenn auch nur annäherungsweise, zu koordinieren, ist daher im Ansatz verfehlt, und er entlarvt sich als solcher durch die Armseligkeit seines Resultats.

Wir gingen oben - zu Beginn des Abschnitts 4. b)[34] - von der Feststellung aus, Ovb messe dem Faktum der Fortsetzung des dritten Evangeliums durch die AG hohe Bedeutung für die Beantwortung der Frage bei, in welcher Art Lukas seinen Stoff auffaßt. Es zeigte sich, daß Ovb die Tatsache des Zusammenhangs beider Schriften unterschiedlich interpretiert: Auf der einen Seite[35] wertet er sie als Indiz dafür, daß Lukas die evangelische Geschichte zum Objekt der Geschichtsschreibung macht; auf der anderen Seite[36] erblickt er darin ein Einbeziehen auch der nachfolgenden Zeugen in den Bereich der auf Jesus gerichteten religiösen Huldigung. Von Ovb's eigenen Voraussetzungen her geurteilt, schließen beide Deutungen einander aus[37], und kann die eine nur jeweils auf Kosten der anderen wirklich durchgehalten werden. Eine letzte Stelle, die im vorliegenden Zusammenhang zu berücksichtigen ist, belegt dies und zeigt zugleich, welcher Deutung Ovb den Vorrang gibt.

Unter dem Stichwort "AG. und Kirchengeschichtsschreibung"[38] nimmt Ovb Stellung zu der Bemerkung Reuss', daß die AG "allerdings als die erste und älteste Kirchengeschichte gelten"[39] müsse. Ovb schreibt dazu: "Hierbei ist nur verkannt, wie die AG. entstanden ist. Lediglich als Fortsetzung des Evangeliums, wodurch sie ein Product des ganz unglücklichen - factisch auch als todtgeboren erwiesenen - Gedankens ⟨ist⟩, die evangelische Geschichte historiographisch zu behandeln. Gerade indem der Evangelist dem Evangelium die AG. zur Seite stellt, hat er gar keinen Gedanken daran, die Kirchengeschichte zu beginnen. Sie ist ihm durchaus Fortsetzung. Die Apostel werden damit auf die Höhe ihres Meisters gehoben, ihr wenigstens angenähert, keineswegs von ihm abgesondert zur Kirchengeschichte gezogen."

Ovb hält Reuss hier entgegen, er habe verkannt, daß die AG die Fortsetzung des Lukevgl sei. Welche Deutung dieser Tatsache liegt dabei zugrunde? Ovb's Worte lassen die beiden, bereits bekannten Versuche erkennen: Die AG ist einerseits ein Produkt des Gedankens, "die evangelische Geschichte historiographisch zu behandeln"; daneben heißt es, daß Lukas in der AG die Apostel "auf die Höhe ihres Meisters" emporhebe. Beiden Versuchen kommt allerdings nicht das gleiche Gewicht zu, da Ovb den Gedanken, die evangelische Geschichte historiographisch zu behandeln, einer schroffen Disqualifikation unterwirft. Indem Ovb diesen Gedanken 'ganz unglücklich' nennt und feststellt, er sei 'factisch auch als todtgeboren erwiesen', behauptet er seine Erfolglosigkeit, Unfruchtbarkeit, mangelnde Effizienz. Ovb will sagen: Dieser Gedanke hat nichts Adäquates hervorgebracht; Lukas hat nicht vermocht, ihn in die Wirklichkeit umzusetzen.

Diese Feststellung überrascht. Wie kann die AG als das Produkt eines Gedankens hingestellt werden, dem jede Effizienz abgeht? Wie kann ein und derselbe Gedanke die AG hervorgebracht und sich doch zugleich faktisch als totgeboren erwiesen haben? Da beides strenggenommen nicht zugleich zutreffen kann, bleibt nur die Möglichkeit, nach der Intention zu fragen, die Ovb an der vorliegenden Stelle verfolgt. Diese Intention ist hinreichend deutlich: Der Bemerkung von Reuss, die AG sei die erste Kirchengeschichte, vermag Ovb offenbar nur auf Kosten seiner eigenen historiographischen Deutung des Zusammenhangs der lukanischen Schriften entgegenzutreten. Zwar kann und will er im Blick auf die Verknüpfung von AG und Lukevgl nicht in Abrede stellen, daß für Lukas ein gewisses Historikerstreben kennzeichnend ist. Er bestreitet jedoch, daß dieses Historikerstreben in den Schriften des Lukas adäquat zum Zuge gekommen ist. Der Gedanke, die evangelische Geschichte als Historiker zu behandeln, und die Ausführung, die er gefunden hat, klaffen auseinander. Als "Product" jenes Gedankens ist die Fortsetzung des Lukevgl durch die AG das Resultat eines mißlungenen Versuchs. Das bedeutet: Wie das Lukevgl im historiographischen Sinne keine Geschichte Jesu ist, weil sich der entsprechende Gedanke seines Verfassers "factisch" als totgeboren erwiesen hat, so ist auch seine Fortsetzung "factisch" nichts anderes als die Prolongation der religiösen Betrachtung Jesu auf die Apostel.

c) Weitere historiographische Indizien und deren begrenzte Tragweite

Die Momente, die Ovb außer dem Zusammenhang des Lukevgl und der AG zugunsten des historiographischen Charakters dieser Schriften anführt, sind in der Hauptsache dem dritten Evangelium entnommen[40]. Es ist nicht zu übersehen, daß Ovb dem Evangelium des Lukas eine gewisse Sonderstellung vor den drei anderen eingeräumt hat. So schreibt er z.B. unter dem Titel "Evangelien (kanonische). Historischer Charakter": "Die Evangelien ⟨sind⟩ schon darum keine historischen Schriften, weil sie gegen alle absolute Chronologie gleichgültig sind." In Klammern fügt er aber sogleich hinzu: "Mit alleiniger Ausnahme der lucanischen Schriften Luc. 2,2; 3,1."[41]

Was zunächst das hier ausgesprochene Urteil über die Evangelien im allgemeinen betrifft, so hat Ovb darin nie geschwankt. In dem bearbeiteten Material findet sich keine Stelle, an der Ovb die Evangelien als historische Bücher bezeichnete. Überall vielmehr, wo er von den Evangelien - oder wenigstens den Synoptikern - insgesamt in einschlägigem Zusammenhang spri

bestreitet er ihren historischen Charakter entschieden[42]. Die schroffste
Formulierung enthält das Programm von 1892: Die "Evangelien für sich[43]
als historische Schriften zu betrachten", schreibt Ovb hier, werde "stets
nur unter ungebrochener Herrschaft der hallucinatorischen Lektüre möglich sein ..., welcher alle canonische Litteratur ausgesetzt ist"[44]. Aufschlußreich ist daneben ein Passus aus Vorl Einl II. Ovb geht dort davon
aus, daß die Evangelien in ihrer ältesten uns zugänglichen Überschrift als
εὐαγγέλιον, d.h. als "Frohbotschaft von Jesus als dem Messias"[45] bezeichnet werden. Auf diese Überschrift komme es "für die litterarhisto-
rische Classificirung dieser Schriften"[46] mehr an als auf ihren Inhalt. Denn
nicht alle Schriftwerke, deren Inhalt ganz allgemein gesprochen in der Darstellung einer unter Menschen verlaufenen Geschichte bestehe, seien 'historisch' zu nennen. Ebensowenig wie im Falle der Ilias und der Odyssee könne darum "der im Allgemeinen eine Geschichte erzählende Inhalt der Evangelien"[47] für sich über ihren literarhistorischen Charakter entscheiden.
Vielmehr: "Sie wollen und sollen, so wie sie uns überliefert sind, eine Frohbotschaft sein, was kein Geschichtsbuch, das im eigentlichen Sinn so zu nennen ist, will."[48]

Von diesem Gesamturteil über die Evangelien sticht nun, was Ovb speziell
über das Lukevgl sagt, erheblich ab. Unter dem Stichwort "Lucasevangelium (Zweck). Allgemeines" heißt es: "Lucas will die evangelische Geschichte im Stil profaner Historie erzählen."[49] Dem entspricht unter "Lucasevangelium (Form)" die Feststellung: "Der allgemeinen Form nach lässt sich
das Lucasevangelium als eine in den Zusammenhang der irdischen Welter-
eignisse der Gegenwart gestellte Erzählung bezeichnen. Dadurch ist das
Buch insbesondere gegen das johanneische Evangelium scharf charakteri-
sirt, welches, denselben Stoff erzählend, ihn in den Zusammenhang einer
anderen Welt versetzt."[50] Will also das Evangelium des Lukas, das doch
wie die anderen unter der Überschrift εὐαγγέλιον überliefert ist, keine
Frohbotschaft sein? Haben die Ordner des Kanons, die es als εὐαγγέλιον
rubrizierten, seine wahre Intention mißverstanden[51]?

Zur Beantwortung dieser Fragen stellen wir zunächst die Belege zusammen,
durch die Ovb seine Behauptung des lukanischen 'Historicismus' stützt.

(1) Ovb verweist auf den Anfang der Erzählung Luk 1,5, die Datierung
und Identifizierung des Census Luk 2,1 f und die sechsfache chronologische Bestimmung des Auftretens des Täufers Luk 3,1 f[52]. Das hier
sich zeigende chronologische Interesse nennt Ovb den anderen Evangelien ebenso fremd wie die Art, in der Lukas hier Verbindungsfäden zieht
zur profanen Weltgeschichte und ihren Repräsentanten[53]. Es ist "der
Ton weltlicher Geschichtsschreibung"[54], den Lukas durch seine Datierungen anschlägt; sie geben sein Bestreben zu erkennen, "den Stoff der
evangelischen Geschichte in der Form der gemeinen historischen Geschichtserzählung damaliger Zeit in der allgemeinen Litteratur auftreten zu lassen."[55]

(2) Womöglich noch deutlicher meint Ovb dieses Bestreben in dem Prolog des Lukevgl[56] (und in dem Ansatz zu einem Prolog AG 1,1) zu erkennen. Schon die bloße Tatsache, daß Lukas überhaupt mit einem Prolog beginnt, offenbart die Absicht, seinen Stoff in einer Form darzustellen, die sich mit historischen Erzählungen der Weltliteratur messen kann: "Dieses Vorwort ist in der That die Stelle des N.T's, von der man vielleicht sagen kann, dass darin die 'Welt' am deutlichsten durchscheint, dass es sich hier mit der 'Welt' am nächsten berührt."[57]

Einige Einzelzüge aus Luk 1,1-4 weisen in die gleiche Richtung.

(a) Ovb nennt die Widmung an Theophilos. Sie entspreche antikem literarischen Brauch. Insbesondere seien unter einer solchen Widmung an einen Freund oder Gönner "fast alle historischen Werke des classischen Alterthums" umgelaufen[58]. Daß Lukas reflektiert darauf ausgeht, sich der Gepflogenheiten der Weltliteratur zu bedienen, ist für Ovb vollends deswegen unverkennbar, weil nach seiner Auslegung der 1. Person Plural der Wirstücke die persönliche Widmung an Theophilos nur eine Fiktion sein kann[59].

(b) Die "Art eines profanen Historikers"[60] ahmt Lukas dadurch nach, daß er Einblick gibt in die Stufe der Tradition der evangelischen Geschichte, auf der seine Arbeit steht. Was Lukas unternimmt, haben vor ihm schon 'viele' unternommen; Lukas setzt also bereits eine Mehrzahl von Evangelienschriften voraus. Deren Verfasser - die πολλοί Luk 1,1 - fußen ihrerseits auf der Überlieferung der Augenzeugen und Diener des Worts Luk 1,2.

(c) Zu dem Begriff οἱ ἀπ' ἀρχῆς αὐτόπται macht Ovb darauf aufmerksam, daß er die "Falschheit des Gesichtspunkts" erkennen lasse, den der Verf auf die evangelische Geschichte anwende: "Er macht ihre Autopten zu blossen Zeugen einer Geschichte, was sie aber nie gewesen sind. Schon sie waren hier Zeugen des Sinn's der Geschichte, nicht dieser selbst."[61] Entsprechend schreibt Ovb zu AG 1,8: "μοῦ μάρτυρες die Apostel Zeugen der evangelischen Geschichte - es ist das der in der AG. durchgeführte und schon Luc. 1,2 vorliegende falsche Gesichtspunkt, unter den Lucas bei seinem historischen Unternehmen - indem er es unternimmt, die evangelische Geschichte 'historisch' zu behandeln - die Apostel stellt."[62]

(d) Die Worte, mit denen Lukas seinen eigenen Entschluß, ein Evangelium zu schreiben, Luk 1,3 formuliert, enthalten nach Ovb's Ansicht ein für die beabsichtigte historiographische Behandlung der evangelischen Geschichte charakteristisches Programm. Lukas kündigt an, seinen Stoff in größerer Vollständigkeit (παρηκολουθηκότι ἄνωθεν πᾶσιν ἀκριβῶς) und in besserer Reihenfolge (καθεξῆς) als seine Vorgänger darzustellen[63]. In gewisser Hinsicht kommt er dieser doppelten Ankündigung auch tatsächlich nach. Die größere Vollständigkeit ist extensiver und intensiver Natur: Sie ist extensiv, insofern Lukas die Vorgeschichte um die Geschichte der Geburt des Täufers erweitert (ἄνωθεν πᾶσιν)[64], intensiv, insofern er in den auch von den anderen Synoptikern gebotenen Rahmen eine Reihe von Zusätzen einfügt (πᾶσιν ἀκριβῶς). Daneben bemüht er sich, durch Herstellung der richtigen Reihenfolge "noch einer zweiten Historikerpflicht"[65] zu genügen: "In seinem Evangelium ist am meisten alle Gruppierung der Stoffe der evangelischen Geschichte nach <u>Sachordnung</u> aufgelöst und herrscht wenigstens der Schein, als sei alles Einzelne darin in seiner ursprünglichen Zeitfolge vorgeführt. Sodann ist diesem historischen Streben des Lucas ohne Zweifel mindestens zum Theil seine originellste Schöpfung als Evangelist zu verdanken: nämlich die Einführung einer ganzen neuen Periode in die Darstellung der Wirksamkeit Jesu, jener aussergaliläischen Periode des sogenannten Reiseberichts des Lucas 9,51-18,14."[66]

Soweit die Indizien, die Ovb für den historiographischen Charakter des dritten Evangeliums anführt. Sie begründen ein zusammenfassendes Urteil, dessen Eindeutigkeit man auf den ersten Blick nichts mehr scheint hinzufügen zu können: "Der Verfasser des Lucasevangeliums giebt ... dem Stoff des Evangeliums eine neue Form, die er weder bei Matthäus noch Marcus hat, nämlich die eines historischen Berichts. Das Lucasevangelium <u>will</u> wirklich sein, was sonst kein Evangelium ist, ein wirkliches Geschichtswerk, er ⟨sc sein Verf⟩ will den Stoff der Evangelien in den Formen der gewöhnlichen und eigentlichen historischen Litteratur behandeln, die evangelische Geschichte wie jede andere Geschichte in den Formen einer historischen Erzählung der Weltlitteratur vortragen."[67]

Trotz des gegenteiligen Scheins ist mit diesem Urteil jedoch Ovb's letztes Wort noch nicht gesprochen. <u>Zwar hält Ovb für die angeführten Indizien nicht - wie für die Fortsetzung des Evangeliums durch die AG - eine konkurrierende Auslegung bereit.</u>[68] Solange sie als solche und für sich betrachtet werden, kann vielmehr kein Zweifel daran aufkommen, daß sie 'den Historiker' zu erkennen geben[69]. <u>Nur: Ihre Tragweite ist begrenzt.</u> Sie reichen nicht hin, das Evangelium des Lukas insgesamt und überhaupt eine historische Schrift zu nennen. Sie stehen dazu im Ganzen des Evangeliums zu isoliert. Ovb hat diesen Tatbestand mehrfach ausdrücklich festgestellt. So ist z.B. unter "Lucas 1,1-4. Vermischtes" zu lesen: "Dafür, dass das Vorwort (ebenso wie das der AG.) eine schriftstellerische Fiction ist, kann man auch seine Isolirung im Evangelium selbst anführen. Es ist darin in seiner ganzen Art so fremd und ohne Analogie, dass es in der That nur wie eine ganz äusserlich dem Werk aufgeheftete Etikette erscheint."[70] Ganz entsprechend heißt es in Vorl Einl II von den Stellen Luk 1,5; 2,1f; 3,1f: "Sie sind und bleiben eine diesem Stoff nur sehr oberflächlich aufgeheftete Etikette, im Übrigen ist der Evangelist schon durch seine Quellen viel zu gebunden, denen seine neue Art ganz fremd ist, als dass diese Art durchgängig so deutlich hervorträte."[71]

Fragt man, wie es kommt, daß das im Prolog so volltönend angekündigte Historikerstreben des Lukas im Korpus seines Evangeliums nur in ein paar

verlorenen Spuren zutage tritt, so ist eine Antwort Ovb's in dem vorigen
Zitat bereits angedeutet: Lukas will ohne Frage Historiker sein und einen
historischen Bericht verfassen, der sich im Kreise der Weltliteratur sehen lassen kann. Mit dieser Absicht scheitert er aber an der Eigenart des
zu behandelnden Stoffes. "Dem Evangelisten", sagt Ovb, "ist sein Unternehmen, den Stoff der evangelischen Geschichte historiographisch zu gestalten, völlig misslungen."[72] Zwar werde Lukas mit Recht als ein gewand-
ter Schriftsteller gepriesen. Diese Gewandtheit übe sich jedoch "an einem
widerstrebenden Stoffe"[73] aus und werde an diesem zuschanden: "Lucas
behandelt historiographisch, was keine Geschichte und auch so nicht überliefert war. Je mehr er sonst die Tradition respectirt, um so ersichtlicher
ist die Kluft, welche zwischen dem Stoff und der ihm aufgedrungenen Form
klafft."[74]

Ovb's Satz, der Stoff, der das lukanische Historikerstreben zum Mißerfolg
verurteilt habe, sei "keine Geschichte und auch so nicht überliefert" gewesen, blickt mit beiden Negationen auf die nachösterliche Tradition. Die
Historizität Jesu zu leugnen, liegt Ovb selbstverständlich fern. Was er behauptet, ist vielmehr erstens, daß, auf die Sache oder den Inhalt gesehen,
die Behandlung der evangelischen Geschichte von der ersten Verkündigung
der Augenzeugen an bis zu den Schriften des Markus und Matthäus im prägnanten Sinn εὐαγγέλιον war, also Predigt der frohen Botschaft von dem
in Jesus erschienenen Heil und nicht Geschichtsbericht[75]; zweitens, daß,
auf die Form gesehen, sich die Überlieferung der evangelischen Geschichte
zunächst in kurzen spruchartigen Reden und anekdotenhaften Einzelerzählungen niederschlug, welche bei Markus und Matthäus innerhalb von fünf
Hauptgruppen mosaikartig, oft nach Sachgesichtspunkten aneinandergereiht
sind, ohne einen chronologisch geordneten Ereigniszusammenhang zu bilden[76]. Über diesen inhaltlich und formal nicht-historischen Stoff vermochte Lukas nicht Herr zu werden. Pointiert ließe sich darum sagen: Lukas
ist zwar Historiker (wenngleich mit Respekt vor seiner nicht-historischen
Tradition), sein Evangelium gehört aber dennoch nicht zur Geschichtsschrei
bung (wenngleich es mit einigen historiographischen Etiketten geschmückt
ist).

Mit dem Scheitern des Lukas an der Eigenart seines Stoffes ist die eine
Antwort Ovb's auf die Frage, worin das Mißverhältnis der historiographischen Indizien zum Ganzen des Evangeliums begründet ist, genannt[77]. Eine zweite, wenigstens um eine Spur anders nuancierte Antwort ergibt sich
aus Vorl Einl II. In § 8, 3 wendet sich Ovb mit der Frage nach "Zweck und
Lehrcharakter"[78] des Lukevgl zuerst dem Prolog zu. Der Prolog, so stellt
er fest, tut kund, daß Lukas sich anschickt, die evangelische Geschichte
historiographisch zu behandeln. Interessant ist dabei, wie Ovb diese vom
Prolog vermittelte Erkenntnis einstuft, d.h. welche Bedeutung er ihr für
das Verständnis des Evangeliums beimißt. Er schreibt: Das Vorwort mache
fraglos auf sehr charakteristische Eigentümlichkeiten des Lukevgl aufmerksam, in ihm werde von dem Zweck der Schrift "wirklich etwas"[79] enthüllt.

"Aber was es uns davon enthüllt, beschränkt sich durchaus auf eine ganz
äusserliche Seite der Gestaltung seines Stoffs, auf, man möchte fast sagen, den Einfall des Evangelisten, diesen Stoff nach Art eines gewöhnlichen
Geschichtsschreibers zu behandeln. Wenn wir aber nach dem Zweck eines
der Evangelien fragen, nach dem Standpunkt, von dem aus der Evangelist
den ... Gegenstand aufgefasst hat, so haben wir vor Allem doch Dinge im
Sinn, die viel tiefer ins Innere des Gegenstands greifen"[80]. Zu so entscheidenden Fragen wie diesen: Was hat den Verf vornehmlich interessiert? Was
betont er? Was unterdrückt er? Unter welchem dogmatischen Leitgedanken
stellt er seinen Gegenstand dar? - zu allen diesen Fragen bleibe das Vorwort völlig stumm. Ovb's Schluß lautet daher: Das Vorwort "belehrt uns
über eine höchst dünne Oberfläche desselben ⟨sc des Evangeliums⟩ ausreichend, ins Innere führt es uns gar nicht ein."[81]

Aus diesen Darlegungen ergibt sich, daß man die von Lukas verfolgte schriftstellerische Absicht nur ganz unzureichend und oberflächlich begriffen hat,
wenn man sie in dem Bestreben sieht, Historiker der evangelischen Geschichte zu sein. Dieses Bestreben ist für sein Vorhaben nicht konstitutiv, es ist
gleichsam nur ein "Einfall", der das Entscheidende seines Werks nicht erklärt. Zweck, Interesse und Standpunkt des Lukas sind von seinen historiographischen Ambitionen zu unterscheiden, liegen tiefer und sind für den Interpreten wichtiger. Ihre Erkenntnis erst vermag das dritte Evangelium wirklich zu erschließen.

Ist dies richtig, dann wird man die Fremdheit der historiographischen Etiketten gegenüber dem Ganzen des Evangeliums nicht ohne weiteres daraus
erklären dürfen, daß Lukas über den widerstrebenden Stoff nicht Herr geworden sei. Wenn die historische Absicht überhaupt nur ein partikulares und
subordiniertes Moment in dem Gesamtzweck des Evangelisten ausmacht, verhält sich der literarische Befund im Evangelium nicht anders als in exakter
Korrespondenz dazu. Von einem 'Scheitern' des Lukas kann dann keine Rede
sein. Zeigt sich das Lukevgl nur in einigen ornamentalen Randphänomenen als
Geschichtswerk, so vielmehr deswegen, weil Historiker zu sein nur ein unter-
geordneter Gedanke, nicht mehr als ein bloßer Einfall seines Verf's war.

Beide Versuche Ovb's, die bloße Randstellung der historiographischen Indizien im Lukevgl zu erklären, stimmen darin überein, daß sie den lukanischen 'Historicismus' als einen unorganischen, nicht zu integrierenden
Fremdfaktor erscheinen lassen: sei es im ersten Fall gegenüber der vorgegebenen Tradition, die Lukas seinem historischen Anliegen nicht dienstbar
zu machen vermag; sei es im zweiten Fall gegenüber der dominierenden
Grundabsicht des Lukas, den Stoff der evangelischen Geschichte von dem
doktrinellen Standpunkt des heidenchristlichen Universalismus aus neu zu
bearbeiten. Nach Ovb's Konzeption lassen sich die historiographischen Interessen des Lukas weder mit dem religiösen Charakter der ihm verfügba-
ren Überlieferung noch mit dem Charakter seiner sonstigen, dogmatischen
Zwecke in irgendeiner Weise vermitteln. D.h. zugleich: Rein innerchrist-
lich ist das Historikerstreben des Lukas nicht ableitbar. Es muß in irgend-

einer Weise ab extra, von jenseits des eigenen Horizonts der Gemeinde
her, bedingt sein. Ovb deutet dies an, wenn er im Kontext der Datierungsfrage schreibt, die historiographische Form des Lukevgl setze "schon das
Eingedrungensein gewisser Bildungsbedürfnisse" in die Gemeinde voraus[82]
Klarer noch wird das Gemeinte an einer anderen Stelle von Vorl Einl II,
wo Ovb nach der Analyse des innerchristlichen Zwecks der AG - ihrer vornehmlich im Blick auf Pls durchgeführten Rechtfertigung der Heidenkirche - auf die politische Tendenz des Buchs zu sprechen kommt[83]. Ovb versteht darunter das Bestreben des Verf's der AG, "das Evangelium als eine Sache darzustellen, welche nur unter den Juden seine natürlichen Gegner hat, dagegen im römischen Staat seinen natürlichen Schutz, und daher,
weit entfernt, die Feindseligkeit dieses Staats zu verdienen, vielmehr den
grössten Anspruch auf sein Interesse hat."[84] Ovb findet, daß sich hier bereits "ganz der Standpunkt" zeigt, der seit ca. 130 n. Chr. auch "in den
ausdrücklich für das heidnische, ausserhalb der Gemeinde stehende Publicum bestimmten Apologieen"[85] hervortritt und insbesondere für Justin ken-
zeichnend ist. Genau hiermit ist aber das ab extra kommende Motiv genannt
welches Lukas zur historiographischen Gestaltung seines Werks treibt: "Mit
dieser vielleicht noch leisen Zuwendung der AG. zu einem heidnischen Publicum sind die historiographischen Allüren der lucanischen Schriften innerlich verwandt."[86] Indem sich Lukas - wenn auch gemäß dem nur partikula-
ren Charakter seiner politischen Tendenz nicht mit allen Zügen, sondern
bloß mit einer bestimmten Aussagenreihe seines Werks - an ein nicht-chri-
stliches Publikum wendet, um dort in apologetischer Absicht Gehör zu finden, steht er vor der Notwendigkeit, sich der diesem Publikum geläufigen
und von ihm akzeptierten Formen zu bedienen. Die Spuren wirklicher Geschichtsschreibung im Lukevgl und in der AG resultieren aus der Akkomodation des Verf's an die literarischen Gepflogenheiten seiner außerchristli-
chen Adressaten.

d) Resultat

Wir haben unter b) und c) den Kreis derjenigen Beobachtungen und Urteile
abgeschritten, die sachlich im Hintergrund stehen, wenn Ovb in Anfänge KG
1892 feststellt, die lukanischen Schriften seien im NT die Stücke, "die wie
historische am meisten aussehen."[87] Es hat sich gezeigt, daß Ovb in einzelnen Fällen über diese Feststellung zwar energisch hinausgeht, daß jedoch ein interpretierender Vergleich aller einschlägigen Aussagen zu einem
Resultat führt, welches sich in der gleichen Kürze kaum zutreffender aus-
drücken läßt als Ovb es mit seiner zurückhaltenden Formulierung in Anfäng
KG 1892 selbst tut[88]. Ovb versucht in der genannten Formulierung, den Eigentümlichkeiten des Lukas im Vergleich zu den anderen Evangelisten Rechnung zu tragen, ohne die Kluft zwischen Lukas und Euseb zu verdecken. Wi
man sagen, daß Ovb den lukanischen Schriften damit eine 'Zwischenstellung
zuweist, so erfordert dies freilich eine doppelte Präzisierung. Erstens wir
durch die Zwischenstellung des Lukas keineswegs die mathematische Mitte

zwischen den anderen neutestamentlichen Evangelien und der eusebiani-
schen Kirchengeschichte markiert. Das lukanische Doppelwerk steht den
Evangelien des Markus und Matthäus vielmehr nicht nur chronologisch,
sondern auch literaturgeschichtlich weit näher als der Arbeit des Euseb.
In diesem Sinn hält Ovb nachdrücklich daran fest, daß es trotz seines historischen 'Aussehens' nicht zur Geschichtsschreibung gehört, mithin
auch die AG keine Kirchengeschichte ist[89]. Zweitens ist daran zu erinnern,
daß Ovb grundsätzlich die Vorstellung abweist, als verlaufe von den Evangelien des NT zur Kirchengeschichte des Euseb eine kontinuierliche Entwicklungslinie (auf der das Doppelwerk des Lukas dann, wenn nicht in der
Mitte, eben einige Stufen früher einzutragen wäre)[90]. Selbst für den hypothetischen Fall, daß man die Evangelien und die AG als historische Schriften anzuerkennen hätte, insistiert Ovb ja auf der Behauptung, zwischen dem
NT und Euseb herrsche in literarhistorischer Hinsicht eindeutig Diskontinuität[91].

Nur sofern man dieser zweifachen Präzisierung eingedenk bleibt, ist es im
Sinne Ovb's richtig, den lukanischen Schriften eine Zwischenstellung ein-
zuräumen: Sie haben ihren historischen Platz am äußersten inneren Rande
der christlichen Urliteratur. Das Moment, welches sie dorthin versetzt
und dem sie ihr historisches 'Aussehen' verdanken, liegt in dem Umstand,
daß ihr Verf auch unter Nicht-Christen um Leser bemüht ist. Nach Ovb's
literaturgeschichtlichem Konzept gehörte diesem Blick auf ein potentielles
heidnisches Publikum als dem bestimmenden Motiv literarischer Produktion
die Zukunft. Insofern läßt sich in der Tat ein Element der Kontinuität von
Lukas zur Folgezeit nicht leugnen. Nur hat der Wille, unter Heiden Gehör
und Aufnahme zu finden, neben und nach Lukas nicht mehr zu dem Versuch
geführt, an die Formen der Urliteratur anzuknüpfen und sie den neuen Zwek-
ken gemäß umzugestalten[92]. Der erste zaghafte Schritt des Lukas auf diesem
Wege hat sich faktisch als totgeboren erwiesen und jedenfalls keine Schule
gemacht. Der Übergang zur historischen Literatur der Patristik vollzog sich
nicht als schrittweise Transformation der urliterarischen Formen des Evangeliums und der AG, sondern als deren Preisgabe und als ein Rückgriff auf
Formen, die in der heidnischen Weltliteratur bereitlagen. Die Formen der
Urliteratur, so ist im Sinne Ovb's zu urteilen, erwiesen sich für die Durchführung der Absicht, mit dem heidnischen Bildungspublikum ins Gespräch
zu kommen, als zu widerständig: Dies ist ein Grund, warum das Unternehmen des Lukas, jene Formen umzugestalten, über einige historiographische
Etiketten nicht hinausgelangt ist; es ist der Grund, warum die Apologeten den
Akkomodationsversuch des Lukas erst gar nicht wiederholten, sondern mit
dem Verzicht auf die Formen der Urliteratur einsetzten.

In seinem Handexemplar des AG-Komm hat Ovb auf dem hinteren freien Blatt
eine Notiz eingetragen, die die Stellung der lukanischen Schriften an der äus-
sersten Grenze der Urliteratur prägnant zum Ausdruck bringt. Diese Notiz
ist zwar nicht unbedingt chronologisch, um so mehr aber von der Sache her
Ovb's letztes Wort zu dem Problem des vorliegenden Kapitels:

"Es ist sehr sinnreich, dass die AG. keinen <u>Schluss</u> hat und nach einer Fortsetzung ruft, nach einem τρίτος λόγος , der sie fortsetzte, wie sie als δεύτερος das Evangelium fortgesetzt hatte. In der That, hätte die Kirche weiter fortgelebt, wie sie zur Urzeit, insbesondere als drittes Evangelium und AG. geschrieben wurden, zu leben angefangen, so hätte sich auch der τρίτος λόγος angeschlossen, d.h. im Stile von Evangelium und AG. der Bericht von den 'Thaten' der folgenden Christengeneration u.s.w. Allein da trat ein ganz neues Geschlecht auf, das auf die früheren wie auf ein Vergangenes zurücksah, mit sich selbst neu anfing und nur die Gräber der Vorfahren übernahm, mit ihnen auch die Berichte von ihnen als Urlitteratur, die sich nicht fortsetzen liess. Die AG. verliert sich in das Gewölk, hinter dem der Übergang sich vollzog. Ein Schluss ist ja nicht denkbar anders als ernstgemeint - von Tod und Ende war ja aber hier nicht die Rede - oder so, dass er das Kommende ankündigte, etwas davon schon erblicken liess - von dem Wandel aber, der da vor sich ging, war ebenso wenig die Rede. Also verfiel man in Schweigen und sprach die schon gesprochenen Worte, ohne sie fortzusetzen, heilig, redete aber in eigener Sprache weiter, aber ganz anders."[93]

Schluß: OVERBECKS BEITRAG ZUR HISTORISCH-KRITISCHEN AUSLE-
GUNG DER AG

In den 1907 erschienenen Noten zur Apostelgeschichte schreibt Wellhausen:
"Es gibt noch viel zu tun in der Apostelgeschichte. <u>Overbeck hat zwar unge-
wöhnlich gewissenhaft gearbeitet, aber seine Augen im Bann der Zeit (1870)
zu sehr auf Einen Punkt gerichtet und nicht nach allen Seiten offen gehabt.</u>"[1]
Wir nehmen dieses Urteil zum Ausgangspunkt für einige abschließende Überlegungen.

Die erste Feststellung, Ovb habe <u>ungewöhnlich gewissenhaft</u> gearbeitet, ist
von Wellhausen als ein Werturteil über das wissenschaftliche Vorgehen Ovb's
gemeint. Sie enthält aber darüber hinaus - mindestens de facto - auch einen
Hinweis auf die spezifische wissenschaftsgeschichtliche Stellung, die der
Kommentar Ovb's einnimmt. Erst wenn man diese Stellung präzis begreift,
erscheint die Anerkennung der ungewöhnlichen Gewissenhaftigkeit im rechten Licht.

Wir haben oben[2] gezeigt, daß zwischen dem Korpus und der Einleitung des
AG-Komm zu unterscheiden ist. Das Korpus des AG-Komm setzt - zumindest in den Partien, die der Auslegung von AG 1-20 gewidmet sind - eine
Bestimmung der Tendenz der AG voraus, die in den Grundzügen mit derjenigen Baurs und Zellers durchaus übereinstimmt. Die in der Tübinger Schule herrschende Grundauffassung der AG hat Ovb ausdrücklich erst in der
nach Abschluß der Einzelauslegung geschriebenen Einleitung zum AG-Komm
und in der Abhandlung ZwTh 1872 verlassen. Anders als in diesen späteren
Texten kommt daher die spezifische Leistung Ovb's im Korpus des AG-Komm
<u>nicht</u> in der vertretenen Gesamtauffassung der AG zum Ausdruck. Das Beson-
dere des Kommentar-Korpus liegt vielmehr einmal in der abweichend von
Baur und Zeller vorgenommenen Lösung bestimmter Einzelprobleme, sodann und vor allem in dem Unternehmen eines fortlaufenden Kommentars als
solchem, d.h. in der kontinuierlich auf die Einzelheiten des Textes eingehenden exegetischen Behandlung der gesamten AG[3]. Im Jahre 1886 schrieb
Zöckler über die von der Tendenzkritik geprägten Beiträge zur Auslegung
der AG: "Charakteristisch für die Arbeiten aus dem letzteren Heerlager ist,
daß sie ihrer allergrößten Mehrheit nach Monographienform tragen. Eine
vergleichende Durchmusterung der betr. Litteratur ergibt den Eindruck, als
vertrage das tendenzkritische Verfahren, so üppig wuchernde Formen es bei
Anwendung der monographischen Darstellungsweise produziert, nicht die
Verpflanzung auf den Boden solider und nüchterner exegetischer Arbeit."[4]
Eben diese 'Verpflanzung' hat Ovb jedoch vollzogen. Zugespitzt läßt sich
darum sagen: Was den AG-Komm (in seinem Korpus) forschungsgeschichtlich bedeutsam macht, ist nicht die Tatsache, daß Ovb hier das Tübinger Gesamtverständnis der AG vertritt, sondern der Umstand, daß er von diesem
Gesamtverständnis aus die AG <u>kommentiert</u> hat und dadurch ein Urteil wie
dasjenige Zöcklers direkt in Frage zu stellen gestattet[5]. Erst von hier aus
gewinnt Wellhausens Lob der <u>ungewöhnlichen</u> Gewissenhaftigkeit seinen prä-

zisen Sinn; denn gewissenhaft gearbeitet ist auch die Monographie Zellers, die daneben, beiläufig bemerkt, noch den Vorteil hat, lesbar zu sein.

Wellhausen stellt zweitens fest, Ovb's Augen seien (zu sehr) "auf Einen Punkt" gerichtet gewesen. Sieht man von dem in dieser Feststellung ausgesprochenen Monitum zunächst ab, so ist die zugrunde liegende Beobachtung auch dann richtig, wenn man die nach 1870 abgefaßten Texte in die Betrachtung einbezieht. Freilich darf jener 'Eine Punkt' nicht zu eng gefaßt werden. Das dominierende Interesse Ovb's richtet sich auf die literarische Leistung, die theologische Intention sowie auf den Standort des Verf's der AG in der Geschichte des frühen Christentums, von welchem her die Form und der Zweck seines Buchs bestimmt sind. Klein hat das Verdienst des Kommentars von Haenchen dahin zusammengefaßt, daß sich durch ihn "die historische Relevanz der Apg. grundlegend gewandelt" habe: "Als Quelle für die älteste Epoche der Kirche hat sie sich als unzureichend erwiesen, für die Geistesgeschichte des nachapostolischen Christentums ist sie zu einem Zeugnis ersten Ranges geworden."[6] In der Besprechung einer späteren Auflage des gleichen Werks schreibt Klein: "Jegliche weitere Arbeit an der Apg, welche nicht die methodische Reflexion auf die Theologie des Lukas als hermeneutische Vorgabe in den Untersuchungsgang einbringt, dürfte nach H⟨aenchen⟩s Werk im Ansatz antiquiert sein."[7] Diese Sätze könnten ohne jeden Abstrich auch in einer Rezension von Ovb's Kommentar stehen; es müßte allerdings hinzugefügt werden, daß Ovb, wenn er die AG als Dokument des nachapostolischen Christentums versteht und das primäre Interesse seiner Erklärung dieses Buchs der theologischen und literarischen Intention des Verf's zuwendet, nur an dem hermeneutischen Programm weiterarbeitet, das begründet zu haben das Verdienst Baurs ist.

Die Resultate, zu denen Ovb gelangt, indem er die AG als Ausdruck des literarischen und theologischen Willens ihres Verf's auslegt, sind oben[8] dargelegt worden. Die Kompositionsanalyse führt Ovb zu der Einsicht, daß die AG kein schlichter Geschichtsbericht, sondern ein Produkt literarischer Konstruktion ist. Die Künstlichkeit der Formen indiziert den Tendenzcharakter der AG. Muß die AG als Tendenzschrift erklärt werden, stellt sich die Aufgabe, Standpunkt und Zweck ihres Verf's zu untersuchen. Diese Untersuchung deckt auf, daß der Verf der AG dem degenerierten Paulinismus des zur altkatholischen Kirche hin sich entwickelnden Heidenchristentums angehört, ein naher Geistesverwandter Justins ist, mit einem Nachklang der Kämpfe des apostolischen Zeitalters aber insofern noch zu tun hat, als es der Hauptzweck seines Buchs ist, Pls gegen solche Heidenchristen zu verteidigen, die - wie Justin - unter judaistischem Einfluß der Person des Heidenapostels reserviert, ja feindlich gegenüberstehen. Der theologiegeschichtlichen Übergangsstellung entspricht der Ort, den Ovb der AG innerhalb der altchristlichen Literaturgeschichte zuweist: Die AG gehört zwar zur christlichen Urliteratur; sie steht aber an ihrer äußersten Grenze und dokumentiert zusammen mit dem Lukevgl den ersten - vielleicht noch zaghaften und jedenfalls gescheiterten - Versuch des Christentums, auf die Formen der gleich-

zeitigen 'Weltliteratur' zurückzugreifen. Der theologie- und literaturgeschichtlichen Lokalisierung parallel ist auch die von Ovb vorgenommene
kirchenhistorische Einordnung der AG: Die mit dem nationalen Antijudaismus Hand in Hand gehende politisch-apologetische Tendenz setzt Konflikte
mit der römischen Staatsgewalt voraus, fordert eine zeitliche Ansetzung
frühestens unter Trajan und läßt die AG als einen unmittelbaren Vorläufer
der apologetischen Literatur des 2. Jahrhunderts erscheinen.

Wellhausen urteilt drittens, Ovb habe seine Augen im Bann der Zeit <u>nicht</u>
<u>nach allen Seiten hin</u> offen gehabt. Wir übernehmen auch dieses Urteil, in-
dem wir auf zwei Sachkomplexe hinweisen, die Ovb bei seiner Auslegung
der AG noch unberücksichtigt gelassen hat:
Zunächst liegt die <u>religionsgeschichtliche Betrachtung</u> des NT außerhalb
seines Blickfelds. Aufgrund seiner Destruktion des dogmatischen Kanonbegriffs und aufgrund seiner Reflexion auf die historisch-kritische Methode
kann Ovb zwar keineswegs als ein prinzipieller Gegner der religionsgeschichtlichen Betrachtung angesehen werden; aber von hier aus zum systematischen Vollzug religionsgeschichtlicher Forschung ist ein weiter Schritt,
und diesen Schritt hat Ovb nicht getan[9]. Das religionsgeschichtliche Material, das er im AG-Komm zur Erklärung der AG heranzieht, ist nicht neu,
wird nicht neu interpretiert und erfährt in den nachgelassenen Aufzeichnungen auch keine Erweiterung. Für Ovb ist, pointiert gesagt, die Destruktion
des neutestamentlichen Kanons gleichbedeutend mit der Auflösung der neutestamentlichen Theologie in Dogmengeschichte, nicht aber in hellenistische
Religionsgeschichte. Sein Interesse richtet sich auf die Kontinuität und Diskontinuität des Übergangs vom Urchristentum zur alten Kirche, nicht aber
auf die vielfältige Verflochtenheit der christlichen Anfänge mit ihrer religiösen Umwelt[10].

Neben der religionsgeschichtlichen hat auch die <u>formgeschichtliche Frage</u>
nach den kleinen vorliterarischen Einheiten, ihrem Sitz im Leben und der
Geschichte ihrer Tradition für Ovb's Auslegung der AG keine Bedeutung.
Weder besitzt eine Untersuchung von der Art, wie sie Dibelius in seinem
Aufsatz: Stilkritisches zur AG (1923) vorgelegt hat, im Werk Ovb's ein Äquivalent, noch läßt sich sagen, Ovb habe die Lösung des von Dibelius angegan-
genen Problems - "wenigstens den Weg freizumachen zum Verständnis der
kleinen Einheiten, die als geformte, ursprünglich selbständige Überliefe-
rungsstücke einen wesentlichen Teil der vom Autor benutzten Tradition bildeten"[11] - als <u>Aufgabe</u> formuliert. Der angenommene hermeneutische Pri-
mat der Schriftstellerpersönlichkeit und die These von dem außergewöhnli-
chen Dunkel der Urliteratur legen Ovb in dieser Hinsicht strenge Zurück-
haltung auf. Seine Rede von dem paläontologischen Charakter der Erforschung der christlichen Urliteratur impliziert die äußerste Reserve gegenüber jedem Versuch, hinter die überlieferte Gestalt einer zur Urliteratur
gehörenden Schrift zurückzufragen, und ist darum keineswegs eine Antizi-
pation des Programms der Formgeschichte[12].

Die heutige Redaktionsgeschichte setzt die religionsgeschichtliche und die formgeschichtliche Forschung voraus und ist dadurch von Ovb getrennt und ihm überlegen. Sie wiederholt die Frage nach der Verfasserpersönlichkeit und nach der theologischen Intention des jeweiligen Gesamtwerks, aber sie tut es auf einer höheren Ebene, d.h. unter Einsatz eines differenzierteren historischen Instrumentariums und unter Voraussetzung einer erheblich komplexer gewordenen Einsicht in die Geschichte des frühen Christentums. Die Frage, ob Ovb's Arbeit gleichwohl dazu verhelfen kann, heute noch offene Probleme zu lösen oder Scheinlösungen als solche zu durchschauen, kann nur im Rahmen einer exegetischen Sachdiskussion entschieden werden und liegt damit außerhalb des Themas dieser Untersuchung. Mit aller gebotenen Vorsicht seien hier lediglich drei Anregungen formuliert, die sich aus der Arbeit Ovb's ergeben und deren Aufnahme wünschenswert erscheint.

(1) Ovb's Arbeit kann die redaktionsgeschichtliche Forschung daran erinnern bzw. darin bestärken, nicht allein nach den leitenden theologischen Gedanken, sondern zugleich auch nach der literarischen Form des jeweils untersuchten Gesamtwerks zu fragen. Denn: "Jede Lectüre, die sich ausschließlich auf den Inhalt eines Werks richtet mit anhaltender Außerachtlassung seiner Form führt unausbleiblich dahin, daß ihm eine Form angedichtet wird."[13] Daß das Achthaben auf die Form eines Werks für die Einsicht in seine Entstehung (und damit in seinen Gehalt) nicht irrelevant ist, zeigt eine Überlegung, die Vielhauer in der Besprechung von Conzelmanns Kommentar vorgetragen hat. Vielhauer konstatiert, die AG habe als literarische Form keine Vorbilder im zeitgenössischen Schrifttum, sie habe in der christlichen Literatur keine "Nachfolger" gefunden und sie sei auch "darin, daß sie die Fortsetzung eines Evangeliums bildet, völlig singulär."[14] Wenn Conzelmann als Voraussetzung des lukanischen Doppelwerks geltend mache, daß Lukas die eschatologische Naherwartung in ein Geschichtsbild umsetzt und die Kirche als eine geschichtliche Größe, "die ihren eigenen Zeitraum hat"[15], begriffen habe, so sei dies richtig; es bleibe jedoch rätselhaft, "warum trotz des Weiterbestehens dieser Voraussetzung und trotz der reichen Produktion von Evangelien und Acten nie mehr der Versuch unternommen wurde, einem Evangelium eine Fortsetzung in einer ... Apostelgeschichte zu geben, warum niemand es wagte, das literarische und theologische Unterfangen des Lukas zu wiederholen."[16] Ist es zutreffend, die Form mit Ov als das Resultat "der Entstehung der Literatur als solcher"[17] zu begreifen dann ist es ein hermeneutisches Desiderat, für die Entstehungssituation ein Werks Motive in Anschlag zu bringen, die an Singularität hinter seiner Form nicht zurückstehen.

(2) Für Ovb's Gesamtverständnis der AG nimmt die Gestalt des Pls in der AG eine Schlüsselstellung ein. Ovb konstatiert einerseits, daß die AG von einem Standpunkt aus geschrieben worden ist, auf dem man den historischen Pls und sein Evangelium nicht mehr versteht und die Auseinandersetzung des Pls mit den Judenchristen vergessen hat. Dieser Ansicht entspricht die

Kritik an Baurs historischer Erklärung der altkatholischen Kirche als des
Resultats der Versöhnung zweier Parteien. Ovb beobachtet andererseits,
daß das Paulusbild der AG zu reflektiert gestaltet ist, um einfach als Ausfluß eines mangelhaften Verständnisses und nicht vielmehr als Ausdruck
einer bewußt verfolgten Tendenz begriffen zu werden. Eine solche Tendenz
setzt aber voraus, daß die AG in der Situation eines um die Person des Pls
geführten Kampfes geschrieben ist. Als Gegner des Verf's der AG nimmt
Ovb Heidenchristen an, die unter dem Einfluß judaistischer Agitation zu
Paulusfeinden geworden sind. Wir haben oben[18] darauf hingewiesen, welche Schwierigkeiten es mit sich bringt, diese sublimiert antijudaistische
Frontstellung zu behaupten und zugleich an der These von dem eminent heidenchristlichen Standort des Verf's der AG festzuhalten. Gibt man Ovb's
Bestimmung der Gegner der AG preis, so bedeutet das freilich nicht, daß
auch die zugrunde liegende Beobachtung, die Ovb überhaupt erst nach Gegnern Ausschau halten ließ, als solche zu verwerfen ist. Ovb's Beobachtung,
daß der degenerierte Paulinismus des Verf's zwar die Voraussetzung, aber
keine ausreichende Motivation für das Paulusbild der AG darstellt, scheint
vielmehr auch heute noch, wenngleich unter veränderten Bedingungen, einer
gründlichen Erörterung wert zu sein. Die Frage, die sich von Ovb's Tendenzkritik her stellt, ist die: Vermag die - ohne Zweifel überzeugend nach-
gewiesene - heilsgeschichtliche Theologie des Lukas, sofern sie lediglich
als das Ergebnis der Auseinandersetzung des Lukas mit der ihm vorgegebenen eschatologischen Naherwartung und dem Ausbleiben von deren Erfüllung[19] begriffen wird, die in der AG vorliegende Paulusdarstellung zureichend zu erklären - oder ist es notwendig, hierzu noch auf eine Auseinandersetzung anderer Art zu rekurrieren? Klein hat diese Frage im letz-
ren Sinn entschieden[20]. Seine These, die Zwölfapostelidee und damit verbunden das Paulusbild des Lukas seien aus dem akuten Abwehrkampf gegen
Gnostiker zu verstehen, die begonnen hatten, "Gestalt und Lehre des Paulus
für sich zu reklamieren"[21], stellt u.E. einen aussichtsreichen Versuch dar,
den frühkatholischen Standort und den Tendenzcharakter der Paulusdarstellung der AG zugleich festzuhalten, ohne (wie Ovb) die judaistische Paulus-
gegnerschaft allen gegenteiligen Beobachtungen zum Trotz weiterhin bemühen zu müssen.

(3) In seinem Aufsatz: Franz Overbeck und die neutestamentliche Wissenschaft schreibt Vielhauer, Ovb habe mit seiner Erklärung der AG überzeugend nachgewiesen, "daß der Frühkatholizismus schon tief im Neuen Testament steckt"; Vielhauer fügt hinzu: "... damit erhebt sich auf dem Grund der
'rein historischen Betrachtung des Neuen Testaments' die Notwendigkeit
einer Sachkritik am Neuen Testament."[22] Wir haben oben[23] einige Aussagen Ovb's angeführt, auf die man sich in der Tat im Sinne einer 'Sachkritik'
an dem Entwurf des Lukas berufen kann. Dennoch ist hier äußerste Vorsicht
geboten. Es ist ohne Frage sachkritisch gemeint, wenn Ovb einerseits feststellt: "Die Kirche hat sich ihren Paulus erst zurechtgemacht, und ein Haupt-
glied dieser Zurechtmachung ist die AG."[24] Hierbei darf jedoch nicht vergessen werden, daß Ovb andererseits die "Vollziehbarkeit des paulinischen

Lehrbegriffs in unserer Weltanschauung"[25] bezweifelt und geradezu apodiktisch urteilt: "Heutzutage hat kein Mensch den Paulus wirklich verstanden, der noch seiner Ansicht sein zu können meint."[26] Dies bedeutet: Ovb's
Sachkritik an Lukas zielt nicht auf einen 'Kanon im Kanon'. Sie wird vielmehr umgriffen von einer fundamentalen kritischen Distanz gegenüber dem
NT als ganzem. Diese Distanz stellt sich notwendig zugleich mit der rein
historischen Betrachtung des NT ein und kann Ovb zufolge nur dort verkannt
oder auf die Relation zu einzelnen theologischen Entwürfen des NT beschränk
werden, wo eine gewissenhafte Reflexion auf die Implikationen der historischen Kritik unterbleibt. Ovb's Beurteilung der 'rein historischen Betrachtung' als eines profanen Unternehmens, das die neutestamentlichen Schriften untauglich macht, Predigttexte zu sein, und sie dem erbaulichen Gebrauch entzieht, konfrontiert die Theologie, in der "die historisch-kritische Methode grundsätzlich Allgemeingut"[27] geworden ist, mit der Frage
nach der theologischen Legitimität ihres Vorgehens. Diese Frage in der
Auseinandersetzung mit Ovb's Argumenten zu diskutieren, wird lohnend
sein - ganz gleichgültig, ob eine solche Diskussion die Gewißheit von dem
Recht des eigenen bisher beschrittenen Weges verstärkt oder ob sie zu der
Einsicht führt, daß wir dem gelobten Land der Versöhnung von Glauben und
historischem Wissen nicht näher gekommen sind und darum die "Wüsten-
wanderung", auf der Ovb vorangegangen ist, zunächst einmal "wirklich an-
zutreten"[28] haben.

ANMERKUNGEN

(Zu Einleitung, 1: S. 13-14)

1) A 224, s v Gerok. Apostelgeschichte, S. 4.
2) K. Gerok, Die Apostelgeschichte in Bibelstunden ausgelegt. Stuttgart, 1868.
3) A 224, s v Gerok. Apostelgeschichte, S. 4.
4) A 224, s v Gerok. Apostelgeschichte, S. 3.
5) A 224, s v Gerok. Apostelgeschichte, S. 3. An welche Bibelabschnitte er denkt, sagt Ovb nicht. Überhaupt hat die Unterscheidung von Bibeltexten, die zum kirchlichen Gebrauch geeignet sind, und solchen, die der Kritik unterliegen, für seine Konzeption keine konstitutive Bedeutung; sie begegnet m. W. nur an der vorliegenden Stelle.
6) Fuchs, Die der Theologie durch die historisch-kritische Methode auferlegte Besinnung. Aufsätze II, 226.
7) A 224, s v Gerok. Apostelgeschichte, S. 4.
8) Vgl. hierzu den abschlägigen Bescheid Ovb's auf die Anfrage, ob er bereit sei, eine mit dem Amt des Universitätspredigers verbundene Professur in Gießen anzunehmen: Overbeckiana I, 85; ferner die Kündigung der ursprünglich zugesagten Mitarbeit an der von P. W. Schmidt und F. v. Holtzendorff herausgegebenen Protestantenbibel Neuen Testamentes: Overbeckiana I, 97 f.
9) Vgl. AG-Komm, Vorwort, XVIII; ZwTh 1872 (Rez Grau), 446.
10) Vgl. dagegen schon LC 1868 (Rez Scholten), 690.
11) So auf einem der in A 268 b gesammelten, nicht numerierten Zettel (Sperrung C. E.).
12) Johannes, 391.
13) Overbeckiana II, 133. Beachtenswert ist auch die Fortsetzung: "Die Wissenschaft ist für das Christenthum als Religion zerstörend und hat doch zu ihm ein reineres Verhältniß als seine Gläubigen. Denn das Wahre im Christenthum will niemand schärfer zur Erkenntniss bringen als die Wissenschaft, den Gläubigen soll das Christenthum ein Schleier sein, der sich ihnen vor die Wahrheit zieht."
14) Vgl. Christlichkeit, 23.
15) Scharf und im Sinne Ovb's fraglos zutreffend hat ein enger Vertrauter Nietzsches, Heinrich Köselitz, diese Implikation historisch-kritischer Arbeit erkannt. Am 25. 9. 1883 schrieb er an Ovb: "Wenn der Historiker für nicht wenig Dinge der gefährlichste Mensch ist, so verdient nachgerade das Christentum einen Historiker von Ihrem Geiste, Ihrem Wissen, Ihrer Objektivität, Ihrer Höhe. ... Nietzsche kämpft direkt gegen das Christentum; damit ist er unabsichtlich ein Erhalter desselben. In Ihre Hand ist es gegeben - ohne dem Chr⟨istentum⟩ wehe zu tun, ohne es zu Gegenwirkungen zu reizen - , es mit der Zeit unmöglich zu machen, indem Sie das Protokoll seiner Vergangenheit aufnehmen." (Overbeckiana I, 140; Sperrung C. E.) Ovb selbst hat seine Erfahrung mit dem Christentum ganz analog beschrieben: s. Selbstbekenntnisse, 157.

(Zu Einleitung, 1: S. 14-15)

16) Einen "religiösen Glauben auf geschichtliche Thatsachen rationell begründen" nennt Ovb "ein Ding der Unmöglichkeit" (A 268 b). Er kann darum der apologetischen und der liberalen Theologie den Vorwurf machen, daß sie "in der Behandlung der religiösen Formen des Christenthums nur nach verschiedenen Richtungen demselben Wahne huldigen: die Apologeten, dass man das traditionelle Christenthum mit wissenschaftlichen, insbesondere historischen Mitteln vertheidigen, ihre Gegner, dass man es nach seiner kritischen Auflösung mit eben diesen Mitteln wieder aufbauen könne." (Christlichkeit, 73; Sperrung C. E.)

17) Chr u K, 279.

18) S. Studien, VII.

19) Vgl. AG-Komm, XVIII.

20) S. zu Ovb's Theologiekritik und zu seiner 'kritischen Theologie' Christlichkeit, 21 ff; 109 ff.

21) S. Overbeckiana II, 181-188.

22) A 268 d (Overbeckiana II, 128).

23) S. Overbeckiana II, 128.

24) A 93. S. Overbeckiana II, 52-56.

25) A 94; A 95. S. Overbeckiana II, 56.

26) A 102. S. Overbeckiana II, 60.

27) A 91. S. Overbeckiana II, 50 f.

28) A 211; A 212. S. Overbeckiana II, 107 f.

29) A 207. S. Overbeckiana II, 107.

30) A 216 ff. S. Overbeckiana II, 108 ff.

31) ZwTh 1872, 305-349.

32) S. Bernoulli, Overbeck und Nietzsche II, 135 f; ders., Overbecks Leben, 32; E. Vischer, Basler Nachrichten v. 28. 6. 1905; ders., Kirchenblatt f. d. reformierte Schweiz v. 8. 7. 1905, 112; ders., RE[3] 24, 297; 300; ders., ChW 1922, 127; 147; ders., Basler Nachrichten v. 13. 3. 1931, 55 f; ders., Einleitung, 50; Nigg, Franz Overbeck, 7 f; 87; 92 f; Kiefer, 53 f; 71 f; Bornemann, 85; Schindler, 13 f (und dazu Anmerkung 16, S. 131 f); Wolfgang Köhler, 45; 49; B. Müller, 6; 17; 59 f; 101. - Im Zusammenhang der Literaturhinweise findet der AG-Komm (nicht die Abhandlung ZwTh 1872) Erwähnung bei: Wernle, RGG[1] IV, 1097; Zscharnack, RGG[2] IV, 844; Schmid, LThK[1] VII, 847 f; vgl. auch Stephan - Schmidt, 230, 1.

33) S. Schmid, LThK[2] VII, 1318; Philipp, 1785 f; Art. Overbeck, Franz. In: The Oxford Dictionary, 999 f; Taubes, 5 ff (vgl. auch die Literaturhinweise in Taubes' Ausgabe der Selbstbekenntnisse, S. 149 ff).

34) S. den überschwänglichen Brief Holstens an Ovb vom 15. 7. 1870 (Overbeckiana I, 91).

35) S. den Brief Lipsius' an Ovb vom 7. 9. 1870 (Overbeckiana I, 92); ferner Lipsius, The Academy 1872, 130.

36) S. Hilgenfeld, ZwTh 1871, 154; 157.

(Zu Einleitung, 1: S.15-17)

37) S. Holtzmann, PKz 1871, 235.
38) S. J.Weiß, Absicht, 2.
39) S. Jülicher[1.2], 259; ders.[5.6], 391; ders.[7], 424.
40) S. das abgewogene Urteil NGG 1907, 21 (vgl. unten, 195).
41) Mc Giffert, 381. Nach Mc Giffert "Overbeck rejected the Tübingen view, and with the appearance of his commentary a new period opened in the criticism of Acts." (Ebd.)
42) S. z.B. Loisy, 28 f; Goguel, 44-46; Mc Giffert, 380-382; Kümmel, NT, 250 f; Mattill, 168 ff; Bieder, 34-36; Haenchen[14], 21 f. Auffällig ist das Fehlen jeder Erwähnung Ovb's bei Pfleiderer, Entwicklung, III. Buch, 1. Kapitel.
43) S. Harnack, Lukas der Arzt, 1906; Apostelgeschichte, 1908. Im Jahre 1911 folgten: Neue Untersuchungen zur Apostelgeschichte.
44) P.W.Schmidt, 55 (Sperrung C.E.).
45) EvTh 10, 1950/51, 193-207 = Aufsätze, 235-252.
46) Vielhauer, Aufsätze, 241 f.
47) S. Vielhauer, Aufsätze, 235,1.
48) EvTh 10, 1950/51, 1-15 = Aufsätze, 9-27.
49) Wichtiges findet sich vorher schon bei Käsemann; s. ThLZ 1948 (Rez M.Barth, Der Augenzeuge), 666; VuF 1949/50, 208; 210; 219-221.
50) Vielhauer, Aufsätze, 9.
51) S. Vielhauer, Aufsätze, 27,40.
52) Haenchen[14], 21,4.

(Zu Einleitung, 2: S.17-18)

1) Ovb selbst wäre jedenfalls der letzte gewesen, der dies beansprucht hätte; vgl. AG-Komm, X; GGA 1882 (Rez Keim), 51 f.
2) Vgl. zur Relevanz der Auslegungsgeschichte die durchdachte Anmerkung P.Stuhlmachers, "Das Ende des Gesetzes". Über Ursprung und Ansatz der paulinischen Theologie. ZThK 67, 1970, 15,2.
3) Für das Detail muß auf den AG-Komm selbst verwiesen werden. Es sei jedoch erwähnt, daß im Dekanat der Abteilung für Evangelische Theologie der Ruhr-Universität Bochum zwei Bände hinterlegt worden sind, in denen der Verf dieser Untersuchung - gestützt vor allem auf den AG-Komm sowie auf die einschlägigen Teile des wissenschaftlichen Nachlasses - das Detail der AG-Auslegung Ovb's dem Text der AG folgend zusammengestellt hat.
4) Der Exkurs nach Kapitel IV gibt eine Übersicht über diejenigen Beziehungen zwischen Ovb und der AG-Auslegung im letzten Drittel des 19. Jahrhunderts, die das AG-Verständnis Ovb's nicht mehr erkennbar modifiziert haben.

(Zu Kap. I, 1: S. 19-22)

1) WS 1864/65. S. Overbeckiana II, 56 f; 181.
2) Vorl Past[1], 1.
3) Vorl Past[1], 2.
4) Vorl Past[1], 4.
5) Vorl Past[1], 4 f.
6) Undiskutiert bleibt in dem skizzierten Gedankengang, was unter 'kritischer Behandlung' sachlich zu verstehen ist, in welcher Hinsicht sie die Grundanschauungen der Theologie verändert und wohin die 'gesunde Entwicklung unserer Wissenschaft' schließlich führt.
7) Vorl Past[1], 5.
8) Vorl Past[1], 6.
9) Vorl Past[1], 6.
10) S. Vorl Past[1], 7 f. Vgl. Vorl Past[2], 1.
11) S. Vorl Past[1], 8. Vgl. Ovb's Brief an Treitschke vom 9.11.1864 (Overbeckiana I, 84).
12) Vorl Past[1], 8 f (vgl. Overbeckiana II, 57). Vgl. Vorl ApZA, WS 1868/69, 346 f.
13) Vorgetragen am 7.6.1870 in der Aula zu Basel. Im Druck erschienen Basel, 1871.
14) S. Entstehung, 4-31.
15) S. Entstehung, 31-34.
16) Entstehung, 31 (Sperrung C. E.).
17) Entstehung, 31.
18) Entstehung, 31.
19) Entstehung, 33.
20) Entstehung, 34.
21) Overbeckiana I, 11.
22) Vgl. hierzu den Brief von H. Schultz an Ovb vom 15.11.1869 und Ovb's Antwortschreiben vom 21.11.1869 (Overbeckiana I, 86 f).
23) S. Entstehung, S. 3, Z. 5 ff; S. 5, Z. 1 ff; S. 10, Z. 2 ff; S. 19, Z. 15 ff; S. 22, Z. 18 ff.
24) S. Entstehung, S. 12, Z. 24 ff; S. 30, Z. 24 ff.
25) S. Entstehung, 24-28; vgl. auch ebd., 18-20.
26) S. Entstehung, 33.
27) S. Entstehung, 34.
28) Entstehung, 31.

(Zu Kap. I, 2: S. 22)

1) Entstehung, 3.
2) Zu der Entgegensetzung von 'historisch' und 'dogmatisch' vgl. z.B. LC 1865 (Rez Schleiermacher), 1105 ff; LC 1866 (Rez Keim), 841 ff; LC 1867 (Rez Weizsäcker), 481 ff; Vorl Einl II, 1104; 1270 f.

(Zu Kap. I, 2: S. 22-24)

3) LC 1866, 161-163.

4) LC 1866, 162.

5) Vgl. hierzu auch Baurs eigenes Urteil KG 19. Jh., 418.

6) LC 1866, 161.

7) S. Baur, Vorlesungen I, 54.

8) LC 1866, 161. Vgl. hierzu die Einleitung Baurs über "Begriff, Geschichte und Einteilung der neutestamentlichen Theologie" (Vorlesungen I, 25 ff).

9) Baur, Vorlesungen I, 25.

10) Vgl. hierzu z.B. B.Weiß, Theologie, 2 f.

11) LC 1866, 162.

12) Baur, Vorlesungen I, 25 (Sperrung C.E.).

13) LC 1866, 162.

14) S. LC 1866, 162. - Vgl. als sachliche Parallele die Argumentation Köstlins, ThStKr 1866, 725-727.

15) Anfänge, 6.

16) S. Vorl LG[1], 5-11. Vgl. zur Sache Möhler, 15-21; Alzog, 2 f; Nirschl, 3-5; Bardenhewer, 2 f.

17) Vorl LG[1], 14.

18) Vorl LG[1], 21.

19) Anfänge, 7.

20) Vorl LG[1], 14.

21) Vorl LG[1], 14.

22) Was dabei "alt" heißt, bestimmt Ovb in Analogie zur "alten" Kirche, die er mit der Gestalt Gregors d.Gr. gegen die mittelalterliche abgrenzt: s. Vorl LG[1], 21 ff.

23) Kanon, 1. Ovb hat mehrfach in der gleichen Weise geurteilt. Auf einem in sein Handexemplar der Abhandlung: Über die Auffassung des Streits ... eingeklebten Zettel heißt es: "Hat die alte Kirche jemals den Schlüssel zum Verständniss des N.T's gehabt? Nein, soweit wir ihre Exegese zurück verfolgen können. Sobald der Gebrauch des Canons des N.T's an's Licht der Geschichte auftauchte, ist dieser Schlüssel verloren. Man denke dieser Thatsache, wie sie möglich war, etwas nach. Die ältesten bekannten Exegesen sind gerade die abenteuerlichsten." S. ferner Vorl ApZA, 344 f; Entstehung, 6 ff; 17 f; Auffassung, 4 f; Kanon, 48 f; Chr u K, 16 f.

24) S. Christlichkeit, 36 f; 24; Chr u K, 36. Vgl., das entsprechende Urteil über den von der Dogmatik geschaffenen "Katalog" der Kirchenväter, der zustande gebracht sei, "um gebraucht, nicht um verstanden zu werden", im Blick auf den daher die Geschichte, "indem sie die Verträglichkeit von Gebrauch und Verständnis in Frage stellt, stets unbequem" sei (Anfänge, 7).

25) Zur allegorischen Interpretation vgl. LC 1865 (Rez Schleiermacher), 1107; Entstehung, 12; LC 1872 (Rez Ziegler), 792; Christlichkeit, 35 f; Chr u K, 89-91; Vorl AK, 1017; Vorl LG[2], 55-59; 73-75;

(Zu Kap. I, 2: S. 24-26)

A 216, s v Allegorische Interpretation. Allgemeines, n 1 ff; ebd.,
s v Allegorische Interpretation. Theologie, n 1 ff.

26) Vorl AK, 127. Vgl. Chr u K, 90.

27) S. A 224, s v Geschichtsschreibung (Allgemeines), n 7. Vgl. ebd.,
s v Geschichtsschreibung (Vermischtes), n 2; Overbeckiana II, 81
(Ovb's Notiz zu Augustin, de doctrina christiana II, 44); 93. A 224,
s v Geschichtsschreibung (Objectivität), n 3 schreibt Ovb: "Man soll
sich durch die Schwierigkeiten der 'Objectivität' der Geschichtsschreibung nur nicht an der Forderung irre machen lassen, dass sie
eine vor Allem ... descriptive Wissenschaft sein soll."

28) A 224, s v Geschichtsschreibung (Allgemeines), n 7.

29) So in einer Randnotiz zu E. Vischer, ZThK 1898, 209 Rd.

30) Vgl. A 224, s v Geschichte und Wissenschaft. Allgemeines, n 5.

31) Vorl ApZA, 86[2].

32) S. Renan, Die Apostel, 67 f.

33) LC 1866 (Rez Renan, Les Apôtres), 940.

34) LC 1863 (Rez Renan, Vie de Jésus), 1059.

35) LC 1863, 1059. Vgl. A 227, s v Jesus (Leben). Geschichtliche Verständlichkeit, n 1 (vgl. Chr u K, 40): "Die grösste (ja eine unüber-
windliche) Schwierigkeit einer Darstellung des Lebens Jesu beruht in
den Mängeln seiner Überlieferung." Vgl. ferner LC 1866 (Rez Keim),
844; Chr u K, 49 und zur Abhängigkeit der Geschichtsschreibung überhaupt von Überlieferung AG-Komm, 33 f; 80 Rd; 193, 1; 260; 265;
Kanon, 96 f; Selbstbekenntnisse, 67; Vorl Einl I, 299; A 224, s v Geschichte. Tradition. Allgemeines, n 1.

36) Entstehung, 5.

37) In seinem berühmten Aufsatz: Über historische und dogmatische Methode in der Theologie nennt Troeltsch als das erste der drei für die
historische Methode konstitutiven Momente "die prinzipielle Gewöh-
nung an historische Kritik" (731). Vgl. auch Zeller, Über historische
Kritik, besonders S. 154-161.

38) Dieser Begriff der Kritik wird von Baur, Th Jbb 1845, 207 als der
'gewöhnliche' bezeichnet; in Baurs eigenen, spekulativen Begriff der
Kritik geht er lediglich als ein Moment ein (s. Baur, ebd., 207 ff;
Geiger, 166 ff; 186 ff).

39) Vgl. hierzu Ovb's Vorwurf der "Kritiklosigkeit" gegen Renan LC
1863, 1059.

40) Dieser Aspekt steht Entstehung, 5 im Vordergrund; vgl. auch A 224,
s v Geschichtsschreibung und Tradition, n 2.

41) Christlichkeit, 4.

42) Studien, 91. Vgl. auch LC 1865 (Rez Strauß), 492 und zur Sache
Strauß, Leben Jesu[2] I, 111; Zeller, Die historische Kritik, 364 f.

43) A 224, s v Geschichtliches Wissen (Grenzen), n 1 beruft Ovb sich
auf Schwegler, Polemisches und Apologetisches, gegen Dorner (Th
Jbb 5, 1846, 133-182), 143-152. Schweglers Resümee lautet ebd.,

(Zu Kap. I, 2: S. 27-29)

151 f: "Kurz, für nichts Geschichtliches und auf geschichtlicher Überlieferung Beruhendes kann ein absolut zwingender Beweis hergestellt
werden, wie diess in der Natur alles Geschichtlichen liegt. Eben darum kann aber auch nichts Geschichtliches, nichts dem Subjecte Trans-
cendentes unter dem Anspruch auf absolute Gewissheit zur Grundlage
einer gesammten Weltanschauung gemacht werden." Vgl. Troeltsch,
731.

44) A 224, s v Geschichtsschreibung und Tradition, n 2.
45) A 224, s v Geschichtsschreibung und Tradition, n 2.
46) ZwTh 1867, 71, 1. Vgl. auch ZwTh 1872 (Rez Grau), 440.
47) ZwTh 1867, 71, 1.
48) Vgl. die gegen die Theologie gerichteten Spitzen Studien, 90 f; A 224,
s v Geschichtsschreibung und Tradition, n 2. Vgl. auch ZwTh 1872
(Rez Grau): Weil die Kritik uns nicht "zur ewigen Wahrheit" führt,
stärkt sie uns nicht "im überlieferten Glauben", sondern vermehrt
nur unsere Einsicht (440; 446).
49) Chr u K, 89 (Sperrung C. E.).
50) A 224, s v Geschichte und Offenbarung. Allgemeines, n 1. Vgl. Chr
u K, 11.
51) Vgl. ZwTh 1867, 71, 1; ZwTh 1872 (Rez Grau), 440.
52) S. oben, 22.
53) Entstehung, 3.
54) Vgl. aus A 268 b den Satz: "Eine besondere Auslegung der Bibel ist
auch immer gestützt worden auf die Annahme einer besonderen Ent-
stehungsweise des Buchs."
55) Vorl ApZA, 8[1].
56) Vorl ApZA, 8[1].
57) Vorl ApZA, 8[1].
58) Vgl. zum Analogieprinzip Strauß, Leben Jesu[2] I, 103; Baur, Tübinger Schule, 14 f; Troeltsch, 732.
59) Overbeckiana II, 127. Zur sog. Voraussetzungslosigkeit historischer
Forschung vgl. Strauß, Leben Jesu[2] I, 87, insbes. ebd., Anm. 3;
Zeller, Tübinger historische Schule, 275 ff; 284 f.
60) Vgl. Strauß, Leben Jesu[2] I, 82 ff; 103 f; Zeller, Tübinger historische
Schule, 276.
61) Vgl. zur Wunderkritik: Baurs Kritik an Neander Th Jbb 1845, 233 ff
(dazu Ovb's Zustimmung A 241, s v Wunder (Aufhören), n 5); Baur,
Tübinger Schule, 14; Zeller, Über historische Kritik, 163 ff; ferner
die im Anschluß an Zellers Aufsatz: Die Tübinger historische Schule
entstandene literarische Fehde zwischen Zeller und Ritschl (Ritschl,
JDTh 1861, 429 ff; Zeller, Die historische Kritik; Ritschl, HZ 1862,
85 ff; Zeller, Zur Würdigung). Zum Streit Zeller - Ritschl s. Geiger,
10 ff. Ovb hat diesen Streit gekannt (s. A 218, s v Baur. Seine Bedeutung). Daß er sachlich auf der Seite Zellers stand, ist nicht zu bezweifeln; s. A 241, s v Wunder (Aufhören), n 6; n 16; ebd., s v
Wunder (Möglichkeit) Allgemeines, n 1; ebd., s v Wunder (Rationalismus), n 1.

(Zu Kap. I, 2: S. 29-31)

62) Vgl. das Korrelationsprinzip bei Troeltsch, 733; ferner: Baur, Christenthum, 1 ff und hierzu Geiger, 14 ff.

63) LC 1863 (Rez Pressensé), 99.

64) Entstehung, 22. Ovb nimmt mit dieser Formulierung Bezug auf Baur, Tübinger Schule, 13 f. - Vgl. auch Entstehung, 5; 10.

65) Troeltsch, 732.

66) Troeltsch, 732 f.

67) LC 1867, 484.

68) LC 1867, 485.

69) LC 1867, 485. Vgl. hierzu: Ovb's Lob Keims LC 1866, 841; die Notiz über Zahns "Isoliermethode" LC 1874,4; ferner Vorl Einl I, 419: "Menschliche Individuen sind freilich Träger aller menschlichen Geschichte, aber sie sind es doch nur in ihrer Zeit und Umgebung und wollen daher auch in diesen begriffen werden, um überhaupt begriffen zu sein."

70) S. LC 1865, 492. Ovb's Urteil bezieht sich auf Strauß, Leben Jesu f. d. deutsche Volk I, 207 ff.

71) LC 1865, 492 (Sperrung C. E.).

72) Vorl ApZA, 64 f^2.

73) S. Vorl ApZA, 64 f^2; 79 f^2; vgl. A 227, s v Jesus (Auferstehung). Quellen. Kritik, n 4.

74) S. Baur, Christenthum, 39 f: Erst in dem Glauben an die Auferstehung Jesu hat "das Christenthum den festen Grund seiner geschichtlichen Entwicklung gewonnen. Was für die Geschichte die nothwendige Voraussetzung für alles Folgende ist, ist nicht sowohl das Factische der Auferstehung Jesu selbst als vielmehr der Glaube an dasselbe."

75) Vorl ApZA, 82^2.

76) S. Vorl ApZA, 85^2.

77) Vorl ApZA, 85^2.

78) Vorl ApZA, 85 f^2.

79) S. Vorl ApZA, § 6, S. 79 ff^2, bes. S. 86 ff^2; Vorl AK, 189 ff. Vgl. hierzu Holsten, Evangelium, 65 ff; 115 ff.

80) Baur, Christenthum, 40.

81) Baur, Christenthum, 39 (Sperrung C. E.). Vgl. hierzu Scholder, EvTh 1961, 455 f; Geiger, 18-21. In der Beantwortung der Frage, inwieweit die zitierten Sätze für Baur als Historiker charakteristisch sind, hat Geiger den Ausführungen Scholders m. E. mit Recht widersprochen; vgl. dazu bereits Lang, 2075.

82) Während Scholder, EvTh 1961, 455 formuliert, daß Baur "die Möglichkeit eines Wunders ... nicht auszuschließen vermag" (Sperrung C. E.), legt Geiger, 20 A Wert darauf, daß Baur "diese Möglichkeit nicht auszuschließen versucht" (Sperrung Geiger). Tatsache ist jedenfalls, daß Baur an der vorliegenden Stelle den Historiker als solchen für unzuständig erklärt, die Frage, was die Auferstehung Jesu "an sich" ist, auch nur zu untersuchen.

Zu Kap. I, 2: S. 31-34)

83) Vorl ApZA, 82^2. Vgl. hierzu Lang, 2075 f: "Endlich wird man Baur
den Satz nicht zugeben, daß, was die Auferstehung Christi an sich sei,
außerhalb des Kreises der geschichtlichen Untersuchung liege . ...
daß die Geschichtsforschung bei dieser Thatsache ein Noli me tangere
zugeben, daß sie nicht vielmehr die Aufgabe haben sollte, mit allen
ihren Mitteln den wirklichen Hergang zu erforschen, das wäre eine
durch Nichts gerechtfertigte Beschränkung ihres Berufes." Ovb hat
den Artikel Langs gekannt, s. A 227, s v Jesus (Auferstehung).
Thatsächlichkeit, n 1.

84) Das Resultat solcher Ermittlung faßt Ovb Vorl ApZA, 123 f zusammen.

85) Nur weil sie dies ist, kann Ovb als Historiker zu dem Satz kommen,
daß "die Auferstehung keine an der Person Jesu haftende objective,
sondern nur ⟨eine⟩ in das Bewusstsein der Jünger fallende subjective
Thatsache ist." (Vorl ApZA, 64 f^2)

86) Christlichkeit, 22.

87) Christlichkeit, 23.

88) S. Christlichkeit, 35-37; 71; 72 ff.

89) S. Christlichkeit, 41.

90) S. Christlichkeit, 22 ff; 34 ff; 44 ff; 72 ff.

91) LC 1863 (Rez Baur), 171.

92) Johannes, 120. Vgl. die Konsequenz ebd., 121 f; ferner Vorl Einl I,
12: "Ich bin in der Wissenschaft unverhüllter Heide und habe sonst
keinen Beruf, ein Bekenntniss abzulegen."

93) Christlichkeit, 25.

94) Christlichkeit, 25.

95) LC 1867 (Rez Weizsäcker), 485.

96) LC 1865 (Rez Strauß), 492. Vgl. Chr u K, 36-38.

97) Chr u K, 43. Vgl. den entsprechenden Gedanken ebd., 76 f.

98) S. Christlichkeit, 75 f. Vorausgesetzt ist hierbei, daß Christentum
konstitutiv Glaube an Christus ist (s. Christlichkeit, 74; Chr u K, 28).
Für die Unterscheidung der Religion Christi und der christlichen Religion beruft sich Ovb auf Lessing, Die Religion Christi (G. E. Lessings
sämtliche Schriften. Hg. von K. Lachmann. 3. Aufl., besorgt durch
F. Muncker. Bd. 16. Leipzig, 1902, 518 f).

99) S. Christlichkeit, 76.

100) Christlichkeit, 76.

101) S. Chr u K, 266.

102) Chr u K, 19.

103) Vgl. Chr u K, 265 f; A 228, s v Kirchengeschichte und Theologie, n 1.

104) S. Chr u K, 6; 21.

105) S. Chr u K, 242.

106) A 224, s v Geschichtswissenschaft. Allgemeines, n 1.

107) LC 1863, 675.

108) LC 1863, 675.

109) LC 1863, 675 (Sperrung C. E.).

(Zu Kap. I, 2: S. 34-39)

110) Löwith, Von Hegel zu Nietzsche, 402.

111) S. Chr u K, 1.

112) Chr u K, 3. Vgl. überhaupt ebd., 1-4; 261.

113) Entstehung, 12.

114) S. A 268 b: "Von historischer Betrachtung des Urchristenthums kann doch nur die Rede sein, wenn es uns wirklich Vergangenheit geworden ist." S. ferner Entstehung, 30; Anfänge KG 1876, 46-48.

115) S. ZwTh 1869, 211.

116) ZwTh 1869, 212. S. Holsten, Evangelium, 441 f A.

117) ZwTh 1869, 212 (Sperrung C. E.).

118) ZwTh 1869, 212 (Sperrung C. E.).

119) S. Overbeckiana II, 131.

120) S. Chr u K, 67.

121) Ovb nennt die allegorische Interpretation ein "Mittel, sich mit Texten, welche der Bewußtseinsstufe des Interpreten nicht mehr entsprechen, in Übereinstimmung zu setzen" (LC 1865, Rez Schleiermacher, 1107; Sperrung C. E.). Vgl. hierzu Vorl LG^2, 58; 74 f.

122) Chr u K, 66. Vgl. ebd., 8; 68.

123) S. A 233, s v Paulus, n 1 (= Chr u K, 54): "Heutzutage hat kein Mensch den Paulus wirklich verstanden, der noch seiner Ansicht sein zu können meint. Dafür sind auch die Gegner dieser Behauptung unwillkürliche Zeugen durch die Art, wie sie seine Worte verdrehen, um sie sich mundgerecht zu machen." Vgl. ebd., n 2 (= Chr u K, 54 f); Johannes, 391.

124) Vgl. Entstehung, 12: Die Grundbedingung eines historischen Verständnisses der Urzeit des Christentums ist "ihre Unterscheidung von der jeweiligen Gegenwart." Vgl. auch Chr u K, 268 f.

125) A 268 b (Sperrung C. E.). Zu Ovb's Beurteilung des Rationalismus vgl. auch Overbeckiana II, 131 f; Chr u K, 134 ff; A 235, s v Rationalismus des 18. Jahrhunderts. Allgemeines, n 1.

126) A 224, s v Geschichtswissenschaft. Allgemeines, n 1; vgl. oben, 34.

127) A 268 b.

128) Christlichkeit, 44. Ovb nennt als Beleg den Widerspruch zwischen dem synoptischen und dem johanneischen Christusbild.

129) Anfänge KG 1876, 27.

130) Vorl AK, 9.

131) Chr u K, 66.

132) Chr u K, 8.

133) A 235, s v Religion (Historische), n 1 (Sperrung C. E.). Vgl. Chr u K, 242.

134) S. Chr u K, 6. Vgl. auch A 224, s v Geschichte (Fortschritt in ihr); ebd., s v Geschichte und Pessimismus, n 1; ebd., s v Geschichte (Verfall oder Fortschritt), n 1.

135) Chr u K, 6.

136) S. Chr u K, 7 f.

(Zu Kap. I, 2: S. 39)

137) S. Chr u K, 21.
138) S. Chr u K, 8. Vgl. ebd., 9; 68; 69-71; 268 f.
139) Chr u K, 70.
140) Chr u K, 71. Vgl. A 235, s v Religion (Geschichte), n 5: "Geschichtliche Betrachtung der Religion kann ihre Geltung nur untergraben.
Denn jede Religion gehört ihrer Entstehung nach unter Menschen einer praehistorischen Welt an und kann in der historischen nur ihr Ende finden. In dieser kann sie sehr alt werden, doch nie den Gefahren
des Alters, d.h. des Kreislaufs von Entstehen und Vergehen entgehen. Verkennen können das nur Theologen und diese Verkennung ist
selbst ihr Beruf. Dazu stellt sie jede Religion an."

(Zu Kap. I, 3: S. 39-40)

1) S. Christlichkeit, 2 ff; 13 ff.
2) Christlichkeit, 6.
3) Christlichkeit, 2. Vgl. Bischofslisten, 10,10; Chr u K, 180.
4) S. Christlichkeit, 2. Zum "Zersetzungsprozeß" der Tübinger Schule vgl. Baur, Tübinger Schule, 46 ff.
5) Christlichkeit, 3 (Sperrung C. E.).
6) S. z.B. LC 1863 (Rez Renan), 1058; LC 1865 (Rez Strauß),490; LC
1866 (Rez Baur), 163; ZwTh 1869, 179.
7) Christlichkeit, 4. Vgl. ebd., 4-6; ferner z.B.: Vorl Gal[1], 31 ff
(Ovb's Kritik an Baurs Konstruktion der Entwicklung des paulinisch-
judenchristlichen Gegensatzes in der Zeit vom Galaterbrief bis zum
Römerbrief); ZRGG 1954, 63; Studien, 160; Vorl Past[2], 12-14;
Vorl Einl II, 951 ff. Nach HZ 1880 (Rez Engelhardt), 499 beruht Baurs
Ruhm "auf der Mächtigkeit des Anstoßes, welchen er der rein historischen Aufhellung der Geschichte des Urchristenthums gegeben hat,
und nicht auf der Lösung dieses Problems selbst, von welcher gar
nicht zu erwarten war, daß sie auf den ersten Schlag in allen Stücken
gelungen sei".
8) Christlichkeit, 3 f (Sperrung C. E.). Nach Ovb hat Baur "die Urzeit
der Kirche in zahlreichen Arbeiten zuerst für die moderne Geschichtsschreibung gewonnen" (LC 1863, Rez Baur, 170). S. ferner: LC 1865
(Rez Stap), 198; Vorl ApZA, 42 f[2]; Entstehung, 22-24; HZ 1880 (Rez
Engelhardt), 499; Christlichkeit, 6 f.
9) Christlichkeit, 3.
10) Unter dem Stichwort: Baur. Hegel'sche Philosophie (A 218) notierte
Ovb offenbar als charakteristisch den Satz Baurs: "Meine Überzeugung wird es fortgehend bleiben, dass auch der Kirchenhistoriker
aus einer Philosophie, wie die Hegel'sche ist, nicht nur überhaupt
vielfachen Gewinn ziehen kann, sondern auch durch sie hauptsächlich
sich Gesichtspunkte eröffnet sieht, von welchen aus es ihm erst möglich wird, der Lösung der Aufgabe näher zu kommen, die als Ziel

(Zu Kap. I, 3: S. 40-42)

aller wahren geschichtlichen Betrachtung anzusehen ist, den ganzen Zusammenhang der Geschichte in seiner innern, im Wesen des Geistes gegründeten Nothwendigkeit zu begreifen." (Vgl. Baur, Th Jbb 1845, 230)

11) Immerhin finden sich einige Andeutungen. Außer der Mitteilung Bernoullis, Overbeck und Nietzsche I, 4 f sind zu nennen: Ovb's Vorbehalt gegen das Schlußkapitel von Baurs Epochen der kirchlichen Geschichtsschreibung (s. LC 1863, 170), der freilich nur durch die allgemeine Berufung auf Hases Einwände (s. Hase, 468 ff; 474 ff) spezifiziert wird (vgl. zu der hier angesprochenen Auseinandersetzung zwischen Baur und Hase den informativen Bericht K. Bauers, Blätter f. württ. KG 1922, 3 ff); das oben, 25 mitgeteilte Lob Rankes; die Ausführungen über das Verhältnis von "Wirklichkeit" und "Ideen" für die Geschichtsschreibung Vorl Einl II, 1272 f (vgl. dazu auch Johannes, 32); Chr u K, 180-182.

12) Erschienen: Tübingen, 1841. Die Vorrede ist abgedruckt in: Baur, Werke II, 287-302.

13) S. Baur, Werke II, 287.

14) Baur, Werke II, 298.

15) Baur, Werke II, 298.

16) Baur, Die christliche Lehre von der Versöhnung in ihrer geschichtlichen Entwicklung. Erschienen: Tübingen, 1838. Die Vorrede, aus der hier zitiert wird, ist abgedruckt in: Baur, Werke II, 283-286; das Zitat steht ebd., 285.

17) S. Baur, Werke II, 285 f.

18) S. Geiger, 223 f.

19) Baur, Th Jbb 1845, 208.

20) Baur, Werke II, 286. Vgl. Baur, Th Jbb 1845, 208.

21) Baur, Paulus[2] I, 4.

22) Baur, Th Jbb 1845, 209.

23) Baur, Paulus[2] I, 4.

24) Baur, Th Jbb 1845, 209.

25) Baur, Paulus[2] I, 4. Vgl. zur Sache Baurs Kritik an Hase (Baur, Werke II, 253-255) und Hases Replik (Hase, 468 ff); ferner Geiger, 176 ff.

26) Auf eine weitergehende Beschreibung und Interpretation der spekulativen Geschichtsbetrachtung Baurs muß hier verzichtet werden. Es sei jedoch ausdrücklich verwiesen auf die einschlägigen Erörterungen Geigers (34 ff; 166 ff) und E. Wolfs (in seiner Einführung zu Baur, Werke II, S. VII-XXV).

27) Baur, Werke II, 298. Vgl. hierzu auch Baur, Epochen der kirchlichen Geschichtsschreibung. Werke II, 260, 1.

28) Baur, Werke II, 285.

29) Baur, Werke II, 298.

30) S. Geiger, 46; 213. Vgl. ferner Lang, 2064 f; Weizsäcker, PKz 1891, 14 f; A. Baur, 662-664; Pfleiderer, PKz 1892, 567 f; ders. in seiner Einleitung zu Baur, Vorlesungen I, 3.

(Zu Kap. I, 3: S. 42-45)

31) Baur, Paulus[2] I, VI.

32) Zeller, Tübinger historische Schule, 352 f. Vgl. hierzu Scholder, EvTh 1961, 436 und passim.

33) S. Geiger, 213 ff. Vgl. zur Sache auch Strauß' Vorrede zur 1. Auflage seines Leben Jesu (abgedruckt in der 3. Auflage, Bd. I, S. VII ff).

34) Baur, Paulus[2] I, 3.

35) Vgl. z. B. Baur, Evangelien, 72; 227 ff, besonders 229,1; Dogmengeschichte, 25 ff; 348.

36) Geiger, 214 f. Vgl. ebd., 221 ff und ebd., 208: "Die Befragung der Geschichte ist, auf das 'Wesen' gesehen, keine ernsthafte, erfolgt nicht in der Erwartung, in der Geschichte etwas wirklich Neues zu lernen, wodurch das mitgebrachte Vorwissen um das 'Wesen' in Frage gestellt oder gar korrigiert werden könnte, sondern sie erfolgt in der ausgesprochenen Absicht, es von der Geschichte lediglich bestätigen zu lassen."

37) Christlichkeit, 4.

38) Es ist daher irreführend, wenn K. Bauer, Blätter f. württ. KG 1922, 51 formuliert, es bestehe "formell kein Unterschied zwischen Overbeck und Baur ..., sofern die kritische Methode, die jener handhabte, dieselbe historische Kritik ist, der dieser in der wissenschaftlichen Theologie Bürgerrecht erworben" habe. Der Unterschied zwischen Baur und Ovb ist sehr wohl auch ein methodischer und läßt sich keineswegs, wie K. Bauer, ebd., 51 ff ausführt, schwerpunktmäßig auf die verschiedene Bestimmung des Wesens des Christentums reduzieren.

39) Chr u K, 68.

40) Anonymus, Unsere Zeit 1862, 234. Zur Verfasserfrage s. Geiger, 189,60.

41) Geiger, 189. Vgl. ebd., 186-191; 237.

42) Christlichkeit, 3.

43) Nietzsche, Werke I, 211.

44) Unzeitgemäße Betrachtungen. Zweites Stück: Vom Nutzen und Nachteil der Historie für das Leben (1874). Werke I, 209-285.

45) Nietzsche, Werke I, 210.

46) Zu Nietzsches Zweiter Unzeitgemäßer Betrachtung vgl. außer der detaillierten Analyse Haeuptners: Löwith, Jacob Burckhardt, 35 ff; M. Landmann, Geist und Leben. Varia Nietzscheana. Bonn, 1951, 105-122; K. -H. Volkmann-Schluck, Leben und Denken. Interpretationen zur Philosophie Nietzsches. Frankfurt, 1968, 9-24; J. Habermas, Zu Nietzsches Erkenntnistheorie (ein Nachwort). In: Kultur und Kritik. Verstreute Aufsätze. suhrkamp taschenbuch 125. Frankfurt, 1973, 244-250.

47) S. Nietzsche, Werke I, 212. Vgl. ebd., 215.

48) "Bei dem kleinsten aber und bei dem größten Glücke ist es immer eins, wodurch Glück zum Glücke wird: das Vergessenkönnen oder,

(Zu Kap. I, 3: S. 45-50)

<blockquote>gelehrter ausgedrückt, das Vermögen, während seiner Dauer <u>unhisto-
risch</u> zu empfinden." (Nietzsche, Werke I, 212)</blockquote>

49) S. Nietzsche, Werke I, 212 f.

50) Nietzsche, Werke I, 213 f (Sperrung des Begriffs 'plastische Kraft'
von Nietzsche; alle anderen Sperrungen C. E.).

51) S. Nietzsche, Werke I, 214.

52) S. Nietzsche, Werke I, 214.

53) S. Nietzsche, Werke I, 214; 216. - Zum Stichwort "historische Ge-
rechtigkeit" vgl. Ovb, Entstehung, 17.

54) Nietzsche, Werke I, 214.

55) Nietzsche, Werke I, 214 f (Sperrung C. E.).

56) Nietzsche, Werke I, 215.

57) Nietzsche, Werke I, 219. Vgl. ebd., 209.

58) Nietzsche, Werke I, 219. - Die zum Nutzen des Lebens und deshalb
nicht als Wissenschaft betriebene Historie zerlegt sich für Nietzsche
exemplarisch in drei Arten: in die monumentalische, antiquarische
und kritische Art des Umgangs mit der Geschichte. Für die nähere
Beschreibung dieser drei Arten der Geschichtsbetrachtung muß hier
auf Nietzsches Abhandlung selbst verwiesen werden; s. Nietzsche,
Werke I, 219 ff; 225 ff; 229 f.

59) S. Nietzsche, Werke I, 230 f.

60) Nietzsche, Werke I, 281.

61) Nietzsche, Werke I, 231.

62) Nietzsche, Die Geburt der Tragödie. Werke I, 48.

63) Nietzsche, Werke I, 49.

64) Nietzsche, Werke I, 252.

65) Nietzsche, Werke I, 231.

66) Nietzsche, Werke I, 282 (Sperrung C. E.).

67) Nietzsche, Werke I, 213.

68) S. Nietzsche, Werke I, 231 ff; 237 ff; 284.

69) Nietzsche, Werke I, 232.

70) S. z. B. Nietzsche, Werke I, 238; 233 f; vgl. zu der letztgenannten
Stelle Nietzsche, David Friedrich Strauß der Bekenner und der Schrift-
steller. Werke I, 140 f.

71) S. Nietzsche, Werke I, 238; 252.

72) S. Nietzsche, Werke I, 252.

73) Nietzsche, Werke I, 254.

74) Nietzsche, Werke I, 276.

75) Nietzsche, Werke I, 255.

76) Nietzsche, Werke I, 258 (Sperrung C. E.).

77) S. Nietzsche, Werke I, 260.

78) S. Nietzsche, Werke I, 258 f; 266.

79) Nietzsche, Werke I, 260 (Sperrung C. E.). Vgl. ebd., 259 f.

80) Selbstbekenntnisse, 129 f. Vgl. auch ebd., 137.

81) Christlichkeit, 16 (Sperrung C. E.).

(Zu Kap. I, 3: S. 50-51)

82) AG-Komm, XVIII (Sperrung C. E.).
83) LC 1863 (Rez Baur), 171.
84) S. Nietzsche, Werke I, 259.
85) Nietzsche, Werke I, 260.
86) Nietzsche, Werke I, 259.
87) S. hierzu Löwith, Jacob Burckhardt, 38 ff.
88) Nietzsche, Werke I, 260.
89) Nietzsche, Werke I, 261.
90) Nietzsche, Werke I, 282.
91) Nietzsche, Werke I, 277.
92) Chr u K, 77.
93) Chr u K, 270.
94) Chr u K, 270.
95) Vgl. hierzu z.B. die ablehnende Haltung Ovb's gegenüber Kierkegaard
    (s. Chr u K, 290 f) und seine am 7.5.1905 unter der Überschrift:
    Letzte Theologie aufgezeichneten Reflexionen (abgedruckt in Selbst-
    bekenntnisse, 47 f; vgl. Overbeckiana I, 218; Overbeckiana II, 134 f).
96) Selbstbekenntnisse, 143.
97) S. Christlichkeit, 6 f.
98) Chr u K, 289.

(Zu Kap. II, 1: S. 53)

1) AG-Komm, XVIII.
2) S. Christlichkeit, 4. Auf dem Titelblatt des AG-Komm wird Ovb als
   "a. o. Professor in Basel" bezeichnet.
3) Folgende Texte kommen in Betracht:
   1. LC 1863 (Rez Pressensé), 98 f; LC 1866 (Rez Klostermann);
      LC 1866 (Rez Renan); LC 1866 (Rez Harder); LC 1868 (Rez König);
      LC 1869 (Rez Renan);
   2. BL II, 263 f; BL II, 275 f;
   3. ZwTh 1867[1];
   4. Vorl Gal[1]; Vorl ApZA;
   5. Paulus u. d. Ethnarch;
   6. die vor 1870 abgefaßten Teile der Collectaneen. Zur Frage der Da-
      tierung der in den Collectaneen gesammelten Aufzeichnungen s.
      Overbeckiana II, 30. Ein weiteres, für unsere Fragestellung sehr
      nützliches Datierungskriterium liegt in der von Ovb verwendeten
      Abkürzung für "Apostelgeschichte": Von ganz wenigen Ausnahmen
      abgesehen schreibt Ovb vom SS 1870 an konsequent "AG.", vorher
      ebenso konsequent "Apg.".
4) ZwTh 1867, 51.
5) S. ZwTh 1867, 51. Die Widersprüche zwischen AG 1, 18 f und Mt 27,
   3-10 hat Ovb ebd., 45 zusammengestellt.

(Zu Kap. II, 1: S. 53-57)

6) Der Text des Papiasfragments über den Tod des Judas ist abgedruckt
bei Bihlmeyer - Schneemelcher, 136 f.

7) ZwTh 1867, 51. Die Vorstellung vom Anschwellen des Judas scheint
Ovb aus Ps 109, 18 abgeleitet zu haben; völlig deutlich wird dies allerdings nicht. Vgl. ZwTh 1867, 51-53 und Strauß, Leben Jesu f. d. deutsche Volk II, 313 f.

8) S. Strauß, Leben Jesu f. d. deutsche Volk II, 308-315.

9) ZwTh 1867, 53.

10) Die Pfingstgeschichte ist nach Ovb eine symbolische Darstellung der
Universalität des Christentums. "Das Material, aus welchem die Form
gewonnen ist, welche diese Idee in dieser Erzählung hat, ist hauptsächlich die urchristliche Glossolalie, welche freilich nach 1. Kor.
12-14 etwas ganz anderes gewesen ist, und das Vorbild schon damals
vorhandener und uns aus Philo bekannter jüdischer Sagen über die si-
naitische Gesetzgebung." (Vorl ApZA, 152)

11) Vorl ApZA, 151 f.

12) Vorl ApZA, 146.

13) Vorl ApZA, 157 (Sperrung C. E.).

14) Vorl ApZA, 23 ff[2].

15) Vorl ApZA, 24 f[2].

16) Vorl ApZA, 25[2].

17) Vorl ApZA, 27[2].

18) Vgl. hierzu aus A 268 b die Sätze: "In der allgemeinen Geschichte
der Entwicklung der biblischen Kritik nimmt die Wunderfrage eine
ausserordentlich bedeutende, in ihrem momentanen Zustande eine
ausserordentlich geringe Stelle ein." "Nicht der Inhalt der neutestamentlichen Quellen (etwa Wunder darin usw.), sondern besonders
Fragen der Form der Überlieferung bestimmen heute die Kritik."

19) Entstehung, 25 f. Vgl. überhaupt ebd., 24-28.

20) Vorl ApZA, 29[2] (Sperrung C. E.).

21) Vorl ApZA, 188 (Sperrung C. E.).

22) Vgl. Vorl ApZA, 127 f; 146 ff (zu AG 2-5); 158 ff (zu den Hellenistenerzählungen der AG); 203 ff (zur Bekehrung des Cornelius AG 10 f); 227
(zur Bekehrung des Pls AG 9, 1-19 a); 249 f (zu AG 9, 19 b-30); 252 ff
(zu den Missionsreisen des Pls); 263 ff (zum Ende des Pls AG 21, 17-
28, 31).

23) S. Vorl ApZA, 18 ff[2]; 253.

24) Vorl ApZA, 23[2]. Im Zusammenhang der Frage nach den näheren Umständen bei der Stiftung der galatischen Gemeinden heißt es Vorl Gal[1],
8: "Apg. ? - Täuscht unsere Erwartung wie gewöhnlich die der Ausleger paulinischer Briefe."

25) Vgl. auch AG-Komm, 143.

26) Paulus u. d. Ethnarch, 18.

27) Paulus u. d. Ethnarch, 19 f. Von dem "natürlichen hermeneutischen
Princip ..., die AG. zunächst aus sich selbst zu erklären", spricht
Ovb auch AG-Komm, 167; vgl. ebd., 197.

(Zu Kap. II, 1: S. 57-58)

28) In der Vorl Gal[1] erklärt Ovb, mit der Bezugnahme auf die AG verfol-
ge er lediglich die Absicht, "die Interpretation des Galaterbriefs vor
jedem unberechtigten Einfluss der Apg." zu schützen (ebd., 251).
Dieser Absicht entspricht das Verfahren Ovb's: Der Auslegung von
Gal 1, 11-24 und Gal 2, 1-10 läßt er jeweils einen Exkurs folgen, in
welchem er nachträglich das Verhältnis des ausgelegten Textes zu
seiner AG-Parallele bespricht; s. Vorl Gal[1], 113 ff; 237 ff. Wie wichtig es ist, die Interpretation des Galaterbriefs nicht nur stillschweigend, sondern ausdrücklich von jedem falschen Einfluß der AG frei-
zuhalten, zeigt Ovb zu Gal 2, 11 ff durch einen Rückblick auf die Auslegungsgeschichte. Er führt darin den Nachweis, daß "von dem Streben nach Harmonisirung von Apg. und Galaterbrief die Geschichte
der Auslegung ... unseres Streites fast ganz beherrscht" ist (ebd.,
313). Der Vorl Gal[1], 313-328 vorgelegte Überblick über die Auslegungsgeschichte von Gal 2, 11 ff bildet übrigens den Keim des 1877
veröffentlichten Programms: Über die Auffassung des Streits des
Paulus mit Petrus in Antiochien.

29) LC 1866 (Rez Renan), 939 (Sperrung C.E.). Vgl. hierzu Entstehung,
27 und Schwegler, NachapZA II, 115: "Im Ganzen hat ... die Apostelgeschichte nur den Werth eines historischen Dokuments für jene Zeit,
jene Verhältnisse und jene Situation, der sie ihren Ursprung verdankt,
und in dieser Hinsicht berechtigt sie allerdings zu sehr eingreifenden
Folgerungen."

30) S. Vorl ApZA, 29[2].

31) Vgl. z.B. Vorl ApZA, 158 ff, besonders 187; 197 f.

32) Vorl ApZA, 17 f[2].

33) Chr u K, 180.

(Zu Kap. II, 2: S. 59-60)

1) Entstehung, 21.

2) S. Entstehung, 18; Zeller, Tübinger historische Schule, 269 f.

3) S. Entstehung, 19.

4) Entstehung, 18 f.

5) LC 1866 (Rez Renan), 939 (Sperrung C.E.). Nach Baur, KG 19. Jh.,
106 ist für H.E.G. Paulus "beides gleich charakteristisch, sowohl
die Freiheit als die Gebundenheit des theologischen Bewusstseins";
vgl. überhaupt ebd., 105 ff.

6) LC 1866 (Rez Renan), 939.

7) Zeller, Tübinger historische Schule, 270. Vgl. ebd., 270-272. Dieses Verfahren, ein erzähltes Wunder in ein natürliches Ereignis zu
verwandeln, wird von Ovb z.B. in den Werken Renans nachgewiesen,
s. LC 1863 (Rez Renan, Vie de Jésus), 1058 f; LC 1866 (Rez Renan,
Les Apôtres), 939 f. Vgl. daneben LC 1865 (Rez Schenkel), 34;
Entstehung, 20.

(Zu Kap. II, 2: S. 60-61)

8) S. Zeller, Tübinger historische Schule, 270.

9) Entstehung, 19 (Sperrung C. E.).

10) Entstehung, 20. Vgl. LC 1863 (Rez Renan), 1059.

11) Entstehung, 19. Vgl. ebd., 19 f; LC 1865 (Rez Schleiermacher), 1107; LC 1866 (Rez Renan), 939 f; ferner: Baur, KG 19. Jh., 111 f.

12) Entstehung, 20.

13) S. Zeller, Tübinger historische Schule, 272 f.

14) S. Entstehung, 19.

15) Vgl. zur Akkomodationstheorie Hornig, Anfänge, 211 ff; ders., Wörterbuch 1, 126 f; W. Schmittner, Kritik und Apologetik in der Theologie J. S. Semlers. ThEx NF 106. München, 1963, 40 ff; Scholder, Ursprünge, 149 ff.

16) Vgl. Baur, Th Jbb 1850, 530.

17) Vgl. LC 1865 (Rez Schenkel), 33.

18) Zeller, Tübinger historische Schule, 273 (Sperrung C. E.). - Zu Ovb's Urteil über den Rationalismus des 18. und 19. Jahrhunderts vgl. auch oben, 36 f.

19) Strauß ist sich bewußt und bemerkt auch ausdrücklich, daß der dem Rationalismus gegenüber neue, mythische Standpunkt in seinem Werk "nicht zum erstenmal in Berührung mit der evangelischen Geschichte" tritt: "Längst hat man ihn auf einzelne Theile derselben angewendet, und er soll jetzt nur an ihrem ganzen Verlaufe durchgeführt werden." (Vorrede zur 1. Auflage des Leben Jesu, Leben Jesu[3] I, VIII) Vgl. hierzu Leben Jesu[1] I, 27 ff und Hartlich-Sachs, 6 ff.

20) Strauß, Leben Jesu[3] I, VIII (Sperrung C. E.). Zu der Ansicht, der Rationalismus sei 'auf halbem Wege stehengeblieben', vgl. Baur, KG 19. Jh., 108; Zeller, Tübinger historische Schule, 270. Die "der rationalistischen Behandlung der evangelischen Geschichte eigenthümliche haltlose Halbheit und Unklarheit des Bewußtseins" (LC 1865, Rez Schenkel, 33) gilt Ovb "insbesondere seit Strauß für überwunden" (LC 1863, Rez Renan, 1058).

21) Vgl. dazu Baur, KG 19. Jh., 379-384; Zeller, Tübinger historische Schule, 275-281.

22) Zum Supranaturalismus s. Zeller, Tübinger historische Schule, 273 f.

23) S. Strauß, Leben Jesu[1] I, 27 ff, besonders 71 ff; Leben Jesu[2] I, 76 ff; Leben Jesu[3] I, 113 ff. Vgl. ferner Strauß, Leben Jesu f. d. deutsche Volk I, 191 ff.

24) Baur, KG 19. Jh., 382.

25) Eine sehr behutsame Einschränkung dieser Auffassung findet sich bereits Leben Jesu[2] I, 100-102. Vgl. ferner Leben Jesu f. d. deutsche Volk I, 197 ff.

26) S. Strauß, Leben Jesu[1] I, 74: "Ein solches unmerkliches gemeinsames Produciren wird dadurch möglich, daß dabei die mündliche Überlieferung das Medium der Mittheilung ist" (Sperrung C. E.).

27) Strauß, Leben Jesu[1] I, 75 (Sperrung C. E.).

(Zu Kap. II, 2: S. 61-65)

28) S. Baur, Evangelien, 40-76; KG 19. Jh., 416-421. Vgl. Zeller,
Tübinger historische Schule, 279-281.
29) Baur, Evangelien, 41. Vgl. ebd., 40; 71.
30) S. Baur, Evangelien, 42 ff; 50 f; KG 19. Jh., 416.
31) Vgl. hierzu Strauß, Leben Jesu^2 I, 64 ff.
32) Baur, Evangelien, 42 (Sperrung C.E.).
33) Evangelien, 42 f.
34) Baur, Evangelien, 43 (Sperrung C.E.).
35) Baur, Evangelien, 43.
36) S. Strauß, Leben Jesu^2 I, 103-105.
37) Strauß, Leben Jesu^2 I, 107 f. Vgl. zu der vorliegenden Frage überhaupt ebd., 107-111.
38) S. Strauß, Leben Jesu^2 I, 109: "mythisch ist auch das, was, für sich
wohl denkbar, mit etwas Undenkbarem so zusammenhängt, daß sich
ohne dieses kein Grund von jenem denken läßt."
39) Strauß, Leben Jesu^2 I, 111.
40) Baur, Evangelien, 44. Vgl. ebd., 45; 73.
41) Baur, Evangelien, 45. Vgl. ebd., 45 f.
42) S. Baur, KG 19. Jh., 421.
43) Vgl. Baur, KG 19. Jh., 417; Evangelien, 72.
44) Baur, Evangelien, 63.
45) Baur, Evangelien, 63 f (Sperrung C.E.). Vgl. ebd., 67 und Zeller,
Tübinger historische Schule, 279 f.
46) Baur, Evangelien, 67.
47) S. hierzu Baur, Evangelien, 64 ff.
48) S. Baur, Evangelien, 66 f.
49) Baur, Evangelien, 67 (Sperrung C.E.).
50) Baur, Evangelien, 73 (Sperrung C.E.).
51) Baur, Evangelien, 73. Vgl. ebd., 73 f.
52) Baur, Evangelien, 73.
53) Baur, Evangelien, 74.
54) S. Baur, KG 19. Jh., 417. Vgl. den berühmten Satz Heideggers:
"Das Entscheidende ist nicht, aus dem Zirkel heraus-, sondern in
ihn nach der rechten Weise hineinzukommen." (Sein und Zeit, 153)
55) S. Baur, KG 19. Jh., 417 ff.
56) So Ovb, Entstehung, 27.
57) Baur, Evangelien, 73. Man kann es nicht ohne Befremden zur Kenntnis nehmen, daß Baur sich an diesem Punkt, den er ebd., 43-45 mit
äußerst scharfen Sätzen als charakteristisch für die Negativität der
Straußschen Resultate kritisiert, schließlich doch nur durch einen
Komparativ von Strauß abzugrenzen vermag. Vgl. hierzu auch den
Gegensatz von S. 43, Z. 33 f und S. 73, Z. 17 f!
58) Baur, KG 19. Jh., 421.
59) Der Brief Strauß' ist abgedruckt bei Barnikol, Wiss. Zeitschrift
d. Martin-Luther-Universität 1961, 290 f. Vgl. zu dem hier ange-

(Zu Kap. II, 2: S. 65)

sprochenen Aspekt des Verhältnisses Strauß - Baur außer Barnikol
(in dem genannten Aufsatz) auch Strauß, Leben Jesu f.d. deutsche
Volk I, 199 f; Geiger, 209 ff.

(Zu Kap. II, 3: S. 65-68)

1) Zur allgemeinen Auslegungsgeschichte der AG s. Loisy, 17-50;
   Goguel, 37-72; Mc Giffert; Mattill; Haenchen[14], 13-47.
2) Baur, Christenthum, 130 A. Vgl. auch schon Baur, Th Jbb 1851,
   304.
3) S. Baur, De orationis, 35 ff. Baur hat diesen Vorschlag später zurück-
   genommen, s. JwK 1841, 379 ff; Paulus[2] I, 227 ff.
4) Baur, De orationis, 27.
5) Baur, De orationis, 28.
6) Baur, De orationis, 28.
7) Baur, De orationis, 28.
8) Baur, De orationis, 28.
9) Baur, De orationis, 33.
10) TüZTh 1830, 75 ff.
11) S. Baur, TüZTh 1830, 101.
12) Baur, TüZTh 1830, 99.
13) Baur, TüZTh 1830, 110 f.
14) S. Baur, TüZTh 1830, 104.
15) S. Baur, TüZTh 1830, 105, 1.
16) S. Baur, TüZTh 1830, 106 (f) A.
17) S. Baur, TüZTh 1830, 107 A.
18) S. Baur, TüZTh 1830, 105, 1.
19) Baur, Werke I, 1-146.
20) S. Baur, Werke I, 76; 145, 1.
21) S. Baur, Werke I, 145, 1.
22) S. Baur, Werke I, 145, 1.
23) Vgl. z.B. Baur, Werke I, 46; 62, 1; 108.
24) S. Baur, Werke I, 51, 1.
25) S. Baur, Werke I, 66.
26) Zeller, F.C. Baur, 414.
27) Zeller, F.C. Baur, 415.
28) Erschienen 1908. Das Buch selbst war mir nicht zugänglich. Die hier
    in Betracht kommende Stelle ist abgedruckt bei Barnikol, Wiss. Zeit-
    schrift d. Martin-Luther-Universität 1961, 310 f (Anmerkung 48);
    vgl. ebd., 308 f (Anmerkung 13).
29) Bei Barnikol, Wiss. Zeitschrift d. Martin-Luther-Universität 1961,
    310.
30) Bei Barnikol, Wiss. Zeitschrift d. Martin-Luther-Universität 1961,
    310.
31) Baur, Pastoralbriefe, 10.

(Zu Kap. II, 3: 68-72)

32) Baur, Pastoralbriefe, 8.

33) Baur, Pastoralbriefe, 56.

34) S. daneben S. 98 zu AG 19, 6; S. 86, 1 zu AG 14, 23.

35) Baur, Pastoralbriefe, 92.

36) Baur, Pastoralbriefe, 92.

37) Baur, Pastoralbriefe, 92.

38) Baur, Pastoralbriefe, 93.

39) Baur, Pastoralbriefe, 94.

40) S. Baur, Pastoralbriefe, 55 ff.

41) Zur inneren Verwandtschaft der von der AG gegebenen Darstellung der Apostel Petrus und Pls und der Pseudonymität des altchristlichen Schrifttums vgl. Baur, Christenthum, 129, 1.

42) S. Baur, Pastoralbriefe, 143.

43) S. Baur, Pastoralbriefe, 100, 1.

44) Paulus[2] I, 203-208 trägt Baur i. g. die gleiche Deutung der milesischen Rede vor wie in der Schrift über die Pastoralbriefe, doch auch hier, ohne eine weitergehende Konsequenz zu ziehen. Von Schwegler wird eine antignostische Tendenz der AG (ebenso wie die von Baur beobachtete Verwandtschaft der milesischen Rede mit den Pastoralbriefen, jedenfalls was die Häretiker betrifft) ausdrücklich bestritten, s. NachapZA II, 116 f.

45) Baur, Werke I, 147-266.

46) S. Baur, Werke I, 156.

47) Baur, Werke I, 188.

48) Baur, Werke I, 188.

49) S. Baur, Werke I, 201.

50) S. Baur, Werke I, 188 ff. Mit besonderer Sorgfalt bespricht Baur die Begegnung des Pls mit den römischen Juden AG 28, 17 ff, s. ebd., 193 ff.

51) Baur, Werke I, 190.

52) Baur, Werke I, 191 f.

53) Baur, Werke I, 192.

54) Baur, Werke I, 201 (Sperrung C. E.).

55) Baur, Werke I, 201.

56) Baur, Werke I, 321-505.

57) S. Baur, Werke I, 458 ff.

58) Baur, Werke I, 462 (Sperrung C. E.). Vgl. die Aufnahme dieser Beschreibung der Tendenz der AG durch Schwegler, NachapZA II, 73 f.

59) Über Schneckenburger s. Hundeshagen, Art. Schneckenburger, Matthias. RE[3] 17, 666-670.

60) Dieses Urteil über die Priorität Schneckenburgers ist cum grano salis zu verstehen. Es ist nur dann völlig zutreffend, wenn der Ton auf die Herausarbeitung einer einheitlichen Tendenz gelegt wird; denn als eine Tendenzschrift versteht die AG schon Schrader, s. unten, 72, 63.

61) JwK 1841, 361 ff; 377 ff. Vgl. auch Paulus[1], 5 ff; Paulus[2] I, 8 ff.

(Zu Kap. II, 3: S. 72-73)

62) S. Baur, Paulus[1], 15 ff: Das Leben und Wirken des Apostels Paulus.
63) Schneckenburger, 48. - Auch wenn man von den beiden genannten Aufsätzen Baurs absieht, war diese Frage, als Schneckenburger sie aufwarf, keineswegs neu. Von den Gelehrten, die schon vorher nach dem Zweck der AG fragten, seien genannt: Michaelis, 1176-1179; Eichhorn, 16-30; Mayerhoff, 1 ff, bes. 5 f; Credner, 269; Schrader, 508-574. Während Michaelis, Eichhorn, Mayerhoff und Credner, so unterschiedlich sie den Zweck der AG auch definieren, doch in der Annahme übereinstimmen, daß der Zweck der AG nur die Auswahl oder die Anordnung des Materials bestimmt, die Glaubwürdigkeit des Erzählten und die Autorschaft eines Paulusgefährten (Lukas; nach Mayerhoff: Timotheus) aber nicht infrage stellt, zeichnet sich die Arbeit Schraders, der die AG als eine im 2. Jahrhundert hergestellte Kompilation verschiedenartigen Materials versteht, durch zweierlei aus: Einerseits durch den kritischen Zweifel an der Historizität des größten Teils der Erzählungen der AG; andererseits durch den Aufweis der - sehr verschiedenartigen - Motive und Tendenzen, denen die unhistorischen Erzählungen als solche ihren Ursprung verdanken. Schrader bestreitet u.a. energisch das Recht, vom "Paulinismus" der AG zu reden, s. S.525 f; 532 f; 555; 568; 572. Die Auseinandersetzung mit Schrader durchzieht Schneckenburgers gesamte Erörterung; sie läuft großenteils auf Ablehnung hinaus, doch gebietet es Schneckenburger "die Pflicht der Dankbarkeit ..., zu bemerken, daß die erste Hinweisung auf den Gesichtspunkt, aus welchem das Buch ⟨sc die AG⟩... darzustellen versucht wurde, etlichen Erörterungen von Schrader verdankt wird" (Schneckenburger, 220 f).
64) Schneckenburger, 48 f. Vgl. ebd., 5.
65) S. zur Begründung Schneckenburger, 49 f.
66) Schneckenburger, 52.
67) S. Schneckenburger, 52-58.
68) Schneckenburger, 60. Vgl. ebd., 58-61.
69) Schneckenburger, 63. Vgl. ebd., 61-63.
70) S. Schneckenburger, 63-71. Nach Schneckenburger begründet dies die Vermutung, daß der paulinisch gesinnte Verf "gegenüber seinen Lesern ein besonderes Interesse gehabt haben müsse, seinen Meister in diesem Lichte erscheinen zu lassen; und dieß Interesse kann kein anderes gewesen sein, als ihrer Abneigung gegen Paulus zu begegnen, derselben Abneigung, welche noch die späteren Judaisten erfüllte" (ebd., 70 f).
71) S. Schneckenburger, 71-91.
72) S. Schneckenburger, 92-127.
73) Schneckenburger, VI. Vgl. ebd., 127-140.
74) Schneckenburger, 151. Vgl. ebd., VII; 151 f.
75) S. Schneckenburger, 152 ff.
76) Schneckenburger, 217 f.

(Zu Kap. II, 3: S. 73-75)

77) S. Schneckenburger, 17-44.

78) S. Schneckenburger, 227-241.

79) Vgl. z.B. Schneckenburger, 58; 65; 79 ff; 86 f; 92 f; 132; 146 f; 150; 167; 177 f; 190.

80) S. z.B. Schneckenburger, 180 f; 211 ff.

81) S. z.B. Schneckenburger, 61; 63; 70 f; 76; 78; 89 ff; 92; 177 f.

82) S. Schneckenburger, 221-227.

83) Baur verweist hier auf Werke I, 462.

84) Baur, JwK 1841, 362. Vgl. auch Baurs Zustimmung ebd., 369; Paulus[1], 5; 8; Paulus[2] I, 8; 11.

85) Baur, JwK 1841, 371 f.

86) Baur, JwK 1841, 373. Vgl. Paulus[1], 10; Paulus[2] I, 13.

87) Baur, JwK 1841, 374. Vgl. Paulus[1], 10; Paulus[2] I, 14.

88) S. Baur, JwK 1841, 373 f.

89) Baur, JwK 1841, 380 f.

90) Baur, JwK 1841, 374 f. Vgl. Paulus[1], 11; Paulus[2] I, 15.

91) Baur meint nicht, daß der Verf der AG dies an allen Punkten seiner Darstellung getan hat, daß die AG also ohne jeden historischen Quellenwert ist. Die AG enthält vielmehr auch glaubwürdige Nachrichten, und sie bleibt daher, "ungeachtet über ihren Verfasser ⟨s. dazu weiter im Text⟩, den Zweck und die Zeit ihrer Abfassung ganz anders geurteilt werden muß als die gewöhnliche Meinung ist, eine höchst wichtige Quelle für die Geschichte der apostolischen Zeit, aber auch eine Quelle, aus welcher erst durch strenge historische Kritik ein wahrhaft geschichtliches Bild der von ihr geschilderten Personen und Verhältnisse gewonnen werden kann." (Paulus[1], 13 = Paulus[2] I, 17)

92) Baur, Paulus[1], 12 = Paulus[2] I, 16 (Sperrung C.E.). Vgl. hierzu Schwegler, NachapZA II, 113; 119-123.

93) Baur, Paulus[1], 12 = Paulus[2] I, 16. - Im Erscheinungsjahr der 1. Auflage von Baurs Paulus - 1845 - wurde aus dem Nachlaß Schleiermachers dessen Einleitung herausgegeben, in der auf S. 344-379 über die AG gehandelt wird. Zwei Jahre später veröffentlichte Schwanbeck seine Monographie über die Quellen der Lukasschriften. Die Behandlung der AG bei Schleiermacher und Schwanbeck steht - auf dem gemeinsamen Boden der Bereitschaft zur Anwendung der historisch-kritischen Methode - zur Tendenzkritik in diametralem Gegensatz. Schleiermachers Verständnis der AG entspricht der im Jahre 1817 im Blick auf das Lukevgl vorgetragenen und auf die Synoptiker überhaupt angewendeten Fragmenten- oder Diegesenhypothese (s. Schleiermacher, Schriften des Lukas; vgl. Kümmel, NT, 100; ders., Einleitung, 18). Danach ist die AG keine "zusammenhängende, fortlaufend selbstgearbeitete Scription" (Schleiermacher, Einleitung, 347). Vielmehr kann sie in ihrer vorliegenden Gestalt nur erklärt werden, wenn man annimmt, daß sie aus schon vorhandenen (schriftlichen oder erst vom Verf selbst schriftlich konzipierten: s. ebd., 367,1) Einzeler-

(Zu Kap. II, 3: S. 75-76)

zählungen ziemlich roh zusammengesetzt wurde (s. ebd., 347; 350;
355 f; 359). Der Verf erscheint in der Hauptsache als bloß an der
Wahrheit der Tatsachen interessierter Sammler (s. ebd., 365; 358),
und man hat "alle Fragen über irgend einen besondern Zweck der
Apostelgeschichte abzuweisen." (Ebd., 365)
Nach Schwanbeck, der ausdrücklich an Schleiermacher anknüpft (s.
S. 92 f), ist die Frage nach dem Zweck der AG methodisch verfehlt,
die Frage nach den Quellen allein erfolgversprechend. Schwanbeck
versucht zu beweisen, daß die AG aus Teilen von vier Quellenschriften zusammengesetzt ist (Memoiren des Silas, Biographie des Barnabas, Arbeit über den Tod des Stephanus, Biographie des Petrus). Der
Verf der AG ist "wesentlich ... Compilator." (Ebd., 253) Ohne selbständige Reproduktion oder Verarbeitung fügt er seine Quellen an-
und ineinander, wobei er aus schriftstellerischem Ungeschick einen
mutmaßlich bedeutenden Teil des Inhalts seiner Quellen fortläßt: "Man
sieht leicht, wie sehr es vom Zufall und der Willkühr des Verfassers
abhing, daß wir aus dem Material, welches ihm zu Gebote stand, die
vorliegende und nicht eine ganz andere Apostelgeschichte erhalten haben." (Ebd., 259)
Mit der Monographie Schwanbecks endet die erste Periode der Quellenkritik innerhalb der Geschichte der AG-Auslegung (s. zur Unterscheidung zweier Perioden der Quellenkritik und zu ihrer Charakteristik Mc Giffert, 385 ff; Haenchen[14], 22 ff). Zwar fragt man auch
weiterhin innerhalb und außerhalb der Tübinger Schule nach den Quellen der AG; es kennzeichnet jedoch den Einfluß der in der Tübinger
Schule zur Herrschaft gekommenen Tendenzkritik, daß es fast vierzig Jahre dauert, bis man die Quellenanalyse erneut zu der beherrschenden Methode der AG-Erklärung erhebt.

94) 2. Aufl., 1860.
95) Baur, Christenthum, 94.
96) S. Baur, Christenthum, 125-129.
97) S. Baur, Christenthum, 128.
98) Baur, Christenthum, 128.
99) Baur, Christenthum, 128.
100) Baur, Christenthum, 128. Baur weist darauf hin, daß die AG diese
Tendenz primär im Blick auf das Verhältnis der Person des Petrus
zur Person des Paulus durchführt. Im unmittelbaren Anschluß an das
letzte Zitat fährt er darum fort: "Sie ⟨sc die AG⟩ lässt uns somit in
die auf ein katholisches Christenthum hinzielenden Bestrebungen jener Zeit sehr klar hineinblicken. Je absichtlicher und planmässiger
aber darauf hingearbeitet wurde, um so weniger konnte ihrem Verfasser der Punkt entgehen, von welchem die Erreichung des Ziels in
letzter Beziehung noch abhing, dass eine Vereinigung der beiden Parteien factisch nur so weit zu Stande kommen konnte, als sie sich in
der Person der beiden Apostel der Möglichkeit ihrer Vereinigung be-

(Zu Kap. II, 3: S. 76)

> wusst geworden waren. Diess ist die eigentliche Spitze der so tendenz-
> mässigen Darstellung der Apostelgeschichte" (ebd., 128 f; Sperrung
> C.E.). Vgl. auch ebd., 125.

101) S. Zeller, Die Apostelgeschichte, ihre Composition und ihr Charakter.
Mit Rücksicht auf die neueren Bearbeitungen dieses Gegenstandes.
Dritter Artikel: Der Zweck der Apostelgeschichte. Th Jbb 9, 1850,
359; vgl. Zeller, AG, 363.

102) S. Th Jbb 7, 1848, 528-573; 8, 1849, 1-84; 371-454; 535-594; 9, 1850,
303-385; 10, 1851, 95-124; 253-290; 329-388; 433-469.

103) Zeller, AG.

104) S. C. Schwarz, 154: "Es ist dies ⟨sc Zellers Werk über die AG⟩ vielleicht die reifste Frucht der Baur'schen Kritik, das gediegenste Werk
der ganzen Schule".

105) S. Dilthey, 445: "In der Genauigkeit der Arbeit sind seine Untersuchungen über die Apostelgeschichte das reifste Werk der ganzen Schule."

106) S. AG-Komm, XXIX.

107) S. unten, 116 ff.

108) S. AG-Komm, VII f. Ovb schreibt dort, er habe die Neubearbeitung
der dritten Auflage des de Wetteschen Kommentars nur unter schwe-
ren Bedenken übernommen, da "von vornherein feststand, dass ich
mich einer Überarbeitung dieses Commentars nur von dem Standpunkt
aus unterziehen könne, dessen herber Abweisung de Wette's letzte
Vorrede gilt". In der genannten Vorrede (de Wette[3], Vf = [4], VII) heißt
es: "Dass ich auf die Widerlegung der zerstörenden Baur'schen Kritik
nicht mehr eingegangen bin, wird vielleicht von Manchen gemissbilligt
werden; aber theils hätte dazu mehr Raum gehört, als mir verstattet
war, theils halte ich eine solche Widerlegung für überflüssig. Jene
maasslose Kritik hebt sich durch sich selbst auf; und darin besteht
eben ihr Nutzen, dass sie durch Überschreitung aller Schranken das
Gefühl der Nothwendigkeit sich beschränken zu müssen weckt." (Vgl.
hierzu die Erwiderung Baurs: Zur neutestamentlichen Kritik. Übersicht über die neuesten Erscheinungen auf ihrem Gebiete. Th Jbb 8,
1849, 358 f.) Trotz dieser starken Worte kann de Wettes Auslegung
der AG den Einfluß Schneckenburgers und Baurs nicht ganz verleug-
nen. Ein Vergleich der verschiedenen Auflagen der Einleitung
(W. M. L. de Wette, Lehrbuch der historisch-kritischen Einleitung in
die kanonischen Bücher des Neuen Testaments. Lehrbuch der historisch-kritischen Einleitung in die Bibel Alten und Neuen Testaments,
2. Theil. 1. Aufl. Berlin, 1826; 5. Aufl., 1848) und des Kommentars
zeigt vielmehr, daß de Wette einer paulinisch-apologetischen Tendenz
schrittweise größere Relevanz einräumt: s. a) Einleitung[1], 202 f;
b) Kommentar[1], 1-3; c) Kommentar[3], § 1b, S. 9 (vgl. ebd., 143; 190);
Einleitung[5], § 113c, S. 223 f; 225.
Es ist aufschlußreich zu beobachten, daß im Unterschied zu de Wette

(Zu Kap. II, 3: S. 76)

Meyer auch in den späteren Auflagen seines Kommentars ohne jedes
Zugeständnis gegenüber der Tendenzkritik an der bereits 1835 vorgetragenen Auffassung festhält: Der Zweck der AG sei "kein anderer"
als der Luk 1, 4 ausgesprochene: "Durch eine <u>Geschichte</u> des Christenthums dem Theophilus die <u>Lehren</u> des Christenthums zu bestätigen" (Meyer[1], 4); vgl. Meyer[3] 1861, 8-11; Meyer[4] 1870, 8-12.
Zu den streng konservativen Gegnern der tendenzkritischen AG-Auslegung gehören außer Meyer u. a.: Guericke, 267 ff; H. Ewald, JBW
1857-1858, 49 ff; ders., Geschichte[2] VI, passim; Lechler[2], passim;
Lechler-Gerok; Baumgarten; Ebrard, Apostelgeschichte; ders.,
Kritik, bes. S. 860 ff; Trip; Oertel. Der bedeutendste und gründlich-
ste konservative Gegenentwurf gegen das tendenzkritische Verständnis der AG liegt in dem Werk von Lekebusch vor. - Zur Darstellung
der Kritik konservativer Forscher an der AG-Auslegung der Tübinger
Schule s. Mattill, Chapter IV: The Reaction of the Apologetic School,
S. 85 ff.

(Zu Kap. III, 1: S. 77)

1) Die Reflexion auf die Form bzw. die Formen ist im Werk Ovb's von
umfassender Bedeutung. Sie gibt 1. seinen literaturgeschichtlichen
Arbeiten ihr Gepräge. Sie ist 2. ein integrierendes Moment seiner
Beschäftigung mit der allgemeinen Kirchen- und Theologiegeschichte - Ovb's Vorlesung über Vorgeschichte und Jugend der mittelalterlichen Scholastik ist ein eindrucksvolles Zeugnis dafür, was freilich
in der bisher ausführlichsten Behandlung dieses Textes (B. Müller,
33 ff) ganz übersehen wurde - und bestimmt insbesondere sein Verständnis der Urchristentums und seine Beurteilung der zeitgenössischen Theologie. Ovb's Reflexion auf die Formen übt schließlich 3.
einen bestimmenden Einfluß aus auf sein eigenes Verhalten in Wort
und Schrift, sei es als Lehrer der Theologie im Verhältnis zu seinen
Studenten, sei es als Autor im Verhältnis zu seinem Publikum - oder
zu sich selbst.
Die vorliegende Untersuchung nimmt thematisch eine zweifache Ein-
grenzung vor. Sie geht 1. nur auf die literaturgeschichtliche Seite
der Frage Ovb's nach den Formen ein und berücksichtigt 2. auch diese nur insoweit, als es für Ovb's Auslegung der AG von Interesse ist.
Zum Gesamtproblem s. Tetz, ThZ 1961, 413-431.
2) Anfänge, 12. Kümmel, NT, 256 zitiert fälschlich "Formgeschichte".
Entstellt gibt Bernoulli den Satz wieder: s. Overbecks Leben, 25.
3) S. Vielhauer, Aufsätze, 246 ff; ders., RGG[3] IV, 1751; ders., Art.
K. L. Schmidt, 196 f; Kümmel, NT, 256; 422 f; ders., Einleitung, 21;
Tetz, ThZ 1961, 416. Nach Kümmel, NT, 550, Amn. 389 folgte Di-
belius bei der Prägung des Terminus "Formgeschichte" "außer F.
Overbeck ... besonders dem klassischen Philologen Eduard Norden"

(Zu Kap. III, 1: S. 77)

(s. den Untertitel von Nordens Agnostos Theos !). Allein unter diesem
terminologischen Gesichtspunkt findet Ovb auch eine Erwähnung bei
Koch[1], 3,1 und Klatt, 12,3. Fascher erwähnt Ovb in dem über die
"Vorläufer" handelnden Kapitel nur einmal, und zwar sehr beiläufig
und unter einem anderen Gesichtspunkt: Unter Ovb's Einfluß habe Norden in seinem Buch: Die antike Kunstprosa (anders als später in Agnostos Theos) "den Gegensatz zwischen urchristlichem und hellenisti-
schem Geist und dementsprechend zwischen den beiderseitigen Literaturen scharf" betont (Fascher, 44,2). An einer späteren Stelle (ebd.,
228) heißt es, die "urchristliche Literaturgeschichte", die schon älter sei als die Formgeschichte, sei von Ovb's bedeutsamem Aufsatz
"angeregt", von Jordan, Geschichte der altchristlichen Literatur,
1911 "in die Tat umgesetzt" worden. -
Die formgeschichtliche Forschung auf neutestamentlichem Gebiet ist
unter dem entscheidenden Einfluß Hermann Gunkels entstanden (s.
z. B. Dibelius, Selbstdarstellung, 9 f; 17 ff; ders., ThR 1929, 186 f;
ders., Formgeschichte[2], 5; Bultmann, Tradition[2], 3; L. Köhler, 7;
Vielhauer, Aufsätze, 248; Kümmel, NT, 422 f; Koch[1], 3; zu Gunkel
s. die gediegene Untersuchung von Klatt, besonders S. 104 ff). Dieser
Umstand schließt jedoch die Wirksamkeit auch anderer forschungsgeschichtlicher Traditionen nicht aus. Daß unter diesen eine Linie Ovb
und die Formgeschichtler verbindet, sollen die folgenden ohne Anspruch
auf Vollständigkeit zusammengestellten Belege erhärten:
a) Unmittelbar an die Schwelle der von Dibelius, K. L. Schmidt und
Bultmann betriebenen formgeschichtlichen Forschung führt der Einfluß Ovb's auf Deißmann und J. Weiß. Deißmann war Ordinarius in
Berlin, als sich Dibelius (1910) und Schmidt (1918) dort habilitierten;
beide haben den Einfluß Deißmanns dankbar anerkannt (s. Dibelius,
Selbstdarstellung, 22 f; ders., Formgeschichte[2], 6; Schmidt hat sein
Buch: Der Rahmen der Geschichte Jesu "Adolf Deißmann in dankbarer
Verehrung" gewidmet; s. ferner ders., Stellung, 129 (f), 4). J. Weiß
gehörte zu den Marburger Lehrern Bultmanns; Bultmann hat gegenüber Fascher ausdrücklich darauf insistiert, daß Weiß mit seinem
Artikel RGG[1] III, 2175 ff in einer Aufzählung der 'Vorläufer der formgeschichtlichen Methode' nicht fehlen dürfe (s. ThLZ 1925, 313).
Zum Einfluß Ovb's auf Deißmann s. Deißmann, Selbstdarstellung, 55;
ders., Licht vom Osten, 116 f. Zum Einfluß Ovb's auf J. Weiß s. Weiß'
Brief an Ovb vom 9. 11. 1898 (Overbeckiana I, 191); Weiß, Absicht, 2;
ders., RGG[1] III, 2175.
b) In der ersten Auflage enthalten die drei Hauptwerke der formgeschichtlichen Forschung (Dibelius, Formgeschichte, 1919; K. L.
Schmidt, Rahmen, 1919; Bultmann, Tradition, 1921) keinen ausdrücklichen Hinweis auf Ovb; doch s. zu Dibelius unten, 77,6.
Dibelius nennt von der zweiten Auflage an unter den Vorläufern neben
Herder, Heinrici, Gunkel und Deißmann auch Ovb, und zwar als Zeu-

(Zu Kap. III, 1: S. 77-78)

gen für die Einsicht, daß es sich bei dem Schrifttum der ersten christlichen Jahrzehnte "gar nicht um Literatur handelt, die vom Willen der Schriftsteller geschaffen wird, sondern um Gestaltungen, die aus Dasein und Betätigung literaturfremder Kreise mit Notwendigkeit hervorgehen." (Formgeschichte[2], 5; vgl. ebd.[4], 5) Für Bultmann vermag ich nur zu belegen, daß er Ovb's Abhandlung gekannt und - wenigstens in ihrem Verhältnis zu Jordan - auch richtig eingeschätzt hat; s. ThLZ 1925, 316 f. K. L. Schmidt hat mit aller Energie am Schluß seines großen Aufsatzes über die Stellung der Evangelien in der allgemeinen Literaturgeschichte (1923) auf seine - nicht die Einzelheiten, wohl aber die Grundintention betreffende - Übereinstimmung mit der Fragestellung und den Resultaten Ovb's hingewiesen; s. Stellung, 132-134. Vgl. auch K. L. Schmidt, RGG[2] II, 638.

4) Anfänge, 11.
5) S. unten, 89 ff.
6) Dibelius, Formgeschichte[1], 1. Die beiden Sätze sind in die späteren Auflagen unverändert übernommen worden (s. ebd.[2], 1933, 1; ebd.[4], 1961, 1). In der ersten Auflage fehlt ein Hinweis auf Ovb. Es ist möglich, daß Dibelius über die Herkunft des Satzes, auf den er anspielte, damals nicht klar informiert war; möglich ist aber auch, daß er nur nicht imstande war, ihn bibliographisch zu verifizieren (vgl. Dibelius, Selbstdarstellung, 23 f). In der zweiten Auflage hat Dibelius Ovb genannt und darauf aufmerksam gemacht, daß in seiner Abhandlung: Über die Anfänge der patristischen Literatur "der Satz" stehe, "daß jede wirkliche Literaturgeschichte eine 'Formengeschichte' sein werde" (Formgeschichte[2], 5,1; ebenso auch ebd.[4], 5,1).
7) Dibelius, ThR 1929, 187.
8) S. Tetz, ThR 1967, 35 f.
9) Dibelius, ThR 1929, 188. Vgl. Dibelius' Urteil über Nordens Agnostos Theos: Formgeschichte[2], 4 und die terminologisch interessante Bemerkung Aufsätze, 11. - Eine analoge Verschiebung läßt sich bei dem von K. L. Schmidt (Stellung, 133 f; RGG[2] II, 638) und Dibelius (ThR 1929, 187 f) aufgenommenen Stichwort der "Paläontologie" beobachten. Nach Ovb nimmt die Erforschung der zur christlichen Urliteratur gehörenden Schriften als solche (im Unterschied zur Erforschung der zur patristischen Literatur gehörenden Schriften) "an allen Schwierigkeiten jeder Paläontologie" teil (Anfänge, 36). Nach Schmidt und Dibelius ist die Formgeschichte insofern eine Art Paläontologie der Evangelien, als sie nicht nach den Evangelienschriften als ganzen fragt, sondern sich mit "dem Studium ihrer Vorstufen beschäftigt" (Schmidt, Stellung, 134) bzw. danach trachtet, "die Geschichte der vorliterarischen Überlieferung aufzuhellen" (Dibelius, ThR 1929, 187). Gewiß wird in K. L. Schmidts Abhandlung über die Stellung der Evangelien "der literarische Charakter der Evangelien als ganzer behandelt" (Schmidt, RGG[2] II, 639); aber insofern dies der Fall ist, treibt Schmidt - nach seiner eigenen Ausdrucksweise - auch keine Paläontologie.

(Zu Kap. III,1: S. 79)

10) AG-Komm, XVI.
11) Vielhauer, Aufsätze, 242.
12) S. Tetz, ThZ 1961, 415 f.
13) Tetz, ThZ 1961, 417.
14) S. Tetz, ThR 1967, 6 ff. Vgl. übrigens schon ThZ 1961, 431, 69.
15) S. Tetz, ThR 1967, 7-9.

(Zu Kap. III,2: S. 79-81)

1) AG-Komm, XVI.
2) S. AG-Komm XXII-XXIV; vgl. die Überschrift ebd., XIX.
3) S. AG-Komm, XXXIII-XXXV; vgl. die Überschrift ebd., XXV.
4) S. de Wette[4], XXI f = [3], 7f.
5) AG-Komm, XXII (Sperrung C.E.).
6) Vgl. AG-Komm, XV: "Ein Hauptaugenmerk habe ich auf die Composition der AG. gerichtet ..."
7) Die folgende Skizze stützt sich in der Hauptsache auf § 1a der Einleitung zum AG-Komm und auf die Stellen, auf die dort verwiesen wird, besonders AG-Komm, 45 f; 189 f; 365; 425.
8) Vgl. die Gliederung A 211, s v AG (Plan).
9) AG-Komm, XXIII.
10) S. AG-Komm, 8.
11) S. AG-Komm, XXII. Vgl. ebd., 6: Die Worte 1,8 entsprechen "der Gruppierung der Thatsachen durch den Schriftsteller" und finden in "der schriftstellerischen Anlage der AG." ihre Erfüllung.
12) S. AG-Komm, 16 zu der Verflechtung von 1,12 ff "in die eigenthümliche Composition" von c 1 f.
13) Im gedruckten Text des AG-Komm (45; 67) läßt Ovb diesen Abschnitt mit 2,42 beginnen (ebenso auch A 212, zu AG 2,42, n 3). Diese Auffassung hat er AG-Komm, 45 Rd mit dem Hinweis korrigiert, v 42 habe in 4,32-37 "kein Gegenstück": "Erst mit 2,43 tritt die Geschichte der Urgemeinde nach aussen und beginnt der neue Abschnitt 2,43 - 5,42." Ebenso gliedert Ovb AG-Komm, XXIII; Vorl AG, 512; 520; A 212, zu AG 2,42, n 5.
14) AG-Komm, 45.
15) S. Zeller, AG, 378; vgl. auch Baur, Paulus[2] I, 23 ff. Auf Zeller und Baur verweist Ovb AG-Komm, 45 f. Ebd., 45 hat er am Rande nachgetragen: "(vgl. Bruno Bauer ⟨AG,⟩ S. 136)". - Vgl. zu der vorliegenden Skizze des Aufbaus der AG insgesamt Zeller, AG, 376 ff.
16) Vgl. hierzu Vorl ApZA, 128.
17) AG-Komm, 45.
18) AG-Komm, 46.
19) Vgl. AG-Komm, 73.
20) S. die Zusammenstellung der Belege AG-Komm, 46. Vgl. ferner z.B. ebd., 68; 74; 81.

(Zu Kap. III, 2: S. 81-83)

21) AG-Komm, XXIII. Vgl. Zeller, AG, 378.

22) AG-Komm, XXIII (Sperrung C. E.).

23) Unter dem Aspekt der Künstlichkeit der Formen verdienen besondere Beachtung die beiden Abschnitte 9, 19 b-25 und 9, 26-30: s. AG-Komm, 140.

24) AG-Komm, XXIII.

25) Die Abschnitte 15, 1-35; 18, 24-19, 40 nimmt Ovb von diesem Gliederungsschema aus und bezeichnet sie als Einschaltungen mit besonderer Tendenz; s. AG-Komm, 190; 216; 301.

26) Im Blick auf diesen Schematismus führte Ovb schon in der Vorl ApZA, WS 1868/69, 253 gegen die "Correctheit" der AG-Erzählung "die ausserordentliche Künstlichkeit der Composition der drei sogenannten paulinischen Missionsreisen" ins Feld.

27) Für die "kunstvolle Planmässigkeit der Vertheilung der paulinischen Reden in der AG." verweist Ovb AG-Komm, 189, 1 auf Zeller, AG, 298 (AG-Komm, 189, 1 Rd hinzugefügt: Zeller, AG, 383) und Lechler[2], 147. Lechler breche jedoch seiner richtigen Beobachtung der "nicht gering zu achtenden Planmässigkeit und Kunst des Geschichtsschreibers" (so Lechler, ebd.) durch die Annahme die Spitze ab, Lukas wolle "von jeder Hauptgattung paulinischer Reden eine Probe" geben (so Lechler, ebd.). Man sieht, worauf Ovb's These von der Künstlichkeit der Formen hinaus will!

28) AG-Komm, 190.

29) S. AG-Komm, 301.

30) AG-Komm, 190. Vgl. Vorl AG, 831 f.

31) AG-Komm, 365. Vgl. ebd., 369; Vorl Einl II, 827.

32) AG-Komm, 365.

33) AG-Komm, 365.

34) S. die Zusammenstellung des Materials AG-Komm, 425; A 212, zu AG 25, 1-22, n 2.

35) AG-Komm, 425.

36) S. AG-Komm, 147, 2; 168; 179; 196; 262 (vgl. dazu 389 f; 395); 274; 302, 1; 334; 342, 1; XXX, 2; XLVI; XLVII; XLVII, 1; LVI, 1.

37) Vorl ApZA, SS 1870, 25[2].

38) AG-Komm, LIV, 1. Vgl. die Gegenüberstellung von "Kunstform" und "unmittelbarer Ausbruch der Leidenschaft" AG-Komm, 112 A; ferner ebd., 406.

39) AG-Komm, XXV. Gegen Schleiermacher und Schwanbeck nimmt Ovb mehrfach Stellung, s. z. B. AG-Komm, XLIV; LII; 253, 1; 359; Vorl Einl II, 864 ff.

40) Für diese Annahme Ovb's sind die Stellen besonders aufschlußreich, an denen er von der 'schriftstellerischen Kunst' des Verf's der AG spricht oder verwandte Begriffe gebraucht; s. AG-Komm, XLIII; XLIV; LIII; LIII, 1; 287 A; 288; 319; 408; 431; 438, 2.

41) Vgl. zu dieser Parallelität AG-Komm, LIX f: "Ein historisches Buch,

(Zu Kap. III, 2: S. 83-84)

> welches wie die AG. seinen Stoff einer so kunstvollen und willkürlichen Schematisirung unterwirft (s. § 1 a), ihn im Sinne seiner besonderen Zwecke und seines subjectiven Standpunkts so stark modificirt (§ 1 b) ... ist im Allgemeinen unglaubwürdig und hat seine Glaubwürdigkeit für jeden einzelnen Fall zu erweisen."

42) S. Vorl ApZA, 25 ff[2]. Ovb versäumt jedoch nicht, zu Anfang ausdrücklich zu erwähnen, daß schon ein rein äußerlicher Überblick über die AG von der Künstlichkeit ihrer Formen und damit von ihrem nicht rein historischen Charakter überzeugen könnte.

43) Vorl ApZA, SS 1870, 82[1] (Sperrung C. E.).

44) Insofern bestätigt sich die Feststellung Vielhauers: "Baurs Einfluß wirkt am stärksten in O.s Neubearbeitung von De Wettes Kommentar zur Apg ... nach, indirekt in der Auswertung der Tendenzkritik für literarische Formprobleme." (RGG[3] IV, 1750; Sperrung C. E.)

(Zu Kap. III, 3: S. 84-86)

1) S. Specimen, Kapitel I: De scriptoribus ecclesiasticis, quibus innotuit Hippolyti liber de Antichristo (S. 12 ff).

2) Specimen, 42.

3) S. die Zusammenfassung der Erörterung über den Aufbau Specimen, 58 f.

4) S. Specimen, 59 (Anfang von Kapitel III). Vgl. übrigens das analoge Verfahren Ovb's Diognet, 6: "an dem ⟨sic! lies: den⟩ aus c. 1 erkennbaren Plan der Schrift hat man sich allerdings hier zunächst zu halten."

5) Vgl. AG-Komm, 90 f; 279; 288 f; 390; 444 f; ferner ebd., 484 f.

6) Das zweite Buch ist überschrieben: "Die mythische Geschichte Jesu in ihrer Entstehung und Ausbildung."

7) LC 1865, 491.

8) LC 1865, 491.

9) LC 1865, 491.

10) Entstehung, 26.

11) Entstehung, 26 (Sperrung C. E.).

12) Der Paragraph ist überschrieben: "Geschichte und Begriff der Disciplin." (Vorl LG[1], 1)

13) Vorl LG[1], 14; vgl. oben, 23 f.

14) JDTh 1865, 37-63. Auf die Auseinandersetzung Ovb's mit Nitzsch hat bereits Tetz nachdrücklich hingewiesen, s. ThZ 1961, 431, 69; ThR 1967, 2 ff.

15) Nitzsch, 49.

16) Nitzsch, 51.

17) Nitzsch, 52.

18) S. Nitzsch, 52.

(Zu Kap. III, 3: S. 86-89)

19) S. Nitzsch, 53: "Was man <u>sonst</u> Literaturgeschichte nennt, hat insgemein auch eine kunstgeschichtliche Seite; in der Geschichte z. B. der griechischen Nationalliteratur bildet ein Hauptaugenmerk ... 'die historische Aesthetik der Sprachkunstwerke'."

20) Nitzsch, 53.

21) Nitzsch, 53.

22) S. Nitzsch, 53; 55.

23) Nitzsch, 55. - Nitzsch folgt in dem skizzierten Gedankengang, zum Schluß auch in der Formulierung Lücke, GGA 1841, besonders 1854-1858.

24) So Nitzsch, 56.

25) S. Nitzsch, 56; 61.

26) Vorl LG[1], 20.

27) Vorl LG[1], 20. Ovb fährt fort: "Die Patristik ist, können wir sagen, nichts anderes als die von einem falschen theologischen Interesse eingeschnürte älteste christliche Literaturgeschichte." (Ebd.)

28) S. Vorl LG[1], 16: "Richtig hebt er ⟨sc Nitzsch⟩ hervor, dass die Literaturgeschichte im allgemeinen ein vorwiegendes Interesse an der <u>formellen</u> Seite ihrer Producte habe ..."

29) Die formelle Besonderheit der altchristlichen Literatur (biblischer Stil und biblische Diktion) ist für Nitzsch literarhistorisch uninteressant; was dagegen in dieser Hinsicht interessant wäre, bewußt künstlerisch gestaltete und ästhetisch relevante Form, ist den Kirchenschriftstellern abzusprechen.

30) Vorl LG[1], 18.

31) "Gesetzt auch es wäre ganz wahr, dass die alten Kirchenschriftsteller ohne alle Rücksicht auf die Form geschrieben und namentlich schöne Form verschmäht hätten, so würde doch diess schon eine gewisse Reflexion auf die Form bei ihnen voraussetzen, <u>und jedenfalls müssten doch ihre Schriften irgend eine Form haben</u>, und auch was etwa unbewusst daran wäre, könnte nicht ohne Interesse sein." (Vorl LG[1], 17)

32) Vorl LG[1], 18.

33) Vorl LG[1], 18.

34) Vgl. Tetz, ThR 1967, 10 f.

35) Vgl Tetz, ThR 1967, 13.

36) Im Anschluß an den Satz, die Literaturgeschichte habe es mit der Entstehung der Literatur als solcher überhaupt zu tun und insofern mit ihrer Form, fährt Ovb fort: "<u>Daher</u> kann sie ⟨sc die Literaturgeschichte⟩ natürlich auch nicht den Inhalt der von ihr betrachteten Schriften ignoriren. Denn dieser ist natürlich für die Form immer bestimmend." (Vorl LG[1], 18; Sperrung C. E.)

37) Vgl. hierzu Schopenhauer, Über Schriftstellerei und Stil (Parerga und Paralipomena II, Kapitel 23, besonders § 274; §§ 282 ff. Sämtliche Werke VI, 537 ff; 547 ff). Es ist nicht schwer, aus Schopenhauers Reflexionen die Maxime abzuleiten, eine Literaturgeschichte habe es mit

(Zu Kap. III, 3: S. 89)

der Entstehung der schriftstellerischen Produkte (durch einen individuellen Autor) und mit den Formen (als dem Resultat dieser Entstehung) zu tun. Allerdings wird nicht hinreichend deutlich, mit welcher
Konsequenz Schopenhauer die Formenfrage über den Bereich des
'Denkens' hinaus auf die konkrete literarische Gestalt schriftstellerischer Werke angewandt wissen will; immerhin ist das Beispiel der
"schönen hetrurischen Vase" (ebd., 538) unter diesem Gesichtspunkt
bemerkenswert. (Über Ovb's Verhältnis zu Schopenhauer s. seinen
Brief an Treitschke vom 14.11.1873 bei Bernoulli, Overbeck und
Nietzsche I, 90 f; vgl. ferner ebd., 140 ff.)

38) Methodisch ganz entsprechend, wenn auch im Resultat entgegengesetzt,
ist Ovb's Beurteilung der Wirquelle. Ovb nennt die sog. Wirstücke
"die einzige sichere <u>directe</u> in der <u>Form</u> der Erzählung liegende Spur
einer <u>schriftlichen</u> Quelle im Text der AG." (AG-Komm, LII). Dabei
denkt er nicht allein an die durch das ἡμεῖς bedingte "subjective
Form" (ebd., XLIV; vgl. ebd., XXXIX). Zu den spezifischen Form-
merkmalen der Wirquelle gehören vielmehr auch einige Besonderheiten des Sprachgebrauchs und vor allem die von der übrigen AG abste-
chende Ausführlichkeit (Detailliertheit) ihrer Erzählungsweise (s. die
Übersicht ebd., XXXIX). Ovb wertet diese Merkmale der Form als
ein Indiz des historischen Gehalts der Quelle und ihrer Herkunft von
einem an den Ereignissen unmittelbar beteiligten Reisegefährten des
Pls. Demgemäß spielt die Berücksichtigung der Form jeweils dort
eine besondere Rolle, wo die Zugehörigkeit bestimmter Erzählungen
oder Verse zur Wirquelle strittig ist (s. z.B. ebd., XLVIII; 332;
336; 359; 379).

(Zu Kap. III, 4: S. 89-90)

1) S. zur Verdeutlichung Vorl Einl II, 193 ff; 392 ff. Diese Passagen zeigen 1., daß Ovb die Frage nach der Verfasserpersönlichkeit nicht als
psychologische Frage meint, daß und in welchem Sinn er sie vielmehr
als historische Frage versteht. Sie bestätigen 2. die Zusammengehörigkeit der literarhistorischen Formen- und Verfasserfrage mit der
Fragestellung der Tendenzkritik. Sie führen 3. einen Ausschnitt aus
der neutestamentlichen Forschungsgeschichte vor, in welchem sich
mutatis mutandis eine analoge Modifikation der Fragestellung vollzog
wie im 20. Jahrhundert zwischen Form- und Redaktionsgeschichte;
auf welche Seite Ovb selbst gehört, ist dabei nicht zweifelhaft.
2) S. Klein, Zwölf Apostel, 15 f; Rohde, 18 ff; 31 ff; Klatt, 156 ff.
3) S. Bultmann, RGG[2] II, 420; ders., GuV IV, 9 ff; K. L. Schmidt, RGG[2],
II, 639; Dibelius, Selbstdarstellung, 25.
4) S. Bultmann, Tradition[1], 194 ff; ebd.[5], 347 ff.
5) So K. L. Schmidt in seinem Buch: Der Rahmen der Geschichte Jesu.
6) S. K. L. Schmidt, Stellung, passim (vgl. ders., RGG[2] II, 639); Bultmann, RGG[2] II, 418-420.

(Zu Kap. III, 4: S. 90-92)

7) Dibelius, Formgeschichte[4], 297.

8) Bultmann, ThLZ 1925, 317.

9) Dibelius, Formgeschichte[4], 1 (Sperrung C.E.); vgl. ebd., 8. Bezeichnend ist auch, daß Bultmann selbst da, wo er die literarische Form der Evangelien als ganzer beschreibt, mehrfach feststellt, daß die Evangelien nicht zur "Hochliteratur" gehören, "für die die ausgebildete Technik der Komposition und das Hervortreten der Persönlichkeit des Verfassers, ästhetische oder wissenschaftliche Interessen charakteristisch sind." (RGG[2] II, 418; vgl. ebd., 419)

10) Dibelius, ThR 1929, 186.

11) Dibelius, Formgeschichte[4], 4. Vgl. K.L.Schmidt, RGG[2] II, 638 f; Bultmann, Tradition[5], 3.

12) Der Begriff stammt von Gunkel; s. Klatt, 144 ff.

13) Bultmann, ThLZ 1925, 316. Vgl. ders., RGG[2] II, 418; ders., Tradition[5], 4; K.L.Schmidt, RGG[2] II, 639; Dibelius, ThR 1929, 186 f; ders., Formgeschichte[4], 5; 7 f.

14) Vgl. hierzu die Analyse der Form der Kirchengeschichte des Euseb, die Ovb in Anfänge KG 1892 vorgelegt hat. Diese Abhandlung bildet überhaupt - neben dem Aufsatz: Über die Anfänge der patristischen Literatur - das markanteste Dokument der literaturgeschichtlichen Formenfrage Ovb's.

15) S. Dibelius, Formgeschichte[4], 5; 7 f; K.L.Schmidt, RGG[2] II, 639. Bultmanns RGG-Artikel heißt "Evangelien, gattungsgeschichtlich (formgeschichtlich)" (RGG[2] II, 418). Vgl. auch die Artikel "Formen und Gattungen" RGG[3] II, 996 ff; EKL[2] I, 1303 ff (ebd., 1310 schlägt Conzelmann eine terminologische Unterscheidung vor).

16) Bultmann, ThLZ 1925, 317.

17) Dibelius, Selbstdarstellung, 18. Vgl. Formgeschichte[4], 7; ThR 1929, 188.

18) S. Bultmann, ThLZ 1925, 317; ders., Tradition[5], 4 f; K.L.Schmidt, RGG[2] II, 639 f.

19) Dibelius, ThR 1929, 188.

20) Bultmann, RGG[2] II, 418 (Sperrung C.E.); vgl. ebd., 420; Tradition[5], 5.

21) Bultmann, ThLZ 1925, 313. Im Vorwort von Tradition[1] hat Bultmann die Aufzählung der Forscher, von denen er in erster Linie für seine Arbeit gelernt habe, mit Strauß begonnen. Ein entsprechender Hinweis ist in den folgenden Auflagen jedoch nicht wiederholt worden.

(Zu Kap. III, 5: S. 92-93)

1) S. die Literaturangaben Vorl LG[1], §§ 1 f.

2) Vorl LG[1], 15.

3) Im Blick auf diese Werke schrieb Ovb: "Am besten ist noch der Literaturgeschichte der alten abendländischen Kirche vorgearbeitet ..." (Vorl LG[1], 36).

Zu Kap. III, 5: S. 93-95)

4) Wenigstens anmerkungsweise sei erwähnt, daß auch im Bereich der biblischen Wissenschaften Versuche zur Konstitution einer Literaturgeschichte begegnen, ohne daß dabei Ovb's spezifische Frage nach den Formen vorweggenommen wird. Zu nennen sind: Berthold; Hupfeld; E. H. Meier, Geschichte der poetischen National-Literatur der Hebräer. Leipzig, 1856 (s. zu Meier: Klatt, 112-116).

5) S. oben, 92.

6) S. die Skizze des Aufbaus der AG oben, 80 ff.

7) S. Zeller, AG, 376-386. Ebd., 385 kommt Zeller zu dem Satz: "Blikken wir ... auf das Ganze der vorliegenden Darstellung zurück, so werden wir das Zweckmässige und Künstlerische ihrer 〈sc der AG〉 Anlage nicht läugnen können."

8) AG-Komm, XVI (Sperrung C. E.).

9) Zeller, AG, 376.

10) S. Zeller, AG, 316 ff. Vgl. auch ebd., 319, 1: "... nicht desshalb, weil die Apostelgeschichte nach einem durchgeführten Plan angelegt ist, bezweifeln wir ihre geschichtliche Glaubwürdigkeit, sondern weil wir uns durch die Prüfung des Einzelnen von dem theilweise unhistorischen Charakter ihrer Darstellung überzeugt haben, fragen wir nach den Motiven, woraus sich diese Darstellung erklären lässt. Wenn daher Lange ... 〈s. J. P. Lange, Die Geschichte der Kirche. Erster Theil. Das apostolische Zeitalter I. Braunschweig, 1853, 54 f〉 behauptet, ich argumentire aus dem wohldurchdachten Plan der Apg. gegen ihren geschichtlichen Charakter, so ist diess einfach als eine Verdrehung zu bezeichnen."

11) Der zum SS 1867 verfaßte Paragraph über die Quellen des apostolischen Zeitalters steht Vorl ApZA, 7^2 - 37^2. Die im SS 1870 vorgetragene Fassung des gleichen Paragraphen setzt sich aus folgenden Passagen zusammen: S. 7^2 - 22^2 + [S. 23^2 - 28^2 (am Rande bzw. auf beigelegten Zetteln) + S. 13^1 - 87^1] + S. 30^2 - 37^2. Die zum SS 1870 gestrichenen (S. 23^2 - 30^2) und die an ihre Stelle getretenen, neugefaßten Passagen (in eckigen Klammern) handeln ausschließlich von der AG! In der Neufassung spiegelt sich deutlich die in der Zwischenzeit zum Abschluß gekommene Arbeit Ovb's an seinem AG-Komm. S. auch unten, 110 f.

12) S. Vorl ApZA, 25^2; vgl. oben, 83.

13) S. dazu unten, 110 f.

14) AG-Komm, XV beginnt Ovb die Aufzählung der wichtigsten Punkte, in denen er über die Arbeiten Baurs und Zellers hinausgegangen sei, mit dem Satz: "Ein Hauptaugenmerk habe ich auf die Composition der AG. gerichtet ...". Die Differenz in dieser Hinsicht war Ovb also bewußt.

15) Von Kempski, 239. Für das Vorkommen des Wortes gibt von Kempski keinen Beleg. Vermutlich denkt er an die Überschrift des 7. Buches der Kritik der Evangelien (Evangelien III, 273): "Schluß der Formuntersuchung". Übrigens ist von Kempski nicht dem Kurzschluß erlegen,

(Zu Kap. III, 5: S. 95-99)

Bauer habe mit seiner Formuntersuchung die formgeschichtliche Methode antizipiert: s. von Kempski, 239.

16) S. B. Bauer, Die Religion des Alten Testamentes in der geschichtlichen Entwickelung ihrer Principien dargestellt. Bd. I.II. (= Kritik der Geschichte der Offenbarung. Ersten Theiles erster und zweiter Band.) Berlin, 1838.

17) S. hierzu und zum Folgenden: Mehlhausen, Dialektik, 329 ff; ZKG 1967, 121 ff; Bruno Bauer, 53 ff.

18) B. Bauer, Johannes, VI.

19) B. Bauer, Johannes, V f.

20) Mehlhausen, Bruno Bauer, 53 f.

21) B. Bauer, Johannes, VI.

22) B. Bauer, Johannes, VI.

23) B. Bauer, Johannes, XII.

24) B. Bauer, Johannes, X.

25) B. Bauer, Johannes, 405 (Sperrung C. E.).

26) B. Bauer, Johannes, 175.

27) B. Bauer, Johannes, 175 f.

28) B. Bauer, Johannes, 405.

29) B. Bauer, Johannes, 406.

30) B. Bauer, Johannes, 414.

31) S. B. Bauer, Johannes, 408 f.

32) S. Mehlhausen, ZKG 1967, 123; Bruno Bauer, 54.

33) S. B. Bauer, Synoptiker I, V ff.

34) S. Kümmel, NT, 180-185.

35) S. Weiße I, 3.

36) Weiße I, 7.

37) Weiße I, 10.

38) Weiße I, 12.

39) Weiße I, 12.

40) Weiße I, 15.

41) Weiße I, 10.

42) Weiße I, 1-138.

43) Weiße I, 11.

44) Weiße I, 11.

45) S. Weiße I, 68-73. Die wichtigsten Sätze Weißes sind abgedruckt bei Kümmel, NT, 184.

46) Weiße I, 68.

47) S. Wilke, 3 ff: Einleitung. Das wechselseitige Verhältniß der drei ersten Evangelien im Allgemeinen.

48) S. Wilke, 4 ff. Die erste Tafel umfaßt diejenigen Stücke, die allen drei Synoptikern oder Markus mit Matthäus bzw. Lukas gemeinsam sind; die zweite Tafel enthält die Matthäus-Lukas-Parallelen, die dritte das jeweilige Sondergut.

49) Wilke, 17 (Sperrung C. E.).

(Zu Kap. III, 5: S. 99)

50) Wilke, 26.

51) 1. Theil: Data in Bezug auf eine nichtschriftliche Einigungsnorm der evangelischen Berichte (Wilke, 26 ff); 2. Theil: Data in Bezug auf eine schriftliche Einigungsnorm der evangelischen Berichte (ebd., 162 ff).

52) S. besonders die "allgemeinen Sätze" Nr. 3 (S. 34) und Nr. 5 (S. 42) sowie die jeweils dazugehörenden Erläuterungen.

53) S. Wilke, 43 ff.

54) Wilke, 119.

55) S. Wilke, 120 ff.

56) Wilke, 120.

57) a) Unter den Forderungen, die an ein mündliches Urevangelium zu richten sind, nennt Wilke u. a. dies, daß es sich in den von ihm abzuleitenden Evangelien "als eine lebendige Tradition" zeigen müsse. Erläuternd schreibt er dazu: "Wir setzen die lebendige Mittheilung der schriftlichen entgegen, und betrachten daher das, was in solchen Produktionen vermöge seiner Form und Bemessenheit auf schriftliche Abfassung hinweist, und den Anschein hat, mehr auf Leser, als auf Hörer, berechnet zu sein, auch als ein Datum und einen Beweis gegen jene." (Wilke, 43)
b) Verschiedentlich arbeitet Wilke mit dem Gegensatz der festgeprägten "Form" des hypothetischen mündlichen Urevangeliums auf der einen, schriftstellerischer "Kunst" und "Willkür" der Evangelisten auf der anderen Seite, s. Wilke, 57; 63 f; 70; 99; 106-108.
c) Vgl. ferner Wilke, 3; 24 f; 48 f; 72 und die folgende Anmerkung.

58) Wilkes Auslegung von Luk 1, 1-4 erhält ihren besonderen Charakter durch die Unterscheidung der "mündlichen Überlieferung" und der schriftstellerischen "Konstruktion einer Lebensgeschichte Jesu" (Wilke, 108). Die in Luk 1,1 angesprochenen Werke der πολλοί sind schriftliche Darstellungen der Begebenheiten des Lebens Jesu, vergleichbar dem Lukevgl selbst. Wilke schreibt zur Begründung u. a.: "Es würde ..., falls das Satzverhältniß über den Sinn auch nicht entschiede, schon der alleinige Ausdruck: ἀνατάξασθαι , anreihen, - eine Reihe, die fortgeführt werden soll, anfangen, - Anzeige genug geben, daß von dem Undinge einer mündlichen Anreihung nicht, sondern nur von einer schriftlichen die Rede sei" (ebd., 110). Die παράδοσις der Augenzeugen in Luk 1, 2 rechnet Wilke der Stufe der mündlichen Tradition zu. Er diskutiert im Blick auf καθὼς παρέδοσαν, "ob darin liegen solle eine Maaßgebung für die Form, oder bloß für die Materie" (ebd., 111), und entscheidet sich für die zweite Möglichkeit: " ... hinsichtlich der Materie nur und des Inhalts waren die Geschichtserzählungen nach der Überlieferung eingerichtet, nicht aber nach der Form. Die letztere war das eigene Werk der πολλοί , und die ἀνάταξις ... kam zur apostolischen παράδοσις erst hinzu" (ebd., 111 f).

(Zu Kap. III, 5: S. 100-102)

59) Wilke, 120.
60) Wilke, 160.
61) Wilke, 130 (Sperrung C. E.).
62) Wilke, 120 (Sperrung C. E.).
63) Wilke, 121.
64) Wilke, 122 (Sperrung C. E.).
65) Wilke, 124.
66) Wilke, 124 (Sperrung C. E.).
67) S. Wilke, 124 ff.
68) Wilke, 131.
69) S. Wilke, 134; 136 f; 138.
70) S. Wilke, 137.
71) S. Wilke, 133.
72) S. Wilke, 134; 138.
73) Dieser Begriff und seine Äquivalente sind innerhalb der Erörterung Wilkes stereotyp: Schriftstellerischer Entwurf (vgl. 131); Zusammenstellung und Anordnung schriftstellerischer Kunst (vgl. 132); künstliche Zusammenstellung (vgl. 133; 134); "Anlage für Schrift gemacht, aber nicht für lebendige Mittheilung" (134); Kunstprodukt (vgl. 135); Entstehung durch Kunst; Anlage und Ineinanderfügung unter schriftstellerischen Berechnungen (vgl. 136); Komposition und Stellung deuten auf schriftstellerischen Plan (vgl. 137); etc.
74) Wilke, 130.
75) Wilke, 173.
76) Wilke, 174.
77) Wilke, 174.
78) Wilke, 174 (Sperrung C. E.). Ebd., 176 f konstatiert Wilke, die Frage, ob die gemeinsame Vorlage der Synoptiker "in einer evangelischen Schrift (als Ganzem), oder in Partikularaufsätzen und einzelnen Sammlungen bestanden habe", könne erst dort entschieden werden, "wo auf die Verknüpfung und Reihenfolge der Stücke und auf den Plan des Ganzen Rücksicht genommen wird." Das besagt u. a.: Die Schleiermachersche Diegesentheorie kann erst aufgrund einer Analyse der Gesamtkomposition beurteilt werden. In der Tat erfolgt ihre Kritik in solchem Zusammenhang, s. ebd., 657. Zu dem analogen Vorgehen Ovb's gerade auch in dieser speziellen Hinsicht s. oben, 83.
79) Wilke, 684 (Sperrung C. E.).
80) S. B. Bauer, Synoptiker I, V ff.
81) S. B. Bauer, Evangelien IV, 2 f; 17 ff. - Den folgenden Ausführungen werden beide Werke Bauers (Synoptiker und Evangelien) zugrunde gelegt, da Bauers Methode beidemal die gleiche ist, wenn auch seine Resultate im einzelnen differieren.
82) S. B. Bauer, Synoptiker I, XV.
83) B. Bauer, Evangelien IV, 17 (Sperrung C. E.).
84) Bauer spielt hier an auf Weiße I, 31.

(Zu Kap. III, 5: S. 102-105)

85) B. Bauer, Evangelien IV, 24 f.

86) B. Bauer, Synoptiker I, XIII.

87) S. Wilke, 684.

88) S. Wilke, 671.

89) B. Bauer, Synoptiker I, XIII. Vgl. die nahezu wörtliche Wiederholung dieser Ausführungen Evangelien IV, 29.

90) B. Bauer, Synoptiker I, XIII (Sperrung C. E.).

91) B. Bauer, Synoptiker I, XIV.

92) B. Bauer, Synoptiker I, XIV f (Sperrung C. E.).

93) B. Bauer, Synoptiker I, XV (Sperrung C. E.). Vgl. den parallelen Gedankengang Evangelien IV, 30 f.

94) B. Bauer, Synoptiker III, 307.

95) B. Bauer, Synoptiker III, 308.

96) Vgl. B. Bauer, Synoptiker III, 314 f.

97) Vgl. hierzu von Kempski, 239 ff; Mehlhausen, ZKG 1967, 125 f; ders., Bruno Bauer, 58.

98) Für den originellen Versuch, die "Form der Evangelien" aus der Eigenart und Entwicklung des christlichen Prinzips unter Berücksichtigung des Standes der zeitgenössischen profanen Historiographie herzuleiten, kann hier nur auf Bauers eigene Ausführungen verwiesen werden, s. Synoptiker II, 44-47.

99) Vgl. z. B. B. Bauer, Synoptiker I, 51 f; 57 f; 211; 220; 238; 293; III, 32 f.

100) Vgl. z. B. B. Bauer, Synoptiker I, 68 ff. Die hier vorliegenden Ausführungen über die Entstehung der Vorgeschichte des Lukevgl (Luk 1 f) sind geradezu ein Paradestück der Polemik gegen die Traditionshypothese. Mit Recht verweist daher Mehlhausen, ZKG 1967, 123 auf diese Stelle. Ihre Nähe zu Wilke ist nicht zu verkennen. - Vgl. ferner B. Bauer, Synoptiker I, 123 f; 357; II, 369; III, 33-36.

101) Vgl. z. B. B. Bauer, Synoptiker I, 170 ff; 304; II, 53 f; 171; 390 f; III, 88 f; 205, 2; Evangelien I, VI, 1.

102) S. B. Bauer, Evangelien IV, 68-135.

103) B. Bauer, Evangelien IV, 98.

104) B. Bauer, Evangelien IV, 100 f (Sperrung C. E.).

105) B. Bauer, Evangelien IV, 119.

106) B. Bauer, Evangelien IV, 119 (Sperrung C. E.).

107) B. Bauer, Evangelien III, 327. Vgl. ebd. IV, 95 f.

108) B. Bauer, Evangelien III, 327.

109) B. Bauer, Evangelien III, 339.

110) Vgl. dazu Bauers Urteil über den Standpunkt der AG unten, 147 f.

111) B. Bauer, Evangelien I, VI f (Sperrung C. E.).

112) Vgl. B. Bauer, Synoptiker I, XV.

113) B. Bauer, Evangelien I, VII f. Vgl. Synoptiker I, 71. - Im Vergleich mit seiner kritischen Arbeit an den Evangelien ist Bauers Kritik der AG für die Formenfrage weniger ertragreich; doch zeigt der Abschnitt: Die Composition der Apostelgeschichte (B. Bauer, AG, 125 ff) einige Berührungen mit der Kompositionsanalyse Ovb's.

(Zu Kap. III, 5: S. 105-106)

114) S. Zeller, Th Jbb 1843, 59 f. Vgl. Schwegler, Th Jbb 1842, 288 ff; ders., Th Jbb 1843, 241 ff.

115) Vgl. hierzu die Kritik, die C. Schwarz, 150 f an der Behandlung der Dogmengeschichte durch Baur übte; ferner: Anonymus, Unsere Zeit 1862, 239; Hase, 479 f.

116) Bei so namhaften Werken wie denjenigen Weißes, Wilkes und B. Bauers versteht es sich im Grunde von selbst, daß ein Neutestamentler in den sechziger Jahren des 19. Jahrhunderts sie gekannt hat. Auf die Werke Weißes und Wilkes sowie auf B. Bauer, Synoptiker muß Ovb zudem schon in seinem ersten Semester anläßlich der Lektüre von C. Schwarz gestoßen sein (s. Schwarz, 138-143; zur Bedeutung des Buches von Schwarz für Ovb s. Selbstbekenntnisse, 118 f). Bis zum Jahre 1870 läßt sich freilich stringent beweisen nur Ovb's Kenntnis von Weiße, Die Evangelische Geschichte (nach einer Eintragung in sein Handexemplar hat Ovb das Buch 1860 in Berlin angeschafft; auf eingelegten Blättern hat er die ersten 48 Seiten exzerpiert) und B. Bauer, AG (s. AG-Komm, XIII; L, 2; LXX). Die Kenntnis von Wilke, Der Urevangelist ist erst für die Zeit nach 1870 nachweisbar (s. AG-Komm, 236 Rd; A 207, s v Luk 1, 1-4. Verschiedene Auslegungen, n 4; A 211, s v AG (Verhältniss zum Lucasevangelium) Verwandtes, n 1; Vorl Einl II, 222 ff; 684). Zu B. Bauer, Evangelien finden sich einige Bemerkungen von der Hand des alten Ovb, die über die bloße Kenntnisnahme hinaus eine gewisse Sympathie verraten. Auf dem Vorsatzblatt von Weiße, Die Evangelische Geschichte I hat Ovb notiert: "Ein durch Verständigkeit sich auszeichnendes Urtheil über den wissenschaftlichen Gehalt der Weissischen Leistung giebt Br. Bauer, Die theologische Erklärung der Evangelien. Berlin, 1852, S. 2 f. ... Weitere Ausführung des Bauer'schen Urtheils s. a. a. O. S. 17 ff." (Vgl. dazu A 218, s v Bauer (Bruno) Kritik der Evangelien. Vermischtes, n 1; ferner Chr u K, 182 und die Datierung des dort abgedruckten Textes auf den 17. 6. 1901.) Eine weitere Bemerkung hat Lieb aus Ovb's Handexemplar von B. Bauer Evangelien I (angeschafft: 1891) in ThZ 1951, 233 veröffentlicht: "Der sträflichen, langwierigen Verkennung der Werke (scil. Bruno Bauers) unter Theologen ist unter Theologen zuerst entgegengetreten W. Wrede, Das Messiasgeheimnis in den Evangelien - Götting. 1901, S. 280 ff." (Vgl. dazu A 218, s v Bauer (Bruno) Kritik der Evangelien. Vermischtes, n 2; A 241, s v Wrede (W.) Messiasgeheimnis in den Evangelien. Vermischtes, n 1.) Vergleicht man die Ausführungen Wredes an der von Ovb genannten Stelle, dann muß sich Ovb's Rede von der sträflichen, langwierigen Verkennung entweder auf Bauers Polemik gegen die theologische Exegese (die Wrede freilich nur beiläufig erwähnt) oder auf Bauers Fragestellung, sofern sie an der kompositorischen Struktur der Evangelien und ihrer Erzählungen orientiert ist, oder - am wahrscheinlichsten - auf beides beziehen. Trifft dies zu, dann beweist jene Notiz zwar nicht die Abhängigkeit Ovb's von Bauer; sie

(Zu Kap. III, 5: S. 106)

ist aber ein Hinweis darauf, daß jedenfalls der alte Ovb in Bauers Vorgehen eine Entsprechung zu seinem eigenen erkannt und anerkannt hat.

(Zu Kap. IV, 1: S. 107-108)

1) So die Formulierung AG-Komm, Einleitung, § 1b, S. XXV. Der entsprechende Paragraph der Vorl Einl II (§ 9, 4, S. 920) ist überschrieben: "Absicht und Standpunkt der AG." Vorl AG, § 5 trägt den Titel:
   "Zweck der AG." (Vorl AG, 124).
2) S. oben, 82 ff.
3) Die einschlägigen Momente hat Ovb schon Vorl ApZA, SS 1867, 18 ff[2]
   zusammengestellt. Sie sind in der Hauptsache unverändert wiederholt
   worden in Vorl AG, 14 ff; 21 ff. Zu vergleichen ist außerdem Vorl Einl
   II, 811 ff.
4) Vorl AG, 40.
5) S. Vorl AG, 16. Vgl. zur Anlage von c 8-12 oben, 81.
6) Vorl AG, 17.
7) Vorl AG, 17.
8) S. hierzu Vorl AK, 204.
9) Vorl ApZA, SS 1867, 20[2]. Vgl. Vorl Einl II, 812; Vorl AG, 28.
10) Vorl ApZA, SS 1867, 20[2].
11) Nach Ovb's Aufzählung fehlen in der AG insbesondere folgende Momen-
    te:
    a) der Aufenthalt in Arabien Gal 1, 17;
    b) die Stiftung der galatischen Gemeinden und die Wirksamkeit dort;
    c) der antiochenische Zwischenfall Gal 2, 11 ff;
    d) die Streitigkeiten in und mit der korinthischen Gemeinde;
    e) die Person des Titus, insbesondere der Streit um seine Beschnei-
       dung Gal 2, 3-5;
    f) die Sammlung der großen Kollekte für Jerusalem;
    g) der Verkehr des Pls mit der römischen Gemeinde und überhaupt
       die Briefe des Pls;
    h) die Mehrzahl der 2. Kor 11, 23 ff zusammengestellten Erlebnisse
       des Pls; Ovb schreibt dazu Vorl AG, 31: "Nun sehen wir zwar den
       Apostel Paulus auch in der AG. bisweilen in bedrängter Lage. Doch
       lassen uns ihre Mittheilungen in dieser Hinsicht durchaus nichts
       von der Fülle von Leiden und Drangsalen ahnen, welche dieser ganz
       gelegentliche Rückblick des Paulus auf ein Stück seines Lebens nur
       enthält."
    S. zu dieser Aufzählung Vorl ApZA, 20 ff[2] (hier fehlt allein Punkt f);
    Vorl Einl II, 815 ff; Vorl AG, 29 ff.
12) S. die zusammenfassende Feststellung Vorl ApZA, 23[2].
13) Vorl AG, 33. Vgl. Vorl Einl II, 818 f.
14) AG-Komm, XXVI.
15) S. AG-Komm, XXVI f; Vorl Einl II, 924 ff.

(Zu Kap. IV, 1: S. 108-110)

16) AG-Komm, XXVI.
17) S. Meyer[3], 8 ff.
18) S. Bleek, Einleitung, 324.
19) S. H. Ewald, Geschichte VI, 28 und passim; JBW, 1857/58, 49.
20) Ovb notierte dazu später: "Höchst empfindlich muss natürlich für alle Vertreter solcher Ansichten über den Zweck der AG. der Umstand sein, dass der Verfasser durch die anakoluthische Form seines ersten Satzes seinen Lesern die Angabe seiner Absicht schuldig geblieben ist. 1,1 f." (AG-Komm, XXVI, 2 Rd)
21) AG-Komm, XXVI.
22) AG-Komm, XXVI.
23) S. Meyer[3], 9; H. Ewald, Geschichte VI, 35 f; Bleek, Einleitung, 324.
24) S. Meyer[3], 8; H. Ewald, Geschichte VI, 36.
25) S. H. Ewald, Geschichte VI, 28 ff.
26) S. Meyer[3], 8.
27) AG-Komm, XXVII.
28) AG-Komm, XXVI.
29) AG-Komm, XXVII.
30) S. Mayerhoff, 5.
31) S. Ebrard, Kritik, 941.
32) Bleek, ThStKr 1836, 1024 f. Vgl. Bleek, Einleitung, 323; Schneckenburger, 48.
33) S. AG-Komm, XXVII; Vorl Einl II, 927 f; Vorl AG, 124; 127.
34) AG-Komm, XXVII. Vgl. Vorl Einl II, 928 f.
35) AG-Komm, XXVIII.
36) AG-Komm, XXVIII.

(Zu Kap. IV, 2: S. 110)

1) Vorl ApZA, 7[2].
2) Vorl ApZA, 29[2].
3) Vorl ApZA, 29[2].
4) Vorl ApZA, 29[2].
5) Vorl ApZA, § 8: Stephanus und die Hellenisten der Urgemeinde. Apg. c. 6-8. (S. 158 ff)
6) Vorl ApZA, 188.
7) Diese Übereinstimmung zeigt sich indirekt auch in dem im WS 1868/69 verfaßten § 20 der Vorl ApZA ("Die letzten Schicksale der Urgemeinde bis zur Zerstörung von Jerusalem", S. 305 ff). Indem Ovb hier in Gal 2 die letzte glaubwürdige Nachricht über Petrus erblickt, alle spätere Tradition für tendenziöse Sage erklärt und innerhalb derselben einen antipaulinischen und einen vermittelnden Zweig unterscheidet, bewegt er sich völlig in den Bahnen Baurs (s. Paulus[2] I, 243 ff). Insbesondere folgt Ovb einer erklärten These Baurs (s. Paulus[2] I, 244), wenn er feststellt, daß sich in jener Sage "nur die Parallele fortsetzt zwischen

(Zu Kap. IV, 2: S. 110-112)

Petrus und Paulus, in welche beide Apostel schon in der Apg. zu einander gebracht sind." (Vorl ApZA, 328)

8) Vorl ApZA, 7^2.
9) AG-Komm, XVIII.
10) S. Christlichkeit, 4; vgl. AG-Komm, XVII.
11) AG-Komm, XVII. Das soll wohl heißen: Nach dem Druck des 22. Bogens hat Ovb die Lieferung des Materials für den 23. Bogen hinausgezögert. Der 23. Bogen umfaßt die Seiten 353-368. Auf S. 364 beginnt der (vorangestellte) zusammenfassende Exkurs zu dem Abschnitt 21, 17-26, 32 ("Der Process des Paulus bis zu seiner Überführung nach Rom."). - Darf man i. g. einen gleichmäßigen Fortgang der Druckarbeiten annehmen, dann fällt die von Ovb genannte Verzögerung vor dem 23. Bogen in die Zeit nach dem Frühjahr 1869, also in die Zwischenzeit zwischen Ovb's zweiter und dritter Vorlesung über das apostolische Zeitalter.
12) S. AG-Komm, XIX-LXXI.
13) AG-Komm, XVII.

(Zu Kap. IV, 3: S. 112-114)

1) S. AG-Komm, 64; 73; 120,1; 182; Vorl ApZA, 127; 146.
2) S. AG-Komm, 5; 8.
3) S. AG-Komm, 5 f; 8; 21; 35; 58; Vorl ApZA, 152.
4) S. AG-Komm, 23; 39.
5) S. AG-Komm, 59 f; 73; 81; Vorl ApZA, 142 f.
6) S. AG-Komm, 82 f; 94; 123; 131; 150 f; 172; 186; Vorl ApZA, 160; 187 ff; 211.
7) S. AG-Komm, 207-210; 268 f; 274; 289; 293; 296; 313.
8) S. AG-Komm, 82; 94; 140; 173; 180; 182; Vorl ApZA, 160 f; 188 ff; 213.
9) S. AG-Komm, 208,2.
10) S. AG-Komm, 130; 146 f; 150 f; 166; 293; Vorl ApZA, 188 ff.
11) S. AG-Komm, 133; 204-206; 207-210; Vorl ApZA, 188 f; 239 f.
12) S. AG-Komm, 138,1; 196; 217; 246 f; Vorl ApZA, 253; 256; 294 f.
13) S. AG-Komm, 140; 145; 170 f; 174; 175; 191 f; 217; Vorl ApZA, 253 f.
14) S. AG-Komm, 120; 244.
15) S. AG-Komm, 133; Vorl ApZA, 234 ff.
16) S. AG-Komm, 195,1; 261 f; 277; 301 f; 314; 332.
17) S. AG-Komm, 328; 340-342.
18) S. AG-Komm, 175,2; 179; 336-338; Vorl ApZA, 253; 266.
19) S. AG-Komm, 248 ff; 296 ff; 300,1.2.
20) S. AG-Komm, 196 ff; 270; 286 ff; vgl. 140; 444.
21) S. AG-Komm, 133; 151; 175,2; 274; Vorl ApZA, 234 ff. - Von den bisher berücksichtigten Erzählungselementen, mit denen sich der Verf der AG an christliche Leser richtet, ist seine Apologetik gegenüber

(Zu Kap. IV, 3: S. 114-115)

der heidnischen Umwelt zu unterscheiden. S. dazu die gesonderten
Ausführungen unten, 125 ff.

22) S. oben, 111 f.

23) AG-Komm, 290 A.

24) AG-Komm, 254, 1.

25) S. z. B. AG-Komm, 219; 237, 1. Zu dem von Ovb beobachteten nationalen Antijudaismus der AG (vgl. schon oben, 112 f) und zu dessen
Relevanz für die Zweckbestimmung der AG s. unten, 121, besonders
121, 52.

26) Vorl ApZA, SS 1867, 29[2].

27) Vorl ApZA, SS 1870, 7[2].

28) AG-Komm, 216.

29) S. AG-Komm, 140; 142; 145.

30) S. AG-Komm, 216 f; 222.

31) S. AG-Komm, 246 f; vgl. 196.

32) S. AG-Komm, 216; 248 ff.

33) S. AG-Komm, 302; 303 f.

34) S. AG-Komm, 83; 171 f.

35) S. AG-Komm, 175; 179.

36) S. AG-Komm, 300; Vorl ApZA, 253.

37) AG-Komm, 206 (Sperrung C. E.); vgl. ebd., 197.

38) Dieser Sachverhalt ist häufig übersehen worden. Bei der Charakteristi
und Beurteilung von Ovb's Gesamtverständnis der AG stützt man sich
meist einseitig oder ausschließlich auf das Vorwort und die Einleitung
zum AG-Komm (ggf. auch auf den Aufsatz ZwTh 1872), ohne zu bemerken oder wenigstens der Erwähnung für wert zu halten, daß das Korpus
des AG-Komm noch einen früheren Erkenntnisstand Ovb's repräsentiert: s. E. Vischer, RE[3] 24, 297; ders., ChW 1922, 127; Loisy, 28 f;
Goguel, 44 ff; K. Bauer, Blätter f. Württ. KG 1922, 48; Mc Giffert,
380 ff; Vielhauer, Aufsätze, 241 ff; Bieder, 34 ff; Haenchen[14], 21 f.
Im Unterschied zu diesen Autoren hat Mattill scharf die Differenz zwischen Einleitung und Korpus des AG-Komm beobachtet und mit Recht
festgestellt, daß sich die Ausführungen Ovb's im Korpus des AG-Komm
noch sehr eng an die AG-Interpretation Baurs und Zellers anschließen:
"Yet the commentary proper is not sufficiently connected with the new
view which he sets forth in his introduction. Just as one may have diffi
culty in distinguishing a Petrine from a Pauline speech in Acts, so too
one may often wonder wherein Overbeck's work ist differentiated from
a Tuebingen commentary." (Mattill, 169 (f), 2)

(Zu Kap. IV, 4: S. 115-116)

1) S. AG-Komm, Einleitung, § 1b, XXV ff.

2) AG-Komm, XVI.

3) Die folgenden Ausführungen stützen sich ausschließlich auf Zeller, AG.

(Zu Kap. IV,4: S.116-119)

4) S. Zeller, AG, 316 ff; das Zitat ebd., 344.

5) Diese Möglichkeit war, wenigstens zu einigen Stellen der AG, von Schrader vertreten worden; s. Schrader, 535 (zu AG 11,2-18); 552 (zu AG 18,18); 560 (zu AG 21,20).

6) Dies war die Auffassung Schneckenburgers, s. oben, 73.

7) So Baur, s. oben, 71 f; 74; 75 f.

8) Zeller, AG, 346.

9) S. Zeller, AG, 348; vgl. überhaupt ebd., 347-349.

10) Zeller, AG, 349.

11) Zeller, AG, 349.

12) S. Zeller, AG, 350 f.

13) Vgl. zu dem Folgenden die analoge Problemlage in der Auseinandersetzung Baurs mit Schneckenburger (oben, 74 f).

14) Zeller, AG, 352 (Sperrung C.E.).

15) S. zu diesem Gedankengang Zeller, AG, 352-354.

16) Zeller, AG, 353. - Die paulinischen 'essentials', an denen die AG entschieden festhält, sind nach Zeller: die Anerkennung des Pls als gleichberechtigt mit den anderen Aposteln und der Universalismus des paulinischen Evangeliums; s. ebd., 354.

17) Zeller, AG, 357.

18) Zeller, AG, 358.

19) Zeller, AG, 359 (Sperrung C.E.).

20) Zeller, AG, 359.

21) Zeller, AG, 359.

22) S. hierzu Zeller, AG, 359 ff.

23) Zeller, AG, 363. Von Zellers These einer besonderen Beziehung der AG auf die römische Gemeinde (s. AG, 364 ff) ist hier abgesehen.

24) S. AG-Komm, 230.

25) S. AG-Komm, 233-235.

26) S. Ritschl, Altk Kirche[2], 251 f.

27) S. Gieseler, 97,6.

28) S. AG-Komm, 229 Rd. Vgl. auch A 224, s v Götzenopferfleischgenuss. Patristisches, n 1.

29) AG-Komm, 229.

30) So AG-Komm, 229 unter Berufung auf 1. Kor 8,1 ff; 10,14 ff; Apk 2,14.20.24.

31) AG-Komm, 222. Etwas vorsichtiger fomuliert Ovb ebd., 229: "Sind nun aber auch aller Wahrscheinlichkeit nach die Verbote des Aposteldecrets vom Verfasser als schon in der kirchlichen Sitte bestehend vorgefunden worden, ..." (Sperrung C.E.).

32) AG-Komm, 229 (Sperrung C.E.).

33) Es sei bemerkt, daß die Kritik, die Ovb, AG-Komm, 229 vorträgt, von Zeller notfalls als Ergänzung seiner Konzeption hätte integriert werden können. Nach Ovb sind die vier Verbote nicht in den heidenchristlichen Gemeinden des apostolischen Zeitalters überhaupt, son-

(Zu Kap. IV, 4: S. 119-121)

dern nur in denen beobachtet worden, "die nicht unter ausschliesslich
paulinischem Einfluss standen" (ebd., 229). Nach Zeller richtet sich
der Verf der AG mit jenen vier Verboten in erster Linie an streng-
paulinische Heidenchristen, die er zur Konzession an das Judenchristentum bewegen will. Insofern hierbei - wie bei der Annahme einer
konziliatorischen Tendenz überhaupt - vorausgesetzt ist, daß der Vorschlag der AG nicht schon zum Gemeingut der Überzeugungen der angesprochenen Pauliner gehört, ließe sich Ovb's Einwand mit der Konzeption Zellers durchaus vermitteln. Ausgeschlossen wäre dies nur
dann, wenn die AG einer Phase der christlichen Entwicklung zugeordnet würde, in der die Verbote schon stehende Sitte der Kirche überhaupt waren und in der es Gemeinden unter ausschließlich paulinischen
Einfluß gar nicht mehr gab. Dies allerdings hat Ovb erst in der Einleitung deutlich ausgesprochen.

34) AG-Komm, XXVIII; s. oben, 110.
35) S. AG-Komm, XXIX.
36) AG-Komm, XXIX.
37) AG-Komm, 229. S. oben, 119.
38) S. AG-Komm, 216 und oben, 115.
39) S. AG-Komm, XXIX. Vorl Einl II, 969 schreibt Ovb: "Ihnen ⟨sc den
Pseudoclementinen⟩ gilt die Taufe als Surrogat der Beschneidung."
Vgl. zu dieser Auffassung Schwegler, NachapZA I, 399 f; Baur, Christenthum, 100 ff; Zeller, AG, 478.
40) AG-Komm, XXIX. Ovb beruft sich auf Justin, Dial 47.
41) S. AG-Komm, XXIX.
42) Vgl. AG-Komm, 373.
43) AG-Komm, XXIX f (Sperrung C.E.). Ebd., XXX hat Ovb am Rande
nachgetragen: "Für diesen Sinn des Decrets spricht auch, dass die
Fälle, in welchen die AG. die Gesetzesbeobachtung des Paulus hervorhebt ⟨Ovb denkt an die Stellen 16,1-3; 18,18 f; 20,16; 21,17 ff⟩, alle
auf das Decret folgen ... Sie sollen eben beweisen, dass Paulus die
übernommene Verpflichtung eingehalten." Vgl. hierzu ZwTh 1872,
336,1 und Auffassung, 9; 58, wo Ovb die Konsequenzen aus seinem
neuen Verständnis des Aposteldekrets für die Motive der persönlichen
Gesetzesbeobachtung des Pls in der AG zieht und seine frühere Interpretation dieser Motive (s. AG-Komm, 251; 279,2; A 212, zu AG 17,
22-31, n 7) ausdrücklich korrigiert.
44) AG-Komm, XXX.
45) AG-Komm, 226. Ovb bemerkt dort weiter, daß in v 11 die jüdischen
Christen das Hauptsubjekt sind, "so dass hier streng genommen aus
der Gesetzesfreiheit der Judenchristen argumentirt ist". Vgl. überhaupt ebd., 225 f.
46) S. AG-Komm, XXX. -
Den Widerspruch zwischen der Petrusrede und dem Aposteldekret übersieht Ovb weder in der Einleitung noch im Korpus des AG-Komm. Be-

(Zu Kap. IV, 4: S. 121)

zeichnend für seinen Erkenntnisfortschritt ist, daß er sich jeweils in
unterschiedlicher Weise mit dieser Beobachtung auseinandersetzt.
a) In einem Aufsatz aus dem Jahre 1860 hatte Hilgenfeld die Petrusrede und die von dem Aposteldekret vorausgesetzte Gesetzesverpflichtung der Judenchristen miteinander zu harmonisieren versucht: "Die
Grundansicht, von welcher der Apostel-Beschluss ausgeht, ist ...
offenbar nicht judenchristlich, sondern vielmehr paulinisch, weil ihm
die Überzeugung zum Grunde liegt, dass die Seligkeit gar nicht durch
Werke des Gesetzes, sondern lediglich durch die Gnade Christi erreicht wird (Apg. 15,11), dass also das harte Joch der Gesetzes-Be-
obachtung nur als volksthümliche Gewohnheit geborener Juden ohne
höhere Bedeutung fortdauern kann." (Hilgenfeld, ZwTh 1860, 130)
Gegen diese These Hilgenfelds bringt Ovb (AG-Komm, 237) eine Reihe
von Argumenten vor, die insgesamt keinen Zweifel daran lassen, daß
nach seiner Ansicht 1. der Beschluß des Apostelkonzils qualitativ und
quantitativ die vollständige Gesetzesverpflichtung der Judenchristen
impliziert, und daß damit 2. die eigene Konzeption des Verf's der AG
für die jüdischen Christen seiner Gegenwart positiv zum Ausdruck gebracht wird. Freilich sei es eine Inkonsequenz, wenn das Aposteldekret das Gesetz für die Heidenchristen - wenigstens teilweise - auf-
hebe, für die Judenchristen aber in vollem Umfang bestehen lasse; und
ein Widerspruch liege vor, wenn die Petrusrede beide Gruppen "dem
Glaubensprincip gegenüber" (AG-Komm, 237,1) gleichstelle, das De-
kret aber nur die Heidenchristen vom Gesetz (teilweise) entbinde. Dieser Widerspruch und jene Inkonsequenz aber seien nur "natürliche
Folgen davon, dass die AG. eben nicht rein 'paulinisch' ist und den
Satz von der Aufhebung des Gesetzes im Sinne des Paulus gar nicht
mehr anerkennt." (AG-Komm, 237,1; Sperrung C.E.) Das bedeutet:
Nicht der Paulinismus der Petrusrede modifiziert den Sinn der judenchristlichen Gesetzesverpflichtung (wie Hilgenfeld meinte), sondern
umgekehrt: Jene Verpflichtung zeigt, daß der "Paulinismus" des
Verf's gebrochener ist, als es nach den Aussagen der Petrusrede
scheint. Der Paulinismus ist in der AG durch Zugeständnisse an die
Gegenpartei um seine Konsequenz gebracht.
b) In der Einleitung (s. AG-Komm, XXIX f) hält Ovb gegen Hilgenfeld
daran fest, daß die unveränderte Gesetzesverpflichtung der Judenchristen die Voraussetzung des Aposteldekrets ist. Er betrachtet diese
Voraussetzung aber nicht mehr als unbedingt repräsentativ für das eigene Konzept des Verf's der AG von der religiösen Stellung der Judenchristen seiner Zeit. Ovb schreibt: "Mit 15,10 ist das Decret allerdings in
Widerspruch, aber eben deswegen ist es auch nicht an sich schon die
eigene Meinung des Verfassers" (AG-Komm, XXX, 1; Sperrung C.E.).
Für die eigene Zeit akzeptiere er vielmehr den Grundsatz, daß das Gesetz auch die Judenchristen nicht mehr unbedingt verpflichte. Nur "zu
besonderem Zwecke" (AG-Komm, XXX), nämlich zum Zweck der Ju-

(Zu Kap. IV,4: S.121-123)

daisierung des Pls, gebe er diesen Grundsatz für die vergangene, apostolische Zeit preis, und er könne dies, weil die Gesetzesfrage für ihn - im Gegensatz zu Pls - den Charakter einer theologischen Prinzipienfrage verloren habe. - Dem Gedankengang AG-Komm, XXIX f ganz parallel argumentiert Ovb A 212, zu AG 15,10, n 2.

47) AG-Komm, XXX.

48) S. AG-Komm, 39; 52; 62.

49) S. z.B. AG-Komm, 23; 82; 94; 180; 207-209; 367 f; 370 f. Ebd., 209(f), 1 vergleicht Ovb das Verhältnis von Juden- und Heidenmission in Rm 9-11 und in der AG. Dabei kommt er zu dem Ergebnis: Die AG ist "connivent ... gegen das Judenthum als Lehre und feindselig gegen die Juden als Nation"; der historische Pls verhält sich genau umgekehrt "kritisch zum jüdischen Dogma und unbedingt sympathisch zu den Juden als seinen Volksgenossen."

50) AG-Komm, 325. Ebd., 370 nennt Ovb als den hervorstechendsten Charakterzug des Pls in der AG überhaupt, der mit besonderer Schroffheit in der Erzählung vom Prozeß des Pls hervortrete, "die nationale Entfremdung des Paulus von seinem Volke neben seiner dogmatischen Judaisirung". Vgl. ferner ebd., 262; 266(f), 1; 294-296; 321; 367 f; 370 f sowie die unten, 125 ff folgenden Bemerkungen über den politischen Nebenzweck der AG.

51) AG-Komm, XXX.

52) AG-Komm, XXXI. - Es ist nicht zu übersehen, daß schon Ovb's Auslegung von AG 1,1-21,16 nicht erst diejenige des paulinischen Prozesses, ausreichendes Material bietet, um den vorstehenden Einwand gegen Zeller zu stützen. Die gegen die konziliatorische Tendenzbestimmung kritischen Konsequenzen aus dem bereitstehenden Material hat Ovb gleichwohl erst in der Einleitung zum AG-Komm gezogen.

53) S. die oben, 115,38 angeführten Arbeiten.

54) AG-Komm, XXXI.

55) AG-Komm, XXXI. Vgl. ebd., XXXIII-XXXV; Vorl ApZA, SS 1870, Beiblätter zu S.25 f[2] und den daran angeschlossenen Überblick über den Inhalt der AG.

56) AG-Komm, Vorwort, XVI.

57) AG-Komm, XXXI.

58) Vorl ApZA, SS 1870, Beiblatt zu S.25[2] (Sperrung C.E.). Vgl. auch ebd., 71[1] (wo Ovb die AG als "eine Apologie des Paulus und des Heidenchristenthums" bestimmt) und die oben, 110 mitgeteilte These Ovb's, die AG lasse sich "nur unter der Voraussetzung einer paulinisch-apologetischen Tendenz" begreifen (AG-Komm, XXVIII; Sperrung C.E.).

59) S. oben, 117 f.

60) S. AG-Komm, XXII ff; Vorl ApZA, SS 1870, 25[2]; 82[1]; vgl. oben, 82 ff.

61) Es ist jedenfalls schwer miteinander in Einklang zu bringen, daß Ovb einerseits der genannten Beschränkung der judenchristlichen Gesetzes-

(Zu Kap. IV, 4: S. 123-126)

verpflichtung ein so entscheidendes Gewicht für die Bestimmung von Standpunkt und Zweck des Verf's der AG beilegt, andererseits aber behauptet, eben diese Beschränkung sei "gar nicht Gegenstand seiner Reflexion" gewesen (AG-Komm, XXX, 1). Wenn dies letzte tatsächlich der Fall wäre, dürfte man - gerade auch nach Ovb's eigenen Ausführungen AG-Komm, 233; 237 - die Gültigkeit jener Bestimmung nicht so prononciert für die Gegenwart des Verf's in Abrede stellen, wie dies für Ovb's neue Konzeption konstitutiv ist.

62) S. AG-Komm, XXXV-XXXVII.

63) AG-Komm, XXXVI.

64) AG-Komm, XXXVI f.

65) AG-Komm, XXXVI.

66) AG-Komm, XXXVI.

67) AG-Komm, XXXVI (Sperrung C. E.). Vgl. hierzu ebd., LIX, bes. LIX, 2; XXIX; 375; 380, 1.

68) AG-Komm, XXXI.

69) AG-Komm, XXXII, 1. Die folgenden Zitate sind dieser Stelle entnommen.

70) Für dieses Urteil sind die einschränkenden Formulierungen zu beachten, die Ovb AG-Komm, XVI; XXX; XXXI im Zusammenhang der Darlegung seines von Zeller abweichenden Standpunkts gebraucht, insbesondere die Aussage (AG-Komm, XXX): Der nationale Antijudaismus der AG verbietet die Annahme, die AG sei auf Judaisten berechnet, "wenigstens sofern man unter diesen als Juden geborene Christen versteht." Hinzu kommt der Sachgehalt der Tendenz, wie Ovb ihn AG-Komm, XXXIII - XXXVII entwickelt.

71) AG-Komm, XXXII.

72) AG-Komm, XXXIII. Vgl. Vorl ApZA, Beiblatt zu S. 25 f[2].

73) S. AG-Komm, 274, 2; 278; 280; 286(f), 1.

74) S. AG-Komm, 213; 278; 321.

75) S. AG-Komm, 276; 289.

76) S. z. B. AG-Komm, 119; 128; 207 ff; 211 Rd; 255; XXXV. Daß die AG mit dieser Darstellung auch heidnische Leser im Blick hat, wenngleich nicht unter dem Aspekt einer Verteidigung des Heidenapostolats, spricht Ovb mehrfach aus: s. AG-Komm, XXXII; Vorl ApZA, Beiblatt zu S. 25 f[2]; Vorl Kampf, 185 f; 192; vgl. ZwTh 1872, 339.

77) S. AG 10, 1 ff; 13, 6 ff und dazu AG-Komm, XXXII.

78) Vorl Einl II, 988.

79) S. AG-Komm, XXXII; 367 f; 370 f; Vorl Kampf, 187 ff.

80) AG-Komm, XXXII.

81) Politische Anklagen werden erhoben 16, 20 f; 17, 6 f; 25, 7 f. 24, 5 versteht Ovb nicht politisch (s. AG-Komm, 412); 18, 13 hält er für zweideutig (s. AG-Komm, 294). Die Grundlosigkeit aller politischen Verdächtigungen des Pls wird von heidnischer Seite 18, 14 f; 23, 29; 25, 18 f konstatiert. Von 16, 20 f ist abgesehen, wenn Ovb AG-Komm, XXXIII, 2

(Zu Kap. IV, 4: S. 126-127)

    feststellt, die AG lege "politische Beschuldigungen gegen Paulus nur Juden in den Mund ..., wogegen sie Heiden verwerfen". - Vgl. zur Zurückweisung politischer Verdächtigungen in der AG schon Zeller, AG, 364 ff (s. Ovb's eigenen Verweis AG-Komm, 271 !); Hilgenfeld, ZwTh 1858, 594, 2. Angesichts der von Zeller und Hilgenfeld vorgetragenen Beobachtungen ist es korrekturbedürftig, wenn Ovb Vorl Einl II, 987 behauptet, die politische Seite der AG sei "in der Baur-Zeller'schen Auffassung des Buchs ... ganz übersehen" worden.

82) Vorl Kampf, 192 f. AG-Komm, XXXIII Rd hat Ovb zur Abweisung politischer Verdächtigungen nachgetragen: "Die Taktik der AG. ist hier ganz die, welche wir bei den Apologeten vorauszusetzen haben, die den Kaiser Hadrian mit der Klage angingen ὅτι δὴ πονηροί τινες ἄνδρες τοὺς ἡμετέρους ἐνοχλεῖν ἐπειρῶντο (Eusebius, KG, IV, 3, 1)."

83) S. AG-Komm, 267 A; 294; 321; 325 f; 371 ; Vorl ApZA, Beiblatt zu S. 25 f[1]; Vorl Kampf, 177; ZwTh 1872, 341; Vorl Einl II, 987 f.

84) Vorl ApZA, 298 f. Vgl. auch AG-Komm, 267 A; 367 f; Vorl Kampf, 187.

85) S. AG-Komm, 419 f; 451; 461; 471 f; 482 ff.

86) Vorl Kampf, 193. Vgl. schon de Wette[4], 295 = [3], 142.

87) AG-Komm, 267 A.

88) S. AG-Komm, 261 f; 394 f. Ebd., XXXII hat Ovb zu 16, 18 ff am Rande nachgetragen: "Als Jude nur erleidet Paulus bei den Heiden Gewalt (16, 21 f⟨ϕ⟩), als Römer findet er Schutz (16, 37 ff)."

89) Ovb hegt vorsichtige Zweifel an der Historizität sowohl des römischen Bürgerrechts des Pls (s. AG-Komm, 266(f), 1; 429 f) als auch seiner Herkunft aus Tarsus. Im Blick auf den Geburtsort des Pls scheint Ovb geneigt, der Nachricht des Hieronymus (de vir. ill. , 5) über die Geburt des Pls in Gischala den Vorzug zu geben: s. AG-Komm, 370, 1; Vorl ApZA, 226; A 212, s v AG 21, 27-26, 32. Der Process des Paulus. Kritik, S. 10 (die Angabe des Hieronymus verdient "alle Beachtung").

90) S. AG-Komm, XXXII f.

91) S. dazu oben, 114 und Ovb's zusammenfassende Charakteristik des Prozeßberichts AG-Komm, 365-367; 370.

92) ZwTh 1872, 445. - Eine bemerkenswerte Sachparallele zu diesem Urteil Ovb's findet sich in Conzelmanns Besprechung der 12. Aufl. des Kommentars von Haenchen. Die Bestimmung der politischen Apologetik bei Haenchen (s. z. B. Haenchen[12], 91 f; 477 f; 619 ff) bezeichnet Conzelmann als verfehlt. Er schreibt: "Mit Loisy und anderen deutet sie H. so: Lukas wolle das Christentum dem römischen Staat empfehlen, indem er es als das wahre Judentum darstelle. Dadurch wolle er seine Anerkennung als religio licita erreichen. Dies ist eine zur wissenschaftlichen Legende gewordene Behauptung, die sich nicht aus dem Texte begründen läßt. ... Die Texte ergeben vielmehr, daß Lu-

(Zu Kap. IV, 4: S. 127-128)

kas doppelt argumentiert: einmal grundsätzlich heilsgeschichtlich, für den <u>innerkirchlichen Gebrauch</u>; hier zeigt er die heilsgeschichtliche <u>Kontinuität</u> von Israel und Kirche. Einmal aktuell-apologetisch, an die Adresse des <u>Imperiums</u>; hier <u>distanziert</u> er die Kirche von den 'Juden'. Der Begriff der religio licita war ihm unbekannt, weil es ihn gar nicht gab (er ist von Tertullian einmal ad hoc formuliert worden). ... Wie stellt man sich übrigens die Empfehlung des Christentums als Judentum zur Zeit eines Domitian (!) vor?" (ThLZ 1960, 244 f) Vgl. Conzelmann, Mitte der Zeit[3], 128 ff; Kommentar, 10.

93) S. Schneckenburger, 232; 244 ff. Zeller sah in der These Schneckenburgers eine akzeptable Vermutung; s. AG, 368.

94) AG-Komm, LXIII, 1. Gegen Schneckenburger nimmt Ovb auch ebd., XXXIII, 2 Stellung.

95) S. dazu außer der vorangehenden Übersicht AG-Komm, LXIII, 1. Ovb fährt dort nach Zurückweisung der Deutung Schneckenburgers, wonach die Christen zur Zeit der AG "noch einen Werth darein" setzten, "obgleich unbeschnitten als Juden" angesehen zu werden (Schneckenburger, 232), mit der Antithese fort: "Vielmehr legt die AG. für die Christen <u>auf das Gegentheil Werth,</u> und zwar gerade indem sie die Christen als die allein wahren Erben der alttestamentlichen Offenbarung darstellt" (Sperrung C.E.).

96) A 212, s v AG 21, 27-26, 32. Der Process des Paulus. Kritik, S. 10. Vgl. AG-Komm, 440 f zu 26, 17.

97) AG-Komm, 262.

98) S. AG-Komm, 295 f.

99) S. AG-Komm, 323-325.

100) Vorl Kampf, 192 f (Sperrung C.E.).

101) S. ZwTh 1872, 341 f. Vgl. Diognet, 19 (= Studien, 29); Studien, 101 ff; Vorl Kampf, 163 ff.

102) AG-Komm, LXIV.

103) AG-Komm, LXIV f.

104) AG-Komm, LXV. Vgl. Vorl Kampf, 192; Vorl AK, 384 f. Zu Ovb's Auswertung der historischen Einordnung der AG für die Frage nach ihrem Entstehungsort s. AG-Komm, LXIX. - Daß die Geschichtserzählung der AG auch eine politische Seite hat, ist bereits Ovb's Auslegung von AG 1, 1-21, 16 zu entnehmen (s. AG-Komm, 266 f; 270 f; 294-296; 321; 324 f). Trotzdem haben wir den politischen Nebenzweck erst hier, im Rahmen von Ovb's neuem Gesamtverständnis der AG, dargestellt. Der Grund dafür liegt einmal in der engen Verzahnung von politischer Tendenz und nationalem Antijudaismus (vgl. oben, 121). In Betracht kommt außerdem, daß die der These vom schroff heidenchristlichen und schlecht paulinischen Standpunkt der AG parallelgehende historische Auswertung des politischen Zwecks, wonach die AG als Vorläufer der apologetischen Literatur des 2. Jahrhunderts erscheint, erst in der Einleitung zum AG-Komm begegnet. Der für Ovb's

(Zu Kap. IV, 4: S. 128)

neues Gesamtverständnis kennzeichnende Satz, die AG nehme "zu Judenthum und Heidenthum schon ... die charakteristische Stellung der alten Kirche überhaupt" (AG-Komm, XVI) ein, basiert neben anderem auch auf einer neuen Einschätzung der bereits in der Auslegung von AG 1, 1-21, 16 vorliegenden exegetischen Beobachtungen zum politischen Nebenzweck des Buchs. S. im übrigen unten, 150!

(Zu Kap. IV, 5: S. 129-131)

1) ZwTh 1871, 154. Vgl. Hilgenfelds Brief an Ovb vom 10.8.1870: "... aber den konziliatorischen Zweck, die Unionsrichtung dieses Paulinismus muß ich gegen Sie verteidigen" (Overbeckiana I, 91).

2) S. Hilgenfeld, ZwTh 1860, 126 ff und dagegen Ovb, AG-Komm, 230 f; 237; XXX, 1. Ein Ausschnitt aus dieser Auseinandersetzung wurde oben, 121, 46 angesprochen. Auf Hilgenfelds Ausführungen zu AG 15 in ZwTh 1871, 155-157 ging Ovb nur noch kurz ein: s. ZRGG 1954, 56; ZwTh 1872, 334, 2.

3) S. oben, 122 ff.

4) S. Hilgenfeld, ZwTh 1871, 154.

5) Hilgenfeld stellt den nach Ovb's Auffassung in der AG vorliegenden Versuch des Heidenchristentums, sich mit seiner eigenen Entstehung auseinanderzusetzen, als Folge des schlecht-paulinischen Charakters dieses Heidenchristentums hin: Der Paulinismus des Verf's der AG war so unrein, daß der Verf "selbst das Bedürfniss fühlte, seinen unreinen Paulinismus mit der Geschichte der apostolischen Zeit zu vereinbaren." (ZwTh 1871, 154) Es wird unten gezeigt werden, daß die Nötigung, jene Auseinandersetzung vorzunehmen, dem Verf der AG - wiederum Ovb zufolge - nicht aus seiner eigenen Entfremdung von Pls erwuchs; s. unten, 130 ff; 133 ff.

6) Hilgenfeld, ZwTh 1871, 154 f.

7) S. oben, 122 ff.

8) Hilgenfeld, ZwTh 1871, 155.

9) Hilgenfeld, ZwTh 1871, 155.

10) Hilgenfeld, ZwTh 1871, 155.

11) Hilgenfeld, ZwTh 1871, 157.

12) S. ZRGG 1954, 55-58. Hilgenfeld hatte Ovb seine Rezension vor deren Erscheinen zugesandt.

13) ZRGG 1954, 55.

14) ZRGG 1954, 55. Ovb fährt fort: "Am meisten hätten noch Marcion und sein Anhang Anspruch auf dieses Prädicat, wenn sie nun doch nicht wieder in der Auffassung des A.T.'s mit Paulus so fundamental auseinander gingen." (Ebd.) Vgl. Vorl ApZA, 340 ff; Diognet, 39; A 233, s v Paulus und die Gnostiker, n 4; Vorl Einl II, 971 f.

15) ZRGG 1954, 55.

16) ZRGG 1954, 55.

(Zu Kap. IV, 5: 131-132)

17) ZRGG 1954, 56.

18) AG-Komm, XXXII, 1 taucht diese Möglichkeit freilich schon am Horizont auf, insofern Ovb Justin und die Gnosis als Belege dafür nennt, daß die Anschauungen der AG das Heidenchristentum ihrer Zeit nicht ausschließlich beherrschen. S. oben, 124 f.

19) S. AG-Komm, 349-351. Gegen den Protest Hilgenfelds (ZwTh 1871, 157: gemeint seien "antipaulinische Judaisten") hat Ovb in seinem Brief vom 17.11.1870, allerdings "nicht ganz zuversichtlich", an seiner Deutung festgehalten (ZRGG 1954, 56). Vgl. auch ZwTh 1872, 347 und die folgende Anmerkung.

20) So AG-Komm, LXV; Vorl ApZA, SS 1870, 83 f[1]; Vorl AG, 152; Vorl Einl II, 992 f. An den beiden zuletzt genannten Stellen vertritt Ovb die Beziehung von AG 20,29 f auf Gnostiker nur mit einer gewissen Reserve. Andererseits hat er AG-Komm, LXV als einen weiteren Beleg dafür, daß die AG schon den Gnostizismus voraussetzt, AG 8,10 am Rande nachgetragen.

21) Vgl. oben, 69 f.

22) S. Schrader, 518; 543; 546 f u.ö.; Ritschl, Th Jbb 1847, 293 ff.

23) AG-Komm, LXV. Wenn Ovb hier weiter die Vermutung äußert, daß "der sonstige Mangel an Berücksichtigung" des Gnostizismus "in der AG. an der Form des Buchs hängen könnte", so bedeutet das doch wohl eine Unterschätzung der schriftstellerischen Möglichkeiten des Verf's der AG. Warum sollte in einem Buch, das die apostolische (nach Ovb: vorgnostische) Zeit zum Thema hat, der Streit mit der Gnosis unberücksichtigt bleiben, wenn er zur Zeit des Verf's schon entbrannt war und, wie vorauszusetzen ist, durchaus auch um das Verständnis der apostolischen Tradition geführt wurde?

24) A 233, s v Paulus (Erfolge), n 3. Ovb spielt hier an auf Ritschl, Altk Kirche[2], 293.

25) ZRGG 1954, 56.

26) ZRGG 1954, 55 (Sperrung C.E.). Mit Recht beanstandet Ovb übrigens, auf sein Hauptargument hierfür, den nationalen Antijudaismus der AG, sei Hilgenfeld nicht eingegangen (s. ebd.; vgl. bei Hilgenfeld lediglich die Erwähnung ZwTh 1871, 154).

27) ZRGG 1954, 56.

28) S. ZRGG 1954, 55.

29) S. ZRGG 1954, 56.

(Zu Kap. IV, 6: S. 132-133)

1) S. Ovb's Brief an Hilgenfeld vom 5.8.1870 ZRGG 1954, 53 f; vgl. dazu AG-Komm, XXXII,1; LXV.

2) S. Ovb's Brief an Hilgenfeld vom 13.8.1871 ZRGG 1954, 58.

3) Die Affinität der Theologie Justins zu judenchristlicher Denkweise war bereits vor dem Auftreten der Tübinger Schule mehrfach (s. die von

(Zu Kap. IV, 6: S. 133)

Semisch, Justin II, 233, 1 Genannten), am entschiedensten von Credner, Beiträge zur Einleitung in die biblischen Schriften I. Die Evangelien der Petriner oder Judenchristen. Halle, 1832, 92 ff behauptet
worden. An Credner knüpfte - dessen Position radikalisierend - Schweg
ler an, der Justin der ersten Stufe der judenchristlichen Entwicklungs-
reihe der römischen Kirche zuwies (s. NachapZA I, 359 ff). Baur be-
handelte Justin in dem Abschnitt über den "Gegensatz des Paulinismus
und Judaismus und seine Ausgleichung in der Idee der katholischen
Kirche", jedoch nicht, wie es Schwegler entsprochen hätte, unter der
Rubrik: "I. Die Gegensätze", sondern unter "II. Die Vermittlung"
(s. Christenthum, 135 ff): Bei Justin ist "nur noch nicht ausgesprochen und offen erklärt, was gleichwohl der Sache nach schon vorhanden ist, das katholische Christenthum mit seiner Ausgleichung der
Differenzen und Parteirichtungen, welche bisher einander noch gegen-
überstanden." (Ebd., 140)

Gegen die von Credner verfochtene Nähe Justins zum Judenchristentum
legte bereits 1842 Semisch Protest ein: "Justin ist Nichts weniger als
ein Freund des sektirerischen Judenchristenthums, er gehört ...
durch und durch zur Zahl der gemäßigten Pauliner." (Semisch, Justin
II, 233) Wie Semisch lehnte auch Ritschl die judenchristliche Deutung
Justins ab. Ritschls Justinverständnis ist ein exakter Reflex seiner
der Tübinger Schule entgegengestellten Interpretation der Genesis der
altkatholischen Kirche. Wie die altkatholische Kirche nicht das Resultat der allmählichen Ausgleichung von Paulinismus und Judenchristentum ist, sondern ein Produkt allein des - freilich sich von Pls wegbe-
wegenden - Heidenchristentums, so insbesondere auch die Theologie
Justins: s. Altk Kirche[2], 308-311 (vgl. die Zustimmung Semisch'
RE[1] 7, 184). Die Arbeiten von Engelhardts (Christenthum Justins;
RE[2] 7, 318 ff) bilden in der Hauptsache eine weitere Ausgestaltung und
Präzisierung der Konzeption Ritschls. Im Unterschied zu von Engelhardt bleibt Ovb - trotz seiner Abkehr von der Tübinger Schule - dadurch in einer gewissen Distanz zu Ritschl, daß er an judenchristlichen Einflüssen auf die entstehende altkatholische Kirche und namentlich auch auf die Theologie Justins ausdrücklich festhält (s. die folgenden Ausführungen im Text und unten 137, 14). Insofern hat von
Engelhardt durchaus recht, wenn er Ovb's Beurteilung Justins eine
"eigenthümliche Mittel-Stellung zwischen Credner und Ritschl" zuweist (Christenthum Justins, 58).

4) Ovb behauptet dies nicht nur für die Gesetzesfrage, sondern namentlich auch für den Universalismus als solchen. S. A 233, s v Paulus
(Universalismus), n 1. (Geringfügig modifiziert findet sich die gleiche Notiz auch Chr u K, 61 f.) Zur lebenslangen Bindung des Pls nach
"Glaube, Denkart und Bildung" an das Judentum und zu seiner schroffen Distanz gegenüber allem Heidnischen s. ZwTh 1872, 320 f. Ovb
hat an dieser Grundansicht während aller Phasen seiner Wirksamkeit

(Zu Kap. IV, 6: S.133-135)

festgehalten: S. Vorl ApZA, WS 1868/69, 239; LC 1870 (Rez Krenkel),
267; ZwTh 1872 (Rez Grau), 445; Vorl AK, 220; 231 f; A 233, s v
Paulus und das Judenthum, passim; ebd., s v Paulus (Kritik), passim;
ebd., s v Paulus. Reformatorische Auffassung, n 2; ebd., s v Paulus
(Universalismus), n 1. Vgl. auch Chr u K, 55 f; 61-63; ferner unten,
136 f.

5) Vorl AK, 281.
6) ZwTh 1872, 348. Zum nationalen Antijudaismus der Heidenchristen
im zweiten Jahrhundert vgl auch Diognet, 19; 22 f; Vorl AK, 244; 321.
7) Diognet, 33. Vgl. AG-Komm, 421; Entstehung, 8 f; Vorl AK, 231 f.
8) ZwTh 1872, 349. Vgl. auch Vorl AK, 232-234; Vorl Gal[2], 53-55.
9) S. ZwTh 1872, 349. Vgl. ferner: Vorl ApZA, WS 1868/69, 340-342;
AG-Komm, XXXI f; Vorl AK, 231 ff. - Die vorstehenden Bemerkungen über das Schicksal des 'Paulinismus' im nachapostolischen Zeitalter beziehen sich auf die Zeit, in der es noch keinen neutestamentlichen Kanon gab. Inwiefern eine Änderung eintrat, nachdem sich gegen Ende des zweiten Jahrhunderts der neutestamentliche Kanon fest-
gesetzt hatte "und auch den paulinischen Briefen oder doch ihrem Buchstaben durch Aufnahme eine ewige Gegenwärtigkeit in der Kirche ge-
sichert" war (Diognet, 39), erörtert Ovb Diognet, 39-41. Vgl. Auffassung, 14 f.
10) ZwTh 1872, 349. Vgl. ebd., 321. Ganz ähnlich urteilt Ritschl über
Justin: "Indem seine religiösen Grundanschauungen dem herabgekommenen Paulinismus des römischen Clemens am nächsten stehen, hat
er ... das Verhältniß des Christenthums zum mosaischen Gesetze
vorläufig abschließend auf den Ausdruck gebracht, welcher für die
katholische Kirche der normale wurde und blieb." (Altk Kirche[2], 298)
Vgl. zum Stichwort "Degeneration" ebd., 280; 288.
11) S. ZwTh 1872, 343; vgl. AG-Komm, XXXIII.
12) ZwTh 1872, 348.
13) S. ZwTh 1872, 344 f.
14) ZwTh 1872, 343.
15) Für beide Momente konnte sich Ovb auf H.D.Tjeenk-Willink, Justinus
Martyr in zijne verhouding tot Paulus. Zwolle, 1867, 123 ff berufen.
(Von dieser Untersuchung hatte Ovb im Zuge der Vorarbeiten zu seiner Abhandlung eine vollständige deutsche Übersetzung angefertigt;
s. A 170; vgl. ZRGG 1954, 57.)
16) S. ZRGG 1954, 56 und oben, 131 f.
17) S. ZwTh 1872, 344; ZRGG 1954, 56.
18) S. ZwTh 1872, 343,2. Vgl. auch unten, 137,14.
19) S. ZwTh 1872, 343 f.
20) ZwTh 1872, 344 (Sperrung C.E.).
21) So Ovb's These AG-Komm, XXXII,1.
22) ZwTh 1872, 335,1; vgl. ZRGG 1954, 55.
23) ZwTh 1872, 335,1.

(Zu Kap. IV, 6: S. 135)

24) ZwTh 1872, 343 (Sperrung C. E.). Vgl. auch ebd. , 335, 1. Zu beachten ist, daß Ovb nicht nur dem Justin Interpretationshilfe für die AG entnimmt, sondern auch das Umgekehrte stattfindet. Der zitierte Satz begründet nämlich in dem Zusammenhang, dem er entnommen ist, die These, daß die Annahme judaistischer Einflüsse auf Justin "im Allgemeinen ... keiner Rechtfertigung" bedürfe, "da sie ganz auf der Fährte liegt, auf die uns schon die AG. führt." (ZwTh 1872, 343)

(Zu Kap. IV, 7: S. 135-137)

1) Vgl. hierzu und zu dem folgenden Überblick insgesamt Vorl Einl II, § 9, 4 (Absicht und Standpunkt der AG), 930 ff; Vorl AG, § 5 (Zweck der AG), 124 ff.

2) Spätestens seit der Vorl Gal^2 unterschied Ovb unter den Opponenten des Pls eine schroff feindliche und eine konziliante Richtung; s. Vorl Gal^2, 69-79. Ovb übernahm mit dieser Unterscheidung eine These, die er früher als apologetisch gebrandmarkt hatte (s. z.B. AG-Komm, 220). Vgl. zum Problem Kümmel, NT, 191 ff; 201 ff.

3) Vorl Einl II, 946.

4) A 217, s v Apostolisches Zeitalter. Gegensätze. Kritik, n 2.

5) Vorl Einl II, 959. Vgl. A 222, s v Evangelien. Kanonische. Tendenzkritik, n 2.

6) Vorl Einl II, 960. Vgl HZ 1880 (Rez v. Engelhardt), 499; GGA 1882 (Rez Keim), 55 f.

7) Vgl. Overbeckiana II, 126.

8) Vorl Einl II, 962.

9) S. Vorl Einl II, 934; 962 ff.

10) S. A 217, s v Apostolisches Zeitalter. Gegensätze. Kritik, n 1: "Es ist gewiss falsch und eine Nachwirkung des Wortkrams der Hegelschen Philosophie, wenn Baur und seine Schüler die altkatholische Kirche als die höhere Einheit der Gegensätze des apostolischen Zeitalters fassen. Nicht versöhnt, sondern vergessen hat die altkatholische Kirche jene Gegensätze, weil sie in der That für sie gleichgültig geworden waren. Die Alleinherrschaft des Heidenchristenthums entschied die Sache factisch und machte jenes Vergessen möglich, ohne welches es nie zu einer Kirche hätte kommen können." Vgl. Vorl Einl II, 964; HZ 1880 (Rez. v. Engelhardt), 500.

11) S. gegen Ritschl: A 235, s v Ritschl, altkatholische Kirche. Zweite Auflage. Vermischtes, S. 3 f; gegen v. Engelhardt: HZ 1880, 501. Vgl. ferner Vorl Einl II, 965 ff; Vorl AG, 141 ff.

12) S. Vorl Einl II, 969.

13) S. Vorl Einl II, 969 ff; Vorl AG, 141 ff.

14) Das genannte Problem wird bereits in einer Auseinandersetzung, die sich an Ovb's Aufsatz ZwTh 1872 anschloß, deutlich ausgesprochen.

(Zu Kap. IV, 7: S.137)

Diese Auseinandersetzung verdient auch deswegen Beachtung, weil sie
eine sehr exakte Einordnung Ovb's in die Forschungsgeschichte der
zweiten Hälfte des 19. Jahrhunderts erlaubt.
Wir zeigten oben (S.134), daß Ovb in ZwTh 1872 Justins konsequentes
Schweigen von Pls auf eine feindselige Haltung dem Apostel gegenüber
zurückführte. Demgegenüber machte Harnack in seiner Habilitationsschrift - wie schon vorher Ritschl, Altk Kirche[2], 309 f in seiner Frontstellung besonders gegen Schwegler - die Theorie Semisch' (s. Justin
II, 237-239) sowohl für die Apologien wie für den Dialog erneut geltend: "Man wird sicherlich nicht aus dem Schweigen Justin's über Paulus in jenen Gelegenheitsschriften mit Ovb sofort schliessen dürfen,
dass Justin an Paulus irre geworden sei ..., oder dass er ihn feindselig ignorire" (Quellenkritik, 86 f). Es sei vielmehr das Nächstlie-
gende, anzunehmen, "dass der Zweck, den Justin in jenen Schriften
verfolgte, die Anrufung der Autorität des Paulus entweder unnöthig -
so in den Apologieen - oder unrathsam - so in dem Dialog - gemacht
hat." (Ebd., 87)
In seinem Aufsatz über das Muratorische Fragment kam Harnack auf
das Problem erneut zu sprechen. Bei Gelegenheit seiner Interpretation des Paulusabschnitts zeichnete er folgendes Bild des Paulus-Ver-
ständnisses und der Paulus-Bedeutung im 2. Jahrhundert: Als selbstverständlich habe man vorausgesetzt, daß Pls sich an das Vorbild der
zwölf Apostel angeschlossen habe und in seiner Tätigkeit nach diesem
Vorbild zu beurteilen sei. Die Ansprüche des historischen Pls seien
ohne Frage ignoriert worden. Dieser Umstand sei freilich nicht das
Resultat einer Agitation von seiten der Judenchristen und einer tendenziösen Apologetik von seiten der Heidenchristen. Vielmehr reflek-
tiere sich in ihm nichts anderes als die Eigenart der theologischen Anschauungen und Bedürfnisse der heidenchristlichen Kirche: Diese habe
im Falle der Urapostel mangels Überlieferung die Freiheit gehabt,
"sich ein beliebiges Bild ... zu zeichnen", und sie sei im Falle des
Pls stark genug gewesen, die teils unverständliche, teils ungenügen-
de oder unbrauchbare originale Tradition zu verdrängen (ZKG 1878/79,
381; vgl. ebd., 380-382). Dieser Auffassung Harnacks entspricht die
zwar nicht ausdrücklich, aber deutlich genug gegen Ovb's Aufsatz
ZwTh 1872 gerichtete These: Wir besitzen "kein Zeugnis darüber,
dass Paulus in den Kreisen der Grosskirche zur Zeit der apostolischen Väter und Justin's irgendwo feindselig ignorirt worden sei."
(Ebd., 376) Woher, erläutert Harnack, sollte solche Feindseligkeit
auch kommen? "Will man auf die Einflüsse des Judenchristentums re-
curriren, so müsste man bis auf das apostolische Zeitalter hinaufge-
hen und annehmen, dass die Heidenkirche die Aversion gegen Paulus
ohne ihre ursprüngliche Begründung übernommen hat: die Sache wäre
geblieben, während das Motiv sich geändert; denn directe Einflüsse
des Judenchristentums auf die Heidenkirche sind schon für die Zeit

(Zu Kap. IV, 7: S. 137)

des Justin, ja noch früher, nicht mehr nachweisbar." (Ebd. , 376, 2)
Lediglich gleichgültiges Ignorieren des Pls und seiner Predigt könne
daher zugestanden werden, nicht aber Feindseligkeit.

Harnacks Einwände treffen ohne Zweifel einen neuralgischen Punkt der
Konzeption Ovb's. Läßt es sich vorstellen, daß gegenüber der AG bei
Justin ein judaistischer Einfluß statthatte, der Justin gegen die Person
des Pls feindlich stimmte, wenn sich zugleich in der Behandlung der
Gesetzesfrage von solchem Einfluß keine Spur, ja sogar eine gegen-
läufige Entwicklung zeigt (s. ZwTh 1872, 344 f)? Kann man sich dies -
so wäre der Einwand gegen die Antwort Ovb's noch zuzuspitzen - insbesondere dann vorstellen, wenn die Paulusfeindschaft Justins exemplarisch für eine Konzeption steht, welche die AG zu ihrer tendenziösen Paulusapologetik nötigte, diese Apologetik aber auf die untadelige
Gesetzesfrömmigkeit des Judenchristen Pls abzielt?
Wie ist eine theologische Position zu denken, die in Sachen alttesta-
mentliches Gesetz die Prinziplosigkeit mit der AG teilt, zugleich aber
durch judaistische Einflüsse in der Weise an der Person des Pls irre
geworden ist, daß sich dem nur mittels tendenziöser Unterwerfung des
Pls unter das alttestamentliche Gesetz beikommen läßt?
So dringlich diese Fragen zu sein scheinen, so auffällig ist, daß Ovb
den eigentlichen Kern des Problems auch auf die Kritik Harnacks hin
nicht noch einmal diskutiert hat. In seiner Rezension der Habilitationsschrift Harnacks wiederholte Ovb nur, was er schon ZwTh 1872, 343, 2
gegen Semisch bemerkt hatte: Die "alte Erklärung" für das Schweigen
Justins von Pls gelte ihm "keines Wortes der Widerlegung werth."
(LC 1874, 586) In seiner Stellungnahme zu Harnacks Aufsatz über das
Muratorische Fragment (A 233, s v Paulus (Gegner), n 2) beschränkte er sich darauf, an "der Behauptung einer 'feindseligen' Ignorirung
des Paulus im zweiten Jahrhundert" als solcher festzuhalten und ihr
"einen möglichst bestimmten Sinn zu geben." Ovb notierte: "Wenn ich
also so z. B. von Justin's Ignorirung des Paulus rede (z. B. in Hilgenfelds Zeitschrift 〈ZwTh〉1872, S. 343, wo das 'jedenfalls' allerdings
zu viel ist), so meine ich, dass bei ihm noch der ebionitische Hass
gegen Paulus nachwirkt, und sein Verhalten zu Paulus nicht unbeein-
flusst ist von der judaistischen Gegnerschaft, die einst Paulus selbst
zu bekämpfen hatte." Der Ebionitismus sei unter Heidenchristen i.
g. zwar ohnmächtig gewesen und geblieben - aber "damit ist durchaus nicht ein noch bis Justin doch fortdauernder gewisser Einfluss
ausgeschlossen."

Ovb schließt seine Kritik mit einer Feststellung, die - vollends, wenn
man sie mit einem anderwärts geäußerten Urteil über Hilgenfeld zu-
sammennimmt - die forschungsgeschichtliche Position Ovb's zwischen
der Tübinger Schule und Harnack treffend erhellt. Über Hilgenfeld ur-
teilte Ovb im Blick auf dessen Ansichten über den 2. Clemensbrief,

(Zu Kap. IV, 7: S. 137-138)

der "verdiente Gelehrte" scheine "eben ... noch einigermaßen in den zur historischen Analyse der altkatholischen Kirche nun einmal ganz unzureichenden Gegensatz des Paulinismus und Judaismus verstrickt" (ThLZ 1877, Rez Hilgenfeld u. a. , 288). Am Schluß der Kritik Ovb's an Harnack steht der Satz: "Weil Baur und seine Schüler die historische Bedeutung des Ebionitismus stark überschätzt haben, darf man sie noch nicht ebenso übertreibend negiren."

15) S. Vorl Einl II, 955 ff; Vorl AG, 135 ff. Zu den schon bekannten, auf der Auslegung des Aposteldekrets und dem nationalen Antijudaismus der AG basierenden Gegenargumenten gesellt Ovb als ein neues die These: Bei der Annahme einer konziliatorischen Tendenz werde der AG "eine höchst künstliche Stellung gegeben und eine solche, von der wir uns keine wirklich historische Anschauung machen können." Denn: "Wir haben historisch keine Kenntniss durch andere Denkmäler ... von der Existenz eines solchen zwischen judenchristlichen Petrinern und heidenchristlichen Paulinern vermittelnden ... Standpunkts." (Vorl Einl II, 958; vgl. Vorl AG, 124 f; 138)

16) Vorl Einl II, 975 (Sperrung C. E.); vgl. Vorl AG, 125; 145 f.

17) Vorl AG, 125. Vgl. hierzu Jülichers Erörterung der Tendenz der AG (Jülicher[1.2], 262-265), worin der markante Satz steht: "... nicht Paulus wird judaisirt, nicht Petrus paulinisirt, sondern Paulus und Petrus lucanisirt, d.h. katholisirt" (ebd., 263). Am 30.6.1894 schrieb Ovb an Jülicher: "Ich habe ... über den 'Zweck der A⟨postel⟩G⟨eschichte⟩' noch nichts gelesen, womit ich so vollkommen übereinstimmte, wie mit dem, was ... darüber bei Ihnen S. 262 ff zu lesen steht." (ZKG 1965, 312)

18) Die AG denkt schroff heidenchristlich und zugleich schlecht paulinisch (s. Vorl AG, 148). Sie anerkennt das Resultat der Wirksamkeit des Pls, nämlich das Heidenchristentum, dem sie selbst angehört, nicht aber mehr dessen ursprüngliche Begründung (s. ebd.). Anders gesagt: Vom paulinischen Evangelium anerkennt die AG einzig seinen Universalismus; die paulinische Verkündigung des Kreuzes Jesu und die darauf gegründete Rechtfertigungslehre sind vergessen (s. Vorl Einl II, 759 ff; Vorl AG, 125; A 207, s v Lucasevangelium (Paulinismus). Allgemeines, n 8). Von der Wirksamkeit des Pls zeigt die AG "nur ihre dem Universalismus parallele Extension"; die "innere Seite der Sache, das Eindringen in seine apostolische Thätigkeit unter schon Bekehrten" fehlt (A 211, s v AG (Allgemeines), n 2). Die AG ersetzt die theologischen Motive der paulinischen Mission durch den Unglauben der Juden und durch himmlische Offenbarungen (s. Vorl Einl II, 982); sie läßt zudem Pls auf seinen Reisen nur fortsetzen, was bereits vor ihm begonnen und legitimiert wurde (s. Vorl Einl II, 982 f).

19) Vorl Einl II, 985.

20) Ovb schreibt: "Im Grunde nur darin erweist sich die AG. als das Erzeugniss eines noch früheren Zeitalters, dass sie den Paulus noch zu

(Zu Kap. IV, 7: S. 138-139)

vertheidigen hat." (Vorl Einl II, 985) Dieser Satz ist allerdings selt-
sam, wenn man bedenkt, daß nach ZwTh 1872 die judaistischen Einflüsse von der AG auf Justin in bezug auf die Diskriminierung der Person des Pls Fortschritte gemacht haben, die Notwendigkeit, Pls zu
verteidigen, im gleichen Zeitraum also gewachsen sein müßte; diese
Notwendigkeit könnte so betrachtet also kein Anzeichen eines noch
früheren Zeitalters sein. Doch ist solche Inkonzinnität nur ein untergeordnetes Indiz für die Komplikationen, denen Ovb durch die Art, in
der er an indirekt-judaistischen Einflüssen auf das Paulusbild des zweiten Jahrhunderts festhält, überhaupt ausgesetzt ist.

21) Vorl Einl II, 986 (Sperrung C. E.).

22) Vorl AG, 127 (Sperrung C. E.).

23) S. Vorl Einl II, 986.

24) S. Vorl AG, 146 f; 149.

25) Vorl AG, 125; vgl. oben, 137.

26) Ein analoges Problem stellte sich - freilich noch auf einer anderen
Ebene, nämlich vor der in ZwTh 1872 erreichten abschließenden Fassung von Ovb's neuem Gesamtverständnis - bereits früher, s. oben,
122 ff.

27) Vorl Einl II, 986.

28) Vorl Einl II, 987. Vgl. A 233, s v Paulus (Briefe). Hauptbriefe. Echtheit. Bestreitung, n 2.

29) Vgl. z. B. Vorl AG, 592 ff (zu Stephanus und den Hellenisten); ebd.,
627 f (zu Samarien); ebd., 101 f; 654 ff (zu AG 8, 9 ff); ebd., 688 ff
(zur Bekehrung des Pls); ebd., 706 ff; 770 f; 783 (zu AG 9, 19b-30);
ebd., 749 ff (zur sog. 2. Jerusalemreise); ebd., 790 (zu AG 13, 46 f);
ebd., 798 ff (zu AG 15, 1-33); ebd., 826 (zu AG 15, 35-39); ebd., 827-83
(zu AG 15, 40-16, 3). - Zu beachten ist übrigens, daß die Vorl AG nur
in der Einleitung (S. 1-264) und in der Auslegung von 1, 1-2, 42 (S. 265-
523) die von Ovb für angemessen gehaltene Ausführlichkeit besitzt.
Für die Abschnitte zwischen 2, 43 und 16, 40 ist die Auslegung relativ
kurz gehalten (S. 523-841). Von 17, 1 an, also in den für unsere Fragestellung besonders ergiebigen Partien, folgen nur noch Abschnitts-
überschriften.

30) S. AG-Komm, XXVII f. Noch mindestens dreißig Jahre später bezieht
sich Ovb auf diese Stelle, s. A 207, s v Lucasevangelium (Paulinismus). Allgemeines, n 16.

31) ZwTh 1872, 317.

32) Vorl AK, WS 1872/73, 203.

33) S. Vorl Einl II, 744. Ebenso A 207, s v Lucasevangelium (Paulinismus). Allgemeines, n 11.

34) S. Vorl Einl II, 896.

35) Vorl Einl II, 744. Vgl. auch Vorl AG, 679 f; 761.

36) S. Vorl Einl II, § 9, 2: "Orientirende Übersicht über den Inhalt der AG.
und die Anlage ihrer Erzählung" (806 ff); Vorl AG, § 4: "Anlage und
allgemeiner Charakter der Erzählung der AG." (99 ff).

(Zu Kap. IV, 7: S. 140-143)

37) Vorl Einl II, 808.

38) Vorl Einl II, 848.

39) Vorl AG, 99. Fast wörtlich ebenso Vorl Einl II, 808.

40) Ovb nennt AG 13,11; 14,8 ff; 16,18 ff. 26 ff; 19,11 ff; 20, 7 ff; s. Vorl Einl II, 809; Vorl AG, 101.

41) Vgl. AG 16,3; 18,2 f. 18.22; 20,16; s. Vorl Einl II, 809; Vorl AG, 101.

42) Vgl. AG 13,5.14; 14,1; 16,13; 17,1 f.10.17; 18,4.19; 19,8; ferner: 13,6 ff.45 ff; 14,2.19; 17,5; 18,6 ff; 19,9.33. S. Vorl Einl II, 810; Vorl AG, 101.

43) Vgl. AG 13,12.47 ff; 14,1.11 ff; 16,17.30 f; 17,4.34; 18,8; 19,9 f; ferner: 16,35 ff; 18,12 ff; 19,35 ff. S. Vorl Einl II, 810; Vorl AG, 101.

44) S. Vorl Einl II, 810; Vorl AG, 110 f.

45) S. Vorl Einl II, 747.

46) Vorl Einl II, 808; vgl. Vorl AG, 100.

47) S. Vorl Einl II, 850.

48) S. Vorl AG, 116; 100; Vorl Einl II, 808 f.

49) Vorl AG, 682 f (Sperrung C.E.).

50) Es sei folgender Schluß gestattet: Wenn die AG - nach ZwTh 1872 - qua Tendenzschrift eine Apologie des Pls ist, wenn sie weiter als solche die Rechtfertigung des Pls zum Gegenstand hat, dann folgt: Die AG als solche muß eine Tendenzschrift sein. Dieser Schluß repräsentiert eine Linie innerhalb der Argumentation Ovb's.

51) Wernle, ZNW 1900, 42.

52) S. Wernle, ZNW 1900, 49 f.

53) Wernle, ZNW 1900, 50.

54) S. Vorl Einl II, 730.

55) S. Vorl Einl II, 730 f.

56) S. Vorl Einl II, 767 ff.

57) S. Vorl Einl II, 759; 770.

58) A 207, s v Lucasevangelium (Paulinismus). Allgemeines, n 16.

59) A 207, s v Lucasevangelium (Paulinismus). Allgemeines, n 16 (Sperrung C.E.).

60) S. oben, 138; 141; vgl. 137,14.

61) Die vorstehende Erörterung über Ovb's Verständnis von Standpunkt und Zweck der AG weicht in einigen Punkten nicht unerheblich von der Skizze Vielhauers (Aufsätze, 242-246) ab. Daß Vielhauer auf die Differenz zwischen dem auslegenden Teil und der Einleitung des AG-Komm nicht eingegangen ist, wurde schon bemerkt und soll hier nicht weiter berücksichtigt werden (s. oben, 115,38). Vielhauer stützt sein Urteil auf die Einleitung zum AG-Komm und den Aufsatz ZwTh 1872. Er bringt jedoch den komplexen Befund auch dieser Texte nicht hinreichend zur Geltung.
Vielhauer stellt allein diejenige Seite der Konzeption Ovb's heraus, die

(Zu Kap. IV, 7: S. 143)

den Tübinger Standpunkt am konsequentesten verlassen hat und die damit forschungsgeschichtlich gewiß die interessanteste und wichtigste ist. Die AG ist danach ein Produkt des degenerierten Paulinismus und erscheint "als Selbstbesinnung eines vom Judenchristentum infiltrierten nachapostolischen Heidenchristentums auf seine eigene Geschichte" (Vielhauer, Aufsätze, 246; vgl. dazu AG-Komm, XXXI f).

Nicht berücksichtigt sind dagegen einmal die Momente, mit denen Ovb selbst diese Grundauffassung eingeschränkt hat, also kurz gesagt die Tatsache, daß die AG noch judaistisch beeinflußte Gegner des Pls voraussetzt und Pls noch zu verteidigen hat (s. AG-Komm, XXXII, 1; XXXVI f; ZwTh 1872, 335, 1; 343 f).

Nicht berücksichtigt sind ferner die in jener Einschränkung faktisch enthaltenen Implikationen, die mit der Erkenntnis deutlich werden, daß der von der AG vorausgesetzte Streit um Pls nicht seine Person ohne sein Evangelium betroffen haben kann und daß sich die AG ihrer apologetischen Aufgabe nicht ohne das Mittel tendenziöser Entstellung entledigt hat.

Empfindlich macht sich das Übergehen dieser Momente vor allem dort bemerkbar, wo Vielhauer den Fortschritt beschreibt, den Ovb's Gesamtauffassung der AG über diejenige der Tübinger Schule hinaus bedeuten soll. Vielhauer nennt drei Punkte:

a) Die Einengung des Verständnisses der AG als einer tendenziösen Parteischrift sei abgetan. "An der bona fides des Autors ist nach Overbecks Kommentar nicht mehr zu zweifeln." (Vielhauer, Aufsätze, 244) Dies gilt selbst nach Ovb's expliziten Aussagen nur in sehr beschränktem Sinne. Ovb bestreitet die konziliatorische, nicht aber die paulinisc -apologetische Tendenz der AG. Was die bewußte Entstellung der geschichtlichen Wirklichkeit angeht, so will Ovb ihren Einfluß beschneiden, seine Meinung ist dabei jedoch "durchaus nicht, dem Buche alles tendenziöse Verhalten den historischen Thatsachen gegenüber zu nehmen." (AG-Komm, XXXII, 1) Bona fides und systematischer Widerspruch zum Galaterbrief (s. AG-Komm, XXXVI) schließen sich aus.

b) Der zweite und dritte Punkt gehören eng zusammen. Vielhauer schreibt: "Man ist nicht mehr genötigt, den ganzen ersten Teil der Apg. nur als Vorbau und Folie zu einer apologetischen Paulusdarstellung aufzufassen, sondern man kann ihn in seiner selbständigen Bedeutung würdigen; man ist schließlich nicht mehr zu der absurden Annahme genötigt, der Verfasser habe mit der Apostelgeschichte dem Lukasevangelium eine Apologie des Paulus zur Fortsetzung geben wollen." (Aufsätze, 244). - Beides ist jedoch, wie gezeigt, die erklärte Überzeugung Ovb's.

Wenn nun freilich Vielhauer darin beizupflichten ist, daß seine Folgerungen in der Tat nur die Konsequenzen der streng festgehaltenen Annahme des altkatholischen Standpunkts der AG sind, dann ergibt sich aus seinen Sätzen eine indirekte Bestätigung unserer eigenen

(Zu Kap. IV, 7: S. 143)

These: Die bei Ovb offen zutage liegende Bestimmung des Themas der (gesamten) AG als Apologie des Pls ist mit der Ansiedlung der AG auf einem den urapostolischen Gegensätzen entfremdeten, schroff heidenchristlichen Standort letztlich nicht koordinierbar.

(Zu Kap. IV, 8: S. 143-146)

1) S. Ritschl, Altk Kirche[2], 22 f; 271 ff. Vgl. A 233, s v Paulus (Alte Kirche), n 3: "Über die Nothwendigkeit einer Abschwächung des Paulinismus im Gebiete des Heidenchristenthums s. auch Ritschl, Altkatholische Kirche, S. 256; 271 f; 293; 331; 581; 582 f (2. Auflage)." Ebd., n 5 findet sich ein Exzerpt von Ritschl, Altk Kirche[2], 273, 1. Ebd., n 2 verweist Ovb (ebenso wie A 233, s v Paulus (Kritik), n 1) auf K. R. Köstlin, Zur Geschichte des Urchristenthums. Th Jbb 9, 1850, 35 ff. An die Abhandlung Köstlins knüpfte auch Ritschl an, s. Altk Kirche[2], 271, 1.

2) S. Ritschl, Altk Kirche[2], 124-152; 356.

3) S. A. Ritschl, Das Evangelium Marcions und das kanonische Evangelium des Lucas. Eine kritische Untersuchung. Tübingen, 1846.

4) F. C. Baur, Der Ursprung und Charakter des Lukas-Evangeliums mit Rücksicht auf die neuesten Untersuchungen. Th Jbb 5, 1846, 595.

5) S. Baur, Th Jbb 1846, 595 f.

6) Ritschl, Th Jbb 1847, 295.

7) Ritschl bezieht sich auf Baur, Paulus[1], 11 f (vgl. Paulus[2] I, 15 f).

8) Ritschl, Th Jbb 1847, 296.

9) Ritschl, Th Jbb 1847, 296.

10) Ritschl, Th Jbb 1847, 299 (Sperrung C. E.).

11) S. Ritschl, Th Jbb 1847, 297.

12) Ritschl, Th Jbb 1847, 298. Vgl. ebd., 303.

13) S. Ritschl, Th Jbb 1847, 298-300.

14) S. Ritschl, Th Jbb 1847, 300-302.

15) Ritschl, Th Jbb 1847, 300.

16) Ritschl, Th Jbb 1847, 303.

17) Ritschl, Th Jbb 1847, 303 f (Sperrung C. E.).

18) Der Schluß des Ritschlschen Aufsatzes macht allerdings fraglich, was jene Frontstellung faktisch für die Erklärung der AG austrägt: s. Th Jbb 1847, 304.

19) S. oben, 131 f.

20) Vgl. dazu oben, 137, 15.

21) Vgl. Mc Giffert, 382, 1, wo es im Blick auf Ovb, AG-Komm, XXXI f heißt: "It ist interesting to compare this with the view of Bruno Bauer". Vgl. ferner B. Weiß, Einleitung[1], 568.

22) B. Bauer, AG, 116.

23) Vgl. B. Bauer, AG, 7. Kapitel: "Der Standpunkt des Verfassers der Apostelgeschichte." (114 ff)

(Zu Kap. IV, 8: S. 146-149)

24) B. Bauer, AG, 117.

25) B. Bauer, AG, 119.

26) B. Bauer, AG, 119.

27) B. Bauer, AG, 121 (unter Anspielung auf Schwegler, NachapZA II, 73).

28) B. Bauer, AG, 120.

29) B. Bauer, AG, 121; vgl. ebd., 120.

30) S. Baur, Paulus[1], 11 f; Schwegler, NachapZA II, 122.

31) B. Bauer, AG, 122.

32) B. Bauer, AG, 122.

33) S. B. Bauer, AG, 122 f.

34) B. Bauer, AG, 123. Das "Judenthum" der AG ist also ein Strukturmoment oder ein Charakterzug der heidenchristlichen Kirche des zweiten Jahrhunderts.

35) B. Bauer, AG, 123.

36) B. Bauer, AG, 124.

37) B. Bauer, AG, 125.

38) Zum Verhältnis Ovb's zu Bruno Bauer s. schon oben, 106, 116.

39) S. Hilgenfeld, Einleitung, 576. Vgl. die entsprechenden Bemerkungen Pfleiderers (unten, 155,15) und Holtzmanns (s. unten, 155,20) in der anonym erschienenen Rezension AKZ 1872, 435.

40) Von Engelhardt, Christenthum Justins, 59; vgl. ebd., 63.

41) S. HZ 1880 (Rez v. Engelhardt), 505.

42) O. Ritschl, Albrecht Ritschls Leben. Bd. I. II. Freiburg, 1892; 1896.

43) S. A 235, s v Ritschl (Mein Verhältniss zu ihm), n 1; vgl. Chr u K, 178 f.

44) A 235, s v Ritschl (Mein Verhältniss zu ihm), n 1, S. 4 f. Vgl. Christlichkeit, 3.

45) A 235, s v Ritschl (Mein Verhältniss zu ihm), n 1, S. 1 f. (vgl. Chr u K, 178): "Die Ritschelei ist ... eine zeitgenössische Episode der Geschichte der Theologie, die ich gewissermaassen verschlafen habe ..."

46) Für die Entscheidung der Frage sind folgende Tatsachen zu berücksichtigen:
a) Im Literaturverzeichnis der Vorl ApZA, SS 1867, 37[2] ist Ritschl, Altk Kirche[2], 27 ff genannt.
b) Im AG-Komm hat Ovb die für die AG wichtigsten Stellen aus Altk Kirche[2] berücksichtigt: S. AG-Komm, 85 (zu AG 6,3); ebd., 216 (Nennung von Altk Kirche[2] im Literaturverzeichnis zu AG 15,1 ff mit dem Vermerk einer Differenz der zweiten zur ersten Auflage); ebd., 229 ff (zum Aposteldekret); vgl. ebd., 215 Rd (zu AG 14,23).
c) A 235, s v Ritschl, altkatholische Kirche, zweite Auflage findet sich ein mit kritischen Notizen versehenes fast zwanzig Seiten langes Exzerpt des genannten Werks (s. besonders die Exzerpte zum Stich-

(Zu Kap. IV, 8: S. 149-150)

wort 'Degeneration des Paulinismus' ebd., S. 7 f). Datiert sind die
Aufzeichnungen nicht. Daß in ihnen - entgegen dem sonstigen Usus
Ovb's - jeder Verweis auf den AG-Komm und die Abhandlung ZwTh
1872 an den einschlägigen Stellen fehlt, spricht für eine Abfassung
vor 1870. Andererseits verwendet Ovb die durchweg erst von 1870 an
gebrauchte Abkürzung "AG." (ebd., S. 2). S. außerdem A 235, s v
Ritschl, altkatholische Kirche, zweite Auflage. Vermischtes.
    d) Am 17.11.1870 schrieb Ovb an Hilgenfeld, das Verhältnis Justins
zur AG lasse sich nicht darstellen, ohne daß man sein Verhältnis zu
Pls geklärt habe. "Hier aber möchte ich, so controvers noch die Frage ist, abschließendes bringen und habe dazu noch einige Literatur zu
lesen, zunächst Tjenk Willink." (ZRGG 1954, 57; Sperrung C. E.) Angesichts dieser Mitteilung - vgl. übrigens die entsprechende Bemerkung AG-Komm, XII f - wird man es höchst unwahrscheinlich finden,
daß er sich im Blick auf Ritschl, Altk Kirche[2] tatsächlich auf gelegent-
liches Nachschlagen einzelner Stellen beschränkte und sich mit den
"Zuträgereien der Tageslitteratur" zufrieden gab.
47) S. oben, 110 ff.
48) S. Vorl Einl II, 807 f. Vgl. ebd., 848 ff; Vorl AG, 99; 102 ff und
    oben, 139 f.
49) S. AG-Komm, 364 ff.
50) AG-Komm, XXXV, 1.

(Zu Exkurs, 1: S. 151)

1) Olshausen, 566; vgl. 565.
2) Vgl. Lechler[3], VI f. Einige Titel aus der konservativen Literatur vor
   1870 sind oben, 76, 108 genannt worden.
3) S. z.B. Güder, RE[2] 9, 11-13; 20-22; P. Ewald, 690 ff; Felten, 15 ff.
4) S. z.B. Nösgen, 273-301 (zu AG 15); Lechler[3], 7 ff (Die Apostelgeschichte als Geschichtsquelle); ebd., 163 ff (zum Apostelkonvent),
   ebd., 269 ff (zu den paulinischen Reden der AG); K. Schmidt, RE[3] 1,
   703 ff; Felten, 27 ff.
5) S. Nösgen, 1-14; vgl. außerdem ebd., 29-34. Zur Autorschaft des
   Lukas s. ebd., 34 ff, zur historischen Glaubwürdigkeit ebd., 42 ff.
6) S. B. Weiß, Einleitung[1], 560-562; ders., Theologie[3], 482; 587 f. Zur
   Autorschaft des Lukas s. ders., Einleitung[1], 577 ff, zur (nicht ohne)
   Einschränkung vertretenen) Glaubwürdigkeit der AG ebd., 565 ff.
7) S. Zöckler, 141-144. Zur Authentie und Glaubwürdigkeit der AG
   s. ebd., 144-146.
8) Man beachte z.B. die Bedeutung, welche dem Verhalten der Juden
   unter dem Gesichtspunkt des Grundgedankens der AG beigemessen
   wird, oder was B. Weiß zugunsten eines paulinisch-apologetischen
   Zwecks der AG anzuführen weiß (Theologie[3], 588; Einleitung[1], 563).

(Zu Exkurs, 1: S.151-153)

9) Das bedeutet nicht, daß man Ovb's Kommentar nicht gelegentlich Fleiß, Gelehrsamkeit und Scharfsinn attestieren kann; s. Anonymus, Theol. Jahresbericht 1871, 199; Anonymus, NEKz 1870, 557; W.Schmidt, JDTh 1872, 339.

10) Bei Zöckler findet sich freilich davon keine Andeutung. Er rechnet Ovb wie Baur, Schwegler und Zeller zu den Vertretern einer konziliatorischen Tendenzbestimmung, s. Zöckler, 142.

11) S. Anonymus, NEKz 1870, 557; W.Schmidt, JDTh 1872, 339; 340-342; Güder, RE[2] 9, 15; P.Ewald, 694; Felten, 10 ff.

12) Nach H.Ewald soll Ovb an der Grundannahme der Tübinger Schule, daß die AG "keine Geschichte sondern Erzählungen nach Zweck und Dichtung" gebe, festgehalten, die bisher von der Tübinger Schule vertretenen Zweckbestimmungen aber sämtlich verworfen und durch die neu 'ausgeklügelte' politisch-apologetische Tendenz ersetzt haben (s. GGA 1870, 1400). Ewald bemerkt dazu: "Da die Schule des Verf. keine Wissenschaft liebt, so macht sie auch gar keine Fortschritte in ihr, sondern dreht sich um ihre grundlosen Annahmen nur immer wie im Kreise, um dadurch am gründlichsten sich selbst zu widerlegen." (Ebd.) Vgl. ferner B.Weiß, Einleitung[1], 565 ff, bes. 568 f.

13) K.Schmidt, AG, IV (Sperrung C.E.). Vgl. ebd., V.

14) S. K.Schmidt, AG, 1 ff; 11 ff; 92 ff.

15) S. K.Schmidt, AG, passim.

16) S. K.Schmidt, AG, 92-122.

17) K.Schmidt, AG, 186.

18) S. K.Schmidt, AG, 187 f.

19) K.Schmidt, AG, 188.

20) S. K.Schmidt, AG, 188 f.

21) K.Schmidt, AG, 188.

22) K.Schmidt, AG, 188.

23) S. K.Schmidt, AG, 189.

24) K.Schmidt, AG, 188.

25) S. K.Schmidt, AG, 189. Die beiden entscheidenden Gedanken, die Pls vorbringt, sind nach Schmidt: 1. Daß Israel außerhalb der messianischen Gemeinde steht, ist seine eigene Schuld; da das Evangelium ihm in seiner Gesamtheit und vor den Heiden verkündigt wurde, hat es keine Möglichkeit, sich zu entschuldigen (s. ebd., 191-193). 2. Israels Ausgeschlossensein von der Gemeinde ist nur ein Durchgangsstadium der Heilsgeschichte: Es dient dazu, daß das Heil zu den Heiden kommt; die Bekehrung der Heiden aber ist die Bürgschaft und der bewirkende Grund dafür, daß schließlich auch Israel das Heil zuteil werden wird (s. ebd., 190 f; 195-198).

26) K.Schmidt, AG, 190 (Sperrung C.E.). Vgl. ebd., 197; 198.

27) K.Schmidt, AG, 199.

28) K.Schmidt, AG, 199.

29) K.Schmidt, AG, 200.

(Zu Exkurs, 1: S.153-154)

30) K. Schmidt, AG, 200.

31) "Es lässt sich nicht wohl denken, wie das Heidenchristenthum durch
    Einfluss des ihm innerlich gewordenen Judaismus dahin kommen konn-
    te, an der Berechtigung seiner eigenen Existenz irre zu werden und
    für sich selbst einer Apologie seiner Entstehung zu bedürfen. Dies lie-
    se ⟨sic! lies: liesse⟩ sich wohl denken unter der Voraussetzung, dass
    dem Heidenchristenthum innerhalb der Gesammtchristenheit ein juda-
    istisches Judenchristenthum als eine Macht gegenüberstand. Overbeck
    aber setzt voraus, dass zur Zeit der Abfassung der AG. das jüdische
    Christenthum überhaupt in der Kirche so sehr in den Hintergrund ge-
    treten war, dass es auf dem Standpunkt, auf welchem die AG. geschrie-
    ben ist, als ein überwundenes und dagegen das Heidenchristenthum als
    das in der Gemeinde durchaus vorherrschende Element galt. Unter
    solcher Voraussetzung ist nicht ersichtlich, wie es hätte geschehen
    können, dass die in das Heidenchristenthum eingedrungene judaisti-
    sche Anschauungsweise bis zu dem Grade mächtig werden konnte, je-
    nem einen Zweifel an sich selbst ... zu erwecken." (K. Schmidt, AG,
    200 f). Wir haben im vorigen Kapitel gezeigt, daß solche Erwägungen,
    wie sie Schmidt hier zur immanenten Kritik der Konzeption Ovb's vor-
    trägt, nicht ohne Grund sind.

32) K. Schmidt, AG, 201. - Schmidt findet in Ovb's AG-Verständnis noch
    eine andere "der Wahrheit sich nähernde Modification" der Auffas-
    sung Baurs und Zellers: s. K. Schmidt, AG, 201-203. Ovb's Thesen
    vom nationalen Antijudaismus und der politisch-apologetischen Ten-
    denz der AG beurteilt er dagegen als seiner eigenen Konzeption "ge-
    radezu entgegengesetzt" (ebd., 203).

33) S. den Titel der Monographie Schmidts und dazu Ovb, GGA 1882,
    1313 f.

34) GGA 1882, 1316.

35) GGA 1882, 1316.

36) GGA 1882, 1338.

37) S. GGA 1882, 1316 f. Als Grund für den degenerierten Paulinismus
    des Verf's der AG beachtet Schmidt z. B. nur das Moment judaisti-
    scher Agitation, nicht aber die natürliche Unfähigkeit der Heiden, Pls
    zu verstehen (s. K. Schmidt, AG, 200; 202). Eine Folge davon ist,
    daß er die Behauptung des nationalen Antijudaismus der AG der Kon-
    zeption Ovb's nicht zu integrieren vermag (s. ebd., 203 f).

38) S. GGA 1882, 1316 f. Ovb denkt an ZwTh 1872, bes. S.336, und Auf-
    fassung, 9; 58 (s. K. Schmidt, AG, 361 Rd). Vgl. K. Schmidt, AG, 358 ff.

(Zu Exkurs, 2: S.154)

1) S. Bleek-Mangold, 382-414.

2) S. Reuss[6], 201-216.

3) S. Reuss[6], 214 f.

(Zu Exkurs, 2: S. 154-155)

4) S. Bleek-Mangold, 387 f A.

5) Bleek-Mangold, 387 A.

6) Bleek-Mangold, 388 A.

7) S. Bleek-Mangold, 394 A (und zur Begründung ebd., 390(ff),1); Reuss[6], 210; 211; 213 f.

8) Zu Lipsius' Verständnis der AG vgl. seinen Artikel BL I, 194-207.

9) Ovb, AG-Komm, XXXI. Vgl. Lipsius, The Academy 1872, 128.

10) Lipsius, The Academy 1872, 128.

11) Lipsius, The Academy 1872, 128 (Sperrung C. E.). - In ähnlich engem Anschluß an die Tübinger Auffassung wie Lipsius erklärt auch Hausrath die AG; s. Zeitgeschichte, 3. Theil, 420 ff; Jesus II, 134 ff.

12) S. Holtzmann, HC I[1], 308 (= HC I[2], 308; HC I,2[3], 2): "Wo er ⟨sc der Verf der AG⟩ nach der Tübinger Kritik nicht sehen wollte, da konnte er der neueren Auffassung gemäss vielmehr meist nicht sehen." Vgl. Mattill, 170.

13) S. Mattill, 168 ff: The Rejection of the Tuebingen Theory by the "Could-Not-See" School.

14) In Bibelwerk VIII, 327 ff und in BL I, 208 ff vertritt Holtzmann noch eine gemäßigt konservative Auffassung: Der Verf der AG ist Lukas, der in den Wirstücken seine Teilnahme an den erzählten Ereignissen zu erkennen gibt; im ersten Teil der AG benutzt er eine Quelle, aus der er u.a. die Reden des Petrus entnommen hat; der Schluß der AG ist daraus zu erklären, daß das folgende Geschehen dem Theophilos bekannt war oder daß Lukas einen τρίτος λόγος zu schreiben beabsichtigte; gemäß Luk 1,1-4 will Lukas "ein Bild von der ersten Verbreitung des Christenthums durch die Apostel geben", seine Darstellung ist daneben aber "von dem Gesichtspunkt einer historischen Parallele zwischen Petrus und Paulus beherrscht und dreht sich um die Grundfrage von der Zulässigkeit der Heiden." (Bibelwerk VIII, 355) In der Rezension von Ovb's AG-Komm schreibt Holtzmann: "Bei der vielfach conservativeren Stellung, welche ich zu der Apostelgeschichte eingenommen habe ..., versteht es sich von selbst, daß ich bei allem Bestreben, von dem geehrten Verfasser zu lernen und bloße Vorurtheile aufzugeben, nicht in der Lage bin, allen seinen Aufstellungen zuzustimmen." (PKz 1871, 236) Der These Ovb's, aufgrund der natürlichen Unfähigkeit des Heidenchristentums, Pls zu verstehen (nicht aber im Sinne einer Konzession an eine judenchristliche Partei), halte die AG vom ursprünglichen Paulinismus allein noch den Universalismus fest, pflichtet Holtzmann freilich bei: "Mit diesen Bemerkungen scheint mir überhaupt der Charakter der nachapostolischen, katholisch werdenden Zeit richtig gewürdigt." (Ebd.) Zwei Jahre später bekennt Holtzmann, ein "genaues Studium der Apostelgeschichte an der Hand des Commentares von Overbeck" habe ihn davon überzeugt, daß Lukas als Verf der AG nicht in Frage komme (ZwTh 1873, 86); die AG sei vielmehr erst in den "ersten Decennien des zweiten

(Zu Exkurs, 2: S.155)

Jahrhunderts" (ebd., 88) entstanden - eine Behauptung, für die sich
Holtzmann ebenfalls weitgehend auf Beobachtungen Ovb's stützt (s.
ebd., 87-89). In seiner Theologie scheint Holtzmann mit Ovb's AG-
Komm geradezu eine neue Periode der AG-Auslegung beginnen zu lassen: Als erster unter den kritischen Forschern habe Ovb das Konziliatorische in der Tendenz der AG "ganz fallen" gelassen und die AG
als den Versuch des in der Kirche bereits herrschenden Heidenchristentums verstanden, sich mit seiner eigenen Vergangenheit und seinem Begründer auseinanderzusetzen. "Demgemäß sucht man seither
die Geschichtserzählung unseres Werkes weniger aus praktischen
Zwecken abzuleiten, als vielmehr innerlich im Standpunkte des Verfassers selbst zu begründen 〈vgl. Ovb, AG-Komm, XXXII,1!〉, indem man zugleich als Nebenzweck die Tendenz namhaft macht, den
Christen die Gunst der röm. Staatsbehörden zuzuwenden" (Theologie I,
531 A; Sperrung C.E.).
Zu Holtzmanns AG-Verständnis s. im übrigen außer den verschiedenen Auflagen seines Kommentars: Einleitung, 390-407; Theologie I,
530-539. Besonders aufschlußreich, auch für die Art der Argumentation Holtzmanns, ist seine Skizze der sich anbahnenden opinio communis: HC I[1], 309; HC I[2], 309; Einleitung, 404 f; HC I,2[3], 3 f. -
Vgl. unten, 155,20.

15) Wie Holtzmann hat auch Pfleiderer Ovb's AG-Komm rezensiert (LC
1870, 1225-1227). Ovb's Erörterung über das Aposteldekret findet als
"die gelungenste Partie des Buchs" (ebd., 1226) Pfleiderers Beifall:
Die AG sei nach Ovb nicht mehr als ein von paulinischer Seite vorge-
brachter tendenziöser Friedensvorschlag zu verstehen; vielmehr sei
ihr eigener Standpunkt "bei schroffem nationalem Antijudaismus doch
zugleich kein echter sondern ein dogmatisch abgeschwächter, unbewußt
judaistisch gewordener Paulinismus, wie er eben zur Zeit des Verf.'s
der Apostelgeschichte schon die herrschende Durchschnittsrichtung der
Gemeinde geworden war." In dieser Auffassung liege "eine höchst be-
achtenswerthe (übrigens ähnlich auch schon von Ritschl geltend gemachte) Modification der Baur-Zeller'schen Ansicht" (ebd., 1227).
Pfleiderers eigenes Grundverständnis der AG schließt sich an die komplexe Konzeption Ovb's nur insofern an, als diese die Tendenzbestimmung der Tübinger Schule korrigiert (s. Pfleiderer, Paulinismus,
495-518; Urchristentum, 544-614; vgl. die Zusammenfassung in der
Einleitung zu Baurs Vorlesungen I, 6 f). Demgemäß weicht das Detail
seiner AG-Interpretation von Ovb's Exegese z.T. erheblich ab: Pfleiderer bringt der historischen Glaubwürdigkeit der AG größeres Zutrau-
en entgegen und insistiert in einer Ovb fremden Weise auf der bona
fides des Autors (vgl. z.B. Paulinismus, 497; 509-511; Urchristentum, 546; 550; 565; 568 f; 572; 578 ff; 613).

16) S. Jülicher[1.2], 262-265; ders.[5.6], 397-402. Vgl. dazu Wrede, GGA
1896, 516 f: "Die Verdienste Baurs erkennt J〈ülicher〉 warm an, sei-

(Zu Exkurs, 2: S.155)

ner s.g. Tendenzkritik oder deren Residuen steht er aber noch eine
gute Nüance ferner als Holtzmann. ... Ich stehe grundsätzlich auf
Seiten des jüngeren Gelehrten, der bei den neutestamentlichen Autoren durchweg eher Naivetät als Absichtlichkeit voraussetzt und ihre
Besonderheiten lieber als harmlose Spielarten derselben gemeinkirch-
lichen Erbaulichkeit denn als Anzeichen bewußter theologischer Rich-
tungsverschiedenheit würdigt." -
Zum Verhältnis Jülicher-Ovb s. die brieflichen Äußerungen Jülichers
vom 24.1.1882 und Ovb's vom 30.6.1894: ZKG 1965, 309; 312.

17) Zu der Feststellung, Pls habe an dem Einzug des Evangeliums in die
außerjüdische Welt zwar einen großen Anteil gehabt, doch hätten seine
eigenen Gemeinden den Weg nicht verstanden, den er sie geführt habe,
schreibt Harnack in einer Anmerkung (Dogmengeschichte[2] I, 52, 2):
"In dieser Hinsicht ist die Apostelgeschichte das lehrreichste Buch.
Dieselbe ist, wie das Lucas-Evangelium, ein Document des zum Ka-
tholicismus sich entwickelnden Heidenchristenthums; vgl. Overbeck
in seinem Commentar z. Apostelgesch." (Sperrung C.E.) An einer
späteren Stelle des gleichen Werkes (Dogmengeschichte[2] I, 251(f), 2)
charakterisiert Harnack die Stellung der AG zum Judentum und Judenchristentum unter Berufung auf Ovb und fährt dann fort: "Gemessen an
der paulinischen Theologie kann man von dem Heidenchristenthum, welches der Verf. der Ap.-Gesch. vertritt, mit Overbeck wohl sagen, dass
dasselbe das Judaistische bereits in seiner Mitte habe und einen Abfall
vom Paulinismus bedeute, aber diese Ausdrücke sind desshalb nicht
correct, weil sie mindestens den Anschein erregen, als sei der Paulinismus das ursprüngliche Heidenchristenthum gewesen. Da dies aber
weder nachweisbar noch glaublich ist, so muss die religiöse Haltung
des Verfassers der Ap.-Gesch. in der Christenheit uralt sein." Von
dieser Auffassung her wird es verständlich, wenn Harnack, Geschichte II, I, 247,1 feststellt: "Richtig ist ... und zuerst von Overbeck ...
dargelegt, dass zwischen dem Standpunkt eines Justin und dem des
Verf.'s der Apostelgeschichte Verwandtschaft besteht; allein diese
Verwandtschaft bezieht sich nicht auf politische Absichten (und sie
bietet auch keine Grundlage, um die Abfassungszeit der Apostelgesch.
zu bestimmen)." (Sperrung C.E.) Wenn die AG keine Tendenzschrift
ist und wenn die religiöse Haltung ihres Verf's im Heidenchristentum
uralt ist, dann sind in der Tat die entscheidenden Hindernisse aus dem
Weg geräumt, um zu der traditionellen These, Lukas der Arzt sei der
Autor der AG, zurückzukehren! - Zu Harnacks Urteil über Ovb's AG-
Komm s. auch von Zahn-Harnack, 61 und oben, 137,14.

18) S. z.B. Brandes; Weizsäcker, Zeitalter[3] (s. Register S.693, s v Apost
konzil; Aposteldekret; Apostelgeschichte); J.Weiß, Absicht; cum grano
salis auch Wendt[6.7]; ders.[9].

19) Vgl. Mattill, 171.

20) Holtzmann, HC I, 2[3], 21 f. Eine nahezu wörtlich mit dem zitierten

(Zu Exkurs, 2: S.155-157)

Text übereinstimmende Beschreibung des dem Verf der AG eigentümlichen Verfahrens findet sich in der anonym erschienenen Besprechung der Basler Antrittsvorlesung und des AG-Komm Ovb's in AKZ
1872, 436. Es ist daher naheliegend, als den Autor dieser Besprechung ebenfalls Holtzmann anzusehen. Sollte dies zutreffen, so läge
in der genannten Besprechung ein weiteres instruktives Zeugnis dafür
vor, wie nachhaltig die Entwicklung des Holtzmannschen AG-Verständ-
nisses durch Ovb beeinflußt worden ist; s. AKZ 1872, 435 f.

21) Mattill, 171. Vgl. auch Wendt[9], 12.
22) Vgl. dazu schon oben, 137,14.
23) Schmiedel stellt selbst fest, seine Auffassung sei mit der von Ovb vollzogenen "modification of the tendency theory substantially identical"
(EB I, 57).
24) Schmiedel, EB I, 40.
25) S. Schmiedel, EB I, 40-42.
26) Schmiedel, EB I, 42.
27) Schmiedel, EB I, 43.
28) Schmiedel, EB I, 43. - Zur politischen Tendenz der AG s. ebd., 42.

(Zu Exkurs, 3: S.157-158)

1) S. oben, 75,93.
2) S. B.Weiß, Kritisches Beiblatt 1854 (Rez Lekebusch), passim. Weiß
versucht hier am Beispiel der petrinischen Reden zu zeigen, "wie die
Gründe, aus denen der Verfasser ⟨sc Lekebusch⟩ beweisen will, daß
Lukas keine Quellen benutzt habe, nicht ausreichen." (74) Vgl. ders.,
Lehrbegriff, 5 f; Theologie, 113-115.
3) S. B.Weiß, Einleitung[1], 569-584.
4) S. Clemen, Chronologie, 58 ff; ThStKr 1895, 297 ff.
5) S. Loisy, 29-42. Vgl. Haenchen[14], 25-28.
6) Hilgenfeld, ZwTh 1871, 157. Vgl. ders., Einleitung, 602 f.
7) Hilgenfeld, Einleitung, 603.
8) Hilgenfeld, Einleitung, 606.
9) S. Hilgenfeld, Einleitung, 606-608. Im Blick auf AG 13 f wertet Hilgenfeld als Indizien einer paulinischen Quellenschrift, daß der Erzähler "den Paulus und Barnabas noch arglos 'Apostel' nennt, die Juden
nicht so feindselig darstellt, wie es sonst geschieht, und den Paulus
sich von vorn herein auch an Heiden wenden lässt" (ebd., 606).
10) Hilgenfeld, Einleitung, 574 f (Sperrung C.E.).
11) Hilgenfeld, ZwTh 1895, 68.
12) Vgl. hierzu auch die Zusammenfassung in Acta Apostolorum,ed Hilgenfeld, 257.
13) Hilgenfeld, ZwTh 1898, 620 (Sperrung C.E.). In dem gleichen Aufsatz
modifizierte Hilgenfeld seine 1895/96 vertretene Quellenanalyse: s.
ebd., 620; vgl. auch Acta Apostolorum, ed Hilgenfeld, 257 ff.

(Zu Exkurs, 3: S. 158-160)

14) Vgl. hierzu die Notiz Ovb's auf dem Vorsatzblatt des AG-Komm: Overbeckiana II, 156.

15) A 235, s v Quellenanalyse (Allgemeines), n 1 nennt Ovb die Methode der Quellenkritik (im Anschluß an eine Formulierung von P. Mongré, 204 f) einen "Gipfel im Hochgebirge der Absurdität".

16) S. AG-Komm, XXXVII-LIX.

17) S. oben, 89, 38.

18) AG-Komm, LIX. Zu Ovb's Verständnis der Wirquelle und ihrer Verarbeitung durch den Verf der AG s. die zusammenfassenden Ausführungen ebd., XXXVII-LII.

19) AG-Komm, LVII.

20) S. AG-Komm, LVIII. Ovb folgt hier Zeller, AG, 499 f.

21) AG-Komm, LVIII.

22) AG-Komm, LVIII.

23) Vorl AG, 155 f (vgl. Overbeckiana II, 55 f). Vgl. auch A 211, s v AG (Quellen) Schriftliche. Spuren, n 1 ff.

24) S. hierzu A 268 c: "Meine Vorlesung über die Apostelgeschichte. Winter 1895/6." Auszüge aus diesem auf den 8.1.1898 datierten Text finden sich in Overbeckiana II, 127 f.

25) Vorl AG, 64 (Sperrung C. E.). Vgl. Overbeckiana II, 53.

26) S. A 211, s v AG (Quellenscheidung) Allgemeines, n 5: "Will man eine vernünftige Geschichte der Quellenscheidungshypothesen schreiben, so muss man vor allen Dingen periodisiren, und sich nicht aufbinden lassen, dass die neueste Blüthe der Quellenscheidung dasselbe Ding fortsetzt, was Schleiermacher, Schwanbeck und ihre Zeitgenossen inaugurirt haben. Vielmehr ist zu unterscheiden zwischen der alten rationalistischen Periode der Quellenscheidung und der neueren, etwa mit Ewald zu eröffnenden, apologetischen. Erst diese Periodisirung lässt das richtige Licht über die unsinnigen Formen, welche die Quellenscheidungshypothese neuestens angenommen hat, aufgehen." Vgl. Vorl AG, 63 ff.

27) Vorl AG, 88 (vgl. Johannes, 243).

28) Vorl AG, 88 (vgl. Johannes, 243 f). Vgl. A 211, s v AG (Quellen) Allgemeine Ansichten, n 11; ebd., s v AG (Quellenscheidung) Allgemeines, n 1.

29) A 235, s v Quellenanalyse (Allgemeines), n 4 (vgl. Chr u K, 88).

30) A 235, s v Quellenanalyse (Allgemeines), n 4. (Chr u K, 88 heißt es statt "den Kanon" fälschlich "die Massen".)

31) A 235, s v Quellenanalyse (Allgemeines), n 4. Chr u K, 89 ("Sie eröffnet nicht geringere Horizonte!") ist eine Kurzfassung aus der Feder Bernoullis.

32) S. A 211, s v AG (Quellenscheidung) Allgemeines, n 4.

33) S. A 235, s v Quellenanalyse (Allgemeines), n 3. (Der Text ist mit geringfügigen Änderungen in Chr u K, 86-88 abgedruckt.) Ovb entwickelt hier die doppelte These: Kritische Quellenscheidung ist bei nichtkano-

(Zu Exkurs, 3: S.160-161)

nischer Literatur von vornherein weniger berechtigt als bei kanonischer; bei kanonischer Literatur ist das Recht zur Quellenscheidung
um so größer, je komplizierter der Kanonisierungsprozeß verlaufen
ist und je später er im Verhältnis zur Entstehung einer Schrift eingesetzt hat.

34) Vorl AG, 94 (vgl. Johannes, 244).
35) A 211, s v AG (Quellen). Vermischtes, n 3. Vgl. ebd., s v AG (Quellenscheidung) Schwanbeck, S.27.
36) S. hierzu Vorl AG, 265 ff.
37) Vorl AG, 94 (vgl. Johannes, 244).
38) Vorl AG, 94 (vgl. Johannes, 244).
39) Vorl AG, 94 (vgl. Johannes, 244 f).
40) Vorl AG, 96 (vgl. Johannes, 245).
41) S. AG-Komm, LVIII.
42) S. AG-Komm, LVII-LIX.
43) A 211, s v AG (Quellen). Allgemeine Ansichten, n 10.
44) Vorl AG, 68.
45) Vorl AG, 64 f (vgl. Overbeckiana II, 53).

(Zu Kap. V,1: S.162-163)

1) Anfänge KG 1876.
2) Einen Teil dieser Texte hat Bernoulli veröffentlicht, s. Chr u K,
78-80.
3) K.L.Schmidt, Evangelien, 36,26.
4) S. Nigg, Kirchengeschichtsschreibung, 1-3.
5) S. Vielhauer, Aufsätze, 25.
6) Vgl. dazu Nigg, Franz Overbeck, 85 ff; Vielhauer, Aufsätze, 246 ff;
Tetz, ThZ 1961, 424 ff; ders., ThR 1967, 11 ff; Güttgemanns, 106 ff.
7) Anfänge, 37.
8) S. Anfänge, 16. Ovb beruft sich hierfür auch auf die Kirchenväter
selbst: s. ebd., 18.
9) S. Anfänge, 12.
10) Anfänge, 19.
11) S. Anfänge, 19-22. Die Ausführungen Güttgemanns' (108 f; 110 f) erwecken - mindestens teilweise - den Eindruck, als sehe Ovb den Unterschied zwischen echtem Brief einerseits und Schriften, die im
strengen Sinn in den Bereich der Literatur gehören, andererseits als
charakteristisch an für die Differenz Urliteratur - patristische Literatur; s. z.B. die Verwendung des Zitates aus Anfänge, 19 bei Güttgemanns, 109,25 oder ebd., 110: "Im Gegensatz zum Surrogat-Cha-
rakter der Schriftlichkeit des Briefs in der Urliteratur ist die Schriftlichkeit seit den altkirchlichen Apologeten für die christliche Literatur
wesentlich." (Sperrung C.E.) M.E. hält der von Güttgemanns erweck-
te Eindruck einer Überprüfung an den Ovb-Texten nicht stand; s. An-

(Zu Kap. V,1: S.163-166)

    fänge, 19 ff und die weiteren Ausführungen im Text, besonders unten, 164 ff.

12) S. Anfänge, 22-23. Vgl. zum Problem der katholischen Briefe auch Vorl Einl I, 258 ff.

13) Anfänge, 23. Damit soll nicht gesagt sein, daß die vier Evangelien, die AG und die Apokalypse des neutestamentlichen Kanons die einzigen Schriften ihrer Art von jeher gewesen sind. Ovb stellt (ebd., 28 f) ausdrücklich fest, daß diese Formen eine geraume Zeit lang auch ausserhalb der im NT vertretenen Exemplare lebendig waren, daß also das NT, selbst wenn sich von der Urliteratur sonst nichts erhalten hätte, jedenfalls nur einen Ausschnitt derselben umfaßt.

14) Anfänge, 29.

15) Anfänge, 29. Zur Frage der apokryphen Literatur, die Ovb nur streift, s. Anfänge, 23 f. - Auf das Problem, inwieweit das von Ovb gebrauchte Bild des 'Totenscheins' schon in der zitierten Erläuterung gesprengt wird und inwiefern der Kanon zugleich über die nichtapostolische Urliteratur das "Todesurtheil" spricht (Vorl Einl I, 445), kann hier nicht eingegangen werden.

16) Anfänge, 31.

17) S. Anfänge, 33-35.

18) Anfänge, 70.

19) Anfänge, 36 (Sperrung C.E.).

20) S. Anfänge, 36.

21) Anfänge, 36 f (Sperrung C.E.).

22) Anfänge, 37.

23) Anfänge, 37 f.

24) Anfänge, 43.

25) Anfänge, 66.

26) Anfänge, 45 (Sperrung C.E.).

27) Anfänge, 37.

28) Anfänge, 41. Die hier angesprochene Entstehung der patristischen Literatur reflektiert sich nach Ovb in dem Umstand, daß die Kirchenväter Schriftsteller sind, "die es nicht sein wollen." (Ebd.) Vgl. ebd., 39-42 und den an Ovb anknüpfenden Aufsatz von L.Vischer, 320 ff.

29) Anfänge, 47.

30) Vorl LG^2, 41. Es sei ausdrücklich darauf aufmerksam gemacht, daß die Begriffe der Urperiode der altchristlichen Literaturgeschichte (so Vorl LG^2) und der christlichen Urliteratur (so Anfänge) nicht deckungsgleich sind. Das ändert jedoch nichts daran, daß die in Vorl LG^2 vorgenommene Differenzierung innerhalb der Urperiode sachlich mit der späteren Unterscheidung von Urliteratur und patristischer Literatur (genauer: apologetischer Literatur) zusammenfällt und insofern zu deren Erklärung verwendet werden kann.

31) Vorl LG^2, 43.

32) Vorl LG^2, 50.

(Zu Kap. V,1: S.166-167)

33) Vorl LG^2, 50.
34) Vorl LG^2, 50.
35) Vorl LG^2, 50 f.
36) Vorl LG^2, 51.
37) Vorl LG^2, 52.
38) Vorl LG^2, 53.
39) Vorl LG^2, 53.
40) S. Vorl LG^2, 56 f.
41) Ovb spricht von einer scheinbaren Ausnahme (der Gruppe der sog. apostolischen Väter) und einer wirklichen Ausnahme (dem antignostischen Werk adversus haereses des Irenäus); s. Vorl LG^2, 54 f.
42) S. hierzu Vorl LG^2, 53-59; Kanon, 48 f.
43) Vorl LG^2, 58. - Zur Bedeutung des Kanons für das 'Verständnis' der in ihm gesammelten Literatur s. auch Kanon, 1 f; 39; 49; 70; A 233, s v Paulus (Briefe überhaupt). Reihenfolge im Kanon, n 3.
44) A 240, s v Urlitteratur (christliche). Vermischtes, n 2 (Sperrung C.E.).
45) Anfänge, 36. Ganz entsprechend heißt es Johannes, 493: "Die Geschichte der kirchlichen Literatur läßt sich jedenfalls nur von dem Moment an schreiben, von dem ab diese Geschichte in ihrem eigentlichen Verlauf sich verfolgen läßt, d.h. seitdem die 'kirchliche Literatur' genannte historische Größe eine übersehbare und kontinuierliche historische Entwicklung gehabt hat." Vgl. hierzu das - bereits von Tetz, ThR 1967, 17 wieder in Erinnerung gebrachte - Urteil Bultmanns, der "eine eigentliche Literaturgeschichte des N.T. ... unmöglich" nannte und für sinnvoll allein "die bescheidenere Aufgabe" hielt, "die literarische Form der einzelnen nt.lichen Schriften zu beschreiben; zu fragen, welche Formen sind etwa hier und dort übernommen, sei es aus dem Judentum, sei es aus der hellenistischen Umwelt? Sind sie umgeprägt worden zu einer neuen literarischen Form, die ihrerseits wieder eine Geschichte zu erzeugen fähig ist? Ferner: sind in der urchristlichen Bewegung hier und dort Ansätze zur Produktion eigener literarischer Formen zu beobachten?" (ThR 1914, 79 f) Für seine Beurteilung der Möglichkeit einer neutestamentlichen Literaturgeschichte nannte Bultmann zwei Gründe:
Erstens sei das Material viel zu gering, und zwar auch dann, wenn man "die Grenzen über das N.T. hinaus über die gesamte urchristliche Literatur" ausdehne (ThR 1914, 79). Den gleichen Gesichtspunkt macht auch Ovb geltend (s. weiter im Text).
Zweitens seien keineswegs alle im NT vertretenen literarischen Formen originale christliche Schöpfungen; die neutestamentlichen Schriften bildeten insofern "gar nicht eine eigene Literaturgeschichte", sondern gehörten "in eine Literaturgeschichte allgemeineren Charakters ..., in der sie eine Gruppe bilden." (ThR 1914, 80) In diesem Punkt weichen Ovb und Bultmann erheblich voneinander ab. Ovb's Anliegen

(Zu Kap. V, 1: S. 168)

zielt gerade dahin, die christliche Urliteratur aus jeder "Literaturgeschichte allgemeineren Charakters" herauszuhalten und als eine Größe für sich zu würdigen. Zwar sieht er, daß die christliche Urliteratur
- die Evangelien ausgenommen - "an Formen der religiösen Literatur
früherer Zeiten anknüpft." (Anfänge, 36) Den von hier aus immerhin
naheliegenden Versuch einer die christliche Urliteratur übergreifenden 'Formengeschichte religiöser Rede' faßt er jedoch nicht ins Auge. Richtig charakterisiert daher Vielhauer die christliche Urliteratur
im Sinne Ovb's als ein "literarhistorisch isoliertes Phänomen", s.
RGG[3] IV, 1751. Vgl. auch Güttgemanns, 108.

46) A 240, s v Urlitteratur (christliche). Vermischtes, n 3. - Ovb's Unterscheidung von christlicher Urliteratur und patristischer Literatur ist
aufgenommen worden von Norden, Kunstprosa II, 479 f; vgl. dazu Overbeckiana II, 161. Bemerkenswert ist weiter die Konvergenz der Einsichten Ovb's und der literaturgeschichtlichen Konzeption Dibelius'.
In seiner Selbstdarstellung schreibt Dibelius, die "Frage nach der
Schicht, der das urchristliche Schrifttum angehört, und nach seinem
Verhältnis zur 'großen' Literatur" sei für ihn "das eigentliche Problem der urchristlichen Literaturgeschichte". Deren Verlauf sehe er
"als eine Entwicklung vom unliterarischen Dokument über die halblite-
rarische Kleinliteratur hinein in die Formen und zum Teil auch in die
Gedanken der schriftstellerischen 'großen' Literatur." Dieser Prozeß
sei "ein äußerer Ausdruck des uns nicht so deutlich erkennbaren Prozesses der soziologischen 'Verweltlichung' des Christentums überhaupt; seine Bedeutung gibt der literarischen Entwicklung einen geradezu symbolhaften Wert, zumal da der Zunahme an weltlicher Form die
Abnahme an Eigengehalt ungefähr entspricht. So betrachtet begreift
die urchristliche Literaturgeschichte ein wesentliches Stück christlicher Geschichte in sich; und zugleich erweist sich ihre relative Unabhängigkeit von der Geschichte des 'großen' Schrifttums in griechischer
Sprache: in dessen Entwicklung mündet die Bahn der urchristlichen Literatur erst ein, als die Christen Bücher für die Welt und in den Formen der Welt zu schreiben beginnen, d. h. mit den Apologeten." (Selbstdarstellung, 22) Vgl. ferner Formgeschichte[1], 103; Formgeschichte[2],
300 f; Geschichte I, 5-9 und ebd., I. II, passim; ThBl 1927, 213 ff;
Urchristentum, 5 ff; 24 ff. Der wichtigste Unterschied zwischen Dibelius und Ovb liegt darin, daß Dibelius die Entwicklung von den ersten
unliterarischen Dokumenten zur christlichen Weltliteratur als einen
kontinuierlichen Prozeß versteht (vgl. z. B. die Erörterungen über die
Novelle Formgeschichte[4], 66 ff oder auch Urchristentum, 11), während Ovb gerade den literarhistorischen Bruch herausarbeitet. (Das
vorliegende Kapitel wird freilich zeigen, daß und inwiefern auch Ovb
genötigt ist, "den absoluten Gegensatz zwischen christlicher 'Urliteratur' ... und dem patristischen Schrifttum" - so Vielhauer, RGG[3]
IV, 1751 - wenigstens abzuschwächen.)

(Zu Kap. V, 1: S. 168-170)

47) Anfänge, 36.
48) S. Anfänge, 26; 28.
49) Vorl Einl I, 257.
50) Vorl Einl I, 264.
51) Anfänge, 36.
52) Anfänge, 36.
53) S. Anfänge, 24. Vgl. auch Ovb's Brief an Jülicher vom 30. 6. 1894 (ZKG 1965, 312).
54) Anfänge, 24.
55) S. Anfänge, 25 f und unten, 176, bes. Anm. 39. Zu Anfänge 26, 6 s. die Korrektur Anfänge KG 1892, 12, 13.
56) Anfänge, 26.
57) Anfänge, 26 f.
58) S. Anfänge, 24 f; 26 f.
59) A 240, s v Urgeschichte (Allgemeines), n 3. Vgl. die Parallelaussagen zum Urchristentum ebd., s v Urchristenthum (Allgemeines), n 1 und zur Urliteratur ebd., s v Urgeschichte (Allgemeines), n 7.
60) Eine solche Überschneidung ist im Verhältnis der christlichen Urliteratur zur patristischen Literatur zu beobachten: Vom Beginn der apologetischen Literatur bis zum formellen Abschluß des neutestamentlichen Kanons existieren beide nebeneinander; s. z. B. Anfänge, 37.
61) Chr u K, 24 f. Mit Recht hat man daher im Blick auf den Begriff der Urliteratur betont, er sei kein "formal-zeitlicher", sondern ein "qualifiziert-zeitlicher" Begriff, s. Vielhauer, Aufsätze, 248; ders., RGG[3] IV, 1751; Tetz, ThR 1967, 17; aber auch schon Haussleiter, 340. Ovb hat in dieser Bestimmung freilich nichts gesehen, was den Begriffen Urliteratur und Urgeschichte eigentümlich wäre: s. A 240, s v Urlitteratur (christliche). Begriff. Allgemeines, n 1.
62) A 240, s v Urgeschichte (Allgemeines), n 5.
63) S. A 240, s v Urgeschichte (Allgemeines), n 1: " 'Die Geschichte beginnt erst, wo die Monumente verständlich werden und glaubwürdige schriftliche Aufzeichnungen vorliegen' (Ranke, Weltgeschichte ... ⟨Text-Ausgabe. Bd. I.⟩ Leipzig, 1895, S. 4). Dahinter liegt die Urgeschichte. Darum sagt Ranke sehr richtig: 'Geschichte beginnt, wo die Monumente verständlich werden und glaubwürdige schriftliche Aufzeichnungen vorliegen' - nicht einfach, wo Monumente und Aufzeichnungen beginnen." S. ferner: Ebd., n 3; A 240, s v Urgeschichte. Tradition. Allgemeines, n 1. Vgl. auch Diognet, 3; Auffassung, 7; Vorl Einl I, 125 f; Overbeckiana II, 89 f.
64) Chr u K, 21.
65) A 240, s v Urgeschichte (Allgemeines), n 3.
66) Chr u K, 20.
67) Chr u K, 24. Vgl. ebd., 21.
68) Darum gehören der Geschichte, insofern sie Urgeschichte voraussetzt, "nur fertige Dinge" an (Chr u K, 21).

(Zu Kap. V,1: S.170-171)

69) S. Chr u K, 21; A 228, s v Kirche. Definition, n 1 (vgl. unten, 171).
70) A 228, s v Kirche und Christenthum. Unterschied, n 1.
71) S. A 224, s v Geschichte. Tradition. Allgemeines, n 1; A 240, s v Urgeschichte (Tradition). Allgemeines, n 1.
72) A 228, s v Kirche (Definition), n 1 (Sperrung C.E.).
73) S. Chr u K, 6.
74) Vorl Einl I, 147.
75) Nietzsche, Werke I, 215. Vgl. Christlichkeit, 22 ff; den oben, 37 (bei Anm. 127) zitierten Satz und überhaupt oben, 13 f; 22 ff.
76) A 240, s v Urchristenthum (Allgemeines), n 8 = Chr u K, 20.
77) ZwTh 1872, 337.
78) S. Chr u K, 1-4.
79) Dieser Satz versucht, die beiden genannten Fragen bzw. Fragenkreise zueinander in ein sachliches Verhältnis zu bringen. Ein chronologisches Nacheinander in dem Sinne, daß Ovb erst nach der abschließenden Fixierung des Unterschieds von Urliteratur und patristischer Literatur das Verhältnis der AG zur Kirchengeschichtsschreibung aufgegriffen hätte, ist durchaus nicht gemeint. Diejenigen Aussagen zu dem Komplex 'AG und Kirchengeschichtsschreibung', die aus der Zeit vor dem Erscheinen des Aufsatzes: Über die Anfänge der patristischen Literatur (1882) stammen, bilden darum keineswegs eine Ausnahme oder ein Gegenindiz. Sie gehören in den Entstehungsprozeß der literaturgeschichtlichen Konzeption Ovb's und bestätigen damit das behauptete sachliche Verhältnis nur in einem anderen Entwicklungsstadium als die einschlägigen Aussagen der späteren Zeit.

(Zu Kap. V,2: S.172)

1) S. oben, 82 f; 107 ff. Nur eine Ergänzung sei hier noch angefügt. Im Anschluß an de Wette (^{3}, 8 = ^{4}, XXIV) stellt Ovb (AG-Komm, XXIV f) fest, daß die absolute Chronologie in der AG (anders als im Lukevgl) vollständig vernachlässigt, die relative Chronologie nicht konsequent durchgeführt wird und daß sich das Interesse des Verf's überhaupt nie unmittelbar auf diesen Punkt richtet. Daß hiermit im Sinne Ovb's ein beachtliches Gegenindiz gegen die Zuordnung der AG zur Geschichtsschreibung genannt ist, ergibt sich aus einer gelegentlichen Notiz A 224, s v Geschichtsschreibung und Chronologie, n 1: "Nur rein erbauliche Auffassung von Geschichtsschreibung ... hat bisweilen allerdings bezweifeln können, dass es für Geschichtsschreibung vor Allem oder nur überhaupt auf chronologische Darstellung der Ereignisse ankomme." - Vgl. im übrigen die Zusammenfassung Anfänge KG 1876, 8 f.
2) AG-Komm, XXVI.
3) Die Rekonstruktion stützt sich auf die von Ovb am Rande des Manuskripts vermerkten Datierungen.

(Zu Kap. V, 2: S. 172-174)

4) Zur "Zweideutigkeit" dieses Begriffs vgl. auch Chr u K, 1.

5) Vorl AK, 4.

6) Vorl AK, 4.

7) Vorl AK, 4. S. auch den unten, 173, 12 zitierten Satz aus Vorl AK, 11.

8) Vorl AK, 8.

9) Vorl AK, 9.

10) Die ersten Christen erhoben sich mittels der eschatologischen Naherwartung über den erfahrungsmäßigen Weltlauf (s. Vorl AK, 9 f). Ovb
hält dies jedoch, wie die Anknüpfung des vorliegenden Gedankens an
die Erwähnung des katholischen und des schroff protestantischen Kirchenbegriffs zeigt, nicht für die einzig mögliche Art, sich des 'über-
geschichtlichen' Charakters der Kirche bewußt zu sein. Vgl. unten,
178 f.

11) Vorl AK, 11.

12) Vorl AK, 13. - Aus dem Satz, Geschichte sei Entwicklung innerhalb
des unserer Erfahrung zugänglichen Weltlaufs, leitet Ovb in § 1 den
Anspruch ab, die Entwicklung der Kirche müsse wahrnehmbar sein,
im Bereich möglicher Erfahrung liegen. Dieser Anspruch wird kritisch
gegen das religiöse Verständnis der Kirche als einer übergeschichtli-
chen Größe gewendet, mit dem Resultat: Nur "als von einer sichtbaren,
dem Bereich unserer Erfahrung angehörenden Gemeinschaft kann die
Kirchengeschichte von der Kirche erzählen, nur ein solcher Kirchenbegriff kann der Kirchengeschichte zu Grunde gelegt werden." (Vorl
AK, 11) Demgegenüber ist das eben an zweiter Stelle genannte Interesse zurückhaltender und jedenfalls in anderer Blickrichtung formuliert: Der erfahrungsmäßige Weltlauf wird nicht als kritischer Gegenbegriff gegen die Überweltlichkeit der Kirche aufgenommen, sondern
als Inbegriff des 'sonstigen', d. h. außerhalb der Kirche sich vollzie-
henden geschichtlichen Geschehens. Nun ist die Relation der Kirche
zu 'sonstigem Geschehen' gewiß stets impliziert, wenn die Kirche als
eine irdische Gemeinschaft begriffen wird. Umgekehrt kann die Kirche
jedoch in die Reihe des allgemeinen Weltgeschehens eingefügt werden,
auch ohne daß jenes empirische Wirklichkeitsverständnis zum Bewußtsein gekommen ist und die Kirche als eine nur irdische Gemeinschaft
begriffen wird. Diese Differenz erscheint bemerkenswert; denn nur die
zweite, zurückhaltendere Folgerung macht es sinnvoll, in der Zeit vor
dem Aufkommen der neuzeitlichen Wissenschaft nach den Anfängen
der Kirchengeschichtsschreibung überhaupt zu fragen.

13) S. Vorl AK, 12.

14) Vorl AK, 13.

15) Vorl AK, 15.

16) Vorl AK, 15.

17) Vorl AK, 15.

18) S. oben, 170.

19) Vorl AK, 18. Vgl. ebd. , 15 die lapidare Feststellung: "Kirchenge-

(Zu Kap. V,2: S.174-176)

schichte ist eine Wissenschaft. Also ist die AG. keine Kirchengeschichte."

20) Vorl AK, 15 (Sperrung C.E.).

21) Vgl. Vorl AK, 13: Die Evangelien und die AG sind zu einer Zeit geschrieben, in der "die rein religiöse Stellung des Subjects zur Kirche
noch so stark ist, dass sie nur in ihrer bleibenden, ewigen und unver-
änderlichen Gestalt ihm erscheint und es den Unterschied von Vergangenheit und Gegenwart, auf dem vor Allem die Geschichte beruht, für
die Kirche nicht kennt."

22) Vorl AK, 16. Das gleiche Argument begegnet auch Anfänge KG 1876,
9-12.

23) Vorl AK, 16 f (Sperrung C.E.).

24) Statt von dem dogmatischen Charakter der Evangelien und der AG zu
reden, kann Ovb im Blick auf die abgeblendete Differenz der Vergangenheit zur Gegenwart und auf den fehlenden Bezug zur Außenwelt
auch sagen: "Die genannten Geschichtsbücher enthalten ... nicht sowohl Geschichte als überwiegend Mythus." (Vorl AK, 15) Zur Relevanz des Mythus für das Leben einer Religion und zum Gegensatz von
Mythus und Historie s. Christlichkeit, 35 ff.

25) Vgl. hierzu Anfänge KG 1876, 10 f; Anfänge KG 1892, 14,18.

26) Vorl AK, 17.

27) S. zum Problem Vorl Einl II, § 6,1, S.372 ff; § 7,1, S.507 ff; § 15,
S.1399 ff.

28) S. AG-Komm, XLV. Vgl. auch A 211, s v AG (Pseudonymität): "Wenn
nicht die Wirstücke wären, so könnte man (wegen des Vorworts des
Lucasevangeliums) meinen, dass die lucanischen Schriften ursprünglich gar nicht sich pseudonym gaben, sondern erst im Canon dazu geworden sind".

29) Vorl AK, 17. - Anfänge KG 1876, 10 f hat Ovb diesen Satz fast wörtlich wiederholt und um folgende Erläuterung ergänzt: "Zu allererst
liegt dem Geschichtsschreiber ob, sich von seinem Gegenstand deutlich
zu unterscheiden, und hierzu wiederum zu allererst, sein chronologisches Verhältniss dazu klar erkennbar zu machen. Eben dieses Verhältniss macht natürlich ein Schriftsteller völlig unkenntlich, der sich
selbst um seines Gegenstandes willen vordatirt." (11) Vgl. Anfänge
KG 1892, 14,18.

30) Vorl ApZA, 33^2.

31) Ovb verweist z.B. auf Euseb, KG II, 23,3 ff; III, 32,2 ff; IV, 8,1 f.

32) Vorl AK, 20.

33) So die Formulierung Ovb's Anfänge KG 1892, 24.

34) Vorl AK, 29. - In der aus dem WS 1872/73 stammenden Fassung dieser
Vorlesung ist Ovb's Ausdrucksweise nicht völlig exakt: In der altchristlichen Chronographie liegen "die Anfänge der christlichen Kirchengeschichtsschreibung"; die Chronographen "bahnen ... die Einordnung
der Kirchengeschichte in den Causalnexus und den Zusammenhang der

(Zu Kap. V, 2: S. 176)

Weltgeschichte an"; sie schaffen "eine unentbehrliche Vorarbeit"
(ebd., 29). In einer späteren - im SS 1884 erstmalig gelesenen - Fassung der gleichen Vorlesung grenzt Ovb Chronographie und Kirchengeschichtsschreibung präziser gegeneinander ab: Von dem doppelten Interesse, welches die Kirchengeschichtsschreibung voraussetzt (nämlich a) die Kirche in ein Verhältnis zum sonstigen geschichtlichen Weltlauf zu setzen, b) ihre im Laufe der Zeit erlittenen Veränderungen zu
verfolgen), läßt die altchristliche Chronographie lediglich das erste
erkennen; s. ebd., 6 f.

35) S. Euseb, KG I, 1, 6 und dazu Anfänge KG 1892, 23.
36) S. Vorl AK, 30 ff; Anfänge KG 1876, 40 ff.
37) Für alles Nähere kann hier nur auf Anfänge KG 1892 verwiesen werden.
38) Vorl AK, 18.
39) Vorl AK, 18 f (Sperrung C.E.). Den literarhistorischen Zusammenhang
der vermeintlichen Reihe: (Evangelien,) AG - (Hegesipp -) Euseb hat
Ovb später noch mehrfach bestritten; s. Anfänge KG 1876, 5 ff; Anfänge, 24-27; Anfänge KG 1892, 8 und überhaupt die ausführliche Besprechung des eigenen Anspruchs des Euseb, der erste Kirchenhistoriker
zu sein, ebd., 5-13.

(Zu Kap. V, 3: S. 177-179)

1) S. Anfänge KG 1876, 12 ff.
2) S. Anfänge KG 1876, 12 f.
3) Anfänge KG 1876, 14.
4) Anfänge KG 1876, 13. Vgl. auch Anfänge KG 1892, 14, 17.
5) Anfänge KG 1876, 14.
6) Anfänge KG 1876, 14 f.
7) Anfänge KG 1876, 15.
8) Anfänge KG 1876, 15.
9) Anfänge KG 1876, 16.
10) Es liegt auf der Hand, daß die vorstehenden, von der traditionellen
Idee des Kanons ausgehenden Überlegungen kein direktes Glied in der
eigenen Argumentationskette Ovb's bilden. Einen nicht zu vernachlässigenden Hinweis auf das wahre Verhältnis der AG zur Kirchengeschichtsschreibung hat er ihnen jedoch zu entnehmen gewußt: s. Anfänge, 16-18.
11) Anfänge KG 1876, 25.
12) Anfänge KG 1876, 27.
13) Anfänge KG 1876, 27.
14) Vgl. zur Sache bereits oben, 172 f.
15) Anfänge KG 1876, 27.
16) Anfänge KG 1876, 28.
17) Vgl. die analoge Beanstandung Vielhauers (Aufsätze, 251, 41) an Ovb's
Begriff der Askese.

(Zu Kap. V, 3: S. 179)

18) Anfänge KG 1876, 28 (Sperrung C.E.).
19) Anfänge KG 1876, 9.
20) Anfänge KG 1876, 12.
21) Anfänge KG 1876, 25.

(Zu Kap. V, 4: S. 180-182)

1) S. Anfänge KG 1892, 14-17.
2) S. Vorl AK, 4; 12-14 (vgl. oben, 172; 173) und die damit übereinstimmenden Angaben Anfänge KG 1876, 26 f.
3) Anfänge KG 1892, 15.
4) Anfänge KG 1892, 15.
5) Anfänge KG 1892, 15.
6) Anfänge KG 1892, 15.
7) S. oben, 178 f.
8) Anfänge KG 1892, 15 (Sperrung C.E.). Die beiden Sätze: "Die religiöse Auffassung ihrer Gemeinschaft ..." und "und eine historische Zukunft ..." ergänzen sich gegenseitig ebenso wie die beiden vorher genannten Bedingungen für das Aufkommen einer Geschichtsschreibung.
   Vgl. auch die folgende Anmerkung!
9) Hätte Ovb die 'religiöse Auffassung ihrer Gemeinschaft' als eschatologische Zukunftshoffnung begriffen und das mangelnde Wissen um den
   Unterschied von Vergangenheit und Gegenwart als Implikation oder
   Konsequenz der Ausrichtung auf das unmittelbar bevorstehende Ende
   der Geschichte angesehen, wäre es unlogisch gewesen, als zweiten
   Hauptsatz zu formulieren: "... und eine historische Zukunft erwarteten sie ... auch nicht."
10) Anfänge KG 1892, 15.
11) Anfänge KG 1892, 15.
12) Anfänge KG 1892, 16, 22.
13) S. AG-Komm, 5 (ebd. ist ein Verweis auf Zeller, AG, 467 ff am
    Rande nachgetragen); 8; 38; 55; LXV; Vorl Einl II, 771 ff; A 207, s v
    Lucasevangelium (Parusie), n 1 f.
14) Anfänge KG 1892, 16 (Sperrung C.E.). Dieser These gegenüber hat
    Hilgenfeld in seiner Rezension (ZwTh 1893, 2. Bd., 317 f) u.a. den
    folgenden Einwand erhoben: Wenn man den Charakter der AG mit Ovb
    nach AG-Komm, XXXI bestimme, schließe der Anfänge KG 1892, 15
    (s. oben, 180) aufgestellte Begriff der Geschichtsschreibung "auch
    die Apostelgeschichte nicht ganz aus": "Eine wesentliche Veränderung
    ist doch zu erkennen in dem Bestande der Christenheit ursprünglich
    aus gläubigen Juden, dann auch aus gläubigen Samaritern und Heiden,
    diesen anfangs ohne rechtliche Anerkennung, aber seit Apg. 15, 23 f.
    21, 25 mit solcher Anerkennung. Die Gegenwart wird bereits unter-
    schieden von Vergangenheit und Zukunft. Overbeck selbst hat in sei-
    nem äusserst gründlichen Commentare (S. XXXI) die Apostelgeschichte

(Zu Kap. V, 4: S. 182-184)

bezeichnet als den 'Versuch eines selbst vom urchristlichen Judaismus schon stark beeinflussten Heidenchristentums, sich mit der Vergangenheit ... auseinanderzusetzen'; doch nicht blos für die Gegenwart, sondern auch für die Zukunft bis zu der menschlichem Wissen sich entziehenden Wiederkunft Christi (1, 7. 11. 3, 21)." (Ebd. , 318) Eine Replik Ovb's auf diesen bemerkenswerten Einwand liegt nicht vor; zur Sache ist jedoch die oben, 174 f wiedergegebene Argumentation zu vergleichen.

15) A 207, s v Lucasevangelium (Charakteristik). Historicismus, n 2; s. auch Chr u K, 78.

16) Wenn Vielhauer sich zum Beweis dafür, wie uneschatologisch Lukas denkt, auf das "Faktum der Apg" beruft (Aufsätze, 24), ist vorausgesetzt, daß der Zweck der AG "vor allem die historische Berichterstattung" war (ebd. , 25). Diese Argumentation bildet insofern keine Analogie zu Ovb's Satz - und gibt darum auch kein Modell zu seiner Interpretation her -, als für Ovb der historische Charakter der AG nichts weniger als eine feststehende Voraussetzung war.

17) Vgl. Anfänge KG 1892, 16: "... und wirklich sind die Schriften des Lukas, zumal in ihrem Zusammenhang, ... im N. T. die Stücke, die wie historische am meisten aussehen." (Sperrung C. E.)

18) S. Vorl Einl II, 783 ff.

19) S. Vorl Einl II, 801 ff.

20) Vorl Einl II, 786.

21) S. Vorl Einl II, 787. - Ovb diskutiert diesen Satz im Blick auf den Prolog und den Schluß des Lukevgl sowie auf die Stellen Luk 21, 12 f; 21, 15; 22, 66 f (im Vergleich zu Mt 26, 59 ff par und AG 6, 14); s. Vorl Einl II, 787-794.

22) Vorl Einl II, 795. Ovb bespricht in diesem Sinne die Himmelfahrtserzählung, den Apostelkatalog 1, 13 und die Stellen 6, 14; 20, 35. Er weist ferner darauf hin, daß Lukas in den apostolischen Lehrreden die Gelegenheit zu Rückverweisen auf das Evangelium ungenutzt lasse. Als Gegenindiz wertet er lediglich 4, 27 (vgl. Luk 23, 6 ff). S. Vorl Einl II, 795-800.

23) S. Vorl Einl II, 800 f.

24) Vgl. Vorl Einl II, 787: Von AG 1, 1 abgesehen besteht zwischen Lukevgl und AG "die absoluteste Fremdheit, sie stehen nebeneinander als gingen sie sich gar nichts an."

25) Vorl Einl II, 786.

26) Vorl Einl II, 801. Die in runden Klammern stehenden Worte hat Ovb am Rande seines Manuskripts nachgetragen.

27) Vorl Einl II, 801.

28) S. oben, 182.

29) Für die genannte Antithese erübrigen sich hier weitere Belege. Für die Kritik des lukanischen 'Historicismus' ist folgender Text zu vergleichen (A 207, s v Lucasevangelium (Allgemeines), n 1; Sperrung

(Zu Kap. V, 4: S. 184-185)

C. E.): "Lucas betrachtet die evangelische Geschichte unter einem so falschen Gesichtspunkte (dem historischen) und zeigt sich insofern der Sache so entfremdet, dass man sich wundern muss, wie er in den Kanon gekommen ist. Die Sache ist jedoch nicht so schwer zu erklären. Gerade sein der Sache unangemessenes Historikerstreben hat sein Evangelium zu einem besonders vollständigen und reichen gemacht, und nur darauf hat die alte Kirche gesehen. Der 'Historiker' ist im Kanon völlig vergessen und in seiner Eigenthümlichkeit gar nicht mehr verstanden worden. Dagegen verdankte man ihm stofflich viel ..." Es folgt ein Hinweis auf Irenäus, adv haer III, 14, 3.

30) Als 'Tactlosigkeit' und als den 'grössten Excess' der falschen Stellung zu seinem Gegenstand bezeichnet Ovb den Gedanken des Lukas, das Evangelium durch eine AG fortzusetzen. Die Tatsache, daß dieser Gedanke seinerseits Lukas als Historiker zu erkennen gibt, führt zu der vorgetragenen Interpretation. Deren Recht wird angesichts der Fortsetzung jedoch fraglich: Soll die Armseligkeit und Armut der AG qualitativ verstanden werden, weil sie eine Folge der falschen = nichtreligiösen, historischen Einstellung ihres Verfassers ist, warum kennzeichnet sie dann die AG im Unterschied zu den Evangelien und nicht die beiden lukanischen Schriften im Unterschied etwa zu den Evangelien des Markus und Matthäus? Ist die Armseligkeit aber quantitativ gemeint, erhebt sich obendrein die Frage, inwiefern sie aus dem 'der Sache unangemessenen Historikerstreben' hervorgehen soll, von dem Ovb in dem Zitat der vorigen Anmerkung sagt, es habe das Lukevgl "zu einem besonders vollständigen und reichen" gemacht und das er sonst u. a. durch die Lückenhaftigkeit der AG gerade ausgeschlossen findet (vgl. z. B. oben, 108).

31) A 207.

32) S. oben, 184, 30.

33) A 207, s v Lucasevangelium (Characteristik). Historicismus, n 2.

34) S. oben, 182.

35) A 207, s v Lucasevangelium (Characteristik). Historicismus, n 2; vgl. oben, 182-184.

36) A 207, s v Lucasevangelium (Characteristik). Historicismus, n 5; vgl. oben, 184 f.

37) S. Haußleiters (342 f) unter Berufung auf Ovb geübte Kritik an der Verwendung des Begriffs "Geschichtsbücher" im Blick auf die Evangelien und die AG durch Krüger (Geschichte[1.2], 29). Ovb hat Haußleiter ausdrücklich zugestimmt (s. A 222, s v Evangelien (Geschichtsbücher), n 1) und selbst ganz entsprechende Bedenken gegenüber H. J. Holtzmann (vgl. Einleitung[3], 340; Ovb bezieht sich freilich auf die zweite Auflage) vorgebracht (s. Vorl Einl II, 42).

38) A 211.

39) So Reuss[6], 210. (Ovb bezieht sich auf die - mir nicht zugängliche - 5. Auflage, Braunschweig, 1874, 211.)

(Zu Kap. V,4: S.186-188)

40) Soweit dies der Fall ist, beziehen sie sich also nur mittelbar auf die AG.

41) A 222, s v Evangelien (kanonische). Historischer Charakter, n 3 (Sperrung C.E.).

42) Vgl. Vorl AK, WS 1872/73, § 2 (s. oben, 173 f); Anfänge, 24-27; Vorl Einl II, 42 f; 781; 1536; A 222, s v Evangelien (Geschichtsbücher), n 1; A 222, s v Evangelien (kanonische). Historischer Charakter, n 1 ff.

43) 'Für sich', d.h. im Gegensatz zu den in ihrem Zusammenhang betrachteten lukanischen Schriften.

44) Anfänge KG 1892, 16.

45) Vorl Einl II, 42.

46) Vorl Einl II, 42.

47) Vorl Einl II, 42 f.

48) Vorl Einl II, 43.

49) A 207, s v Lucasevangelium (Zweck). Allgemeines, n 2.

50) A 207, s v Lucasevangelium (Form), n 2.

51) In diese Richtung scheint Ovb's Erwägung zu weisen, Lukas 'der Historiker' sei im Kanon "völlig vergessen und in seiner Eigenthümlichkeit gar nicht mehr verstanden worden." (A 207, s v Lucasevangelium (Allgemeines), n 1; vgl. oben, 184,29)

52) S. A 207, s v Lucasevangelium (Zweck). Allgemeines, n 2; Vorl Einl II, 729; 733 ff. Zu Luk 1,5 s. außerdem A 207, s v Lucas 1,5. Allgemeines, n 1.

53) S. Vorl Einl II, 734-736 und vgl. dazu Dibelius, ThBl 1927, 213 ff.

54) Vorl Einl II, 736.

55) A 207, s v Lucas 1,5. Allgemeines, n 1.

56) S. A 207, s v Lucasevangelium (Zweck). Allgemeines, n 2; Vorl Einl II, 672 ff; 680 ff; 729 ff; Anfänge KG 1892, 16,23.

57) A 207, s v Lucas 1,1-4. Vermischtes, n 14; vgl. Chr u K, 79.

58) Vorl Einl II, 673.

59) "Es kann sich natürlich bei diesen Vorworten nicht in Wahrheit um eine Persönlichkeit handeln, welche dem darin genannten Theophilus bekannt gewesen wäre, denn einem solchen Theophilus gegenüber wäre natürlich das Spiel, welches der Verfasser mit seiner Person in den Wirstücken treibt, unmöglich. Einem mit ihm bekannten Theophilus gegenüber konnte natürlich der Verfasser der lucanischen Schriften nicht die Maske einer fremden Person ⟨sc des Paulusbegleiters, der tatsächlich in der Wirquelle spricht⟩ annehmen. Tritt das Ich des Verfassers in den Wirstücken nur scheinbar hervor, so ergiebt sich, dass dieses Ich sich in den lucanischen Schriften überhaupt, wo es sich zeigt, nur scheinbar sich zeigt. Also können die Vorworte des Lucasevangeliums und der AG. nur Fiction sein" (Vorl Einl II, 671).

60) Vorl Einl II, 680.

61) Vorl Einl II, 682.

62) A 212, zu AG. 1,8, n 8. Vgl. auch A 207, s v Lucas 1,2 οἱ ἀπ' ἀρχῆς, n 2.

(Zu Kap. V, 4: S. 188-190)

63) S. Vorl Einl II, 729; 738 ff. - Zur Frage der Kritik des Lukas an seinen Vorgängern s. A 207, s v Lucas 1, 1-4. Vermischtes, n 17; ebd., s v Lucas 1, 1 ἐπεχείρησαν, n 1 ff.

64) Sachlich gehört zu der extensiven Vervollständigung der evangelischen Geschichte auch die AG als Fortsetzung des Lukevgl (s. Vorl Einl II, 729). Nach Ovb's Analyse ist daran in Luk 1, 3 jedoch nicht gedacht: Ovb bezieht den Prolog Luk 1, 1-4 ausschließlich auf das Evangelium, nicht auf das lukanische Doppelwerk; s. AG-Komm, XXI, 1; Vorl AG, 269 f; Vorl Einl II, 787 f; A 207, s v Lucasevangelium und AG, n 1; ebd., s v Lucasevangelium (Verfasser) Augenzeugenschaft, n 1; ebd., s v Luk 1, 1-4 und die AG, n 7.

65) Vorl Einl II, 739.

66) Vorl Einl II, 739 f.

67) Vorl Einl II, 671 f.

68) Dies gilt mit Ausnahme der von Lukas vorgenommenen Erweiterung der Vorgeschichte; s. dazu oben, 184.

69) Dagegen spricht nicht Anfänge KG 1892, 16, 23, wo es heißt, auch das Vorwort des Lukevgl sei unter dessen historiographische Charakterzüge aufzunehmen - "nur freilich nicht mit Rücksicht auf die darin ausgesprochenen Absichten des Verfassers, welche die des Historikers vielmehr durchaus nicht sind." Angesichts der oben wiedergegebenen Ausführung Ovb's zum Lukasprolog kann sich diese Einschränkung nur auf den ἵνα-Satz Luk 1, 4 beziehen. Vermutlich versteht Ovb diesen Satz dahin, daß Lukas auf die religiöse Befestigung, nicht auf die historische Belehrung des Theophilos zielt. Der Prolog enthält dann auch einen - keineswegs unwichtigen - 'unhistorischen' Zug neben den genannten 'historischen' Momenten; diese stehen also nicht allein, aber der Sinn, der ihnen für sich zukommt, wird nicht widerrufen.

70) A 207, s v Lucas 1, 1-4. Vermischtes, n 6. Vgl. ebd., n 12 (mit einigen Änderungen abgedruckt Chr u K, 79); Vorl Einl II, 645; ferner zu der bloß künstlichen Herstellung des Zusammenhangs von Lukevgl und AG oben, 182 f.

71) Vorl Einl II, 737.

72) A 207, s v Lucasevangelium (Characteristik). Historicismus, n 3.

73) A 207, s v Lucasevangelium (Characteristik). Historicismus, n 4 (vgl. Chr u K, 79).

74) A 207, s v Lucasevangelium (Characteristik). Historicismus, n 4 (vgl. Chr u K, 79).

75) Vgl. Vorl Einl II, 16 ff.

76) Vgl. Vorl Einl II, 44 ff. Die fünf Hauptgruppen nennt Ovb ebd., 52.

77) Sich hierbei zu beruhigen, verbietet schon, was Ovb Anfänge KG 1892, 16, 23 über die im Lukasprolog ausgesprochenen Absichten des Verf's sagt.

78) Vorl Einl II, 728.

79) Vorl Einl II, 740.

(Zu Kap. V, 4: S. 191-192)

80) Vorl Einl II, 740 f (Sperrung C. E.).
81) Vorl Einl II, 741 (Sperrung C. E.). Vgl. auch ebd., 729.
82) Vorl Einl II, 772 (Sperrung C. E.). Vgl. die Bemerkung zum Stil des Lukas A 207, s v Lucasevangelium (Characteristik). Stil, n 2 (= Chr u K, 79).
83) S. Vorl Einl II, 987 f.
84) Vorl Einl II, 988.
85) Vorl Einl II, 988 (Sperrung C. E.).
86) So in einer nachgetragenen Anmerkung Vorl Einl II, 988 (Sperrung C. E.).
87) Anfänge KG 1892, 16.
88) In mehreren Publikationen ist K. L. Schmidt auf die Chr u K, 78-80 vorliegenden Aussagen Ovb's zum Problem des Historikers Lukas eingegangen. In den anfangs zustimmenden, später kritischen Stellungnahmen spiegelt sich nicht nur Schmidts "Rückkehr zum Konservativismus" (so Vielhauer, Art. K. L. Schmidt, 203), sondern auch die objektive Schwierigkeit, aus den diversen Notizen Ovb's eine einheitliche Grundkonzeption zu entnehmen.

In seiner Abhandlung über die Stellung der Evangelien in der allgemeinen Literaturgeschichte nannte Schmidt das Lukevgl ein besonders deutliches Dokument innerhalb des Prozesses der wachsenden "Verweltlichung der Evangelien" (Stellung, 131). Lukas bemühe sich, ein wirklicher Literat zu sein: "Sein Stil trägt innerhalb des Neuen Testaments am stärksten die Kennzeichen der Weltbildung. Sein Prolog zum Evangelium hat das Format eines Dokuments der zeitgenössischen Weltliteratur." (Stellung, 132) Als gelungen könne der literarische Versuch des Lukas allerdings nicht bezeichnet werden; eine Detailuntersuchung seiner Redaktionstätigkeit zeige vielmehr, "daß bei Lukas das Wollen und das Können in einem eigentümlichen Mißverhältnis zu einander stehen, bzw. daß der Stoff ihm eine Grenze gesetzt hat." (Stellung, 132) Zur Erhärtung der beiden Grundaussagen seines Gedankengangs - das Lukevgl ist ein Dokument der zunehmenden Verweltlichung der Evangelien; das Lukevgl ist das Resultat eines gescheiterten Versuchs, ein Werk der Weltliteratur zu schaffen - bot Schmidt eine Reihe von Zitaten aus Chr u K, 78 f auf, um im Anschluß daran festzustellen: "Ich wüßte niemanden zu nennen, der so eindringlich wie Overbeck die religionsgeschichtliche und theologische Frage erkannt und auch gelöst hätte." (Stellung, 133 ; vgl. die Ovb-Zitate ebd., 132 f)
In der Folgezeit sind Schmidt offenbar Zweifel daran gekommen, ob die Chr u K, 78 f abgedruckten Aussagen Ovb's unterschiedslos richtig sind. Die umfassende Zustimmung von 1923 hat er jedenfalls nicht wiederholt. Mit Beifall hat er lediglich an dem Satz Ovb's festgehalten, daß Lukas als Historiker an seinem Stoff gescheitert sei (s. RGG[2] II, 1116; Evangelien, 40, 31). Die These, daß die Fortsetzung des Lukevgl durch die AG Lukas als Historiker zu erkennen gebe und der größte

(Zu Kap. V, 4: S. 192-194)

Exzeß seiner falschen Stellung zu seinem Gegenstand sei, hat er dagegen mit wachsender Entschiedenheit abgelehnt (s. In extremis 1937,
193-195; In extremis 1940, 34-36; Evangelien, 36). Dabei hat er allerdings eingeräumt, daß Ovb bei seinem Verdikt "mit einem durchaus
richtigen Maßstab" gearbeitet habe: "Overbecks Betrachtung wäre richtig, wenn die Apostelgeschichte als eine Geschichte der Apostelper-
sönlichkeiten die Fortsetzung eines Lebens Jesu nach dem Willen des
Lukas wäre." (In extremis 1940, 35 f; vgl. In extremis 1937, 195)
Nur weil das lukanische Doppelwerk de facto eben nicht zur Geschichtsschreibung gehöre - was Ovb selbst anderwärts richtig gesehen habe
(s. den Verweis auf Anfänge, 24-27 in: In extremis 1940, 36; vgl. Evangelien, 36, 26) -, sei das Verdikt der Taktlosigkeit verfehlt. -
Die von Schmidt selbst verfochtene Deutung des Zusammenhangs von
Lukevgl und AG (s. In extremis 1940, 36; vgl. Evangelien, 36 und
schon RGG^2 II, 1115 f) war von Ovb schon 1870 verworfen worden (s.
AG-Komm, XX; 1).

89) Ovb verweist Anfänge KG 1892, 16, 24 für "die Vergeblichkeit der Ver-
suche, die A. G. als historisches Buch und insbesondere als Kirchen-
geschichte zu begreifen", auf seine Erörterungen AG-Komm, XXVI ff.
Entsprechend hält sich auch seine Argumentation Vorl Einl II, 923 ff;
Vorl AG, 1 ff; 124 ff im Rahmen des aus der Vorl ApZA und dem AG-
Komm Bekannten (s. oben, 107 ff).

90) S. Anfänge KG 1892, 8.

91) S. Anfänge, 26 f und oben, 168 f.

92) Das Johevgl bildet allerdings möglicherweise eine Ausnahme, s. z. B.
Johannes, 343.

93) Der vorstehende Text ist abgedruckt in Overbeckiana II, 156 f; vgl.
ferner Wolfgang Köhler, 49.

(Zu Schluß: S. 195-196)

1) Wellhausen, 21 (Sperrung C. E.).

2) S. oben, 111 f; 112 ff.

3) Vgl. hierzu AG-Komm, XV.

4) Zöckler, 150. Unter den von Zöckler genannten tendenzkritischen Arbeiten begegnet als Kommentar allein derjenige Ovb's. Er ist in der
Tat der einzige, der hier zu nennen war. Vgl. Anonymus, NEKz 1870,
557.

5) Vgl. AG-Komm, VIII f: Angesichts der Kritik de Wettes an Baur (s. de
Wette^3, V f = ^{4}, VII) und im Blick auf sein eigenes Unternehmen stellt
Ovb fest, "nur durch eingehendste Detailuntersuchung des Textes der
AG." sei tatsächlich zu beweisen, "dass von leichtfertiger Ungründ-
lichkeit einer im Wesentlichen auf den Voraussetzungen Baur's ruhen-
den Auslegung der AG. nicht die Rede sein kann".

6) Klein, ZKG 1957, 371.

(Zu Schluß: S.196-200)

7) Klein, ZKG 1962, 363.

8) S. Kapitel III - V.

9) A 228, s v Kirchengeschichte und Theologie, n 2 heißt es: "Aus der gründlichen Confusion, in die die Theologie als 'moderne' über sich selbst geraten ist, ist in ihr der alberne Streit darüber entstanden, ob für die Kirchengeschichte die 'religionsgeschichtliche' Methode die rechte sei. Als ob überhaupt eine andere für diesen Stoff in Betracht kommen könnte!" Liest man diese Worte auf dem Hintergrund von Ovb's OEuvre, dann kann 'religionsgeschichtliche Methode' nur bedeuten: Das Christentum wird als eine Religion betrachtet und erforscht, die anderen Religionen prinzipiell vergleichbar und koordinierbar ist. Je selbstverständlicher aber die religionsgeschichtliche Methode für die Kirchengeschichte reklamiert wird, desto fraglicher erscheint es, ob Ovb das spezifische Anliegen der religionsgeschichtlichen Schule (s. dazu Kümmel, NT, 259 ff), auf die er in den zitierten Worten offenbar anspielt, überhaupt in den Blick bekommen hat.

10) In beiden Hinsichten erweist sich Ovb als Schüler Baurs; s. Vielhauer, Aufsätze, 240 f; Geiger, 41 f.

11) Dibelius, Aufsätze, 18.

12) Gegen Vielhauer, Aufsätze, 242; 248.

13) Overbeckiana II, 93.

14) Vielhauer, GGA 1969, 14.

15) Conzelmann, Kommentar, 9.

16) Vielhauer, GGA 1969, 15.

17) Vorl LG[1], 18 (vgl. Tetz, ThR 1967, 7).

18) S. oben, 138 ff.

19) In seinem Referat über Conzelmanns Arbeiten zur Theologie des Lukas schreibt Gräßer: "Dieser ⟨sc der von Conzelmann nachgewiesene⟩ heilsgeschichtliche Entwurf ist das Ergebnis der Auseinandersetzung des Lukas mit der ihm vorgegebenen eschatologischen Verkündigung in der Form der Naherwartung und der durch das Ausbleiben der Erfüllung dieser Erwartung bedingten Parusieverzögerung." (ThR 1960, 111)

20) S. Klein, Zwölf Apostel, 213-216.

21) Klein, Zwölf Apostel, 214.

22) Vielhauer, Aufsätze, 240.

23) S. oben, 182 ff.

24) A 211, s v AG - Vermischtes, n 2.

25) ZwTh 1869, 212.

26) A 233, s v Paulus, n 1.

27) Käsemann, Versuche II, 12.

28) Barth, 24.

VERZEICHNIS DER ABKÜRZUNGEN

Abk	- Abkürzung
AG	- Apostelgeschichte
AKZ	- Allgemeine Kirchliche Zeitschrift
Art.	- Artikel
Aufl.	- Auflage
Bd.	- Band
BL	- Bibel-Lexikon. Realwörterbuch zum Handgebrauch für Geistliche und Gemeindeglieder. Hg. von D. Schenkel. Bd. I - V. Leipzig, 1869 - 1875.
ebd.	- steht ausschließlich für den innerhalb derselben Anmerkung zuletzt genannten Titel
ed, edd	- edidit, ediderunt
hg.	- herausgegeben
JBW	- Jahrbücher der Biblischen Wissenschaft
JDTh	- Jahrbücher für Deutsche Theologie
Johevgl	- Johannesevangelium
JwK	- Jahrbücher für wissenschaftliche Kritik
LC	- Literarisches Centralblatt für Deutschland
Lukevgl	- Lukasevangelium
Mkevgl	- Markusevangelium
Mtevgl	- Matthäusevangelium
NEKz	- Neue Evangelische Kirchenzeitung
Ovb	- Overbeck
PKz	- Protestantische Kirchenzeitung für das evangelische Deutschland
Rez	- Rezension von
s.	- siehe
S. vor Zahlangaben	- Seite
s v	- sub voce
Th Jbb	- Theologische Jahrbücher
TüZTh.	- Tübinger Zeitschrift für Theologie
Verf	- Verfasser
vgl.	- vergleiche
ZwTh	- Zeitschrift für wissenschaftliche Theologie

Die Abkürzungen: A; n 1, n 2 etc.; Rd werden zusammen mit dem Verfahren bei Zitaten und Verweisen erklärt. Für alle übrigen in der vorstehenden Liste nicht erklärten Abkürzungen wird, soweit sie sich nicht von selbst verstehen, auf das Abkürzungsverzeichnis RGG[3] I, XVI ff verwiesen.

ZUM VERFAHREN BEI ZITATEN UND VERWEISEN

1. Allgemeines
   a) Die Abkürzungen S. (= Seite) und Bd. (= Band) werden nur verwendet,
   wo es notwendig ist, um Mißverständnisse auszuschließen.

   b) Die von der Seitenzahl durch ein Komma getrennte Ziffer bezeichnet
   eine Anmerkung.

   c) A nach einer Seitenzahl verweist auf eine auf der betreffenden Seite
   stehende Passage einer Anmerkung, wenn diese Anmerkung bereits
   auf einer früheren Seite beginnt und dort gezählt wird.

   d) ⟨ ⟩bedeutet: Zusatz in ein Zitat;
   [ ] oder ... bedeuten: Auslassung aus einem Zitat.

2. Overbeckiana (Literaturverzeichnis unter I)
   a) Auf alle Overbeckiana wird ohne Angabe des Verfassernamens verwiesen.

   b) Auf die in den Collectaneen Overbecks (A 207; A 211; A 212; A 216 ff)
   gesammelten Aufzeichnungen wird nach folgendem Schema verwiesen:

   aa) Signatur des Franz-Overbeck-Nachlasses der Universitäts-Bibliothek Basel;

   bb) Stichwort bzw. Bibelstelle, worunter Overbeck die betreffende
   Aufzeichnung notierte, eingeführt durch: s v (= sub voce) bzw.
   durch: zu;

   cc) n 1, n 2 etc. als Hinweis auf die von Overbeck vorgenommene Nu-
   merierung der Notizen zu einem Stichwort; fehlt eine Numerie-
   rung der Notizen und erstrecken sich diese über mehrere Blätter,
   wird die betreffende Seitenzahl genannt.

   c) Auf handschriftliche Notizen Overbecks in den aus seiner Privatbiblio-
   thek stammenden Büchern wird durch ein zur Seitenzahl des betreffenden Werkes hinzugefügtes Rd verwiesen.

   d) Alle anderen Overbeckiana werden unter Verwendung der im Literaturverzeichnis hinter dem betreffenden Titel genannten Abkürzung angeführt.

   e) In den zitierten Texten wird die Orthographie nicht verändert. Die
   von Overbeck abgekürzten Worte werden in der Regel stillschweigend
   ausgeschrieben (Ausnahmen: "Apg.", "AG."; s. zur Begründung oben,
   53,3). Die Zeichensetzung wird gelegentlich um des besseren Verständnisses willen modernisiert.

3. Schriften anderer Autoren (Literaturverzeichnis unter II)
   a) Der Vorname - in der Regel abgekürzt, nur zu Unterscheidungszwek-
   ken ausgeschrieben - wird nur angegeben, wenn und soweit es zur Unterscheidung gleichnamiger Autoren notwendig ist.

b) Wird von einem Autor im Literaturverzeichnis nur eine Arbeit aufgeführt, so wird darauf allein unter Angabe des Verfassernamens und der Seitenzahl verwiesen.

c) Werden von einem Autor im Literaturverzeichnis verschiedene Arbeiten aufgeführt, so werden bei Verweisen vor der Seitenzahl genannt

   aa) bei Zeitschriftenartikeln: Verfassername, Zeitschrift mit Erscheinungsjahr;

   bb) bei Lexikonartikeln: Verfassername, Lexikon mit Auflage und Ziffer des Bandes;

   cc) in allen anderen Fällen: Verfassername, Kurzfassung des Titels.

d) Die zitierten Texte werden in der Orthographie nicht, in der Zeichensetzung nur gelegentlich um des besseren Verständnisses willen verändert. Abkürzungen im Original bleiben erhalten.

LITERATURVERZEICHNIS

I. Overbeckiana

Vorbemerkung zu 1. und 2.:

In Overbeckiana I, 15-28 haben Staehelin und Gabathuler ein "Verzeichnis der gedruckten Schriften, Abhandlungen und Besprechungen Franz Overbecks" zusammengestellt. Von den nach 1962 - dem Erscheinungsjahr von Overbeckiana I - veröffentlichten Nachdrucken abgesehen, ist mir nur ein Titel als fehlend aufgefallen: Bismarck und das Christentum. Hg. von C.A. Bernoulli. Die Tat. Wege zu freiem Menschentum. Eine Monatsschrift. Bd. I, 1909/10, 188-198. Das unten folgende Literaturverzeichnis führt nur die in der vorliegenden Untersuchung genannten Arbeiten Overbecks auf.

Vorbemerkung zu 3.:

Gemäß dem von Tetz eingeführten und in Overbeckiana II verwendeten Signatursystem ist jedem Titel die Signatur des wissenschaftlichen Franz-Overbeck-Nachlasses der Universitäts-Bibliothek Basel vorangestellt. Für die Beschreibung der aufgeführten Teile des Nachlasses sei ausdrücklich auf Overbeckiana II verwiesen.

1. Von Overbeck selbst veröffentlichte Arbeiten

a) Publikationen in Buchform, Zeitschriftenaufsätze, Lexikonartikel

Quaestionum Hippolytearum Specimen summe venerabilis Theologorum ordinis Jenensis consensu et auctoritate pro gradu licentiati et docendi potestate rite obtinendis die IV. M. Augusti A. MDCCCLXIV in publico defendet Franciscus Camillus Overbeck Dr. Philos. cand. Theol. Jenae, 1864. (Abk: Specimen)

Über zwei neue Ansichten von Zeugnissen des Papias für die Apostelgeschichte und das vierte Evangelium. ZwTh 10, 1867, 35-74. (Abk: ZwTh 1867)

Über ἐν ὁμοιώματι σαρκὸς ἁμαρτίας Röm. 8,3. Offenes Sendschreiben an Herrn Dr. Carl Holsten in Rostock. ZwTh 12, 1869, 178-213. (Abk: ZwTh 1869)

Artikel: Felix. BL II. Leipzig, 1869, 263 f. (Abk: BL II, 263 f)

Artikel: Festus. BL II. Leipzig, 1869, 275 f. (Abk: BL II, 275 f)

Kurze Erklärung der Apostelgeschichte. Von W.M.L. de Wette. 4. Auflage, bearbeitet und stark erweitert von F.Overbeck. Kurzgefasstes exegetisches Handbuch zum Neuen Testament. Von W.M.L. de Wette. I, 4. Leipzig, 1870.

(Ovb hat in die von ihm bearbeitete 4. Auflage des Kommentars den Wortlaut der noch von de Wette selbst verfaßten 3. Auflage, von einigen Auslassungen und Korrekturen abgesehen, unverändert aufgenommen. Seine eigenen Ausführungen, durch die der Umfang des Buchs nahezu verdreifacht wurde - 3. Aufl.: 190 Seiten; 4. Aufl.: LXXI+ 487 Seiten - , haben die Gestalt von Zusätzen in den Text de Wettes; sie sind durch hochgestellte Häkchen (⌐ ⌐) kenntlich gemacht. Verwiesen wird

auf die von Ovb verfaßten Texte mit der Abk: AG-Komm;
auf die aus der 3. Auflage aufgenommenen,
von de Wette verfaßten Texte mit der Abk: de Wette[4];
auf die 3. Auflage mit der Abk: de Wette[3].)

Über Entstehung und Recht einer rein historischen Betrachtung der neutestamentlichen Schriften in der Theologie. Antritts-Vorlesung, gehalten in der Aula zu Basel am 7. Juni 1870. Basel, 1871. (Abk: Entstehung)

Über den pseudojustinischen Brief an Diognet. Programm für die Rectoratsfeier der Universität Basel. Basel, 1872. (Abk: Diognet)

Über das Verhältniss Justins des Märtyrers zur Apostelgeschichte. ZwTh 15, 1872, 305-349. (Abk: ZwTh 1872)

Studien zur Geschichte der Alten Kirche. Hg. von der Wissenschaftlichen Buchgesellschaft. Libelli, Bd. CLV. Darmstadt, 1965. Unveränderter reprografischer Nachdruck der Ausgabe Schloß-Chemnitz, 1875. (Abk: Studien)

Über die Auffassung des Streits des Paulus mit Petrus in Antiochien (Gal. 2, 11 ff) bei den Kirchenvätern. Programm zur Rectoratsfeier der Universität Basel. Basel, 1877. (Abk: Auffassung)

Zur Geschichte des Kanons. Hg. von der Wissenschaftlichen Buchgesellschaft. Libelli, Bd. CLIV. Darmstadt, 1965. Unveränderter reprografischer Nachdruck der Ausgabe Chemnitz, 1880. (Abk: Kanon)

Über die Anfänge der patristischen Literatur. Hg. von der Wissenschaftlichen Buchgesellschaft. Libelli, Bd. XV. Darmstadt, 1966. Unveränderter reprografischer Nachdruck der Ausgabe Darmstadt, 1954. Zuerst erschienen: HZ 48 = NF 12, 1882, 417-472. (Abk: Anfänge)

Über die Anfänge der Kirchengeschichtsschreibung. Programm zur Rektoratsfeier der Universität Basel. Hg. von der Wissenschaftlichen Buchgesellschaft. Libelli, Bd. CLIII. Darmstadt, 1965. Unveränderter reprografischer Nachdruck der Ausgabe Basel, 1892. (Abk: Anfänge KG 1892)

Die Bischofslisten und die apostolische Nachfolge in der Kirchengeschichte des Eusebius. Programm zur Rektoratsfeier der Universität Basel. Basel, 1898. (Abk: Bischofslisten)

Über die Christlichkeit unserer heutigen Theologie. 3. Aufl. Darmstadt, 1963. Fotomechanischer Nachdruck der 2., um eine Einleitung und ein Nachwort vermehrten Auflage, Leipzig, 1903. (Abk: Christlichkeit)

b) Rezensionen

Rez: E.v. Pressensé, Geschichte der drei ersten Jahrhunderte der christlichen Kirche. Deutsche Ausgabe von E. Fabarius. Bd. I. Das erste Jahrhundert I. Leipzig, 1862. LC 1863, 98-99. Abk: LC 1863 (Rez Pressensé),
98 f.

Rez: F.C. Baur, Kirchengeschichte des neunzehnten Jahrhunderts. Hg. von
E. Zeller. Tübingen, 1862. LC 1863, 169-172. Abk: LC 1863 (Rez Baur).

Rez: E.v. Pressensé, Geschichte der drei ersten Jahrhunderte der christlichen Kirche. Deutsche Ausgabe von E. Fabarius. Bd. II. Das erste Jahrhundert II. Leipzig, 1863. LC 1863, 674-675. Abk: LC 1863 (Rez Pressensé),
674 f.

Rez: E. Renan, Vie de Jésus. 6. Aufl. Paris, 1863. LC 1863, 1057-1059.
Abk: LC 1863 (Rez Renan).

Rez: D. Schenkel, Das Charakterbild Jesu. Ein biblischer Versuch. 2. Aufl.
Wiesbaden, 1864. LC 1865, 33-35. Abk: LC 1865 (Rez Schenkel).

Rez: A. Stap, Etudes historiques et critiques sur les origines du christia-
nisme. Brüssel, 1864. LC 1865, 197-198. Abk: LC 1865 (Rez Stap).

Rez: D. F. Strauß, Das Leben Jesu für das deutsche Volk bearbeitet. 2. Aufl.
Leipzig, 1864. LC 1865, 489-493. Abk: LC 1865 (Rez Strauß).

Rez: F. Schleiermacher, Das Leben Jesu. Vorlesungen an der Universität
zu Berlin im Jahre 1832. Hg. von K.A. Rütenik. Berlin, 1864. LC 1865,
1105-1108. Abk: LC 1865 (Rez Schleiermacher).

Rez: F.C. Baur, Vorlesungen über neutestamentliche Theologie. Hg. von
F.F. Baur. Leipzig, 1864. LC 1866, 161-163. Abk: LC 1866 (Rez Baur).

Rez: A. Klostermann, Vindiciae Lucanae seu de itinerarii in libro Actorum
asservati auctore. Göttingen, 1866. LC 1866, 585-588. Abk: LC 1866 (Rez
Klostermann).

Rez: Th. Keim, Der geschichtliche Christus. Eine Reihe von Vorträgen mit
Quellenbeweis und Chronologie des Lebens Jesu. 3. Aufl. Zürich, 1866.
LC 1866, 841-845. Abk: LC 1866 (Rez Keim).

Rez: E. Renan, Les Apôtres. Paris, 1866. LC 1866, 937-941. Abk: LC
1866 (Rez Renan).

Rez: C. Harder, Die Entstehung und Ausbreitung des Christenthums in den
ersten drei Jahrhunderten. Vorträge. 1. Theil. Neuwied, 1865. LC 1866,
1313-1314. Abk: LC 1866 (Rez Harder).

Rez: C. Weizsäcker, Untersuchungen über die evangelische Geschichte, ihre Quellen und den Gang ihrer Entwicklung. Gotha, 1865. LC 1867, 481-
485. Abk: LC 1867 (Rez Weizsäcker).

Rez: J. H. Scholten, Die ältesten Zeugnisse betreffend die Schriften des Neuen Testamentes, historisch untersucht. Aus dem Holländischen übersetzt von C. Manchot. Bremen, 1867. LC 1868, 689-690. Abk: LC 1868 (Rez Scholten).

Rez: A. König, Die Echtheit der Apostelgeschichte des heiligen Lucas. Ein Wort an deren Gegner. Breslau, 1867. LC 1868, 713-714. Abk: LC 1868 (Rez König).

Rez: E. Renan, Saint Paul ... Paris, 1869; ders., Paulus ... Autorisierte deutsche Ausgabe. Leipzig, 1869. LC 1869, 1345-1348. Abk: LC 1869 (Rez Renan).

Rez: M. Krenkel, Paulus, der Apostel der Heiden. Vorträge gehalten in den Protestantenvereinen zu Dresden und Leipzig. Leipzig, 1869. LC 1870, 265-267. Abk: 1870 (Rez Krenkel).

Rez: H. Ziegler, Irenäus der Bischof von Lyon. Ein Beitrag zur Entstehungsgeschichte der altkatholischen Kirche. Berlin, 1871. LC 1872, 789-793. Abk: LC 1872 (Rez Ziegler).

Rez: R. F. Grau, Entwickelungsgeschichte des neutestamentlichen Schriftthums. In drei Büchern. Bd. I. Gütersloh, 1871. ZwTh 15, 1872, 439-446. Abk: ZwTh 1872 (Rez Grau).

Rez: Th. Zahn, Ignatius von Antiochien. Gotha, 1873. LC 1874, 1-6. Abk: LC 1874 (Rez Zahn).

Rez: A. Harnack, Zur Quellenkritik der Geschichte des Gnosticismus. Leipzig, 1873. LC 1874, 585-586. Abk: LC 1874 (Rez Harnack).

Rez: Clementis Romani epistulae. Ed ... A. Hilgenfeld. Leipzig, 1876; Clementis Romani ad Corinthios quae dicuntur epistulae. Recensuerunt ... O. de Gebhardt, A. Harnack. Editio altera. Patrum apostolicorum opera. Fascic. I, pars I. Lipsiae, 1876. ThLZ 2, 1877, 284-289. Abk: ThLZ 1877 (Rez Hilgenfeld u. a.).

Rez: M. v. Engelhardt, Das Christenthum Justin's des Märtyrers. Eine Untersuchung über die Anfänge der katholischen Glaubenslehre. Erlangen, 1878. HZ 44 = NF 8, 1880, 499-505. Abk: HZ 1880 (Rez v. Engelhardt).

Rez: Th. Keim, Rom und das Christenthum. Eine Darstellung des Kampfes zwischen dem alten und dem neuen Glauben im römischen Reiche während der beiden ersten Jahrhunderte unsrer Zeitrechnung. Aus Keims handschriftlichem Nachlaß hg. von H. Ziegler. Berlin, 1881. GGA 1882, 46-62. Abk: GGA 1882 (Rez Keim).

Rez: K. Schmidt, Die Apostelgeschichte unter dem Hauptgesichtspunkt ihrer Glaubwürdigkeit kritisch-exegetisch bearbeitet. Bd. I. Erlangen, 1882. GGA 1882, 1313-1340. Abk: GGA 1882 (Rez Schmidt).

2. Editionen aus dem Nachlaß Overbecks

Das Johannesevangelium. Studien zur Kritik seiner Erforschung. Aus dem Nachlaß hg. von C.A.Bernoulli. Tübingen, 1911. (Abk: Johannes)

Vorgeschichte und Jugend der mittelalterlichen Scholastik. Eine kirchenhistorische Vorlesung. Aus dem Nachlaß hg. v. C.A.Bernoulli. Basel, 1917. (Abk: Scholastik)

Christentum und Kultur. Gedanken und Anmerkungen zur modernen Theologie. Aus dem Nachlaß hg. von C.A.Bernoulli. 2. Aufl. Darmstadt, 1963. Unveränderter fotomechanischer Nachdruck der 1. Aufl., Basel, 1919. (Abk: Chr u K)

G.Krüger (ed), Overbeckiana. ThBl 15, 1936, 100-104. (Abk: ThBl 1936)

Titus Flavius Klemens von Alexandria, Die Teppiche (Stromateis). Deutscher Text nach der Übersetzung von F.Overbeck. Im Auftrage der Franz-Overbeck-Stiftung in Basel hg. und eingeleitet von C.A.Bernoulli und L. Früchtel. Basel, 1936. (Abk: Klemens)

Selbstbekenntnisse. Im Auftrage der Franz-Overbeck-Stiftung in Basel hg. und eingeleitet von E.Vischer. Basel, 1941. (Abk: Selbstbekenntnisse)

H.M.Pölcher (ed), Overbeckiana. ZRGG VI, 1954, 49-64. (Abk: ZRGG 1954)

M.Tetz (ed), Adolf Jülichers Briefwechsel mit Franz Overbeck. ZKG 76 = 4. Folge 14, 1965, 307-322. (Abk: ZKG 1965)

Selbstbekenntnisse. Mit einer Einleitung von Jacob Taubes. sammlung insel 21. Frankfurt, 1966.

Overbeckiana. Übersicht über den Franz-Overbeck-Nachlaß der Universitätsbibliothek Basel. I. Teil. Die Korrespondenz Franz Overbecks. Verzeichnisse, Regesten und Texte. Hg. in Zusammenarbeit mit M.Gabathuler von E.Staehelin. Studien zur Geschichte der Wissenschaften in Basel XII. Basel, 1962. (Abk: Overbeckiana I)

Overbeckiana. Übersicht über den Franz-Overbeck-Nachlaß der Universitätsbibliothek Basel. II. Teil. Der wissenschaftliche Nachlaß Franz Overbecks. Beschrieben von M.Tetz. Studien zur Geschichte der Wissenschaften in Basel XIII. Basel, 1962. (Abk: Overbeckiana II)

3. Unveröffentlichte Arbeiten aus dem Nachlaß Overbecks

a) Wissenschaftliche Manuskripte

A 96. Vorlesung: Erklärung der Pastoralbriefe. Jena, WS 1864/65. (Abk: Vorl Past[1])

A 94. Vorlesung: Erklärung des Galaterbriefs. Jena, WS 1867/68. (Abk: Vorl Gal[1])

A 102. Vorlesung: Geschichte des apostolischen Zeitalters. Jena, SS 1867; WS 1868/69; Basel, SS 1870. (Abk: Vorl ApZA)

> (Die Vorlesung ist in der vorliegenden Gestalt aus zum SS 1867, zum WS 1868/69 und zum SS 1870 verfaßten Texten zusammengesetzt. Da nach S. 87 eine zweite, mit S. 7 beginnende Seitenzählung einsetzt, wird bei der Zitierung wie folgt unterschieden: S. 1^1 - 87^1; S. 7^2 - 87^2; S. 88 ff. In Fällen, in denen es möglich ist und notwendig erscheint, wird das Semester, zu welchem Ovb den zitierten Text verfaßte, vermerkt.)

A 136. Paulus und der Ethnarch des Königs Aretas. Vermutlich Jena, 1869. (Abk: Paulus u.d. Ethnarch)

A 103. Vorlesung: Geschichte der Literatur der alten Kirche (Patristik) bis Eusebius von Caesarea. (Jena, WS 1869/70 und) Basel, SS 1870. (Abk: Vorl LG^1)

A 107. Vorlesung: Geschichte des Kampfes der alten Kirche mit dem Heidenthum und dem heidnischen Staat bis zu den Zeiten Constantin's des Grossen. Basel, WS 1870/71. (Abk: Vorl Kampf)

A 109. Ausgeschiedene Teile älterer Fassungen der Vorlesung: Geschichte der alten Kirche. (Abk: Vorl AK)

> (Die bei Zitaten und Verweisen angegebenen Seitenzahlen sind zur Auffindung der jeweils gemeinten Stelle nur sehr bedingt tauglich, da die einzelnen Blätter ihrer unterschiedlichen Herkunft und Verwendung entsprechend verschiedenen Paginierungssystemen angehören. In einzelnen Fällen fehlt eine Angabe der Seitenzahl.)

A 97. Vorlesung: Erklärung der Pastoralbriefe. Basel, WS 1874/75. (Abk: Vorl $Past^2$)

A 80. Über die Anfänge der Kirchengeschichtsschreibung. Rectoratsrede, gehalten am 17. October 1876 in der Aula zu Basel. (Abk: Anfänge KG 1876)

A 104. Vorlesung: Geschichte der Litteratur der alten Kirche bis Eusebius von Caesarea. Basel, (WS 1873/74); WS 1879/80. (Abk: Vorl LG^2)

A 95. Vorlesung: Galaterbrief. Basel, SS 1888. (Abk: Vorl Gal^2)

A 91. Vorlesung: Einleitung in das Neue Testament. Zweiter (specieller) Theil. Basel, WS 1889/90. (Abk: Vorl Einl II)

A 105. Vorlesung: Geschichte der Litteratur der alten Kirche. Patristik. Basel, SS 1895. (Abk: Vorl LG^3)

A 93. Vorlesung: Erklärung der Apostelgeschichte. Basel, WS 1895/96. (Abk: Vorl AG)

A 87. Vorlesung: Einleitung in das Neue Testament. Erster (allgemeiner) Theil. Geschichte des Kanons und des Textes. Basel, WS 1895/96. (Abk: Vorl Einl I)

b) Collectaneen und andere Aufzeichnungen Overbecks

A 170. Übersetzung: H.D. Tjeenk Willink, Justinus Martyr in seinem Verhältniss zu Paulus. Ein Beitrag zur Kenntniss der Geschichte des ältesten Christenthums. Zwolle, 1868. Aus dem Holländischen übersetzt. Basel, Herbst 1870.

A 207. Synoptiker. (Abk: A 107)

A 211. Apostelgeschichte. (Abk: A 211)

A 212. Apostelgeschichte. (Abk: A 212)

A 216 ff. Kirchenlexicon. Verschiedene Stichworte. (Abk: A 216 ff)

A 268. Beilagen zum autobiographischen Fragment:

    b: 56 Zettel mit vermischten Aufzeichnungen Overbecks.
    c: "Meine Vorlesung über die Apostelgeschichte. Winter 1895/6."
    d: "Arbeit für die mir mit dem Abschied Frühjahr 1897 gewährte
       Muße und Freiheit."
    (Abk: A 268 b; A 268 c; A 268 d)

c) Bücher aus der Bibliothek Overbecks

aa) Aus dem Franz-Overbeck-Nachlaß der Universitäts-Bibliothek Basel:

A 338. W.M.L. de Wette, Kurze Erklärung der Apostelgeschichte. 4. Aufl. bearbeitet und stark erweitert von F. Overbeck. Leipzig, 1870.

A 344. Franz Overbeck, Über die Auffassung des Streits des Paulus mit Petrus in Antiochien (Gal 2, 11 ff) bei den Kirchenvätern. Programm zur Rectoratsfeier der Universität Basel. Basel, 1877.

bb) Aus dem Privatbesitz von Prof. Dr. M. Tetz, Bochum:

Schmidt, K., Die Apostelgeschichte unter dem Hauptgesichtspunkt ihrer Glaubwürdigkeit kritisch-exegetisch bearbeitet. Bd. I. Erlangen, 1882.

Vischer, E., Die geschichtliche Gewißheit und der Glaube an Jesus Christus. ZThK 8, 1898, 195-260. Sonderdruck.

Weiße, C.H., Die evangelische Geschichte kritisch und philosophisch bearbeitet. Bd. I-II. Leipzig, 1838.

II. Schriften anderer Autoren

Alzog, J., Handbuch der Patrologie oder der ältern christlichen Literärgeschichte. Freiburg, 1866.

Anonymus, Ferdinand Christian Baur und die Tübinger Schule. Unsere
Zeit. Jahrbuch zum Conversations-Lexikon. Bd. VI. Leipzig, 1862,
229-254.

- Rez Ovb, AG-Komm. NEKz 12, 1870, 556-557.

- Rez Ovb, AG-Komm. Theologischer Jahresbericht 6, 1871, 199-202.

- Rez Ovb, AG-Komm; Ovb, Entstehung. AKZ 13, 1872, 433-436.

Bähr, J.C.F., Geschichte der Römischen Literatur. Supplement-Band.
Die christlich-römische Literatur. I. Abtheilung: Die christlichen Dichter und Geschichtsschreiber Roms. Eine literärhistorische Übersicht.
Carlsruhe, 1836. II. Abtheilung: Die christlich-römische Theologie,
nebst einem Anhang über die Rechtsquellen. Eine literärhistorische Übersicht. Carlsruhe, 1837.

Bardenhewer, O., Patrologie. Theologische Bibliothek. 3. Aufl. Freiburg, 1910.

Barnikol, E., Das dogmengeschichtliche Erbe Hegels bei und seit Strauß
und Baur im 19. Jahrhundert. ThLZ 85, 1960, 847-850.

- Das ideengeschichtliche Erbe Hegels bei und seit Strauss und Baur im
19. Jahrhundert. Wissenschaftliche Zeitschrift der Martin-Luther-Universität Halle-Wittenberg. Gesellschafts- und sprachwissenschaftliche
Reihe. X, 1961, 281-328.

Barrett, C.K., Luke the Historian in Recent Study. London, 1961.

Barth, K., Unerledigte Anfragen an die heutige Theologie. In: Die Theologie und die Kirche. Gesammelte Vorträge. Bd. II. München, 1928,
1-25.

Bauer, B., Kritik der evangelischen Geschichte des Johannes. Bremen,
1840. (Abk: Johannes)

- Kritik der evangelischen Geschichte der Synoptiker. Bd. I-II. Leipzig,
1841. Bd. III: Kritik der evangelischen Geschichte der Synoptiker und
des Johannes. Braunschweig, 1842. (Abk: Synoptiker I-III)

- Die Apostelgeschichte eine Ausgleichung des Paulinismus und des Judenthums innerhalb der christlichen Kirche. Berlin, 1850. (Abk: AG)

- Kritik der Evangelien und Geschichte ihres Ursprungs. Bd. I-III. Berlin, 1850-1851. Bd. IV: Die theologische Erklärung der Evangelien.
Berlin, 1852. (Abk: Evangelien I-IV)

Bauer, K., Ferdinand Christian Baur als Kirchenhistoriker. Blätter für württembergische Kirchengeschichte NF 25, 1921, 1-70; NF 26, 1922, 1-60.

Baumgarten, M., Die Apostelgeschichte, oder der Entwickelungsgang der Kirche von Jerusalem bis Rom. Ein biblisch-historischer Versuch. Bd. I-II. 2. Aufl. Braunschweig, 1859.

Baur, A., Ferdinand Christian Baur. PKz 39, 1892, 661-667; 691-699.

Baur, F.C., Ausgewählte Werke in Einzelausgaben. Hg. von K. Scholder. Bd. I: Historisch-kritische Untersuchungen zum Neuen Testament. Mit einer Einführung von E. Käsemann. Stuttgart-Bad Cannstatt, 1963. (Abk: Werke I.) Darin:
1. Die Christuspartei in der korinthischen Gemeinde, der Gegensatz des petrinischen und paulinischen Christenthums in der ältesten Kirche, der Apostel Petrus in Rom (S. 1-146);
2. Über Zweck und Veranlassung des Römerbriefs und die damit zusammenhängenden Verhältnisse der römischen Gemeinde (S. 147-266);
3. Über den Ursprung des Episcopats in der christlichen Kirche (S. 321-505).
Bd. II: Die Epochen der kirchlichen Geschichtschreibung (1852). Dogmengeschichtliche Vorreden aus den Jahren 1838-1858. Mit einer Einführung von E. Wolf. Stuttgart-Bad Cannstatt, 1963. (Abk: Werke II)
Bd. III: Das Christenthum und die christliche Kirche der drei ersten Jahrhunderte. Mit einer Einführung von U. Wickert. Stuttgart-Bad Cannstatt, 1966. (Abk: Christenthum)

- De orationis habitae a Stephano Act. Cap. VII consilio, et de Protomartyris hujus in christianae rei primordiis momento. Adduntur critica quaedam de loco Act. XXI, 20. Tubingae, 1829. (Abk: De orationis)

- Über den wahren Begriff des γλώσσαις λαλεῖν, mit Rücksicht auf die neuesten Untersuchungen hierüber. TüZTh 1830, 75-133.

- Die sogenannten Pastoralbriefe des Apostels Paulus aufs neue kritisch untersucht. Stuttgart-Tübingen, 1835.

- Rez M. Schneckenburger, Über den Zweck der Apostelgeschichte. Bern, 1841. JwK 1841, 361-375; 377-381.

- Kritische Beiträge zur Kirchengeschichte der ersten Jahrhunderte, mit besonderer Rücksicht auf die Werke von Neander und Gieseler. Th Jbb 4, 1845, 207-314.

- Paulus, der Apostel Jesu Christi. Sein Leben und Wirken, seine Briefe und seine Lehre. Ein Beitrag zu einer kritischen Geschichte des Urchristenthums. 1. Aufl. Stuttgart, 1845; 2. Aufl. besorgt von E. Zeller. Bd. I-II. Leipzig, 1866-1867. (Abk: Paulus)

- Kritische Untersuchungen über die kanonischen Evangelien, ihr Verhältniß zu einander, ihren Charakter und Ursprung. Tübingen, 1847. (Abk: Evangelien)

- Die Einleitung in das Neue Testament als theologische Wissenschaft.
  Ihr Begriff und ihre Aufgabe, ihr Entwicklungsgang und ihr innerer Organismus. Th Jbb 9, 1850, 463-566; 10, 1851, 70-94; 222-253; 291-
  329.

- Die Tübinger Schule und ihre Stellung zur Gegenwart. Tübingen, 1859.
  (Abk: Tübinger Schule)

- Lehrbuch der christlichen Dogmengeschichte. Unveränderter reprografischer Nachdruck der 3. Aufl., Leipzig, 1867. Darmstadt, 1968. (Abk:
  Dogmengeschichte)

- Vorlesungen über Neutestamentliche Theologie. Bd. I-II. Hg. von F.F.
  Baur. Neue Ausgabe, mit einer Einleitung von O. Pfleiderer. Bibliothek
  theologischer Klassiker 45-46. Gotha, 1892. (Abk: Vorlesungen I-II)

- Kirchengeschichte des neunzehnten Jahrhunderts (= Geschichte der christ
  lichen Kirche, Bd. V). Hg. von E. Zeller. 2. Aufl. Leipzig, 1877.
  (Abk: KG 19. Jh.)

Bell, F.W.B. van, Rez Ovb, AG-Komm. ThT 4, 1870, 636-641.

Bernhardy, G., Grundriß der Römischen Litteratur. 2. Aufl. Halle, 1850;
   4. Aufl. Braunschweig, 1865; 5. Aufl. Braunschweig, 1872.

Bernoulli, C.A. (ed), Hieronymus und Gennadius, De viris inlustribus.
   SQS 11. Freiburg-Leipzig, 1895.

- Franz Overbeck †. Neue Zürcher Zeitung vom 30.6.1905 (Morgenblatt).

- Franz Overbeck. Basler Jahrbuch 1906, 136-192.

- Franz Overbeck und Friedrich Nietzsche. Eine Freundschaft. Bd. I-II.
  Jena, 1908.

- Overbecks Leben und Werk. In: Titus Flavius Klemens von Alexandria,
  Die Teppiche (Stromateis). Deutscher Text nach der Übersetzung von
  F. Overbeck ... Basel, 1936, 1-66. (Abk: Overbecks Leben)

Bertholdt, L., Historischkritische Einleitung in sämmtliche kanonische
   und apokryphische Schriften des alten und neuen Testaments. 1. Theil.
   Erlangen, 1812; 3. Theil. Erlangen, 1813.

Bieder, W., Die Apostelgeschichte in der Historie. Ein Beitrag zur Auslegungsgeschichte des Missionsbuches der Kirche. ThSt (B) 61. Zürich,
   1960.

Bihlmeyer, K. - Schneemelcher, W. (edd), Die Apostolischen Väter.
   1. Teil. SQS, 2. Reihe, 1. Heft, 1. Teil. 2. Aufl. Tübingen, 1956.

Birt, Th., Das antike Buchwesen in seinem Verhältniss zur Litteratur.
   Mit Beiträgen zur Textgeschichte des Theokrit, Catull, Properz und
   anderer Autoren. Berlin, 1882.

Bisping, A., Erklärung der Apostelgeschichte. Exegetisches Handbuch zu
   den Evangelien und der Apostelgeschichte. Bd. IV. Münster, 1866.

Bleek, F., Rez E.Th.Mayerhoff, Historisch-critische Einleitung in die petrinischen Schriften. Hamburg, 1835. ThStKr 9, 1836, 1021-1072.

- Einleitung in die Heilige Schrift. 2. Theil: Einleitung in das Neue Testament. Hg. von J.F.Bleek. Berlin, 1862.

Bleek, F. - Mangold, W., Einleitung in die Heilige Schrift. 2. Theil: Einleitung in das Neue Testament. 3. Aufl. besorgt von W.Mangold. Berlin, 1875.

Bornemann, W., Franz Overbeck. PrBl 68, 1935, 85-88; 102-104.

Brandes, Rez Ovb, AG-Komm. Theologisches Literaturblatt zur Allgemeinen Kirchenzeitung 47, 1870, 249-251.

Bultmann, R., Glauben und Verstehen. Gesammelte Aufsätze. Bd. I. 5. Aufl. Tübingen, 1964; Bd. II. 4. Aufl. Tübingen, 1965; Bd. III. 3. Aufl. Tübingen, 1965; Bd. IV. Tübingen, 1965. (Abk: GuV I-IV)

- Neues Testament. Einleitung. I-II. ThR 17, 1914, 41-46; 79-90.

- Die Geschichte der synoptischen Tradition. FRLANT 29 = NF 12. 1. Aufl. Göttingen, 1921; 2. Aufl. Göttingen, 1931; 5. Aufl. Göttingen, 1961. (Abk: Tradition)

- Rez E.Fascher, Die formgeschichtliche Methode. Gießen, 1924. ThLZ 50, 1925, 313-318.

- Art. Briefliteratur, Urchristliche, formgeschichtlich. RGG^2 I, 1254-1257.

- Art. Evangelien, gattungsgeschichtlich (formgeschichtlich). RGG^2 II, 418-422.

Bultmann, R. - Gunkel, H., Art. Literaturgeschichte, Biblische. RGG^2 III, 1675-1682.

Clemen, C., Die Chronologie der paulinischen Briefe aufs neue untersucht. Halle, 1893.

- Die Zusammensetzung von Apg. 1-5. ThStKr 68, 1895, 297-357.

Conzelmann, H., Geschichte, Geschichtsbild und Geschichtsdarstellung bei Lukas. ThLZ 85, 1960, 241-250.

- Die Mitte der Zeit. Studien zur Theologie des Lukas. BHTh 17. 3. Aufl. Tübingen, 1960.

- Art. Formen und Gattungen. II. NT. EKL^2 I, 1310-1315.

- Die Apostelgeschichte. HNT 7. Tübingen, 1963. (Abk: Kommentar)

Credner, K.A., Einleitung in das Neue Testament. Erster Theil. Erste Abtheilung. Halle, 1836.

Deißmann, A., Prolegomena zu den biblischen Briefen und Episteln. In: Bibelstudien. Marburg, 1895, 187-252.

- Licht vom Osten. Das Neue Testament und die neuentdeckten Texte der hellenistisch-römischen Welt. 4. Aufl. Tübingen, 1923.

- Selbstdarstellung. In: Die Religionswissenschaft der Gegenwart in Selbstdarstellungen. Hg. von E. Stange. Bd. I. Leipzig, 1925, 43-78.

Dibelius, M., Die Formgeschichte des Evangeliums. 1. Aufl. Tübingen, 1919; 2. Aufl. Tübingen, 1933; 4. Aufl., photomechanischer Nachdruck der 3. Aufl., mit einem Nachtrag von G. Iber, hg. von G. Bornkamm. Tübingen, 1961. (Abk: Formgeschichte)

- Geschichte der urchristlichen Literatur. Bd. I: Evangelien und Apokalypsen; Bd. II: Apostolisches und Nachapostolisches. Sammlung Göschen 934-935. Berlin - Leipzig, 1926. (Abk: Geschichte I-II)

- Urchristliche Geschichte und Weltgeschichte. ThBl 6, 1927, 213-224.

- Urchristentum und Kultur. Rektoratsrede gehalten bei der Stiftungsfeier der Universität am 22.11.1927. Heidelberger Universitätsreden 2. Heidelberg, 1928. (Abk: Urchristentum)

- Zur Formgeschichte der Evangelien. ThR NF 1, 1929, 185-216.

- Selbstdarstellung. In: Die Religionswissenschaft der Gegenwart in Selbstdarstellungen. Hg. von E. Stange. Bd. V. Leipzig, 1929, 1-37.

- Aufsätze zur Apostelgeschichte. Hg. von H. Greeven. FRLANT 60 = NF 42. 4. Aufl. Göttingen, 1961. (Abk: Aufsätze)

Dilthey, W., Aus Eduard Zellers Jugendjahren. In: Gesammelte Schriften. Bd. IV: Die Jugendgeschichte Hegels und andere Abhandlungen zur Geschichte des Deutschen Idealismus. Hg. von H. Nohl. Leipzig-Berlin, 1921, 433-450.

Ebrard, J. H. A., Die Apostelgeschichte. Biblischer Commentar über sämmtliche Schriften des Neuen Testaments zunächst für Prediger und Studirende. Von H. Olshausen. Bd. II, 3. Abtheilung. 4. Aufl. Königsberg, 1862. (Abk: Apostelgeschichte)

- Wissenschaftliche Kritik der evangelischen Geschichte. 3. Aufl. Frankfurt, 1868. (Abk: Kritik)

Eichhorn, J. G., Einleitung in das Neue Testament. Bd. II. J. G. Eichhorns kritische Schriften. Bd. VI. Leipzig, 1810.

Engelhardt, M. von, Das Christenthum Justins des Märtyrers. Eine Untersuchung über die Anfänge der katholischen Glaubenslehre. Erlangen, 1878. (Abk: Christenthum Justins)

- Art. Justin der Märtyrer. RE^2 7, 318-327.

Ewald, H., Geschichte des Volkes Israel bis Christus. Bd. I: Einleitung in die Geschichte des Volkes Israel. 2. Aufl. Göttingen, 1851. (Abk: Geschichte I)

- Die gewissheit der abkunft der Apostelgeschichte und des dritten Evangeliums von Lukas. JBW 9, 1857-1858, 49-69.

- Geschichte des Volkes Israel. Bd. VI: Geschichte des apostolischen Zeitalters bis zur Zerstörung Jerusalems. 2. Aufl. Göttingen, 1858. (Abk: Geschichte VI)

- Rez Ovb, AG-Komm. GGA 1870, 1393-1400.

Ewald, P., Art. Lukas (der Evangelist). RE³ 11, 690-704.

Fascher, E., Die formgeschichtliche Methode. Eine Darstellung und Kritik. Zugleich ein Beitrag zur Geschichte des synoptischen Problems. BZNW 2. Gießen, 1924.

Feine, P., Eine vorkanonische Überlieferung des Lukas in Evangelium und Apostelgeschichte. Eine Untersuchung. Gotha, 1891.

Felten, J., Die Apostelgeschichte übersetzt und erklärt. Freiburg, 1892.

Fuchs, E., Zur Frage nach dem historischen Jesus. Gesammelte Aufsätze. Bd. II. Tübingen, 1960.

Geiger, W., Spekulation und Kritik. Die Geschichtstheologie Ferdinand Christian Baurs. FGLP, 10. Reihe, 28. München, 1964.

Gfrörer, A.F., Geschichte des Urchristenthums. II. Haupttheil: Die heilige Sage. 1. Abtheilung. Stuttgart, 1838.

Gieseler, J.C.L., Lehrbuch der Kirchengeschichte. Bd. I. 1. Abtheilung. 4. Aufl. Bonn, 1844.

Goguel, M., Introduction au Nouveau Testament. T 3: Le Livre des Actes. Bibliothèque Historique des Religions. Paris, 1922.

Gräßer, E., Das Problem der Parusieverzögerung in den synoptischen Evangelien und in der Apostelgeschichte. BZNW 22. 2. Aufl. Berlin, 1960.

- Die Apostelgeschichte in der Forschung der Gegenwart. ThR NF 26, 1960, 93-167.

Grau, R.F., Entwickelungsgeschichte des Neutestamentlichen Schriftthums. In drei Bänden. Bd. I. Gütersloh, 1871.

Güder, E., Art. Lukas, der Evangelist. RE¹ 8, 544-556.

- Art. Lukas, der Evangelist. RE² 9, 11-24.

Guericke, H.E.F., Gesammtgeschichte des Neuen Testaments oder Neutestamentliche Isagogik. Der Historisch kritischen Einleitung ins N.T. zweite völlig umgearbeitete Auflage. Leipzig, 1854.

Güttgemanns, E., Offene Fragen zur Formgeschichte des Evangeliums. Eine methodologische Skizze zur Grundlagenproblematik der Form- und Redaktionsgeschichte. BEvTh 54. München, 1970.

Gunkel, H., Ziele und Methoden der Erklärung des Alten Testamentes. In: Reden und Aufsätze. Göttingen, 1913, 11-29.

- Die Grundprobleme der israelitischen Literaturgeschichte. In: Reden und Aufsätze. Göttingen, 1913, 29-38.

- Die israelitische Literatur. Darmstadt, 1963. Unveränderter fotomechanischer Nachdruck aus: Kultur der Gegenwart I, 7: Orientalische Literaturen. Leipzig, 1925, 53-112.

Haenchen, E., Die Apostelgeschichte. MeyerK., 3. Abteilung. 10. Aufl. (= 1. Aufl. der Neubearbeitung durch Haenchen). Göttingen, 1956; 12. (= 3.) Aufl. Göttingen, 1959; 14. (= 5.) Aufl. Göttingen, 1965; 15. (= 6.) Aufl. Göttingen, 1968.

Haeuptner, G., Die Geschichtsansicht des jungen Nietzsche. Versuch einer immanenten Kritik der zweiten unzeitgemäßen Betrachtung: "Vom Nutzen und Nachteil der Historie für das Leben". Geisteswissenschaftliche Forschungen 9. Stuttgart, 1936.

Harnack, A., Zur Quellenkritik der Geschichte des Gnosticismus. Leipzig, 1873. (Abk: Quellenkritik)

- Das Muratorische Fragment und die Entstehung einer Sammlung apostolisch-katholischer Schriften. ZKG 3, 1878/79, 358-408.

- Rez Ovb, Anfänge. ZKG 6, 1884, 120-122.

- Lehrbuch der Dogmengeschichte. Bd. I: Die Entstehung des kirchlichen Dogmas. Sammlung Theologischer Lehrbücher. 1. Aufl. Freiburg, 1886 2. Aufl. Freiburg, 1888; unveränderter reprografischer Nachdruck der 4. Aufl. (Tübingen, 1909). Darmstadt, 1964. (Abk: Dogmengeschichte)

- Legenden als Geschichtsquellen. In: Reden und Aufsätze. Bd. I. 2. Aufl. Gießen, 1906, 1-26.

- Geschichte der altchristlichen Literatur bis Eusebius. 2. Aufl. Mit einem Vorwort von K. Aland. Teil I: Die Überlieferung und der Bestand. 2 Halbbände. Leipzig, 1958. Teil II: Die Chronologie. Bd. I: Die Chronologie der Literatur bis Irenäus nebst einleitenden Untersuchungen. Leipzig, 1958. Bd. II: Die Chronologie der Literatur von Irenäus bis Eusebius. Leipzig, 1958. (Abk: Geschichte)

- Lukas der Arzt der Verfasser des dritten Evangeliums und der Apostelgeschichte. Beiträge zur Einleitung in das Neue Testament. Bd. I. Leipzig, 1906.

- Die Apostelgeschichte. Beiträge zur Einleitung in das Neue Testament. Bd. III. Leipzig, 1908.

- Neue Untersuchungen zur Apostelgeschichte und zur Abfassungszeit der synoptischen Evangelien. Beiträge zur Einleitung in das Neue Testament Bd. IV. Leipzig, 1911.

Hartlich, C. - Sachs, W., Der Ursprung des Mythosbegriffes in der modernen Bibelwissenschaft. Schriften der Studiengemeinschaft der Evangelischen Akademien 2. Tübingen, 1952.

Hase, K. von, Die Tübinger Schule. Sendschreiben an Herrn Dr. F.C. von Baur. In: Gesammelte Werke. Bd. VIII: Theologische Streit- und Zeitschriften. 1. Abtheilung. Hg. von G.Frank. Leipzig, 1892, 415-482.

Hausrath, A., Neutestamentliche Zeitgeschichte. 1. Theil: Die Zeit Jesu; 2. Theil: Die Zeit der Apostel; 3. Theil: Die Zeit der Märtyrer und das nachapostolische Zeitalter. Heidelberg, 1868; 1872; 1874. (Abk: Zeitgeschichte)

- Jesus und die neutestamentlichen Schriftsteller. Bd. II. Berlin, 1909. (Abk: Jesus II)

Haußleiter, J., Rez O.Bardenhewer, Patrologie. Freiburg, 1894; G.Krüger, Geschichte. Freiburg-Leipzig, 1895. GGA 160, 1898, Bd. I, 337-379.

Hefele, K.J., Rez J.Fessler, Institutiones Patrologiae. T I, 1-2. Oeniponte, 1850. ThQ 33, 1851, 416-434.

Heidegger, M., Sein und Zeit. 9. Aufl. Tübingen, 1960.

Heitmüller, W., Die Quellenfrage in der Apostelgeschichte (1886-1898). ThR 2, 1899, 47-59; 83-95; 127-140.

Hennecke, E. - Schneemelcher, W. (edd), Neutestamentliche Apokryphen in deutscher Übersetzung. Bd. I-II. 3. Aufl. Tübingen, 1959; 1964.

Hilgenfeld, A., Das Urchristenthum und seine neuesten Bearbeitungen von Lechler und Ritschl. ZwTh 1, 1858, 54-140; 377-440; 562-602.

- Paulus und die Urapostel, der Galaterbrief und die Apostelgeschichte und die neuesten Bearbeitungen. ZwTh 3, 1860, 101-168; 205-239.

- Rez Ovb, AG-Komm. ZwTh 14, 1871, 153-157.

- Zur Geschichte des Unions-Paulinismus. ZwTh 15, 1872, 469-509.

- Der Brief an Diognetos. ZwTh 16, 1873, 270-286.

- Historisch-kritische Einleitung in das Neue Testament. Leipzig, 1875. (Abk: Einleitung)

- Rez Ovb, Anfänge KG 1892. ZwTh 1893, Bd. II, 317-320.

- Die Apostelgeschichte nach ihren Quellenschriften untersucht. ZwTh 38 = NF 3, 1895, 65-115; 186-217; 384-447; 481- 517. ZwTh 39 = NF 4, 1896, 24-79; 177-216; 351-387; 517-558.

- Der Eingang der Apostelgeschichte. ZwTh 41 = NF 6, 1898, 619-625.

- (ed), Acta Apostolorum graece et latine secundum antiquissimos testes. Berolini, 1899.

Holl, K., Antrittsrede in der kgl. Preußischen Akademie der Wissenschaften am 1.7.1915. SBA 1915, 493 f. Abgedruckt in: Kleine Schriften. Hg. von R.Stupperich. Tübingen, 1966, 1 f.

Holsten, C., Zum Evangelium des Paulus und des Petrus. Altes und Neu-es. Rostock, 1868.

Holtzmann, H.J., Vollständiges Bibelwerk für die Gemeinde. Von C.C.J. Bunsen. Bd. VIII (= 2. Abtheilung. Bibelurkunden. Geschichte der Bücher und Herstellung der urkundlichen Bibeltexte. 4. Theil): Die Bücher des Neuen Bundes. Hg. von H.J.Holtzmann. Leipzig, 1866. (Abk: Bibelwerk VIII)

- Art. Apostelgeschichte. BL I, 208-216.

- Rez Ovb, AG-Komm. PKz 18, 1871, 235-236.

- Lucas und Josephus. ZwTh 16, 1873, 85-93.

- Die Synoptiker. Die Apostelgeschichte. HC, Bd. I. 1. Aufl. Freiburg, 1889; 2. Aufl. Freiburg, 1892. (Abk: HC I)

- Die Apostelgeschichte. HC, Bd. I, 2. 3. Aufl. Tübingen-Leipzig, 1901. (Abk: HC I, 2)

- Lehrbuch der historisch-kritischen Einleitung in das Neue Testament. 3. Aufl. Freiburg, 1892. (Abk: Einleitung)

- Lehrbuch der neutestamentlichen Theologie. Bd. I-II. 2. Aufl. Hg. von A.Jülicher und W.Bauer. Sammlung theologischer Lehrbücher. Tübingen, 1911. (Abk: Theologie I-II)

Hornig, G., Die Anfänge der historisch-kritischen Theologie. Johann Salomo Semlers Schriftverständnis und seine Stellung zu Luther. FSThR 8. Göttingen, 1961. (Abk: Anfänge)

- Art. Akkomodation. Historisches Wörterbuch der Philosophie. Hg. von J.Ritter. Bd. I. Darmstadt, 1971, 125 f.

Hupfeld, H., Über Begriff und Methode der sogenannten biblischen Einleitung nebst einer Übersicht ihrer Geschichte und Literatur. Marburg, 1844.

Jackson, F.J.F. - Lake, K. (edd), The Beginnings of Christianity. Part I: The Acts of the Apostles. Vol II: Prolegomena II. Criticism. London, 1922. Vol IV: English Translation and Commentary, by K.Lake and H.J. Cadbury. London, 1933.

Jacobsen, A., Die Quellen der Apostelgeschichte. Wissenschaftliche Beilage zum Programm des Friedrichs-Werderschen Gymnasiums. Ostern, 1885. Berlin, 1885.

Jedin, H., Art. Kirchengeschichte II. Kirchengeschichtsschreibung. LThK[2] VI, 211-212; 213-214.

Joel, K., Franz Overbeck †. Die Neue Rundschau. XVIter Jahrgang der freien Bühne. 1905, Bd. II, 1145 f.

Jülicher, A., Einleitung in das Neue Testament. Grundriss der Theologischen Wissenschaften. I. Reihe, III. Theil, I. Bd. 1./2. Aufl. Freiburg-Leipzig, 1894; 3./4. Aufl. Tübingen,1901; 5./6. Aufl. Tübingen, 1906; 7. Aufl. Neubearbeitet in Verbindung mit E. Fascher. Tübingen, 1931.

Jüngst, J., Die Quellen der Apostelgeschichte. Gotha, 1895.

Käsemann, E., Rez M. Barth, Der Augenzeuge. Zollikon-Zürich, 1946. ThLZ 73, 1948, 665-670.

- Aus der neutestamentlichen Arbeit der letzten Jahre. VuF. Theologischer Jahresbericht 1947/48. München. 1949/50, 195-223.

- Exegetische Versuche und Besinnungen. Bd. I-II. Göttingen, 1960; 1964.

Keim, Th., Der geschichtliche Christus. Eine Reihe von Vorträgen mit Quellenbeweis und Chronologie des Lebens Jesu. 3., vielfach erweiterte Auflage mit einer Schlußabhandlung über die religiöse Bedeutung der evangelischen Grundthatsachen. Zürich, 1866.

- Die Eintheilung der Apostelgeschichte. PKz 19, 1872, 90-95; 148-153.

Kempski, von, J., Über Bruno Bauer. Eine Studie zum Ausgang des Hegelianismus. APh 11, 1961/62, 223-245.

Kiefer, R., Die beiden Formen der Religion des Als-Ob. Hauptsächlich dargestellt an de Wette und Overbeck. Friedrich Mann's Pädagogisches Magazin. Abhandlungen vom Gebiete der Pädagogik und ihrer Hilfswissenschaften. Heft 1359.(= Bausteine zu einer Philosophie des Als-Ob. Hg. von H. Vaihinger. NF 4.) Langensalza, 1932.

Klatt, W., Hermann Gunkel. Zu seiner Theologie der Religionsgeschichte und zur Entstehung der formgeschichtlichen Methode. FRLANT 100. Göttingen, 1969.

Klein, G., Rez E. Haenchen, Die Apostelgeschichte. 10. (= 1.) Aufl. Göttingen, 1956. ZKG 68 = IV. Folge 6, 1957, 362-371.

- Rez E. Haenchen, Die Apostelgeschichte. 13. (= 4.) Aufl. Göttingen, 1961. ZKG 73 = IV. Folge 10, 1962, 358-363.

- Die zwölf Apostel. Ursprung und Gehalt einer Idee. FRLANT 77 = NF 59. Göttingen, 1961 (Abk: Zwölf Apostel)

- Rekonstruktion und Interpretation. Gesammelte Aufsätze zum Neuen Testament. BEvTh 50. München, 1969.

Klostermann, A., Vindiciae Lucanae seu de itinerarii in libro Actorum asservati auctore. Göttingen, 1866.

Köhler, L., Das formgeschichtliche Problem des Neuen Testamentes. SGV 127. Tübingen, 1927.

Köhler, Walter, Art. Kirchengeschichtsschreibung. RGG[1] III, 1260-1275.

- Art. Kirchengeschichte: I. Kirchengeschichtsschreibung; II. Philosophie der Kirchengeschichte. RGG^2 III, 886-903.

Köhler, Wolfgang, Christentum und Geschichte bei Franz Overbeck. Philosophische Dissertation (masch.). Erlangen, 1950.

Köstlin, J., Rez F.C.Baur, Vorlesungen über neutestamentliche Theologie. Leipzig, 1864. ThStKr 39, 1866, 719-768.

Kraus, H.J., Geschichte der historisch-kritischen Erforschung des Alten Testaments von der Reformation bis zur Gegenwart. Neukirchen, 1956.

Krüger, G., Geschichte der altchristlichen Litteratur in den ersten drei Jahrhunderten. Grundriss der Theologischen Wissenschaften. II. Reihe, III. Bd. 1./2. Aufl. Freiburg-Leipzig, 1895. (Abk: Geschichte)

- Art. Patristik, Patrologie, etc. RE^3 15, 1-13.

Krummacher, F.A., Über den Geist und die Form der Evangelischen Geschichte in historischer und ästhetischer Hinsicht. Leipzig, 1805.

Kümmel, W.G., Das Neue Testament. Geschichte der Erforschung seiner Probleme. Orbis Academicus. Problemgeschichten der Wissenschaft in Dokumenten und Darstellungen. Bd. III, 3. München, 1958. (Abk: NT)

(Feine, P. - Behm, J. -) Kümmel, W.G., Einleitung in das Neue Testament. 14. Aufl. Heidelberg, 1965. (Abk: Einleitung)

Lang, H., F.Christian Baur. PKz 8, 1861, 2037-2040; 2061-2077.

Lechler, G.V., Das apostolische und das nachapostolische Zeitalter mit Rücksicht auf Unterschied und Einheit in Lehre und Leben dargestellt. 2. Aufl. Stuttgart, 1857; 3. Aufl. Karlsruhe-Leipzig, 1885.

Lechler, G.V. - Gerok, K., Der Apostel Geschichten. Exegetisch und dogmatisch bearbeitet von G.V. Lechler, homiletisch von K.Gerok. Theologisch-homiletisches Bibelwerk. Die Heilige Schrift Alten und Neuen Testaments mit Rücksicht auf das theologisch-homiletische Bedürfniß des pastoralen Amtes in Verbindung mit namhaften evangelischen Theologen bearbeitet und hg. von J.P. Lange. Des Neuen Testamentes 5. Theil. 2. Aufl. Bielefeld, 1862.

Lekebusch, E., Die Composition und Entstehung der Apostelgeschichte von Neuem untersucht. Gotha, 1854.

Lieb, F., Miszelle: Franz Overbeck und Bruno Bauer. ThZ 7, 1951, 233-235.

Lipsius, R.A., Art. Apostelconvent. BL I, 194-207.

- Rez Ovb, AG-Komm. The Academy. A Record of Literature, Learning, Science and Art. III, 1872, 127-130.

Loeschke, G., Rez H.Jordan, Geschichte der altchristlichen Literatur. Leipzig, 1911. ZwTh 54 = NF 19, 1912, 278-279.

Löwith, K., Von Hegel zu Nietzsche. Der revolutionäre Bruch im Denken des neunzehnten Jahrhunderts. Marx und Kierkegaard. 5. Aufl. Stuttgart, 1964.
- Jacob Burckhardt. Der Mensch inmitten der Geschichte. Stuttgart - Berlin - Köln - Mainz, 1966.
Loisy, A., Les Actes des Apôtres. Paris, 1920.
Lücke, F., Rez J.A.Möhler, Patrologie. Regensburg, 1840. GGA 1841, 1849-1862.

Manchot, C., Wie hat Herr Professor Keim in seiner Schrift "der geschichtliche Christus" eine leibliche Auferstehung Jesu bewiesen? Zeitstimmen aus der reformirten Kirche der Schweiz 8, 1866, 87-99; 130-148.

Mattill, A.J., Luke as a Historian in Criticism since 1840. Dissertation (masch.) der Graduate School of Vanderbilt University. 1959.

Mayerhoff, E.Th., Über den Zweck, die Quellen und den Verfasser der Apostelgeschichte. In: Historisch-critische Einleitung in die petrinischen Schriften. Nebst einer Abhandlung über den Verfasser der Apostelgeschichte. Hamburg, 1835, 1-30.

Mc Giffert, A.C., The Historical Criticism of Acts in Germany. In: F.J.F.Jackson - K.Lake (edd), The Beginnings of Christianity. Part I: The Acts of the Apostles. Vol II: Prolegomena II. Criticism. London, 1922, 363-395.

Mehlhausen, J., Art. Bruno Bauer. In: 150 Jahre Rheinische Friedrich-Wilhelms-Universität zu Bonn. 1818-1968. Bonner Gelehrte. Beiträge zur Geschichte der Wissenschaften in Bonn. Evangelische Theologie. Bonn, 1968, 42-66. (Abk: Bruno Bauer)
- Die religionsphilosophische Begründung der spekulativen Theologie Bruno Bauers. ZKG 78, 1967, 102-129.
- Dialektik, Selbstbewußtsein und Offenbarung. Die Grundlagen der spekulativen Orthodoxie Bruno Bauers in ihrem Zusammenhang mit der Geschichte der theologischen Hegelschule dargestellt. Evangelisch-theologische Dissertation Bonn. Bonn, 1965. (Abk: Dialektik)

Meinhold, P., Geschichte der kirchlichen Historiographie. Bd. I-II. Orbis Academicus. Problemgeschichten der Wissenschaft in Dokumenten und Darstellungen. Bd. III, 5. Freiburg-München, 1967.

Meyer, H.A.W., Kritisch exegetisches Handbuch über die Apostelgeschichte. MeyerK, 3. Abtheilung. 1. Aufl. Göttingen, 1835; 3. Aufl. Göttingen, 1861; 4. Aufl. Göttingen, 1870.

Michaelis, J.D., Einleitung in die göttlichen Schriften des Neuen Bundes. Zweiter Theil. 4. Aufl. Göttingen, 1788.

Möhler, J.A., Patrologie oder christliche Literärgeschichte. Aus dessen hinterlassenen Handschriften mit Ergänzungen hg. von F.X.Reithmayr. Bd. I: Die ersten drei Jahrhunderte. Regensburg, 1840.

Mongré, P., Sant' Ilario. Gedanken aus der Landschaft Zarathustras. Leipzig, 1897.

Müller, B., Glaube und Wissen nach Franz Overbeck. Evangelisch-theologische Dissertation der Kirchlichen Hochschule Berlin. Berlin, 1967.

Neander, A., Geschichte der Pflanzung und Leitung der christlichen Kirche durch die Apostel. Bd. I. 1. Aufl. Hamburg, 1832; 5. Aufl. Gotha, 1862.

Nietzsche, F., Werke in drei Bänden. Bd. I-III. Hg. von K. Schlechta. Lizenzausgabe für die Mitglieder der Wissenschaftlichen Buchgesellschaft. (Copyright C. Hanser, München, 1966.) Darmstadt, o. J.

Nigg, W., Die Kirchengeschichtsschreibung. Grundzüge ihrer historischen Entwicklung. München, 1934.

- Franz Overbeck. Versuch einer Würdigung. München, 1931.

Nirschl, J., Lehrbuch der Patrologie und Patristik. Bd. I. Mainz, 1881.

Nitzsch, F., Geschichtliches und Methodologisches zur Patristik. JDTh 10, 1865, 37-63.

Nösgen, C. F., Commentar über die Apostelgeschichte des Lukas. Leipzig, 1882.

Norden, E., Agnostos Theos. Untersuchungen zur Formengeschichte religiöser Rede. 4. Aufl. Darmstadt, 1956.

- Die antike Kunstprosa vom VI. Jahrhundert v. Chr. bis in die Zeit der Renaissance. Bd. I-II. Leipzig, 1898.

Oertel, J. R., Paulus in der Apostelgeschichte. Der historische Charakter dieser Schrift an den paulinischen Stücken nachgewiesen. Halle, 1868.

Olshausen, H., Biblischer Commentar über sämmtliche Schriften des Neuen Testaments zunächst für Prediger und Studirende. Bd. II: Das Evangelium des Johannes, die Leidensgeschichte und die Apostelgeschichte enthaltend. 2. Aufl. Reutlingen, 1834.

Otto, J. C. Th. von (ed), Corpus Apologetarum Christianorum saeculi secundi. Vol I-II. A. u. d. T.: Justini Philosophi et Martyris Opera quae feruntur omnia I, I-II. 3. Aufl. Jena, 1876-1877.

The Oxford Dictionary of the Christian Church. Edited by F. L. Cross. London, 1963. (Darin S. 999 f: Art. Overbeck, Franz.)

Pestalozzi, H. J., Grundlinien der Geschichte der kirchlichen Litteratur der ersten sechs Jahrhunderte zum Gebrauch bey Vorlesungen gezogen. Göttingen, 1811.

Pfleiderer, O., Rez Ovb, AG-Komm. LC 1870, 1225-1227.

- Der Paulinismus. Ein Beitrag zur Geschichte der urchristlichen Theologie. Leipzig, 1873. (Abk: Paulinismus)

- Das Urchristenthum, seine Schriften und Lehren, in geschichtlichem Zusammenhang beschrieben. Berlin, 1887. (Abk: Urchristenthum)

- Die Entwicklung der protestantischen Theologie in Deutschland seit Kant und in Großbritannien seit 1825. Freiburg, 1891. (Abk: Entwicklung)

- Zu Ferdinand Christian Baur's Gedächtnis. PKz 39, 1892, 565-573.

Philipp, W., Art. Overbeck. EKL^2 II, 1785-1786.

Plümacher, E., Untersuchungen zum Verhältnis der Apostelgeschichte des Lukas zur hellenistischen Literatur. Evangelisch-theologische Dissertation (masch.). Göttingen, 1967.

Rauschen, G. (ed), S. Justini Apologiae duae. Editio altera. Florilegium Patristicum. Fasc. II. Bonn, 1911.

Renan, E., Die Apostel. Autorisirte deutsche Ausgabe. Leipzig-Paris, 1866.

- Paulus. Mit einer Karte. Autorisirte deutsche Ausgabe. Leipzig, 1869.

Reuss, E., Die Geschichte der Heiligen Schriften Neuen Testaments. 1. Ausgabe. Halle, 1842; 3. Ausgabe. Braunschweig, 1860; 4. Ausgabe. Braunschweig, 1864; 6. Ausgabe. Braunschweig, 1887.

Ritschl, A., Das Verhältniss der Schriften des Lukas zu der Zeit ihrer Entstehung. Th Jbb 6, 1847, 293-304.

- Die Entstehung der altkatholischen Kirche. Eine kirchen- und dogmengeschichtliche Monographie. 1. Aufl. Bonn, 1850; 2. Aufl. Bonn, 1857. (Abk: Altk. Kirche)

- Über geschichtliche Methode in der Erforschung des Urchristenthums. JDTh 6, 1861, 429-459.

- Einige Erläuterungen zu dem Sendschreiben: "Die historische Kritik und das Wunder." HZ 8, 1862, 85-99.

Rohde, J., Die redaktionsgeschichtliche Methode. Einführung und Sichtung des Forschungsstandes. Hamburg, 1966.

Schindler, H., Barth und Overbeck. Ein Beitrag zur Genesis der dialektischen Theologie im Lichte der gegenwärtigen theologischen Situation. Gotha, 1936.

Schleiermacher, D.F., Über die Schriften des Lukas, ein kritischer Versuch. Erster Theil. In: Friedrich Schleiermacher's sämmtliche Werke. Erste Abtheilung: Zur Theologie. Bd. II. Berlin, 1836, VII-XVI; 1-220.

- Einleitung ins neue Testament. Aus Schleiermachers handschriftlichem Nachlasse und nachgeschriebenen Vorlesungen mit einer Vorrede von

Dr. F. Lücke hg. von G. Wolde. In: Friedrich Schleiermacher's sämmtliche Werke. Erste Abtheilung: Zur Theologie. Bd. VIII. Berlin, 1845.

Schmid, J., Art. Overbeck, Franz. LThK[1] VII, 847-848.

- Art. Overbeck, Franz Camille. LThK[2] VII, 1318.

Schmidt, K., Die Apostelgeschichte unter dem Hauptgesichtspunkt ihrer Glaubwürdigkeit kritisch-exegetisch bearbeitet. Bd. I. Erlangen, 1882.

Schmidt, K. L., Der Rahmen der Geschichte Jesu. Literarkritische Untersuchungen zur ältesten Jesusüberlieferung. Unveränderter reprografischer Nachdruck der Ausgabe Berlin, 1919. Darmstadt, 1964. (Abk: Rahmen)

- Die Stellung der Evangelien in der allgemeinen Literaturgeschichte. In: ΕΥΧΑΡΙΣΤΗΡΙΟΝ . Studien zur Religion und Literatur des Alten und Neuen Testaments. Hermann Gunkel zum 60. Geburtstage. 2. Teil. Hg. von H. Schmidt. FRLANT NF 19, 2. Teil. Göttingen, 1923, 50-134. (Abk: Stellung)

- Art. Formgeschichte. RGG[2] II, 638-640.

- Art. Geschichtsschreibung, biblische. II. Im NT. RGG[2] II, 1115-1117.

- Tatsache und Tragweite der Geschichtlichkeit Jesu von Nazareth. In extremis 1937, 185-204.

- Der Sinn der neutestamentlichen Apostelgeschichte. In extremis 1940, 33-48.

- Kanonische und apokryphe Evangelien und Apostelgeschichten. AThANT 5. Basel, 1944 (Abk: Evangelien)

Schmidt, M., Art. Kirchengeschichte I. Kirchengeschichtsschreibung. RGG[3] III, 1421-1433.

Schmidt, P. W., Die Apostelgeschichte bei De Wette - Overbeck und bei Adolf Harnack. Basel, 1910. (= De Wette - Overbecks Werk zur Apostelgeschichte und dessen jüngste Bestreitung. In: Festschrift zur Feier des 450jährigen Bestehens der Universität Basel. Hg. von Rektor und Regenz. Basel, 1910, 243-296.)

Schmidt, W., Rez Ovb, AG-Komm; Meyer, Kritisch-exegetisches Handbuch über die Apostelgeschichte. 4. Aufl. 1870. JDTh 17, 1872, 338-342.

Schmiedel, P. W., Art. Acts of the Apostles. EB I, 37-57.

Schneckenburger, M., Über den Zweck der Apostelgeschichte. Zugleich eine Ergänzung der neueren Commentare. Bern, 1841.

Scholder, K., Ferdinand Christian Baur als Historiker. EvTh 21, 1961, 435-458.

- Ursprünge und Probleme der Bibelkritik im 17. Jahrhundert. Ein Beitrag zur Entstehung der historisch-kritischen Theologie. FGLP, 10. Reihe, 33. München, 1966. (Abk: Ursprünge)

Schopenhauer, A., Sämtliche Werke. Nach der ersten, von J. Frauenstädt besorgten Gesamtausgabe neu bearbeitet und hg. von A. Hübscher. Bd. I-VII. 2. Aufl. Wiesbaden, 1946-1950.

Schrader, K., Der Apostel Paulus. Fünfter Theil, oder Übersetzung und Erklärung der Briefe des Apostels Paulus ... und der Apostelgeschichte. Leipzig, 1836.

Schwanbeck, E.A., Über die Quellen der Schriften des Lukas. Ein kritischer Versuch. Bd. I: Über die Quellen der Apostelgeschichte. Darmstadt, 1847.

Schwartz, E. (ed), Eusebius Kirchengeschichte. Kleine Ausgabe. Leipzig, 1908.

Schwarz, C., Zur Geschichte der neuesten Theologie. 3. Aufl. Leipzig, 1864.

Schwegler, A., Die neueste Johanneische Litteratur. Zweiter Artikel. Th Jbb 1, 1842, 288-309.

- Die Hypothese vom schöpferischen Urevangelisten in ihrem Verhältniss zur Traditionshypothese. Th Jbb 2, 1843, 203-278.

- Das nachapostolische Zeitalter in den Hauptmomenten seiner Entwicklung. Bd. I-II. Tübingen, 1846. (Abk: NachapZA)

Semisch, C., Justin der Märtyrer. Eine kirchen- und dogmengeschichtliche Monographie. Theil I-II. Breslau, 1840; 1842.

- Art. Justin. RE[1] 7, 179-186.

Sorof, M., Die Entstehung der Apostelgeschichte. Eine kritische Studie. Berlin, 1890.

Spitta, F., Die Apostelgeschichte, ihre Quellen und deren geschichtlicher Wert. Halle, 1891.

Stephan, H. - Schmidt, M., Geschichte der deutschen evangelischen Theologie seit dem deutschen Idealismus. Sammlung Töpelmann. 1. Reihe, 9. 2. Aufl. Berlin, 1960.

Strauß, D.F., Das Leben Jesu, kritisch bearbeitet. Bd. I-II. 1. Aufl. Tübingen, 1835-1836; 2. Aufl. Tübingen, 1837; 3. Aufl. Tübingen, 1838-1839.

- Das Leben Jesu für das deutsche Volk bearbeitet. 2 Theile. Hg. von E. Zeller. 5. Aufl. Bonn, 1889.

Stuhlmacher, P., "Das Ende des Gesetzes". Über Ursprung und Ansatz der paulinischen Theologie. ZThK 67, 1970, 14-39.

Taubes, J., Entzauberung der Theologie: Zu einem Portrait Overbecks. In: Franz Overbeck, Selbstbekenntnisse. Mit einer Einleitung von J. Taubes. sammlung insel 21. Frankfurt, 1966, 5-27.

Tetz, M., Über Formengeschichte in der Kirchengeschichte. ThZ 17, 1961, 413-431.

- Altchristliche Literaturgeschichte - Patrologie. ThR 32, 1967, 1-42.

Teuffel, W.S., Geschichte der römischen Literatur. Leipzig, 1870.

Tischendorf, C. (ed), Novum Testamentum Graece. Editio octava critica maior. Vol II. Lipsiae, 1872.

Trip, C.J., Paulus nach der Apostelgeschichte. Historischer Werth dieser Berichte. Eine von der Haager Gesellschaft zur Vertheidigung der christlichen Religion gekrönte Preisschrift. Leiden, 1866.

Troeltsch, E., Über historische und dogmatische Methode in der Theologie. In: Gesammelte Schriften. Bd. II: Zur religiösen Lage, Religionsphilosophie und Ethik. 2. Aufl. Tübingen, 1922, 729-753.

Vielhauer, Ph., Art. Overbeck, I. Franz Camille. RGG[3] IV, 1750-1752.

- Aufsätze zum Neuen Testament. Theologische Bücherei 31. München, 1965. (Abk: Aufsätze) Darin:
  1. Zum "Paulinismus" der Apostelgeschichte (S. 9-27);
  2. Franz Overbeck und die neutestamentliche Wissenschaft (S. 235-252).

- Art. Karl Ludwig Schmidt. In: 150 Jahre Rheinische Friedrich-Wilhelms-Universität zu Bonn. 1818-1968. Bonner Gelehrte. Beiträge zur Geschichte der Wissenschaften in Bonn. Evangelische Theologie. Bonn, 1968, 190-214. (Abk: Art. K. L. Schmidt)

- Rez H. Conzelmann, Die Apostelgeschichte. Tübingen, 1963. GGA 221, 1969, 1-19.

Vischer, E., Die geschichtliche Gewißheit und der Glaube an Jesus Christus. ZThK 8, 1898, 195-260.

- † Professor Franz Overbeck. Basler Nachrichten vom 28.6.1905 (2. Beilage).

- Franz Overbeck †. Kirchenblatt für die reformierte Schweiz 20, 1905, 111-113.

- Art. Overbeck, Franz Camill. RE[3] 24, 295-302.

- Overbeck redivivus. (Der neuentdeckte Overbeck.) ChW 36, 1922, 109-112; 125-130; 142-148.

- Franz Overbeck. Basler Nachrichten vom 13.3.1931 (Sonntagsblatt), S. 54-56.

- Einleitung zu: Franz Overbeck, Selbstbekenntnisse. Im Auftrag der

Franz-Overbeck-Stiftung in Basel hg. und eingeleitet von E. Vischer.
Basel, 1941, 7-59. (Abk: Einleitung)

Vischer, L. , Die Rechtfertigung der Schriftstellerei in der Alten Kirche.
ThZ 12, 1956, 320-336.

Volkmar, G. , Die Religion Jesu und ihre erste Entwickelung nach dem gegenwärtigen Stande der Wissenschaft. Leipzig, 1857.

Weiß, B. , Rez E. Lekebusch, Die Composition und Entstehung der AG.
Gotha, 1854. Kritisches Beiblatt zur Deutschen Zeitschrift für christliche Wissenschaft und christliches Leben 1854, 73-79; 81-84.

- Der Petrinische Lehrbegriff. Beiträge zur biblischen Theologie, sowie
zur Kritik und Exegese des ersten Briefes Petri und der petrinischen
Reden. Berlin, 1855. (Abk: Lehrbegriff)

- Lehrbuch der Einleitung in das Neue Testament. 1. Aufl. Berlin, 1886.
(Abk: Einleitung)

- Lehrbuch der Biblischen Theologie des Neuen Testaments. 3. Aufl.
Berlin, 1880. (Abk: Theologie)

Weiß, J. , Über die Absicht und den literarischen Charakter der Apostel-
Geschichte. Marburg, 1897.

- Art. Literaturgeschichte, Christliche. I A. Literaturgeschichte des NT.
RGG[1] III, 2175-2215.

Weiße, C. H. , Die evangelische Geschichte kritisch und philosophisch bearbeitet. Bd. I-II. Leipzig, 1838.

Weizsäcker, C. , Das apostolische Zeitalter der christlichen Kirche.
1. Aufl. Freiburg, 1886; 3. Aufl. Tübingen-Leipzig, 1902. (Abk: Zeitalter)

- Ferdinand Christian Baur. PKz 38, 1891, 13-17.

Wellhausen, J. , Noten zur Apostelgeschichte. NGG. Phil.-hist. Klasse.
1907, 1-21.

Wendt, H. H. , Kritisch exegetisches Handbuch über die Apostelgeschichte.
MeyerK, 3. Abtheilung. 6./7. Aufl. Göttingen, 1888; 9. Aufl. Göttingen,
1913.

Wernle, P. , Art. Overbeck, 1. Franz. RGG[1] IV, 1096-1097.

- Altchristliche Apologetik im Neuen Testament. Ein Beitrag zur Evange-
lienfrage. ZNW 1, 1900, 42-65.

De Wette, W. M. L. , Kurze Erklärung der Apostelgeschichte. Kurzgefasstes
exegetisches Handbuch zum Neuen Testament. I, 4. 1. Aufl. Leipzig,
1838; 3. Aufl. Leipzig, 1846. (Abk: De Wette[1] bzw. de Wette[3]; auf die
aus der 3. Aufl. in die von Ovb bearbeitete 4. Aufl. aufgenommenen
Texte de Wettes verweisen wir mit der Abk: De Wette[4].)

Wilamowitz-Moellendorff, U. von, Die griechische Literatur des Altertums. In: Die Kultur der Gegenwart I, 8: Die griechische und lateinische Literatur und Sprache. 3. Aufl. Leipzig-Berlin, 1912, 3-318.

Wilckens, U., Die Missionsreden der Apostelgeschichte. Form- und traditionsgeschichtliche Untersuchungen. WMANT 5. 2. Aufl. Neukirchen, 1963.

Wilke, C.G., Der Urevangelist oder exegetisch kritische Untersuchung über das Verwandtschaftsverhältniß der drei ersten Evangelien. Dresden-Leipzig, 1838.

Wolf, F.A., Geschichte der Römischen Litteratur, nebst biographischen und litterärischen Nachrichten von den lateinischen Schriftstellern, ihren Werken und Ausgaben. Ein Leitfaden für akademische Vorlesungen. Halle, 1787.

Wrede, W., Rez A.Jülicher, Einleitung in das Neue Testament. 1./2. Aufl. Freiburg-Leipzig, 1894. GGA 158, 1896, 513-531.

- Das Messiasgeheimnis in den Evangelien. Zugleich ein Beitrag zum Verständnis des Markusevangeliums. 1. Aufl. Göttingen, 1901; 3. Aufl. Göttingen, 1963.

Zahn - Harnack, A. von, Adolf von Harnack. 2. Aufl. Berlin, 1951.

Zeller, E., Studien zur neutestamentlichen Theologie. 3. Über den dogmatischen Charakter des dritten Evangeliums. Mit besonderer Rücksicht auf sein Verhältniss zur Apostelgeschichte und zum Johannesevangelium. Th Jbb 2, 1843, 59-90.

- Über B.Bauer's Kritik der Apostelgeschichte. Ein Nachtrag zu der Abhandlung über die Apostelgeschichte. Th Jbb 11, 1852, 145-154.

- Die Apostelgeschichte nach ihrem Inhalt und Ursprung kritisch untersucht. Stuttgart, 1854.

- The Contents and Origin of the Acts of the Apostles, critically investigated. By Dr. Edward Zeller. To which is prefixed Dr. F.Overbeck's Introduction to the Acts, from De Wette's Handbook. Translated by J. Dare. Voll I-II. London-Edinburgh, 1875-1876.

- Die Tübinger historische Schule. In: Vorträge und Abhandlungen geschichtlichen Inhalts. Leipzig, 1865, 267-353. (Abk: Tübinger historische Schule)

- Ferdinand Christian Baur. In: Vorträge und Abhandlungen geschichtlichen Inhalts. Leipzig, 1865, 354-434. (Abk: F.C.Baur)

- Über historische Kritik und ihre Anwendung auf die christlichen Religionsurkunden. In: Kleine Schriften. Hg. von O.Leuze. Bd. III. Berlin, 1911, 153-187. (Abk: Über historische Kritik)

- Die historische Kritik und das Wunder. In: Kleine Schriften. Hg. von

O. Leuze. Bd. III. Berlin, 1911, 348-365. (Abk: Die historische Kritik)

- Zur Würdigung der Ritschl'schen "Erläuterungen". In: Kleine Schriften. Hg. von O. Leuze. Bd. III. Berlin, 1911, 366-384. (Abk: Zur Würdigung)

- David Friedrich Strauß in seinem Leben und seinen Schriften. 2. Aufl. Bonn, 1874.

Zöckler, O., Die Apostelgeschichte ausgelegt. In: E.C. Luthardt - O. Zöckler, Das Evangelium nach Johannes und die Apostelgeschichte ausgelegt. Kurzgefaßter Kommentar zu den heiligen Schriften Alten und Neuen Testamentes sowie zu den Apokryphen. Hg. von H. Strack und O. Zöckler. B. Neues Testament. 2. Abteilung. Nördlingen, 1886.

Zscharnack, L., Art. Overbeck, 1. Franz. RGG^2 IV, 843-844.

Forschungen zur Kirchen- und Dogmengeschichte

14 **Günther Metzger**
Gelebter Glaube
Die Formierung reformatorischen Denkens in Luthers erster Psalmenvorlesung, dargestellt am Begriff des Affekts. *1964. 233 Seiten, brosch.*

15 **Adolf-Martin Ritter**
Das Konzil von Konstantinopel und sein Symbol
Studien zur Geschichte und Theologie des II. Ökumenischen Konzils von Konstantinopel.
1965. 316 Seiten, broschiert

16 **Ekkehard Mühlenberg**
Die Unendlichkeit Gottes bei Gregor von Nyssa
Gregors Kritik am Gottesbegriff der klassischen Metaphysik.
1966. 216 Seiten, broschiert

17 **Kjell Ove Nilsson**
Simul
Das Miteinander von Göttlichem und Menschlichem in Luthers Theologie.
1966. 457 Seiten, broschiert

18 **Friedrich Beisser**
Claritas scripturae bei Martin Luther
1966. 199 Seiten, broschiert

19 **Hans-Martin Barth**
Der Teufel und Jesus Christus in der Theologie Martin Luthers
1967. 222 Seiten, broschiert

21 **Helmut Roscher**
Papst Innozenz III. und die Kreuzzüge
1969. 323 Seiten, broschiert

22 **Werner Affeldt**
Die weltliche Gewalt in der Paulus-Exegese
Römer 13,1–7 in den Römerbriefkommentaren der lateinischen Kirchen bis zum Ende des 13. Jahrhunderts. *1969. 317 Seiten, broschiert*

23 **Ekkehard Mühlenberg**
Apollinaris von Laodicea
1969. 257 Seiten, kartoniert

24 **Oswald Bayer**
Promissio
Geschichte der reformatorischen Wende in Luthers Theologie.
1971. 376 Seiten, kartoniert

25 **Adolf-Martin Ritter**
Charisma im Verständnis des Joannes Chrysostomos und seiner Zeit
Ein Beitrag zur Erforschung der griechisch-orientalischen Ekklesiologie in der Frühzeit der Reichskirche.
1972. 232 Seiten, kartoniert

26 **Martin Schloemann**
Siegmund Jacob Baumgarten
System und Geschichte in der Theologie des Übergangs zum Neuprotestantismus. *1974. 302 Seiten, kart.*

Vandenhoeck & Ruprecht

Göttingen und Zürich

Neunzehntes Jahrhundert

Arnold Pfeiffer
**Franz Overbecks Kritik
des Christentums**

(Studien zur Theologie und Geistesgeschichte des 19. Jahrhunderts, Band 15)
231 Seiten, kartoniert

Franz Overbeck (1837–1905) zog als
Theologieprofessor aus der Anwendung
einer historisch-kritischen Methode Konsequenzen, die ihn mit einem bevorste-
henden Ende des überlieferten Christentums rechnen ließen. Zum 70. Todes-
tag Overbecks legt der Autor dieser Studie eine auf dem Basler Overbeck-Nach-
laß basierende Würdigung Overbecks vor.
Overbeck profiliert sich hier stärker als
in früheren Interpretationen als der scharfe Kritiker des Christentums, der er in
Wahrheit gewesen ist.
In Overbecks Kritik des Christentums
spricht sich ein historisches Bewußtsein
aus, dessen Überschärfe und Irritabilität
die Schwierigkeiten eines humanen Umgangs mit der christlichen Religion an-
zeigt. Der Ausblick auf ein "heroisches",
dem Schlund der Geschichte allenfalls
entgehendes Christentum ist bei Overbeck nicht eben billig zu haben.

Felix Flückiger
**Die protestantische Theologie
des 19. Jahrhunderts**

Wilhelm Anz
Idealismus und Nachidealismus

(Die Kirche in ihrer Geschichte, Lfg. P)
216 Seiten, kartoniert

Mit dieser Lieferung kommt die Darstellung der deutschen Kirchengeschichte
des 19. Jahrhunderts in diesem Handbuch zum Abschluß. Die beiden Beiträge sind unterschiedlich angelegt. Felix
Flückiger zeichnet ein Bild der protestantischen Theologiegeschichte im zu-
sammengefaßten Durchblick, während
Wilhelm Anz die Geschichte der Philosophie in der Weise darstellt, daß er einige führende Denker – Fichte, Schelling,
Hegel, Kierkegaard, Feuerbach, Marx,
Nietzsche, Dilthey – herausstellt und
sich um ein sorgsames Nachvollziehen
ihrer Denkbewegungen bemüht. Die Beiträge ergänzen einander und geben einen
Eindruck von dem dichten Zusammenhang von Theologie und Philosophie im
19. Jahrhundert.

Vandenhoeck & Ruprecht   Göttingen
und Zürich